JAHRESGABE DER HEINRICH-VON-KLEIST-GESELLSCHAFT

1971/72

Helmut Sembdner

SCHÜTZ-LACRIMAS

Das Leben des Romantikerfreundes, Poeten
und Literaturkritikers Wilhelm von Schütz

(1776-1847)

Mit unbekannten Briefen und Kleist-Rezensionen

ERICH SCHMIDT VERLAG

Im Auftrag der Heinrich-von-Kleist-Gesellschaft
herausgegeben von Wieland Schmidt

ISBN 3 503 00757 1

Library of Congress Catalog Card Number 73-87953
© Erich Schmidt Verlag, Berlin 1974
Druck: Berliner Buchdruckerei Union GmbH., Berlin 61
Printed in Germany · Nachdruck verboten

INHALT

Mit vier Abbildungen auf den Seiten 27, 45, 145, 198

ZUM GELEIT

Die Kleist-Forschung unseres Jahrhunderts ist unermüdlich bestrebt gewesen, Mitteilungen, Zeugnisse, Quellen aufzuspüren, an denen eine frühere Zeit achtlos vorbeigegangen war und die doch für das Leben und Schaffen des Dichters, für seine Wirkung und die Beurteilung seines Werkes Bedeutung und oft genug große Bedeutung besitzen. Manches liegt auch jetzt noch im Dunkel und hat sich dem Zugriff wissenschaftlicher Bemühungen standhaft und unnachgiebig entzogen. Daher ist jede Vermehrung gesicherter Kenntnisse ein Gewinn, der um so höheren Wert besitzt, je deutlicher er das Bild Kleists und seine Würdigung durch die Zeitgenossen in Erscheinung treten läßt. Wilhelm von Schütz war ein mit Kleist gleichaltriger, aber ihn lange überlebender Dichter, Schriftsteller, Literat, ein Freund vieler Romantiker und Tieck bei der Herausgabe von Kleists Schriften behilflich. Schon 1936 hatte Georg Minde-Pouet die biographischen Notizen von Schütz über Kleist als 16. Band der Schriften der Kleist-Gesellschaft mitgeteilt. Es bedurfte der ganzen Findergabe von Helmut Sembdner, um weitere aufschlußreiche mündliche, briefliche, im Druck veröffentlichte Äußerungen von Schütz, im wesentlichen aus den Jahren nach Kleists Tode, zu sammeln und in ihrem gesamten Umfang quellenmäßig zugänglich zu machen. Da Schütz bisher keine ihm gemäße Darstellung gefunden hatte, so mußte Sembdner diese fehlende Monographie über Schütz nachholen. Erst dadurch lassen sich die Bezüge auf das Werk Kleists und auf den Dichter selbst sinnvoll und richtig in den Zusammenhang der umfassenden schriftstellerischen Tätigkeit von Schütz einordnen.

Die Heinrich-von-Kleist-Gesellschaft dankt Helmut Sembdner für dieses neue Zeugnis seiner Gelehrsamkeit, das sich seinen früheren Veröffentlichungen in den Jahresgaben der Gesellschaft anreiht, der über den Kleist-Preis 1912 - 1932 (1967), über Falks Bearbeitung des Amphitryon-Stoffes (1969/70), über das Marionettentheater (1965/66), die er herausgab. Willkommenen Anlaß, diesen Dank öffentlich auszusprechen, bietet sein 60. Geburtstag am 27. Januar 1974. Als der 23jährige über Kleists Berliner Abendblätter promovierte, hatte er sich damit zugleich eine Grundlage für den Dichter erarbeitet, dem seine Lebensarbeit gelten sollte. Diese Dissertation, ein Werk von mehr als 400 Seiten, war aus einer Verbindung seines Studiums der Zeitungswissenschaft bei Emil Dovifat und der deutschen Literaturwissenschaft bei Julius Petersen erwachsen. Das Thema war als Preisaufgabe der Grimm-Stiftung der Friedrich-Wilhelms-Universität zu Berlin gestellt worden, und Sembdners Arbeit wurde der volle Preis zuerkannt. Der fundamentale Erstling bildete den Ausgang seines weiteren Schaffens. Sembdner ist immer tiefer in den Stoff dieses Dichters eingedrungen, hat die von Erich Schmidt und Georg Minde-Pouet am Beginn unseres Jahrhunderts aufgenommene Arbeit fortgeführt und kann heute auf eine ungewöhnlich reiche Ernte zurückblicken. Seine zuerst 1952 im Hanser Verlag erschienene Ausgabe der Werke Kleists lag 1970 in fünfter Auflage vor. Im Deutschen Taschenbuch-Verlag erschien seit 1964 eine siebenbändige Ausgabe, nimmt man in einer Neuauflage die Lebensspuren hinzu, so sind es acht Bände. Nur dieses Buch über Kleists Lebensspuren sei von vielem hier hervorgehoben. Es lag erstmals 1957 in der Sammlung Dieterich vor, konnte von Sembdner in Neuausgaben stets erweitert werden und zeigt ihn als Meister der von ihm erwählten Arbeitsmethode. Biographien großer Dichter gehören zu den schwierigsten Aufgaben der Literaturwissenschaft, weil jede Zeit einen Dichter nur aus den eigenen Denk- und Erkenntnismöglichkeiten heraus zu erfassen vermag und ein steter Wandel der Auffassungen eine immer neue Bewältigung dieser Aufgabe fordert. Sembdner bietet in seinen Lebensspuren keine Kleist-Biographie im herkömmlichen Sinne. Die Lebensspuren sind vielmehr als Sammlung aller zeitgenössisch-erreichbaren Zeugnisse eine bereitstellende, keine deutende Biographie und durch diese Loslösung von der Meinung des Autors bleibend objektiviert. Alles, was Sembdner veröffentlicht hat, zielt auf eine solche quellenerwachsene Sicherung ab und macht seine Arbeiten, so verschiedenartigen Fragen sie sich auch zuwenden, zu einem einheitlichen Ganzen.

Helmut Sembdner lehrt heute an der Universität Stuttgart. Die Heinrich-von-Kleist-Gesellschaft verbindet mit ihrem Dank an ihn für das bisher Geleistete ihre Wünsche für das, was noch zu tun bleibt.

Berlin, 27. Januar 1974

Für den Vorstand der
Heinrich-von-Kleist-Gesellschaft:
Wieland Schmidt

VORWORT

Die erste Veranlassung zu vorliegendem Buch waren zwei der Forschung bisher entgangene anonyme Rezensionen des ‚Prinz von Homburg' und der ‚Hermannsschlacht', auf die mich Oscar Fambach aufmerksam gemacht hatte. Sie erschienen anläßlich der Tieckschen Kleist-Edition von 1821 im ‚Hermes' und im ‚Literarischen Conversations-Blatt' und lösten damals eine umfängliche Diskussion aus, in die auch ihr Urheber noch einmal eingriff. Als Verfasser dieser sehr ausführlichen und bedeutsamen Beiträge erwies sich bei näherer Untersuchung jener Wilhelm von Schütz, der bereits der Kleist-Forschung als Zulieferer für Tiecks Edition bekannt geworden war, ohne daß man sich um seine Person weiter gekümmert hätte. Nunmehr zeigte er sich nicht nur als origineller, mit Tiecks Herausgeber-Absichten wohl vertrauter Kleist-Interpret, sondern in zahlreichen weiteren Beiträgen als ein vielseitiger, kenntnisreicher, oft auch absonderlicher Rezensent der zeitgenössischen Literatur. Zwei dieser Artikel waren Schütz bereits von der Goethe-Forschung zugesprochen worden; weiterhin erlaubten Chiffren-Hinweise, stilistische Indizien und sachliche Bezüge die sichere Zuweisung von Aufsätzen über August Wilhelm und Friedrich Schlegel, Tieck, Goethe, Graf Loeben, Steffens, Baader und natürlich Casanova, dessen Memoiren Schütz bekanntlich als erster herausgegeben hat.

Es erwies sich als lohnend, auch den mancherlei Beiträgen, die Schütz für andere Zeitschriften lieferte, einmal nachzugehen und sie möglichst vollständig zu erfassen. Schon der kundige Literaturwissenschaftler Josef Körner hatte in seinem ‚Bibliographischen Handbuch' von 1949 darauf hingewiesen, daß Schützens rege Mitarbeit an den Wiener ‚Jahrbüchern der Literatur' gar nicht beachtet worden sei und daß eine Monographie dieses Schriftstellers, über den nur zwei maschinenschriftliche Dissertationen existierten, dringend benötigt werde.

Gerade seine Rezensententätigkeit scheint durchaus der Aufmerksamkeit wert, während die eigenen poetischen Erzeugnisse, die schon damals auf mancherlei Skepsis und Ablehnung stießen, heute wohl nur als wunderliche Exempel gewisser literarischer Strömungen ihre Bedeutung haben; es sei denn, man finde ein neues ästhetisches Vergnügen an ihrem oft ins Groteske gesteigerten Manierismus.

Einer literarischen Wertschätzung abträglich war zweifellos auch seine spätere Entwicklung zu einem „Ultra" reaktionärer Gesinnung und katholisierender

Tendenz, wie sie in den Traktaten und Flugschriften der letzten Zeit zum Ausdruck kommen. Mit Recht bemerkt Oskar Walzel, ausgehend von der Tatsache, daß kein biographisches Lexikon seiner gedenke: „Den Protestanten hat sich Schütz durch seine Conversion entfremdet; den Katholiken hat er so wenig zu Dank gearbeitet, daß auch eindringliche Darstellungen der Kirchengeschichte ihn nur beiläufig oder gar nicht nennen."

Daran hat sich bis heute nichts geändert, trotz der zwei erwähnten Dissertationen von 1922 und 1928, von denen die eine von dem späteren Propagandaminister Josef Goebbels herrührt und die andere den gleichfalls nicht unbekannten Anthroposophen und Literaturwissenschaftler Friedrich Hiebel zum Verfasser hat. Das meiste erfährt man noch immer aus Moritz Brühls ‚Geschichte der katholischen Literatur Deutschlands' von 1854. Einen kleinen, auf Hiebels Dissertation beruhenden bibliographischen Nachtrag zu den bisherigen unzulänglichen Angaben lieferte Goedekes ‚Grundriß', Bd. XI/1, von 1951. (Berechtigterweise wird dort vor der Verwechslung unseres Christian Wilhelm von Schütz mit dem Zerbster Hofrat Friedrich Wilhelm von Schütz gewarnt; doch stößt dem Bearbeiter bei einer eigenen bibliographischen Angabe selbst eine solche Verwechslung zu, diesmal mit Friedrich Karl Julius Schütz, dem Mann der Henriette Hendel. Bei der Häufigkeit des Namens sind dergleichen Irrtümer nicht selten.)

Die Literaturgeschichte hat unrecht getan, sich so wenig dieses bemerkenswerten Literaten anzunehmen, der zu Lebzeiten die Freundschaft und persönliche Wertschätzung vieler bedeutender Zeitgenossen besaß. Ludwig Tieck sah in ihm den künftigen Vollender der eigenen dichterischen Ziele; August Wilhelm Schlegel gab die ‚Lacrimas'-Dichtung des Freundes heraus und stellte ihr ein begeistertes Sonett voran; für Goethe, dessen naturwissenschaftliche Schriften Schütz als erster zu würdigen verstand, war er ein wichtiger und ernstzunehmender Gesprächspartner. Seine Hilfsbereitschaft bewährte sich in vielen Situationen: Er betätigte sich bei der Organisation von August Wilhelm Schlegels Berliner Vorlesungen im Winter 1801; er versuchte bei dem Bernhardischen Eheskandal zu vermitteln und das Schlimmste zu verhüten; er lud die Freunde zu Reisen ein, verwendete sich bei den Verlegern für ihre Arbeiten, beschaffte Tieck wertvolles Material für dessen Editionen und unterstützte ihn und die befreundete Gräfin Finckenstein bei den Erbschaftsauseinandersetzungen mit der gräflichen Familie.

Interessant und gewissermaßen zeitsymptomatisch ist die auffallende Parallelität der Lebensumstände bei Zeitgenossen wie Schütz, Fouqué und Johann Daniel Falk. Jeder von ihnen war auf seine Weise zunächst ein gefeierter, von einer literarischen Strömung getragener Schriftsteller, wobei Schütz und Fouqué die Gönnerschaft von August Wilhelm Schlegel, Falk die von Wieland genossen, unter deren Ägide ihre ersten Dichtungen erschienen. Ihre gesellschaftliche oder finanzielle Situation verbesserte sich durch eine Heirat in entscheidender Weise: Der bürgerliche Schütz gelangte auf diesem Weg zu Adel und politischem Ansehen, der verarmte Fouqué gewann in Nennhausen sein finanziell gesichertes Domizil, dem völlig mittellosen Falk erlaubte das kleine Vermögen seiner Frau die schriftstellerische Betätigung in Weimar. Jeder von ihnen überlebte seinen frühen literarischen Ruhm und suchte Zuflucht in religiösen Ideen und Betätigungen. Der in der Aufklärung wurzelnde Falk fand zu einem imponierenden Tatchristentum, der Romantiker Fouqué ergab sich einem frömmelnden Pietismus, während der Konvertit Schütz sich zum fanatischen Apologeten der katholischen Kirche entwickelte. Trotz ihrer Einstellung bewahrten alle drei zeit ihres Lebens die tiefste Verehrung für Goethe, dem sie in persönlichen Gesprächen verbunden waren, was sich bei Falk in seinem Goethe-Büchlein von 1832, bei Fouqué in der Schrift von 1840 ,Göthe und Einer seiner Bewunderer' und bei Schütz in unzähligen Veröffentlichungen niederschlug. Alle drei sind für die Kleist-Forschung von Bedeutung, indem sie Kleist zu Lebzeiten nahestanden und sich auch nach seinem Tod aufs tatkräftigste für ihn einzusetzen suchten.

Vom jungen Schütz muß eine besonders starke Faszination ausgegangen sein. So kritisch man gelegentlich seine Schriftstellerei beurteilte, in der Einschätzung seines uneigennützigen und liebenswürdigen Charakters sind sich alle Aussagen einig. Für Tieck, mit dem er nach Solgers Zeugnis ein „sehr vertrautes poetisches Leben" führte, scheint er fast die Stelle des verstorbenen Freundes Novalis eingenommen zu haben. Mit Karl Ferdinand Solger lebte Schütz zeitweise „fast brüderlich" zusammen, und Solger schreibt: „Schütz habe ich ganz außerordentlich lieb, wegen der Reinheit und Unschuld seines Gemüths." Friedrich Schlegel rühmt seine „immer gleiche Empfänglichkeit für alles Große und Schöne": „Ich liebe ihn persönlich sehr." Schelling fürchtet ihn durch allzuherbe Kritik zu verletzen, und er gesteht August Wilhelm Schlegel: „Sie wissen, daß ich den Verfasser des Lacrymas sehr liebe." Goethe nennt ihn den „mehrjährigen geprüften Freund". Adam Müller rechnet ihn zu seinen „edlen und erfahrnen Freunden". Henrik Steffens schreibt in seinen Erinnerungen von dem „freundschaftlichen fröhlichen und heiteren Zusammenleben" mit dem geistig gebildeten und interessanten Mann: „Ich habe diesen treuen Freund herzlich lieb gewonnen." Selbst der Spötter Clemens Brentano bezeichnet ihn als einen guten Menschen von seltenem, fast altfränkischem Enthusiasmus für Poesie und beteuert: „Ich habe ihn sehr lieb gewonnen."

Sein Leben, das ihn mit so mancherlei literarischen Kreisen und politischen Zeitströmungen in Verbindung brachte, ist reich an überraschenden und originellen Details zur Kultur- und Rezeptionsgeschichte der Goethe-Zeit, die für die Romantik-Forschung, die Kleist-Forschung, besonders aber auch für die Goethe-Forschung von Bedeutung sind. Ich habe im folgenden versucht, die Dokumente nach Möglichkeit selbst sprechen zu lassen und aus dem Mosaik von wörtlich zitierten Memoiren, Briefwechseln und Zeitschriftenartikeln sowie aus den verstreuten autobiographischen Mitteilungen ein unmittelbares Bild von Schütz und seiner Zeit zu entwickeln.

Bei Ermangelung eines eigentlichen Nachlasses konnten noch 23 eigenhändige Briefe und Schriftstücke von Schütz ermittelt werden, darunter 18 bisher unveröffentlichte Schreiben an Goethe, Tieck, Reimer, Fouqué u. a. Mehrere Hinweise auf Fundorte erhielt ich von der Zentralkartei der Autographen bei der Staatsbibliothek Preußischer Kulturbesitz. Die Autographen stammen aus dem Besitz folgender Institutionen, die mir freundlicherweise Fotokopien zur Verfügung stellten und die Publikationserlaubnis erteilten: Nationale Forschungs- und Gedenkstätten der klassischen deutschen Literatur in Weimar, Schiller-Nationalmuseum mit Cotta-Archiv in Marbach a. N., Bayerische Staatsbibliothek in München, Stadtbibliothek Dortmund, Deutsche Staatsbibliothek in Berlin Ost, Kestner-Museum Hannover, Staatsarchiv Münster.

Selten gewordene Quellenliteratur stellten mir außer der Landesbibliothek Stuttgart die Bibliotheken folgender Städte zur Verfügung: Bamberg, Darmstadt, Donaueschingen, Düsseldorf, Frankfurt a. M., Freiburg, Fulda, Göttingen, Heidelberg, Karlsruhe, Konstanz, Leipzig, Mannheim, München (Staatsbibliothek), Münster, Saarbrücken, Speyer, Tübingen, die Kirchen-Ministerial-Bibliothek Celle, die Gräfl. Solms-Laubachsche Bibliothek in Laubach sowie das Schiller-Nationalmuseum in Marbach a. N.

Mit persönlichen Auskünften, Hinweisen und eigenen Ermittlungen wurde meine Arbeit auf das bereitwilligste unterstützt von Prof. Dr. Jakob Baxa, Wien, Prof. Dr. Ernst Behler, Seattle/USA, Dr. Ursula Behler, Bonn, Dr. Hans-Wilhelm Dechert, Gießen, Dr. h. c. Oscar Fambach, Tübingen, Dr. Dorothea Kuhn, Marbach a. N., Prof. Dr. Wieland Schmidt, Berlin, Dr. Ursula Struc, Calgary/Kanada, Prof. Dr. Siegfried Sudhof, Frankfurt a. M., Prof. Dr. Eugène Susini, Paris, Prof. Dr. Erich Trunz, Kiel.

Ihnen allen wie auch den ungenannten Mitarbeitern an Bibliotheken und Archiven gilt mein aufrichtiger Dank.

IM KREIS DER BERLINER ROMANTIK
(1776 — 1808)

Christian Wilhelm Schütz wurde am 13. April 1776 als ältester Sohn des Geheimen Oberfinanzrats Johann Georg Schütz in Berlin geboren. Er besuchte das renomierte Friedrichs-Gymnasium auf dem Werder (das sogenannte Friedrichswerdersche Gymnasium), das unter der Direktion des hervorragenden Schulmanns Friedrich Gedike zu einiger Berühmtheit gelangt war.

Damals waren auch der drei Jahre ältere Ludwig Tieck mit seinen Freunden Wackenroder und Wilhelm von Burgsdorff Schüler dieser Anstalt, und der gleichfalls mit Tieck befreundete August Ferdinand Bernhardi gab dort als Angehöriger des von Gedike begründeten Lehrerseminars zu dieser Zeit bereits Lehrstunden. Unter Gedikes strenger Leitung war die Schule zu einem Hort der Berliner Aufklärung geworden. Als Tieck seinem Lieblingslehrer, dem Konrektor Weißer, seine Sehnsucht nach einem Klosterleben gestand und sich diese mittelalterliche Einrichtung lebhaft zurückwünschte, fuhr ihn Weißer ob dieser katholisierenden Versündigung am gesunden Menschenverstand an: „Tieck, für dieses eine Wort verdienten Sie gehängt zu werden!"[1]

Ähnliche Erfahrungen machte Wilhelm Schütz. Im Rückblick auf seine religiöse Erziehung berichtete er später:

> Meine Taufe hat stattgefunden in Berlins reformirter Domkirche von einem Hofprediger, der, allen seinen Amtsbrüdern gleich, durchaus Calviner war. Denn für jene Predigerstellen mußte man damals sich sogar in der reformirten Schweiz, hauptsächlich Genf, habilitirt haben. Der reformirte Geistliche, welcher mich katechisirte, war, sonst ein achtbarer Mann, in solcher Weise aufgeklärt, daß ihn die Illuminaten in Berlin, die Jesuitenfeinde Biester und Gedike, Nicolai und sein ganzer Anhang besonders schätzten. Sein Unterricht mußte mir alle Religion verleiden. Es kam bald dahin, daß jede Lehrstunde fast mit dem Ausrufe verlassen ward: Und dies soll Religion seyn? Diese wässerigen zusammengeflickten Sätze sollen mich höher erheben, als der Anblick der Schöpfung Gottes, als das stille Leben in und mit der, in ihrer heiligen Schönheit die tiefsten Geheimnisse der erhabensten Wunder verrathenden Natur, und als die schweigenden stummen Worte, welche jedes Aufgehen und jedes Untergehen der Sonne in das Herz redet! Sprach hierin schon die Frage: wozu dies alles? so war es natürlich, daß ihr bald sich die andere zugesellte: und weßhalb gar noch zweierlei Kirchen [die lutherische und die reformirte]? — [...] Vom Katholicismus wußte ich gar nichts. Was aber zufällig über ihn gehört ward, das klang so abentheuerlich, glich so

einem Mährchen von Swift, daß ich Katholicismus gar nicht ansehen konnte für Religion. [...] Da mußte ich freilich in der Gleichgültigkeit bleiben, bis noch vor angetretenem siebenzehnten Jahre im Frankenlande ich ihm näher kam, dem Katholicismus, der schon in jedem Momente seiner äußeren Erscheinung nicht verbergen kann, wirkliche Religion zu seyn und wirkliches Leben in den Seinigen zu haben.[2]

Auffallend bleibt, daß gerade aus einem Zentrum doktrinärer Aufklärung eine Gruppe von Menschen hervorgehen sollte, welche die katholisierende, schwärmerische Tendenz der Berliner Romantik bestimmten, und man mag dabei an Heinrich von Kleists geistreiche Bemerkungen über die gegensätzlichen Wirkungen der Erziehung erinnert werden. Von jener Schülergemeinschaft und ihrer Begeisterung für Goethe gibt Schütz aus späterer Sicht eine nicht uninteressante Schilderung:

> Innigere, oder vielmehr heiligere, wenigstens hingegebenere Verehrer hat, bei seinem ersten Erblühen, der Hochbegabte [d. i. Goethe] schwerlich gefunden, als bei einigen Schülern des Friedrichswerderschen Gymnasiums zu Berlin, zu denen auch ein altbrandenburgischer Edelmann von den seltensten Eigenschaften, *Wilhelm von Burgsdorf* gehörte, der eben deshalb, weil er gleichfalls Sinn für das Antike und das Christliche hatte, dabei Freund der Brüder *Humboldt*, vielleicht als der reinste Verehrer Göthes zu bezeichnen ist. Es bestand nämlich unter den Schülern erster Classe, des von dem ganz antik gesinnten Gedicke dirigirten Friedrichswerderschen Gymnasiums, ein Freundestrifolium der seltensten Art, gebildet durch jenen ganz für das Leben geschaffenen thatenkühnen *Burgsdorf*, durch *Tieck* und durch *Wackenroder*. Für Burgsdorf war in der Poesie Göthe der Jupiter optimus et maximus. Mit Tieck und Wackenroder verhielt sich es anders. Jener war nicht nur getheilt zwischen Göthe und Shakespeare, sondern auch zu arm fast an Sinn für das Antike und Classische. Wackenroders Richtung läßt sich nur bezeichnen als Sehnsucht nach der Kunst der h. Cäcilia. Wer sich ein Bild machen will von diesem, in dem protestantischen Berlin wahrhaft erdrückten und erstickten Begnadigten, der vergegenwärtige sich jenes herrliche Gemälde Raphaels, das wir, nach dem Urtheile der Kunstkenner, nur noch in einer Copie des Julio Romano besitzen sollen. Dürfen wir uns nun verwundern, wenn in der Poesie Tieck, in der Auffassung der Malerei und Musik Wackenroder alles aussonderten, was im Gegenstande ihrer Verehrung, was bei Göthe antik und classisch war?[3]

In Würzburg und Erlangen, wo Schütz in den neunziger Jahren das obligate Jurastudium hinter sich brachte, muß seine früheste Begegnung mit dem Katholizismus erfolgt sein, von der der erste Bericht spricht. Danach, vermutlich 1798, trat er als Referendar in die Königlich Kurmärkische Kriegs- und Domänenkammer ein. Dem gleichen Ministerium gehörten später für kurze oder längere Zeit auch Adam Müller, Karl Wilhelm Solger und Friedrich von Raumer an. Chefpräsident der Kammer war Karl Friedrich Leopold von Gerlach

(1757—1813), jener erzkonservative Patriot, dessen vier Söhne Wilhelm, Leopold, Ludwig und Otto später in den Kreisen der Berliner Romantik und der märkischen Erweckungsbewegung eine Rolle spielen sollten.[4] Gerlachs Kammer hatte damals mit der Säkularisierung der Klöster zu tun, besonders in den an Preußen gefallenen polnischen Gebieten. Die Klöster sollten verkauft oder verpfändet werden, was Gerlach insgeheim abzuwenden oder abzumildern suchte. Für Wilhelm Schütz hatte die Beschäftigung mit dem sogenannten „Mobilisierungssystem" besondere Folgen:

> Diesem [System] war ich nun nicht nur abhold, sondern es hatten meine innern Beschäftigungen mit dem Politischen überhaupt von Grund aus und gleich in ihrem ersten Beginn einen andern Charakter angenommen. Dieses war in Folge eines Ereignisses geschehen, worin ich nie aufhören werde, den Finger der Vorsehung zu verehren. Unter Begleitung von Umständen, die sich über die Natur des Gewöhnlichen erheben, mußte mein Antritt des Geschäftslebens mich in die Angelegenheit der *Säcularisationen* führen, welche damals wegen des der preußischen Monarchie zugefallenen Antheils von dem Königreiche *Polen* zur Ausführung kommen sollten; und wer mich dazu bestimmte, ohne daß er mich gekannt, ohne daß er ein Wort mit mir gesprochen hatte, blos aus Veranlassung eines zufälligen Begegnens, war derjenige würdige Staatsbeamte, dessen ganze Sorge darin bestand, jene Maasregel so milde wie nur möglich und eigentlich dergestalt auszuführen, daß dem polnischen Clerus wenigstens die Nutznießung des Grundeigenthums verbliebe. Hierdurch geschah es, daß, wie ich kaum die zwanziger Jahre angetreten, während auf dem ganzen Erdboden sich die antihierarchisch-revolutionären Ansichten ausbildeten, Anschauungen, die ich nur auf polnischem Grund und Boden gewinnen konnte, in mir den Lichtfunken der Ueberzeugung entzündeten, daß der Staat seinem wahren Wesen nach nur eine Erweiterung der Kirche sein könne.[5]

Mit der Mediatisierung und Säkularisierung hatte auch Friedrich von Raumer zu tun, dessen Referendarzeit im Dezember 1802 begann. Dank der Verwandtschaft mit dem Präsidenten von Gerlach, der sein Onkel war, ließ man ihn nicht bummeln, sondern wußte ihn tüchtig zu beschäftigen. Ähnlich wie Schütz wurde ihm schon als Referendar die „Bereisung und Veranschlagung mehrerer Mönchs- und Nonnenklöster" übertragen, die aufgehoben oder besteuert werden sollten, „eine harte, durch die Zeitumstände herbeigeführte Maßregel", bei der er es wie Schütz als seine Pflicht ansah, überall milde zu verfahren[6], ohne allerdings zu ähnlich klerikalen Anschauungen wie er zu gelangen.

In Raumers Lebenserinnerungen erscheinen Schütz und er sogar in einer „revolutionären" Situation:

> Auch für gesellige Vergnügungen blieb noch Zeit. Als revolutionär aber galt es damals, daß der Kriegsrath von Schütz (Lakrimas) und ich die ersten waren,

welche die Zöpfe abschnitten und statt kurzer lange Beinkleider trugen, über welche jedoch die Stiefeln gezogen wurden. Als der vorsichtige Präsident [Gerlach] diesem letzten Beispiele folgte, gingen die Empörer noch einen Schritt weiter und zogen die Beinkleider über die Stiefeln; — und dabei ist es seitdem zu großer Bequemlichkeit geblieben.[7]

In dieser Zeit war Schütz bereits in den Kreis der Berliner Romantiker um August Wilhelm Schlegel und Ludwig Tieck aufgenommen worden. Zwar war die von Tieck gewünschte Mitarbeit an seinem ‚Poetischen Journal‘ von 1800 nicht zustandegekommen.[8] Unter den zwanzig Sonetten jedoch, die Tieck den Freunden Wackenroder, Novalis, Bernhardi, August Wilhelm und Friedrich Schlegel sowie den Geschwistern Sophie und Friedrich dort widmete, befindet sich auch eines ‚An S-z‘, das recht aufschlußreich ist für die Erwartungen, die er diesem jungen, noch ungenannt bleibenden Freunde entgegenbrachte:

> Ist's mir versagt, mein Tagwerk zu vollbringen,
> Soll mir das Licht des Tages bald verschwinden,
> Wird mich die Nacht froh und gerüstet finden,
> Was ich gewollt, wird künftig dir gelingen.
>
> Vertrau den kühnen jugendlichen Schwingen,
> Laß nimmer dich von Furcht und Zweifel binden,
> Nein röther muß die Rose sich entzünden,
> Ihr duftend Blut durch alle Blätter dringen.
>
> Du kennst den grünen Wald, des Himmels Bläue,
> Du hast von seliger Musik getrunken,
> Den ewgen Rausch dem goldnen Kelch entnommen,
>
> Du weißt, was uns der große Wahnsinn leihe,
> Das Dunkel ist auf immer dir versunken,
> Ein unauslöschlich Morgenroth entglommen.[9]

So war noch keiner der Freunde apostrophiert worden. Von Wilhelm Schütz erhoffte er sich die Erfüllung eigenster poetischer Bestrebungen, das neue Morgenrot, das ihm selbst zu schauen versagt sein mochte. Unverändert nimmt er das Sonett drei Jahrsiebente später mit der neuen Überschrift ‚An einen jüngeren Dichter‘ in die Sammlung seiner Gedichte auf, ergänzt durch ein 1821 entstandenes Sonett ‚An — —‘, das zu Beginn das Motiv des vorigen variiert.[10]

Zum Schlegel-Tieckschen ‚Musen-Almanach für das Jahr 1802‘ hatte Schütz vier Romanzen geliefert, die von den beiden Herausgebern recht wichtig genommen wurden und nach Wilhelm Schlegels Angabe viel Beifall bei seinen Jenaer Freunden fanden.[11] Tieck wollte die Anordnung der Beiträge zwar gänzlich Schlegel überlassen, legte aber Wert darauf, daß die ‚Ballade‘ seiner Schwester Sophie Bernhardi in Verbindung mit ‚Zauberei der Nacht‘, den

‚Tänzern‘ und ‚Wonne der Nacht‘ von Schütz abgedruckt wurden, da sie für ihn ein einziges Gedicht bildeten.[12] Schlegel seinerseits wünschte von Schütz auch ‚Des Camaldulenser Pfingstfeier‘ aufzunehmen, die dann erst 1808 in Schützens ‚Romantischen Wäldern‘ erschien. Andererseits hat er Bedenken, ob die kleinen Gedichte seines Bruders „des Anstoßes wegen" auszuschließen seien, doch kämen „solche Sachen" ja auch in Schützens ‚Tänzern‘ vor, und die Leser seien das schon gewohnt.[13] Immerhin erregte jenes Gedicht mit den Versen: „Sey kühn mit den Blicken / Schon reizen die Brüste / Und wecken Gelüste" prompt die Entrüstung eines Garlieb Merkels. In seinen ‚Briefen an ein Frauenzimmer‘ (56. Brief, Berlin 1802) findet er die Verse an Frechheit der ‚Lucinde‘ würdig und glaubt in den Produkten des Herrn Sz. die Autorschaft August Wilhelm Schlegels zu erkennen.

Anders urteilte Bernhardi, der neben seiner Frau Sophie selber mit einem Beitrag im Musen-Almanach vertreten war. In seiner Zeitschrift ‚Kynosarges‘ schreibt er 1802:

> Von den Gedichten von S. sind besonders *die Zauberei der Nacht* und *Wonne der Nacht*, wie auch eine Romanze [„An dem dunklen Tagamante"] vortrefflich. In den ersten beiden herrscht eine liebliche und zarte Sinnlichkeit, welche mit sehr blühenden und glänzenden Farben dargestellt wird, auch sind einzelne Stellen in *den Tänzern* vortrefflich, dem Ganzen aber wäre vielleicht eine größere Dichtigkeit zu wünschen; dagegen scheint der Zusammenhang zwischen diesen drei Stücken zu locker, und aufgehoben würde er nicht vermißt werden. Die Romanze von demselben Dichter ist sehr gut geraten, man vermißt nichts, was zum Verständnisse gehört, die zwei letzten Strophen fassen sehr zierlich und reizend das Ganze zusammen, und die Einzelnheit ist herrlich dargestellt, auch sind die Verse äußerst sanft und wohlklingend, fast noch mehr als in den übrigen Stücken.

Wilhelm Schütz war auch redaktionell für den Almanach tätig. So hatte er festgestellt, daß das Manuskript von Johann Jacob Mnioch bereits für dessen eigene Sammlung vorgesehen war, für die Schütz einen Verleger suchen sollte. Nun mußte er in Schlegels Auftrag Mnioch zu verstehen geben, daß dies „keine Manier" sei.[14]

Auch sonst machte sich Schütz für den Berliner Freundeskreis nützlich, der aus Schleiermacher, Fichte, Bernhardi, Sophie, dem Maler Bury, dem Architekten Hans Christian Genelli sowie den vorübergehend abwesenden Freunden Tieck und Wilhelm Schlegel bestand. Tieck war im April 1801 nach Dresden übergesiedelt, wo ihn Schütz im Spätherbst besuchte.[15] Im September 1801 übernahm er für den in Jena weilenden Schlegel die Kostenregelung des von Schlegel verlorenen Prozesses gegen den Verleger Unger.[16] Auch die Organisation der Berliner Vorlesungen Schlegels im Winter 1801/2 wurde vorher mit Schütz brieflich abgesprochen, der dann den Vorverkauf der Einlaßkarten auf dem Kasino übernahm, wobei es Schlegel vor allem darauf ankam, daß der vorauszuzahlende Beitrag „von einem eleganten Mitgliede" des Kasinos persönlich quittiert wurde.[17]

Schlegel schwankte zunächst auch, ob er in Berlin bei Friedrich Tieck oder bei Schütz wohnen sollte[18], zog aber dann auf Sophies Aufforderung zum Ehepaar Bernhardi. „Schütze seine Wohnung ist ohne Zweifel besser", schreibt Sophie; dagegen bedürfe er bei ihnen, Bernhardis, keiner besonderen Bedienung und brauche nicht zum Essen auszugehen (wie beim Junggesellen Schütz).[19] Schütz war es, über den nach Sophies Abreise die heimliche Korrespondenz zwischen ihr und Schlegel lief, so wie er auch Taufzeuge bei dem am 6. November 1802 geborenen Theodor Bernhardi wurde, dessen Vaterschaft sich Schlegel zuschrieb; wahrscheinlich zu Unrecht, denn der wirkliche Vater war vermutlich der Baron Knorring, den Sophie dann auch später ehelichte.[20]

Schütz trieb es zeit seines Lebens zu mancherlei Geschäfts-, Vergnügungs- und Badereisen, auf denen er die Verbindung zu zahlreichen Freunden pflegte. Im Jahr 1802 unternahm er mit Karl Wilhelm Solger eine größere Reise an den Rhein, in die Schweiz und nach Paris. Von dieser Reise wissen wir nur durch Solgers Tagebücher, die von Tieck und Raumer in den ‚Nachgelassenen Schriften' auszugsweise veröffentlicht wurden. Die Auszüge beschränken sich auf allgemeine Beobachtungen; persönliche Details fehlen, auch der Name des Mitreisenden wird nicht genannt. Lediglich in Tiecks Einleitung ist einmal von der großen Reise „mit seinem Freunde (dem Herrn von Schütz)" die Rede.[21]

Solger studierte damals in Jena bei Schelling und besaß noch keine Verbindung zu Tieck und dessen Kreis. Schütz aber war, wie aus den unten zitierten Briefen Schellings an Wilhelm Schlegel hervorgeht, vor dieser Reise Frühjahr 1802 in Jena gewesen, wo er Schellings freundschaftlichstes Interesse gewann. Bei dieser Gelegenheit hatte Schütz ihm seinen jüngeren Bruder ans Herz gelegt, der dort Jura studieren sollte, aber, wie sich herausstellte, für Schelling „noch viel von einem Berliner Gymnasiumsschüler" an sich hatte und seinen freundlichen Aufforderungen, ihn zu besuchen, nicht Folge leistete.[22] Schelling seinerseits empfahl Schütz, wie wir annehmen dürfen, den jungen begabten Studiosus Solger als Reisebegleiter, dem damit, wie Tieck schreibt, einer seiner herzlichsten Wünsche erfüllt wurde.

Die Reise ging am 3. Mai 1802 von Weimar aus über Kassel nach Frankfurt am Main, von Mainz mit dem Schiff nach Koblenz, die Bergstraße zurück über Heidelberg nach Straßburg, wo die beiden den ganzen Juni und August blieben; dazwischen lag ein vierwöchiger Aufenthalt in der Schweiz (Schwyz, Einsiedeln, St. Gallen, Zürich, Luzern, Vierwaldstättersee, Altdorf, Bern, Basel). Am 1. September kamen sie über Nancy in Paris an und blieben dort anscheinend den September über, bevor sie die Rückreise antraten.[23]

Auf fast der gleichen Reiseroute war ein Jahr zuvor Heinrich von Kleist mit seiner Schwester von Dresden nach Paris gekommen; auch sie hatten von

Mainz aus die obligate Schiffsreise rheinabwärts unternommen und Straßburg besucht, nur daß Kleist erst nach seinem Pariser Aufenthalt in die Schweiz gefahren war. Beide standen vor jenem Apoll von Belvedere, den Napoleon 1798 nach Paris geholt hatte und der nun dort eine besondere Attraktion für die zahlreichen Paris-Fahrer bildete.[24] Solger widmete ihm eine ausführliche Schilderung, in der es hieß:

> Der Anblick dieses belebten göttlichen Steins ist der schönste, dessen ich bisher genossen habe. Ich weiß nichts, was die Seele so reinigt und erhebt, sie so ganz mit einer erhabenen Anschauung füllt.[25]

Kleist hatte im November 1801 an Adolphine von Werdeck geschrieben:

> Selbst der Wasserträger setzt an dem Eingange seine Eimer nieder, um ein Weilchen den Apoll vom Belvedere zu betrachten. Ein solcher Mensch denkt, er vertriebe sich die Zeit, indessen ihn der Gott große Dinge lehrt. —

Ein wesentlicher Anlaß der Reise war für Schütz zweifellos die Anwesenheit Friedrich Schlegels in Paris gewesen. Friedrich hatte im April noch von Dresden aus mit ihm korrespondiert[26] und an seinen Bruder August Wilhelm in einem undatierten Brief geschrieben:

> Schütz hatte mir versprochen vor meiner Abreise her zu kommen. Grüß ihn und erinnere ihn an sein Versprechen. [...] Ich hoffe auch darauf daß Du bald einmal wenigstens einen Besuch nach Paris machst; Schütz hat mir schon im Winter Hoffnung dazu gemacht, daß er es thun sollte. Ihr müßtet es in Gesellschaft thun. Paris ist doch jetzt die beste Vorbereitung für Italien.[27]

Auch später noch, im Jahre 1803, forderte Friedrich Schlegel wiederholt den Bruder auf, gemeinsam mit Schütz nach Paris zu kommen, um dann mit ihm in die Provence oder nach Madrid zu reisen. Immer wieder läßt er Grüße an Schütz bestellen und erwähnt Briefe, die er an ihn geschrieben habe.[28]

Wie groß Friedrich Schlegels Wertschätzung für Schütz war, erhellt aus seinen Pariser Notizen aus dieser Zeit. In den Notizen zur Poesie von 1802 heißt es:

> Zu meinem Kreis gehören nur solche, die vortreffliche *deutsche* Werke hervorbringen können (also Werner, Wolf, auch Ritter nur indirekt). Steffens und Schütz die Repräsentanten der Jugend, bei Hülsen in hohem Grade der Fall.[28a]

In den im Dezember 1802 entstandenen Notizen zur Philosophie stellt Schlegel den Namen des Freundes an das Ende einer Reihe von Autoren, von denen einer auf den anderen eingewirkt habe:

> ...Novalis, Tieck, Goethe (Schiller selbst), A. W. Schlegel, Fr. Schlegel, Schütz — [28b]

In Paris scheint ihm Schütz von seinen Forschungen zur Kirchengeschichte berichtet zu haben; jedenfalls schreibt Friedrich am 26. März 1804 an den Bruder:

> *Schützen* grüße ich herzlich. Sind seine kirchenhistorischen Studien schon zu *Gedanken,* wenn gleich nur fragmentarischen, und diese zur schriftlichen Aufzeichnung gediehen, so soll er mir etwas für die *Europa* davon geben. Es wird ganz herrlich dahin passen [...][29]

Für die ‚Europa‘ von 1804 und 1805 lieferte Schütz keine Beiträge, wohl aber nahm Friedrich Schlegel vier Romanzen von ihm in sein ‚Poetisches Taschenbuch‘ von 1806 auf.

Am 15. Juli 1805 erwähnt Friedrich einen freundschaftlichen Brief von Schütz, der zwar nichts Nachrichtliches enthalte; doch scheine Schütz „glücklicher oder doch hoffnungsvoll" zu sein, was sich vermutlich auf die Heiratspläne des Freundes bezog.[30]

Als Wilhelm sich später einmal kritisch über Schütz äußert, antwortet ihm Friedrich am 26. Oktober 1805:

> Mit Schütz machst Du mich ganz besorgt; leider gehn auch in der Dichtkunst wohl ‚Zwanzig drauf bis daß ein halber freyt‘. Sein Brief an mich verrieth aber doch noch die alte lebhafte Neigung zur Poesie.[31]

Anfang 1803 kommt, vermutlich auf Betreiben von Schütz, Karl Wilhelm Solger nach Berlin, um sich gleichfalls bei der Kriegs- und Domänenkammer unter Gerlach anstellen zu lassen, bei der Schütz und seit November 1802 auch Adam Müller tätig sind. Ähnlich wie bei Adam Müller geschah das „mehr, um gewissermaßen einen Vorwand zu haben, welcher seinen Aufenthalt in dieser Stadt rechtfertigen könne, als daß es sein ernster Vorsatz gewesen wäre, sich nun für immer dem Geschäftsleben zu widmen".[32] Auch Solger gewinnt die Zuneigung des Kammerpräsidenten, von dem er, wie Tieck bemerkt, nie ohne Rührung und Bewunderung sprechen konnte: „Ihn machte Solger zum Vertrauten seiner Plane für die Zukunft, und der edle Freund rieth ihm nicht ab, sondern munterte ihn selbst dazu auf, seine jetzige Laufbahn in Zukunft mit der eines Gelehrten zu vertauschen", was im Jahre 1806 geschah.[33]

Zwischen Adam Müller und Schütz kam es zu dieser Zeit noch nicht zu der später so intensiven Beziehung. Schuld daran war ein Mißverständnis, von dem Schütz später berichtete:

> *Müller,* nur wenige Jahre jünger wie ich, hatte seine kameralistische Candidatur — denn so ohngefähr muß man das Verhältniß eines Auscultator oder Referendär im preußischen Staat bezeichnen — bei dem nemlichen Collegium angetreten, zu dessen Gremium ich gehörte; zählte aber hier nur dem Namen nach, denn

wohl kaum zwei oder drei Mal hatte er sich bei den Sessionen blicken lassen. Mir ward von seinen Bekannten allerhand, und sehr Verschiedenes, ja Widersprechendes erzählt, von denen aber, welche ihn hochschätzten, nahe gelegt, ihn kennen zu lernen, was ich jedoch aus sonderbarer Veranlassung vermied. Mehrere seiner Jugend- und Universitätsfreunde machten eigene Schilderungen von ihm, namentlich ziehen sie ihn einer gewissen *Heimlichkeit* und *Zweideutigkeit*. Wie ein solches Urtheil über ihn entstehen konnte, erklärt sich nun ziemlich leicht, wenn man erwägt, wie sehr seine innerste Richtung von allem abweichen mußte, was rings um ihn verlautete, und wenn man dabei sein ganzes Naturell gehörig berücksichtigt, dem Hader und Streit zuwider war, und der in allen Verhältnissen nach einem milden Vermitteln strebte. Jeder, welcher damals nicht für die *französische Revolution* loderte, hieß ein zweideutiger Mensch, und das konnte nicht nur Müller unmöglich, sondern es begreift sich auch leicht, in welcher unangenehmen Nothwendigkeit er sich oft möge befunden haben, seine innerste Meinung zu verschweigen. Ferner hatte ich von seiner großen Verehrung A. Smith's vernommen, und endlich war mir, abgesehen davon, daß ich mich damals vorzugsweise ganz in mich selbst zurückgezogen hatte, hinterbracht worden, Müller hätte erklärt, jetzt — es war wenige Jahre vor dem Ausbruche des Krieges zwischen Frankreich und Preußen — sei am beßten der daran, welcher sich im Besitz eines guten Reisewagens und eines Portefeuilles voll guter Wechsel befände. Da dies nun ganz demjenigen Ziele und Streben widersprach, welches damals von mir verfolgt wurde, so besorgte ich eine innere Grundverschiedenheit der Ansichten und ein daraus hervorgehendes gezwungenes, ja gespanntes Verhältniß. Es kam daher zu keiner näheren Bekanntschaft und später erst sollte das Mißverständniß sich lösen, welches hier gewaltet hatte.[34]

Es blieb nicht bei Schützens Mitarbeit am Musen-Almanach von 1802. Im nächsten Jahr setzte sich Wilhelm Schlegel für das Werk ein, das Schütz am bekanntesten machen sollte, für sein Schauspiel ‚Lacrimas‘. Tieck, dem Schütz bei seinem Dresdener Besuch davon erzählt hatte, schreibt am 10. Dezember 1801 an Schlegel:

> Dieser [Schütz] hat mir bei seinem Hiersein von der Arbeit etwas verrathen, die du mir nun schon so lange versprochen hast, und dadurch bin ich nur um so begieriger darauf geworden. Zögre nicht länger, und theile sie mir mit [. . .][35]

Am Teetisch der Madame Sander in Berlin wurde das Manuskript vorgelesen. Friedrich Laun (d. i. Friedrich August Schulze), der sich im Herbst 1802 auf Sanders Einladung in Berlin aufhielt, berichtet in seinen Memoiren:

> Um den Sanderschen Theetisch sammelte sich vorzüglich die neue Schule und deren Anhang. August Wilhelm Schlegel, Bernhardi, und, wenn er in Berlin war, Tieck, fanden dort sich ein. Adam Müller, damals noch bei der kurmärkischen Kammer als Referendar angestellt, erschien mehre Male in der Woche. [. . .]

> Zuweilen fanden bei den dortigen Theen auch kleine Vorlesungen statt. So brachte eines Abends der Buchhändler Reimer, das bekanntlich in seinem Ver-

lage späterhin erschienene, dramatische Gedicht: Lakrymas von Wilhelm von
Schütz zu diesem Zwecke mit. Reimer selbst trug es vor, bis ich ihn zuletzt hierin
ablöste.[36]

Auch Schelling war von Schütz bei seinem Jenaer Besuch neugierig gemacht
worden. Er schreibt am 16. Juli 1802 an Wilhelm Schlegel:

> Dürfte ich Sie bei dieser Gelegenheit ersuchen, Schütz angelegentlichst von mir
> zu grüßen, und ihn an sein Versprechen zu erinnern, mir von seinem neuen dra-
> matischen Werk eine Abschrift zukommen zu lassen? Versichern Sie ihn in mei-
> nem Namen, daß es nicht aus meiner Hand kommen soll.[37]

Als Schlegel das Manuskript schickt, weiß Schelling, wie er am 24. September
gesteht, nichts Besseres zu tun, als es ungelesen ausgerechnet an Goethe weiter-
zugeben:

> Verschiedene Arbeiten [...] haben mir noch nicht Zeit gelassen, in diesen we-
> nigen Tagen mich mit dem Lacrimas näher bekannt zu machen. Sagen Sie dem
> Vf. indeß für die Mittheilung den wärmsten Dank [...]. Zugleich hoffe ich, Sie
> werden mir erlauben, mit Goethe den Lacrimas gegen das Manuscript Ihres spa-
> nischen Stücks auszutauschen.[38]

Von Goethes Urteil, das nichts an Deutlichkeit vermissen läßt, erfahren wir
am 21. Oktober:

> Mit dem Lacrymas ist es mir auf eigne Weise ergangen. Ich habe ihn bisher
> immer nicht gelesen, weil ich nur Augenblicke dazu hatte. Nun ich ihn Goethen
> gegeben, schimpft dieser (unter uns!) eben so ungemessen darauf, als er das Stück
> des Calderon [Andacht z. Kreuz] mehr als ich je von ihm gehört, erhoben hat.
> Dadurch bin ich in der Alternative, mich auch entweder über den Lacrymas oder
> über Goethen zu ärgern, der auch keinen gesunden Bissen daran finden wollte, so
> daß ich bis jetzt noch immer verschoben habe, mich an die Lectüre zu machen.

> [Als Nachschrift:] Sie wissen, daß ich den Verf. des Lacrymas selbst sehr liebe,
> und bitte Sie also, ihm von obigem Urteil nichts zu sagen, es wäre mir leid,
> wenn ihm auch nur eine augenblickliche unangenehme Empfindung verursacht
> würde.[39]

Nach der eigenen Lektüre des Stücks sind Schellings hochgespannte Erwartungen erloschen; am 1. November 1802:

> Hierbei folgt mit vielem Dank Ihr Manuscript, so wie der Lacrymas zurück.
> Man könnte wünschen, daß dieser vorerst eine Weile noch ungedruckt blieb;
> vielleicht verlöre er etwas von seiner Ungelenkigkeit, und die Ideen, die sich
> der Verfasser über Poesie gemacht zu haben scheint, könnten indeß durch höhere,
> die mehr Metall haben, ersetzt werden. Ich bitte Sie, Sch'n in meinem Namen
> bestens für die Mittheilung zu danken.[40]

Anscheinend hatte Schlegel von weiteren dramatischen Arbeiten seines Schützlings geschrieben, so von dem schon damals begonnenen ‚Raub der Proserpina‘; dazu Schelling am 29. November 1802:

> Schütze's Gedicht [Lacrymas] glaubte ich mit der Gita-Govinda vergleichen zu müssen. Haben Sie diese gelesen? — Sonderbar, daß ich seit ziemlicher Zeit den Entwurf zu einer *Ceres* gemacht habe, ohne Zweifel aber in andrem Sinn als Schütze's Proserpina.

Und weiter am 7. Januar 1803:

> Die Vergleichung des Lacrymas mit der Gita-Govinda (dies ist der Name des indischen Gedichts) kann freilich nur in einem sehr allgemeinen Sinne stattfinden. [...] Sie finden es in Jones Werken; wenn ich nicht irre, in der nach seinem Tod herausgekommenen Sammlung Vol. IV. Es ist ein Sehnsucht und Wohllust athmendes Gedicht.[41]

Als Schütz ihm dann ein Exemplar der Buchausgabe zuschickt, läßt Schelling am 22. April 1803 ihm durch Schlegel danken:

> Ich bitte Sie, dem Verfasser des Lacrymas meinen Dank für dessen Uebersendung zu sagen: ich werde es mir recht angelegen sein lassen, diese Dichtung, die mir im Manuscript etwas fremd geblieben war, mehr zu durchdringen.[42]

Schlegel hatte sich durch Schellings Einwände nicht vom Druck abschrecken lassen. Er stellte dem zur Ostermesse 1803 in Reimers ‚Verlag der Realschulbuchhandlung‘ erschienenen Schauspiel[43] zur Empfehlung ein Sonett voran, in dem er Schützens Dichtung mit einer Ananas verglich:

An den Dichter des Lacrimas.

Du kennst wohl jene Frucht der sonn'gen Zone,
    Die aus dem goldnen Schooße grüne Sprossen
    Empor läßt, wie zum Palmenwipfel, schossen,
    Daß unter schatt'gem Baldachin sie throne.

Doch schafft, getrennt von ihrer Frucht, die Krone
    Sich, wurzelnd, neu den würzigen Genossen,
    Bewährend, daß, gleich durch sie hin ergossen,
    Die süße Kraft im Kern, im Schmucke wohne.

So, Freund, will deine Dichtung mir gemuthen:
    In jugendlicher Frühlingspracht verborgen
    Hegt sie des fernen Himmelstrichs Arome.

Hier duft'ges Abendland, dort glühnder Morgen;
    Dazwischen hauchen Lüft' und Meere fluten
    Hin und zurück mit linder Sehnsucht Strome.

                                        A. W. Schlegel.

Die Aufnahme der Dichtung, mit der sich Schütz im wörtlichen Sinn einen Namen machte — seitdem hieß er der Lacrimas-Schütz oder auch Schütz Lacrimas (mit der Betonung auf der ersten Silbe, von lat. lacrima, die Träne) — war durchaus zwiespältig.

Am 9. März 1803 bestätigte Friedrich Schleiermacher auf seiner Stolper Pfarre den Empfang des Buches, das ihm Reimer geschickt hatte:

> Für den Lacrymas danke ich Dir herzlich; es ist eine liebliche Dichtung, die noch viel Schönes von Schüz [!] erwarten läßt.[44]

Deutlicher wurde er in seinem Brief an Gustav von Brinckmann vom 26. November 1803:

> Von der poetischen Schule kann ich, da ich so ganz unpoetisch bin, entweder gar nicht oder wenigstens nur sehr unpartheiisch reden. Was sie hervorbringt kann ich wol nicht recht beurtheilen; der Alarkos ist mir was die Form und die Kunst betrifft ein wahrer Pendant zur Lucinde, der Lakrymas hat bei vielem was ich für schöne Anlagen halte eine Schülerhaftigkeit, der man eigentlich die Presse verweigern sollte, wie man den Kindern kein Fleisch giebt vor den Pocken.[45]

Im Brief an Reimer hatte sich Schleiermacher über Kotzebues ‚Freimüthigen‘ geäußert, dessen Polemik gegen die „Neue Schule" Reimer wohl im Zusammenhang mit ‚Lacrymas‘ beklagt hatte:

> Aber, lieber Freund, mir sind Schlegel und Bernhardi lange nicht still genug! Sie necken ja immerfort den Kotzebue in der eleganten Zeitung. Ach die Miseren![46]

Natürlich blieb auch der ‚Lacrimas‘ nicht verschont. Schon am 15. März 1803 widmete ihm Kotzebue eine ganze Nummer des ‚Freimüthigen‘, wobei er sich vor allem über Schlegels Vergleich mit der Ananas lustig machte:

> *Warnungstafel.*
>
> Mit großen Buchstaben werde darauf geschrieben
>
> *L a c r i m a s ,*
>
> ein Schauspiel, herausgegeben von A. W. Schlegel. Dieser Herr Schlegel hat wohl zuweilen gesehen, daß man den kleinen Kindern *bunte Nürnberger Bilderchen* giebt, und ihnen weis macht, es wären *Gemählde.* Da er nun bekanntlich das ganze Publikum für kleine Kinder, und sich allein für den Präceptor hält, so wirft er hier ein solches Bildchen unter sie, und sagt in einem Sonnett: *es wolle ihm gemuthen*, daß seines Freundes Dichtung gleich einer *Ananas* sey. [...] — Da kein vernünftiger Mensch diesen schön gedruckten Lacrimas durchlesen wird, der Freimüthige aber nun einmal, zum Besten des Publikums, den bitteren Kelch

geleert hat, so will er den Leser mit kurzen Worten in den Stand setzen, zu beurtheilen, *wie* die Schlegelsche Ananas riecht und schmeckt. — [...] Da es dem Leser oft vorkommen möchte, als sey es *gar nicht möglich*, so viel Unsinn in einer einzigen Ananas zusammen zu pfropfen, so versichert der Freimüthige Ein- für allemal, daß er *gewissenhaft* und *wörtlich* citirt. [...] — Es versteht sich von selbst, daß es dem Freimüthigen nie eingefallen seyn würde, einen so über alle Maßen sauren *Holzapfel* so umständlich zu zergliedern, wenn nicht der große A. W. Schlegel so unverschämt gewesen wäre, ihn als eine *Ananas* aufzutischen. — Wird nun noch jemand an diesen Wundermann glauben?

Ähnlich läßt auch Garlieb Merkel im letzten seiner ‚Briefe an ein Frauenzimmer‘ (Leipzig 1803) seine Spottlust am ‚Lacrimas‘ aus. Nach einer höhnischen, mit zahlreichen Zitaten gewürzten Inhaltsangabe schreibt er:

Die Natur dieses Meisterwerks „spricht sich zu vollkommen aus“, als daß ich mir den Frevel erlauben sollte, noch etwas darüber hinzuzufügen. Schon der Auszug muß Ihnen hinlänglich gezeigt haben, daß es das dritte Blatt an dem Kleestengel der poetischen Poesie sei, der bis jetzt nur zwei Blätter, Tiecks Genoveva und den Alarcos, hatte. Um es zu einem Wunderpflänzchen zu machen, wird die edle Schule wohl nicht ermangeln, noch ein viertes hinzuzufügen, — wenn dieses anders nicht schon in dem Jon vorhanden seyn sollte. Eine Verschiedenheit zeigt sich indeß zwischen dem Alarcos und diesem Lacrimas: in jenem erscheint der Unsinn selbst in seiner glorreichsten Gestalt; in diesem strebt Geistesschwäche mühsam darnach, ihn zu erreichen, kann es aber nur bis zur Fahselei bringen.

Nichts destoweniger hat Herr A. W. Schlegel, dieser berühmte Archipanpan der poetischen Poesie, die Großmuth gehabt, ihm dadurch, daß er sich als Herausgeber nennt, den Stempel aufzudrücken, es für ein echtes und gerechtes Werk nach seiner Kunsttheorie zu erkennen. Noch mehr! Er hat ihm sogar ein lobpreisendes Sonet vorgesetzt. Dieses Sonet hat für mich etwas sehr Bekanntes. Ich untersuche es genauer — Richtig! Es ist Herrn Schlegel einmal ergangen nach der Meister Weise. Die Fertigkeit selbst, mit der sie ihre Kunst üben, verleitet sie zuweilen zu Fehlgriffen. Gewohnt, sich jeden guten Gedanken, der ihm aufstößt, zuzueignen und als sein Eigenthum feilzubieten, hat er seine Freibeuterei diesmal gegen einen Mann, von dem er keine Schonung zu hoffen hatte, hat er sie gegen — *mich* geübt. Ich lasse in meinem Feierblatt, (Siehe das 4te Heft dieser Briefe) Apoll den Julius von Tarent mit einer Ananas vergleichen, „die von jedem Gewürz durchbalsamt wird.“ [...] Um ganz gerecht zu seyn: der Gedanke der Vergleichung gehört zwar mir, aber die hier gemachte Anwendung derselben ist so unstreitig Herrn Schlegels Eigenthum, daß ich sie nicht einmal ganz verstehe, und so weit ich sie verstehe, mich geschämt haben würde, sie zu machen. Auf dem Gipfel der Ananas sproßt ein Blätterstrauß, der, wenn man ihn abgeschnitten in die Erde steckt, wieder wurzelt: „*so gemuthet*“ Herrn S. seines Freundes Dichtung. Woher? Hat sie etwa die Eigenschaft, daß aus ihren einzelnen Akten, wenn man sie von einander trennt, neue Lacrimasse entstehen? Gott behüte! Ich lasse mein Exemplar mit tüchtigen Klammern versehen, damit es mir in meiner Bibliothek nicht durch solch eine Propagation Unheil stifte. — Und droht dieses *so* nicht mit diesem Sinn, so — sagt die ganze Vergleichung gar nichts. Doch der Schluß des Sonets scheint größere Aufklärung zu geben. „Hier duftges Abendland", da haben Sie den untern Blätterstrauß; — „dort glühnder Morgen", das ist der obere Strauß; „dazwischen hauchen Lüft' und Meere" — das ist die Frucht zwischen beiden. Das ist doch noch ein echt poetisches Gleichniß!

Ich kann nicht schließen, ohne Herrn Schlegel noch mein Compliment wegen seiner übergöttlichen Sorgfalt, mit der er über das Schicksal der Produkte seiner Clique wacht, zu machen. [...]

Von Merkel stammt auch die anonyme satirische Schrift ‚Ansichten der Literatur und Kunst unsres Zeitalters', Leipzig 1803, mit ihrem illuminierten Kupfer, auf dem Wilhelm Schütz zwischen dem mit Pistolen und Kruzifix bewaffneten A. W. Schlegel und dem auf seinem gestiefelten Kater reitenden Tieck erscheint, vor ihm der kleine verwachsene Schleiermacher, sie alle bei dem „Versuch, auf den Parnaß zu gelangen", welcher von Kotzebue erfolgreich mit dem Dreschflegel verteidigt wird, während die hexenhafte „Elegante Zeitung" auf der Seite ihrer Schützlinge mit einer Mistgabel kämpft. Zu Schütz bemerkt der Text, begleitet von zahlreichen wörtlichen Zitaten aus dem ‚Lacrimas':

> Der zweite, auf der Spur des Führers hineilende, den Bogen des Ulisses spannende *Schütz*, ist niemand anders als der in *silbernen Thränen des sanften Monds erblühte* Verfasser des *Lacrimas*! Es ist boshaft von dem Zeichner, daß er, als Sinnbild dieses Schauspiels, einen *zerbrochnen Pfeil ohne Spitze* auf den Bogen gezeichnet hat — gleichsam, als könne der Dichter mit demselben das Ziel nicht erreichen! und — — wie trift es es! [...]

> „*Heiß von Bäumen träuft* hier nieder
> Deines *Athems* duft'ger *Trank*,
> Und es *schwillt* auf diesem *Flusse*
> Deines *Busens Wellengang!*"

In dieser *heißen* Stimmung traf ihn sein erhabner Freund [A. W. Schlegel], und bat ihn ein Schauspiel zu schreiben, „in dessen Augen sanfte Thränen blühen", und er antwortete gleich:

> „Entschluß wie hierauf, kommt sonst nicht mit Hast;
> Allein der mein' ist schon so wie gefaßt!"

und — bald war Lacrimas der *Thränenreiche* gebohren! *Thränenreich!* denn wo ist ein Schauspiel, in welchem so häufig Thränen flössen? Doch fließen sie nicht im Ernst. Die Haupteldin — im Weinen — sagt zu ihrer Mutter:

> „Ein bloßer *Zufall* ist's, daß Thränen
> Jetzt öfter aus den Augen rollen —
> Es ist nur daß *sie weinen wollen*,
> Sonst würd' ich Trost von dir entlehnen!"

A. W. Schlegel, Schleiermacher, Schütz und Tieck beim „Versuch auf den Parnaß zu
gelangen" (Ausschnitt)

Und — so kann man sich zufrieden geben, wenn es auch sehr ernstlich her-
zugehen schein. [...]

Wer erkennt nicht schon in diesen wenigen Zügen die Meisterhand eines großen
Dichters, der — kühn wie Shakespear — die verächtlichen Fesseln abwirft, welche
Sprache und *Grammatik* Pedanten auflegen? Wie sublim ist sein Ausdruck! Welche
Erhabenheit in Bildern! Wahrlich, haben je die göttlichen Erscheinungen der
Genoveva und des Alarkos einen Mitwerber gefunden, der ihnen die Palme streitig
zu machen droht — so ist es *Lacrimas* ! — — und — noch sollte nicht das goldne
Zeitalter — das *letzte, tausendjährige Reich* der Poesie beginnen? — —[47]

Clemens Brentano nennt im Juni 1803 das Stück „eine verzwickte Alar-
kosiade", wie überhaupt der Vergleich mit Friedrich Schlegels ein Jahr zuvor
erschienenem ‚Alarcos' wiederholt auftritt. Ansonsten weiß er Savigny zu berichten, der anonyme Verfasser sei der „Sz. aus dem Tiecksalmanach": „übrigens Staatsgeheimnis der Clique"![48] („Die Clique" war die von Merkel ge-
prägte Bezeichnung für die Gruppe um A. W. Schlegel.)

Friedrich Schlegel in Paris findet (im Gegensatz zu Kotzebue) das Werk
„nicht schön gedruckt": „Das Verhältniß der Zeilen und Größe der Buchstaben ist ganz unverhältnißmäßig". Im gleichen Brief vom 14. August 1803 an
den Bruder berichtet er von einem jungen Landsmann in Paris (Gottfried
Hagemann), der zu ihren Anhängern und Bewunderern gehöre und es im
Persischen sehr weit gebracht habe:

Ganz besonders bewundert er den Lacrimas, der auch in der That sehr orien-
talisch duftet.[49]

Friedrich Gentz schreibt am 25. August 1803 an Freund Brinckmann:

Ich las neulich den Lakrimas; anfänglich mit nicht geringer Belustigung an dem
Unmaß der Tollheit und Verkehrtheit; aber zuletzt mit schmerzhafter Rückkehr
zu den traurigsten Reflexionen [...], daß eine Menge der besten Köpfe in der
Nation diese Ungeheuer [Lacrimas und Alarcos] als Muster anpreisen, daß sie
entweder solchen rasenden Mißgeburten zuliebe den Begriff der Regel, und des
Klassischen ganz verwerfen, oder ihn gar in diese Mißgeburten hinein zwingen,
und so die Regellosigkeit zur höchsten Regel machen wollen — das ist grausam
und schrecklich anzusehen.[50]

Bezeichnend ist das Verhalten Goethes, der seinem Herzen Schelling gegenüber Luft gemacht hatte, nun aber, anläßlich der Rezension einer ähnlich
schwülstigen Tragödie von K. H. Giesebrecht in der ‚Jenaischen Allgemeinen
Literaturzeitung', an den Redakteur Eichstädt schreibt, es sei gut, „daß dieses
fatale Genre mit Sorgfalt und Billigkeit geprüft werde", und ihm rät, von
dem gleichen Rezensenten (Amadeus Wendt) auch den „Lacrymas, Pelegrin
und dergleichen" besprechen zu lassen: „Doch haben wir dergleichen noch viel
zu erwarten."[51] Das war im Dezember 1804. Noch im April des gleichen Jahres

28

hatte sich Goethe bei einem Besuch von Caroline von Humboldt recht drastisch geäußert, wie sie am 29. April Wilhelm von Humboldt berichtet:

> Es ist ein Buch herausgekommen von Schötz [!] in Berlin, was Lagrimas [!] heißt, und von dem Goethe gesagt hat, zu deutsch hieße es Heularsch. Sie wollen haben, ich soll es Dir mitbringen.[51a]

Für Goethe war der ‚Lacrimas' mit seinen Dialogen in Sonettenform zum Prototyp einer Dichtungsmanier geworden, auf die er später in einem eigenen, „Nemesis" betitelten Sonett anspielt:

> Wenn durch das Volk die grimme Seuche wütet,
> Soll man vorsichtig die Gesellschaft lassen.
> Auch hab ich oft mit Zaudern und Verpassen
> Vor manchen Influenzen mich gehütet.
>
> Und ob gleich Amor öfters mich begütet,
> Mocht ich zuletzt mich nicht mit ihm befassen.
> So ging mir's auch mit jenen Lacrimassen,
> Als vier- und dreifach reimend sie gebrütet. [...][52]

Als Goethe dieses Sonett mit den anderen aus dem Sonettenwinter 1807/8 in der Werkausgabe von 1815 veröffentlichte, lobte Solger die „15 ganz allerliebsten Sonette" und bedauerte nur, „daß in dem einen Lacrimas als Repräsentant einer Gattung genannt wird".[53] Übrigens scheint Schütz selbst Goethes Anspielung nicht weiter verübelt zu haben, spricht er doch 1842 in einem Aufsatz über die ‚Wahlverwandtschaften' von einer Maxime Goethes, „die er später einmal in einem Sonett als eine mehrmals angewendete bekannt hat, sie nennend: ‚ein leises Passen'", womit Schütz eben dieses Sonett gemeint haben muß.[54]

Von Goethes ablehnender Haltung wußte man zunächst noch nichts; vielmehr war man der Meinung, daß wer Schlegels ‚Alarcos' aufführen ließ, auch die anderen Erzeugnisse der „Clique", die seinen Schutz genoß, gutheißen müßte. Das geht aus der „Anekdote" hervor, die Spalding im Oktober 1803 seinem Freund Schleiermacher berichtet:

> Brinkmann muß neulich an Goethe schreiben. Er erzählt ihm, wie man klage, daß er (Goethe) die Clique so beschütze. Eine geistvolle junge Frau habe ihn (Brinkmann) gefragt, ob denn wirklich keine Gnade sei und man Alarkos und Lacrimas eben so schätzen müsse als Iphigenie und Tasso. Er (Brinkmann) habe ihr darauf nichts antworten können als die Verse Homers Ilias II, 78—83:
>
> > Alle tadelten sie den schwarzumwölkten Kronion,
> > Weil er dem troischen Volke beschloß zu verleihen den Siegsruhm.
> > Doch nichts achtete dessen der Donnerer [...][55]

In diesem Sinne hatte auch Merkel in seinen ‚Briefen an ein Frauenzimmer‘ 1803 gehöhnt:

> Es läßt sich erwarten, daß der erhabne Beschützer der poetischen Poesie, der Weimar und Lauchstädt mit dem Alarcos entzückte, auch den Lacrimas werde auf der Bühne erscheinen lassen. Sollte das geschehn, so rathe ich der Schauspielerin, welche die Ismene macht, wohlmeinend, vor der Darstellung ein gesundes Mittagsschläfchen zu thun; es ist sonst zu fürchten, daß sie in dieser Scene [II, 1] bei dem süßen Mohnduft der erwähnten beiden Reden wirklich einschlafen möge, und das möchte trotz dem berühmten Lehnstuhl und dem majestätischen: „Man soll nicht lachen!“ doch zu gewaltsam auf das Zwergfell der Zuhörer wirken.

Sogar August Wilhelm Schlegel distanzierte sich später von dem Werk. So schreibt er am 12. März 1806 aus Genf an Fouqué:

> Das merkwürdigste Beispiel aber von den Usurpationen der Phantasie über das Gefühl finde ich und fand ich immer im Lacrimas, wo unter blendender Farbenpracht die Herzenskälte sich nicht verbergen kann und alle Ausdrücke der Liebe, Sehnsucht, Wehmuth u. s. w. in eine bloße Bilderleerheit übergegangen sind. Laß Dich’s nicht befremden, daß ich hier strenger urtheile, als Du es vielleicht von mir zu hören gewohnt bist. Ich habe gleich beim ersten Eindrucke so empfunden, allein im Augenblicke der Hervorbringung und Erscheinung bin ich aus Grundsatz für die Werke meiner Freunde parteiisch; auch jetzt würde ich mich wohl hüten, so etwas öffentlich, ja nur anders als im engsten Vertrauen zu sagen, so lange das Vortreffliche an ihnen so unvollkommen anerkannt wird.[56]

Einen Verteidiger fand ‚Lacrimas‘ noch spät im ‚Morgenblatt‘ vom 3. September 1808 durch Friedrich Laun, der seinerzeit bei der Lesung des Manuskripts am Sanderschen Teetisch beteiligt gewesen war; bezeichnenderweise stellt sich ihm das Stück in der Erinnerung als ein „Lustspiel“ dar:

> Wenn auch der Verfasser des Lakrimas in dem Lustspiele dieses Namens kein vollendetes Kunstwerk aufstellte, wenn der Plan alltäglich, und die Ausführung nur stellenweise gelungen ist, wenn dieses Stück, statt in die buntesten Strahlen auszugehen, gegen das Ende abzusterben scheint, und überdies vielleicht Dinge darin vorkommen, mit denen sich der wahre Geschmack niemals versöhnen wird; so ist darum doch nicht zu übersehen, daß der Dichter von der Natur eine Weihe erhalten, wie sie nur wenigen zu Theil werden möchte.[57]

Noch im Jahre 1822 urteilte der verständige Matthäus von Collin in den Wiener ‚Jahrbüchern der Literatur‘:

> Wir sind weit entfernt, den *Lacrimas* unseres Dichters, über welchen Viele gelacht haben, als eine verfehlte Arbeit anzusehen. Er hat im Gegentheile durch die tiefe Glut der Gefühle, welche sich in demselben ausspricht, und durch den reichen Schmuck seines Verses einen eigenen Reiz, und der etwas zu gesuchte Ausdruck steht sogar dieser Dichtung wohl, die sich in einer ganz fremden, in sich

abgeschlossenen Welt bewegt, und daher auch im Ausdrucke ihre Eigenheit haben darf. Noch weniger können wir die Gattung, zu der dieß Schauspiel gehört, tadeln wollen, da wir in derselben im *Alarkos* ein Werk besitzen, bey dem nur die eine Klage Raum findet, daß ihm nicht mehrere gleichen Gehaltes folgten. Noch weniger könnte damit ein Tadel des romantischen Drama beabsichtigt werden, welches für jetzt wenigstens der höchste Schmuck und der Gipfel deutscher dramatischer Kunst ist; obgleich selbes noch immer einer festen Begründung in dem Gesammtleben deutscher Kunst entgegen sieht.[58]

Eine neue Epoche begann für Schütz, als Ludwig Tieck im Oktober 1802 auf Einladung seines Freundes Wilhelm von Burgsdorff nach Ziebingen zog, dem Burgsdorffschen Rittergut, das damals schon vom Grafen Finckenstein verwaltet und 1807 von ihm käuflich erworben wurde.[59] Seit dieser Zeit datiert nicht nur Tiecks sondern auch Schützens freundschaftliche Verbindung zum Finckensteinschen Haus. So erfährt beispielsweise Wilhelm Schlegel im Dezember 1802 durch Schütz von den „sehr gelungenen" Übersetzungen des Grafen aus dem Petrarca, für die sich Schlegel interessiert.[60]

Schütz hat sich später über die Person des Grafen und dessen Stellung in der deutschen Literatur in sehr persönlicher Weise geäußert. Bei einem belanglosen Anlaß (einer Besprechung der Gedichte eines Domherrn Genelli) schildert er in dem pommerschen Ewald von Kleist, dem holsteinschen Johann Heinrich Voß und in dem Reichsgrafen Finckenstein drei Vertreter der protestantisch-norddeutschen Dichtung, die am reinsten und vollsten „das ohne Classicität undenkbare Wesen der alten Kunst und Poesie" begriffen hätten:

Voß, v. Kleist und der Reichsgraf Fink von Finkenstein (namentlich der letzte, der Verfasser der Arethusa), hatten damals eine Ahnung vom Classischen, d. h. vom classischen Erforderniß in der Poesie empfangen, das ganz anderen Wesens und Inhalts war, als des pommer'schen Ramler prosodische Kleinmeisterei und des sächsischen Heyne pseudoantike Sentimentalität; wobei es ein höchst merkwürdiges Moment bleibt, daß, im protestantischen Theile, es Brandenburger und Pommern gewesen waren, die, vom Privatleben aus, am reinsten und vollsten begriffen hatten das ohne Classicität undenkbare Wesen der alten Kunst und Poesie, ferner die unverrückbaren Grundlagen einer ächt-gesunden Staats- und Kriegsweisheit, welche alle Staats- und Kriegswissenschafts-Doctrinen der mit dem Doctorhut gezierten Docenten und Doctrinäre schmelzen macht und zerrinnen [...] Es bestand — was ich aus vertraulichen Gesprächen mit dem sehr offenherzigen und in Deutschlands Literatur wahrhaft bedeutsamen, innerlich kerngesunden, in seinem Gesichtskreise klar blickenden und durchaus wackeren Voß entnehmen durfte — eine merkwürdige Geistessympathie zwischen diesem und v. Kleist wie v. Finkenstein. Ich kann einer näheren Bekanntschaft aller Dreien dann mich rühmen, wenn bei Ewald v. Kleist die blos durch v. Finkenstein vermittelte gleichfalls zählen darf, und bin in der Lage, ein Wort über ihr hier nicht bedeutungsloses rein Menschliches zu sagen.

Sie gehörten — bei Kleist und Finkenstein kam noch ein eben so schöner als zierlicher und ächter Edelmuth hinzu — zu den reinsten Naturen, und namentlich war v. Finkenstein eine Persönlichkeit, der ich keine zweite an die Stelle zu setzen wüßte. Ich möchte ihn die vollendete Tugend nennen; denn an diesem Manne auch nur den kleinsten Makel zu entdecken gehörte zu den Unmöglichkeiten, und dabei kannte er seine Trefflichkeit nicht, sondern durchlebte seine Tage fast nach allen Seiten hin praktisch und wissenschaftlich gebildet und thätig, wie ein seliges, stets lachendes, seiner Vorzüge sich völlig unbewußtes Kind, überall, nur nicht in der vornehm gezierten Welt sein Paradies findend, und ohne Stoicismus, jeder Beziehung nach die reinste Enthaltsamkeit selbst. Die beiden Anderen gleichen ihm in sofern, als sie die protestantische Confession achteten; allein bei ihnen überwiegend das Ethische, Rechtliche und Gradheit des Sinnes blieb, woraus — was ich selbst erfahren — jenes Gefühl entspringt, daß der Protestantismus ein Unzureichendes, an manchen Stellen sogar ein Gemachtes und erst Ueberblendetes, dann Ueberpinseltes sey, und daß das wahre Heil, die eigentliche Wonne der Seele, anderswo gesucht werden müsse. Denn das Weltliche war diesen Männern fremd, nicht etwa weil sie es überwunden hatten, sondern weil es ihnen stets fern geblieben war, es niemals sie angetreten hatte. [...]

Dies bezeichnet Kleist, Finkenstein — dessen handschriftlichen poetischen Nachlaß mitzutheilen vielleicht mir einmal vergönnt wird — und Voß, daß sie die Poesie der alten Heiden nicht nachahmten, nicht eigentlich copirten, — was ja Voß sogar nur als Uebersetzer that — sondern daß sie, wahrhaft feinsinnig, ja feinsinniger vielleicht wie die unschätzbaren Philologen Gesner und Wolf — (Wolf konnte nicht umhin zuletzt noch eine Reise zu Finkenstein auf seinem Landsitze zu machen, um ihn kennen zu lernen, wie früher es Gentz mehrmals gethan) — in ihrer Unschuld und Ungelehrsamkeit — gelehrt nämlich ward Voß auch erst im späteren Lebensalter — das wahre Wesen der Classicität aus den alten Dichtern [...] richtig zu erkennen den Anfang machten.[61]

Friedrich Ludwig Karl Finck von Finckenstein (1745—1818), als Küstriner Regierungspräsident und Richter im Müller-Arnoldschen Prozeß durch eigenmächtigen Eingriff Friedrichs II. im Jahr 1779 verabschiedet, seitdem privatisierend, war Verfasser der ,Arethusa' (der 1789 erschienene erste Band enthielt die Übersetzung Theokrits), kritischer Herausgeber von Ewald von Kleists ,Frühling' in seiner ursprünglichen, nicht von Ramler bearbeiteten Gestalt (Berlin 1804) sowie Schöpfer jenes englischen Parks auf seinem Gut Madlitz, den Tieck in der 1811 entstandenen Einleitung zum ,Phantasus' wie folgt schildert:

> Dagegen ist mir in einer der traurigsten Gegenden Deutschlands ein Garten bekannt, der allen romantischen Zauber auf die sinnigste Weise in sich vereinigt, weil er, nicht um Effekt zu machen, sondern um die innerlichen Bildungen eines schönen Gemüthes in Pflanzen und Bäumen äußerlich zu erschaffen vollendet wurde; in jener Gegend, wo der edle Herausgeber der Arethusa nach alter Weise im Kreise seiner liebenswürdigen Familie lebt; dieser grüne, herr-

liche Raum schmückt wahrhaft die dortige Erde, von ihm umfangen, vergißt man das unfreundliche Land, und wähnt in lieblichen Thälern und göttergeweihten Hainen des Alterthums zu wandeln; in jedem Freunde der Natur, der diese lieblichen Schatten besucht, müssen sich dieselben heitern Gefühle erregen, mit denen der sinnvolle Pflanzer die anmuthigste Landschaft hier mit dem Schmuck der schönsten Bäume dichtete, die auf sanften Hügeln und in stillen Gründen mannichfaltig wechselt, und durch rührende Reize den Sinn des Gebildeten beruhigt und befriedigt.[62]

Seine Sammlung der ‚Minnelieder aus dem Schwäbischen Zeitalter‘ hatte Tieck 1803 mit der handschriftlichen Widmung an den Grafen versehen:

> Dem Pflanzen, Baum und Strauch willig entsprießen,
> Aus öder Wildnis ein befreundet Leben,
> Anmuthige Einsamkeiten grün sich heben,
> Dankbar sein stilles Leben zu versüßen;
> Wem von der Lippe hold melodisch fließen
> Der Vorzeit Lieder, die sich gern ergeben
> Den neuen Tönen neu sich zu beleben:
> Ihn sollen diese deutschen Lieder grüßen. [...][62a]

Aus der Ehe des Reichsgrafen mit Karoline Reichsgräfin zu Schönburg-Glauchau entstammten fünf Söhne und acht Töchter, von denen ein Sohn und zwei Töchter das erste Lebensjahr nicht überlebten. Der älteste Sohn Karl (1772—1811) ist bekannt durch seine kurze Verbindung mit Rahel Levin, die durch Einwirken der Familie auf den willensschwachen Sohn wieder gelöst wurde.[63]

In der Literatur mehrfach erwähnt werden die fünf Töchter Finckensteins, Henriette (1774—1847), Karoline (1776—1832), Barnime (1779—1812), Amalie (1784—1814) und Luise (1786—1862), zu denen sich als sechste das Nesthäkchen Juliane (1793—1877) gesellte.

Eine eindrucksvolle Schilderung der Familie enthält Tiecks Novelle ‚Eine Sommerreise‘ (1834):

> Der Vater, der Präsident Graf Finkenstein, ist der Sohn des berühmten Staatsministers und der Präsident selbst ist in der Geschichte, durch jenen vielbesprochenen Arnold'schen Proceß, nicht unbekannt, in welchem er sich als einen wakkern und höchst rechtlichen wie unerschrockenen Mann zeigte. Wer in dieser Familie [...]eine Weile gelebt hat, der kann sich rühmen, die echte Humanität und Urbanität, das Leben in seiner schönsten Erscheinung kennen gelernt zu haben. Die Mutter, eine würdige Matrone, ist die Freundlichkeit selbst, in ihrer Nähe muß jedem wohl werden, der ein echter Mensch ist. Begeisternd, aber freilich weniger sicher ist die Gesellschaft der drei schönen und edeln Töchter. Die zweite ernst, die dritte muthwillig und froh und die älteste graziös und lieblich, erscheinen sie, im Gesange vereinigt, wie das Chor der Himmlischen. Vorzüglich die

Stimme dieser älteren Schwester ist der reinste, vollste und auch höchste Sopran, den ich jemals vernommen habe. Wäre sie nicht als Gräfin geboren, so würde sie den Namen auch der berühmtesten Sängerinnen verdunkeln. [...] Der Vater, nachdem er seine Geschäfte und juristische Laufbahn aufgegeben hat, bewirthschaftet seine Güter und hat mit malerischem Sinn für Natur in Madlitz einen der schönsten Gärten angelegt und ausgeführt, der uns einfach und ohne Prätension die Herrlichkeit der Bäume und Pflanzen zeigt und an hundert anmuthigen Plätzen zum poetischen Sinnen und phantasiereichen Träumen einladet. Dieser Mann studirt und übersetzt den Theokrit und Virgil's Eklogen, so wie einige Gedichte Pindar's. Er kennt, was noch so vielen Poesiefreunden eine geheimnißvolle Gegend ist, viele alt-deutsche Gesänge und weiß das erhabene Epos der Nibelungen fast auswendig. So oft ich in diesem Kreise war, bin ich besser und unterrichteter aus ihm geschieden.[64]

Über seinen Aufenthalt auf Ziebingen im Dezember 1804 berichtete Clemens Brentano in seinem Brief an Savigny:

Bei Burgsdorff, Tieck und den göttlichen Kirchenmusik-Fräulein von Finkenstein hat Arnim und ich 3 Wochen in Ziebingen 6 Stunden hinter Frf. a/O zugebracht. Seit dem Gesang dieser Mädchen, die alle wahrhaft ausgezeichnete adlige schöne ernste heilige Gemüter haben, kann ich auch die andre Musik nur für ein trauriges Gewelsch halten. Als ich sie um ihr Urteil über Mozarts Requiem fragte, sagte mir eine sehr gut: „Mozart ist ein sehr genialer Künstler, aber das Requiem ist sehr zerreißend." Tieck, der etwas sehr faul und gut zu allen war, spricht übrigens wie ein Gott, der den Schäfern die Weisheit lehrt.[65]

Ihr Abbild finden die „göttlichen Kirchenmusik-Fräulein" in den vier zierlich gekleideten Jungfrauen der Urfassung von Brentanos ,Chronika des fahrenden Schülers'.

Joseph von Eichendorff, der am 5. März 1810 Ziebingen auf dem Wege nach Schlesien passierte, spricht in seinem Tagebuch von „schrecklichen Sandflächen und Wäldern und fürchterlichem Weg", nennt Burgsdorff, Tieck, Arnim und Schütz sowie „die 11 [!] Comtessen v. Finkenstein, die gestern zum Balle in Crossen".[66]

Beim Tode des Grafen im April 1818 schreibt Tieck an Solger:

Mich hat dieser plötzliche Fall sehr erschüttert, denn ich habe es nun erst gefühlt, wie ich ihn liebte und wie sehr er mein wahrer Freund war. So sehr er mir durch Alter, Beschäftigung und seiner gantzen Bildung entfernt stand, so begriff er mich doch mehr als seine Söhne und war immer der jüngste von allen, wenn es auf Gefühl für Poesie, Natur oder das Schöne und Edle ankam. Er hatte eine wahre Zärtlichkeit für mich, und so sehr er mich stören konnte, so vermisse ich ihn jezt recht schmerzlich und es thut mir weh, daß er mein Buch über Shaksp. nicht mehr erlebt hat, für das er sich auf das lebhafteste interessirte, und aus welchem ich ihm auch oft gantze Capitel mündlich vorgetragen habe.

Ehe noch Hagen den Vorsatz fassen konnte, die Niebelungen heraus zu geben, wußte er sie schon auswendig, indem er sie im Winter 1803 und 1804 unaufhörlich mit mir las, und von dem großen Werk begeistert war, als nur noch wenige in Deutschland es oberflächlich kannten. Wäre er nie Gutsbesitzer geworden, oder vorher nicht Jurist gewesen, so würde er gewiß einer der gebildetsten und edelsten Menschen, denn die Störungen seines Lebens fielen dann weg, und er konnte gantz seinem schönen Triebe und einer geregelten Thätigkeit leben.[67]

Des Grafen Neffe Wilhelm von Burgsdorff, dem böse Zungen auch ein Liebesverhältnis zu Malchen Tieck, der Frau des Freundes Ludwig Tieck, nachsagten[68], interessierte sich lebhaft für seine Kusinen, die gräflichen Komtessen. Varnhagen berichtet darüber in seinen Aufzeichnungen:

> Burgsdorf (dessen Gut mit dem von Madlitz benachbart war) sollte erst Henriette Gräfin von Finckenstein heirathen, und war mit ihr so gut wie versprochen; dann aber wählte er ihre Schwester Karoline, und verlobte sich mit der; dies wurde ihm aber wieder leid, und er entschied sich für die jüngste Schwester Barnime. Da jedoch wollte der Vater diesen Tausch und Wechsel nicht mehr zulassen, sondern wies den wankelmüthigen Schwiegersohn gänzlich ab. [...] Karoline, welche den unsichern Burgsdorf wahrhaft geliebt hatte, fand später Trost in der noch heftigeren Liebe zu Genelli, der heimlich mit ihr getraut wurde.[69]

Henriette wurde die liebende und verehrende Freundin Ludwig Tiecks und zog später ganz zu ihm und seiner Familie. Auch Karoline lebte mit ihrem Freund, dem dreizehn Jahre älteren Hans Christian Genelli (1763—1823), in freier Verbindung zusammen. Dieser geistreiche Mann, Architekt und Kunstschriftsteller, hatte dem Grafen das neue Wohnhaus in Ziebingen errichtet und beschäftigte sich unter anderm mit Studien über die antike Bühne; in den Jahren 1801/3 plante Wilhelm Schlegel mit ihm die Herausgabe eines Prachtwerks über die griechischen Tragiker, wozu Genelli eine Abhandlung über „das Theaterwesen, die Szenerie und Mimik der Alten" mit entsprechenden Kupfern liefern sollte.[70]

Varnhagens Behauptung von einer heimlichen Vermählung Karolines mit Genelli ist nach Auskunft der Kirchenbücher unzutreffend.[71] Der Grund für die Verweigerung der Heiratserlaubnis dürfte in Genellis bürgerlicher Herkunft zu suchen sein. Er selbst schrieb im Jahr 1806, als er durch den unglücklichen Krieg von allen seinen Erhaltungsquellen abgeschnitten war, verbittert an Wilhelm Schlegel:

> Drei Jahre lang lebe ich demnach von der Gnade und Barmherzigkeit des Reichsgrafen von Finkenstein, oder falls Sie gemilderte Ausdrücke vorziehn, von der alten Güte und Gewogenheit dieses Mannes.[72]

Außer den beiden unvermählt gebliebenen Töchtern Henriette und Karoline wurden alle Kinder des Grafen adlig verheiratet. Amalie vermählte sich 1806 mit August Wilhelm von Schierstedt auf Reichenwalde, der, sechs Monate nach ihrem Tode, 1814 ihre Schwester Luise ehelichte. Diese wiederum heiratete 1830, drei Jahre nach Schierstedts Tod, den Landrat Otto von Voß auf Trebichow und überlebte den acht Jahr jüngeren Gatten noch um 26 Jahre. Die jüngste Schwester Juliane wurde 1822 die Frau des Infanterie-Generals Ferdinand von Voß.

Von den Söhnen heiratete Karl nach der Trennung von Rahel die Marquesa Rosa Maria Bianca Clementina de Mello-Carvalho, verwitwete de Camurri; Wilhelm 1805 die Maria Regina Freiin von Matt; Alexander 1813 ihre Schwester Wilhelmina Josepha Elisabeth Freiin von Matt und nach deren Tode die Angelika Friederike von Zychlinska; Heinrich 1812 die Tochter Amalia des Majors Leopold Albrecht von Voß.[73]

Wie aber stand es um die Verbindung von Wilhelm Schütz mit Barnime, der drittältesten Tochter, die Burgsdorff verweigert worden war? Schütz stammte, was meist übersehen wird, keineswegs aus adligem Haus. Was dazu nötig war, bis er die Heiratserlaubnis des Vaters erhielt, hat F. C. Wittichen eruiert:

> Christian Wilhelm von Schütz, geb. 1776, vermählte sich mit Barnime Luise Wilhelmine Sophie Gräfin Fink von Finkenstein, geb. 1779, einer Schwester des Grafen Karl. Schütz war der älteste Sohn des Geh. Oberfinanzrats Johann Georg Schütz, der am 10. Juli 1803 „mit seinen erzielten und noch zu erzielenden Leibeserben" mit Rücksicht auf diese Heirat in den preußischen Adelsstand erhoben worden ist und ein Gesuch vom 7. März 1803 um Verleihung des Adels mit der Absicht begründet hatte, „das völlige Glück seines ältesten Sohnes, welcher jetzt bei der hiesigen Kammer als Kriegs- und Domänenrat stehet, auf seine Lebenszeit zu bewirken". Die Familie Finkenstein hatte die Verleihung des Adels, den Erwerb eines Rittergutes und die Wahl zum Ritterschaftsdirektor zur Bedingung für die Zustimmung zur Heirat gemacht.[74]

Bis zu seiner Heirat im Jahre 1809 lebte Schütz ganz im Kreise der Berliner Freunde. In seiner Wohnung kam 1803 Sophie Bernhardis Komödie ‚Donna Laura' zur Vorlesung[75]; er gehörte mit Fichte, Wilhelm Schlegel, Bury und Hummel zu der „gar angesehenen Gesellschaft" im Haus Bernhardi, der Philipp Otto Runge im September 1803 seine Zeichnungen zu den ‚Jahreszeiten' vorlegte[76]; er borgte Wilhelm Schlegel während seines Berliner Aufenthalts Geld[77] und stand auch nach dessen Abreise im Briefwechsel mit ihm[78], wovon allerdings nichts erhalten geblieben ist.

Auch außerhalb des Schlegelschen Kreises genoß Schütz inzwischen einiges Ansehen. Chamisso bemühte sich 1804 in Briefen an Varnhagen um Beiträge von ihm für den „grünen" Musenalmanach.[79] Zacharias Werner beschwor in

einem Brief aus Königsberg vom 17. Oktober 1803 seinen Freund Hitzig, für
ihn die Verbindung mit Schütz aufzunehmen:

> Du bist an der Quelle. Suche August Wilhelm Schlegels Bekanntschaft. Suche
> Dich mit Schütz bekannt zu machen; er ist ein braver, talentvoller Jüngling. Sein
> Lacrimas giebt dem, was man so gewöhnlich Critik nennt, sehr starke Blößen,
> aber mich ergötzt Alles, worin ich den Nachklang des Höchsten finde. [...] Ich
> bitte Dich also, suche jene homines novos auf. Associire Dich ihnen bonis modis.
> Ist dieser oder jener ein Narr; thut nichts, wenn er nur ächten Sinn hat für das,
> was dem Menschen Noth thut, und das ist: *Verbindung einiger in solchem Sinne
> begabten Menschen zur Erwärmung der Menschheit,* die weniger durch Bücher,
> als durch eine mündliche Communikation erreicht wird. Vorläufig suche Schütz
> auf, theile ihm etwas von meinen Ideen mit, und sage ihm gradezu, daß *ich* sie
> Dir geschrieben. Kannst Du mich mit August Wilhelm Schlegel in einigen Rap-
> port setzen, desto besser. [...] Und darum will ich Proselyten machen und Brü-
> der haben, und, wenn andere Leute etwas besseres wissen, als ich, in ihren Bund
> aufgenommen seyn, — und darum: sprich mit Schütz, nenne mich Schlegeln; sage
> ihnen, wie innig mich ihre sogenannte Kunst entzückt, und, wie sie mich tausend-
> mal mehr entzücken würde, wenn *die theoretisch gesungenen Sachen,* cum grano
> salis, *praktisch* verhandelt würden.[80]

Auf diese Berliner Jahre, da er mitten im literarischen Leben der Romantiker stand, hat Schütz vier Jahrzehnte später recht kritisch zurückgeblickt:

> Aeußerlich trat ich mit allen Regungen der Daseynsentwickelung in Berührung,
> oder machte, wie sich es gleichfalls ausdrücken läßt, so sehr Alles mit, was an
> der Tagesordnung war, opponirte denselben sichtbar und bemerkbar mich so we-
> nig, daß beim ersten Zusammentreffen man mich würdigte und nahm für einen
> der, wenn auch nicht activsten, doch geistreichsten Gefährten der Tagestendenzen.

> Nichts hasse ich tiefer, als die Sucht den Sonderling zu spielen. Dadurch ge-
> rieth ich in eine eigenthümliche Stellung. Was man in Berlin, ja überhaupt in
> Preußen unter den sogenannten Gebildeten, eigentlich den Verbildeten, Geist, Le-
> ben, Fortschritt und Aufklärung nennt, und womit dort die furchtbarste Komö-
> die gespielt wird, das ist und bleibt leider einmal die allerdürrste Dürre, trost-
> loser und todter, als die brennendste afrikanische Sandsteppe. Befand ich mich
> allein, sah ich und fühlte ich mich mir selbst nicht abgesperrt, im Gegentheil mit
> mir selbst vereinigt — und diese innerste Selbstvereinigung, die kein Zweifel,
> kein Widersacher stört, fehlte mir eigentlich niemals — wer war dann glücklicher
> als ich? Es ist nicht zu viel gesagt, wenn ich versichere: daß, war ich allein mit
> mir und bei mir selbst, ich mich fühlte wie im Paradiese.

> Aber am Schlusse des achtzehnten Jahrhunderts, am Anfange des dritten Lebens-
> jahrzehndes, im damals grundpaganistischen — es ist noch heute nicht viel an-
> ders — Berlin lebend, ohne vom Katholicismus das Eigentliche zu kennen, im
> Geiste, geschweige im Daseyn, den Cönobiten und Anachoreten zu verwirklichen,
> war dies Etwas, das sich fordern ließ? — Ich befand mich nicht auf solcher erhabe-
> nen, heiligen Stelle. Im Gegentheil, ich hielt wohl sogar in seltsamen und unsiche-

ren Lebensmomenten es für Abnormität, für Abweichung von meiner Lebensbe-
stimmung, wenn ich der Neigung nachgab mich abzuschließen und abzusondern
von der Welt. Trat ich aber, weil es nöthig schien, um nicht Ausnahme zu machen, wieder ein in ihr trostloses Gewühl, und thauete ich gleichsam wie frisches
Morgengras in der Steppe, dann nahm man mich für einen der geistreichsten und
einnehmendsten Weltlinge. Dies ging so weit, daß die Repräsentanten der welt-
lichen Zeitbildung, hatten sie sich mir bis zu einem gewissen Grade genähert,
gleichsam darauf ausgingen und sich die Gelegenheit ersahen, Brüderschaft mit
mir auf ihren Götzendienst zu zechen, weil ich ein eben so vorurtheilsfreier,
Alles mitmachender, als geistreicher Mensch sey. Da bedurfte es denn manchen
Versuches, ja Kunstgriffes, um zu entschlüpfen und zurückzukehren in den stillen
Frieden des eigenen, mit sich selbst unentzweiten Wesens.[81]

In eine sehr unerfreuliche Lage geriet Schütz durch das Zerwürfnis Tiecks
und Bernhardis anläßlich des Eheskandals um Tiecks Schwester Sophie. Schon
1803 hatte Tieck den Freund in die Affäre hineingezogen. indem er einen für
die Schwester bestimmten Brief fiktiv an Schütz richtete, um ihr hinter Bernhardis Rücken Verhaltungsmaßregeln für die beabsichtigte Scheidung zukommen zu lassen, wobei er auch nicht versäumte, Grüße an ihre Liebhaber Knorring und Wilhelm Schlegel aufzutragen.[82]

Eine ausführliche Darstellung der Angelegenheit findet sich in der 3. Auflage
von Varnhagens ,Denkwürdigkeiten des eigenen Lebens'[83]:

> Bernhardi war mit der Schwester Tieck's verheirathet, und, wie man sagte,
> hatte er sich diese Heirath durch Tieck aufschwatzen lassen [...]. Sie selbst hatte
> auch nur mit Widerstreben eingewilligt, und lebte nicht glücklich, der wohlbe-
> leibte Gatte war ihr zu materiell, und obwohl er alles that, ihrem ätherischen
> Wesen zu huldigen, so hatte er doch wenig Dank davon. Wilhelm Schlegel, der
> bei Bernhardi wohnte und aß, gefiel ihr besser, und es entstand große Vertrau-
> lichkeit, die in diesem Kreise, wo es fast eingeführt war, sich wechselseitig alles
> zu gönnen und zu gestatten, kaum auffallen konnte [...]. Wie aber das muntre
> und geistreiche Zusammenleben nach und nach einging, wuchs das Mißvergnügen
> und die Unruhe der Madame Bernhardi, sie wurde kränklich und sollte zu ihrer
> Zerstreuung nach Weimar reisen, wohin sie ihre beiden Knaben mit des Vaters
> Einwilligung mitnahm, ein liefländischer Edelmann von Knorring aber, den sie
> mit ihren schwachen Reizen wunderbar gefesselt und zu ihrem Retter ersehen
> hatte, kam ihr heimlich nach, und führte sie von Weimar nach Italien fort. Bern-
> hardi erfuhr dies alles durch Andre, und fand dieses Betragen der Frau ganz un-
> verschämt, den Raub seiner Kinder nimmermehr zu dulden. Seine Briefe, durch
> welche er die Rückgabe der letztern forderte, blieben unbeantwortet, und endlich
> schrieb Ludwig Tieck ihm kurzweg, seine Schwester habe es mit einem so schänd-
> lichen Menschen, wie er sei, nicht mehr aushalten können, habe ganz Recht ge-
> than, von ihm wegzugehen, und auch die Kinder sollten nie zu ihm zurückkeh-
> ren. Schlag auf Schlag sagten auch Friedrich Tieck und Wilhelm Schlegel sich von
> ihm los, alle Sippschaft und Anhänger derselben feindeten ihn heftig an, und der

hart getäuschte Mann stand plötzlich in schrecklicher Oede, von seinen Nächsten verrathen und dabei belastet mit dem bittersten Hasse, den er um ihretwillen von allen ihren Widersachern nur allzu eifrig auf sich genommen. [...] In dieser Noth aber nahm sich der bedrängte Mann nur um so tapfrer zusammen, er schrieb an Knorring eine Ausforderung auf Pistolen, erklärte ihn für einen ehrlosen Schurken, wenn er sich nicht stellte, ließ auch beide Tieck und Wilhelm Schlegel wissen, was er von ihnen halte, und betrieb seine Sache vor Gericht mit klugem Eifer. Durch offene Darlegung aller Verhältnisse hatte er Fichte'n von seinem guten Rechte überzeugt, auch Fouqué und Wilhelm von Schütz für sich gewonnen, wie sehr auch beide sonst mit der andern Seite befreundet waren.

An der Ausforderung Knorrings war Schütz nicht unbeteiligt. Auf dem von Varnhagen erwähnten Brief Bernhardis glaubte Sophie jedenfalls Schützens Wappensiegel zu erkennen, und sie erkundigte sich am 22. Juni 1805 aus Rom angelegentlich bei Schlegel:

Wen[n] Sie aber Briefe haben von Schütz, sehen Sie doch das Wap[p]en an ob es nicht ein getheiltes Feld hat, auf der einen Seite eine Krohne [?] und auf der andren ein Herz mit Pfeilen.

Schlegel antwortete am 7. Juli:

Ich besinne mich nicht genau auf Schützens Wappen, doch ist es nur zu wahrscheinlich, daß er und Schierstädt die Hand im Spiele haben, weil B[ernhardi] ohne fremde Verhetzung nie von Pistolen reden wird, die seiner Natur aufs äußerste zuwider sind.[84]

Bei Schlegels Weggang von Berlin im April 1804 hatte Schütz die Schlüssel zu den Büchern in Verwahrung genommen, die dieser bei Bernhardi zurückgelassen hatte; nun, am 26. Dezember 1805, wird er von Sophie verdächtigt:

Dan[n] bitte ich Sie lieber Freund doch ja eine Verfügung zu treffen daß Ihre Bücher von B[ernhardi] weggenommen werden. Schütz hatt sich ja so erbärmlig gezeigt daß Sie gar nicht wissen können ob er den Schlüssel hatt. Oder wen[n] er ihn hatt so ist daß noch viel schlimmer. [...] Drum bitte ich Sie, geben Sie doch zum Beispiel Fouquet den Auftrag die Bücher von B[ernhardi] wegzunehmen, und sie bei sich aufzunehmen.

Schlegel beruhigt sie, daß Bernhardi doch nie Bücher ansehe und vergessen habe, daß es dergleichen auf der Welt gebe:

Er müßte sie also aus bloßem üblen Willen verzettelt haben, und sollte ihm Schütze [!] dazu den anvertrauten Schlüssel geben? dieß wäre um so unverantwortlicher, da derselbe Schrank auch alle meine Papiere, und darunter sehr wichtige (freylich sämtlich versiegelt) enthält. Mit Fouqué, das möchte Schwierigkeiten haben, da er auf dem Lande.[85]

Aber auch der von Sophie vorgeschlagene Vertrauensmann Fouqué hatte inzwischen Bernhardis Partei genommen. Rührend beschwört er in einem Brief vom 11. April 1806 Wilhelm Schlegel:

> Du und ich, mein geliebter Freund, wollen das Rechte, Einer von uns ist im Irrthum über diese Verhältniße, und gern würde ich mich dazu bekennen, wenn nicht dies eben so viel hieße, als einen Menschen unbedingt verwerfen, der mir Liebe und Vertrauen zeigt, den ich Jahre lang als Freund betrachtet, mit dem ich mich gemeinschaftlich gefreut, gemeinschaftlich mit ihm gearbeitet habe. [...] Du kennst mich vielleicht als einen nachlässigen Beobachter, und fußest also wohl (nicht mit Unrecht) wenig auf meine Meinung. Fichte aber und Schütz, Beide von hellerm und ruhigerm Gemüth, Beide von Anfang dem ganzen Verhältnisse näher, sehn die Sache grade so, und günstiger noch für B[ernhardi], als ich sie Dir hier schrieb. Ich weiß dies aus ihrem eignen Munde.[86]

Wirklich erweist sich Schütz in einem ausführlichen Brief an Tieck vom 27. März 1807 in die Angelegenheit gründlich eingeweiht und über das Verhalten der von ihm verehrten Menschen bestürzt*. Zunächst geht es noch einmal um Schlegels Bücher, die inzwischen wegen noch ausstehender Schulden beschlagnahmt waren. Bei dieser Gelegenheit sei er von allen Details des Prozesses unterrichtet worden und habe durch Bernhardi Dinge erfahren, deren Wahrheit sich vollständig dartun lasse und von denen keiner wünschen könne, daß sie publik würden:

> ich wenigstens kann davor erschrecken, daß von einer Gesellschaft von Menschen, die sich öffentlich als Verfechter des Schönsten und Edelsten, ja gewissermaßen als Priester desselben angekündigt, alles das an den Tag kommen sollte, was Bernhardi an den Tag bringen will.

Es seien zum Teil die gleichen Menschen, denen Tieck die Sonette im ‚Poetischen Journal‘ von 1800 gewidmet habe (nämlich — außer Bernhardi — Wilhelm Schlegel, Sophie Tieck, „indirekt auch Wackenroder“), auf die solch ein Schimpf komme, wobei noch das beste Licht auf den Angeklagten als einen schwachen und gutmütigen Betrogenen und deshalb Zürnenden falle. Schütz rät Tieck dringend zum Abbruch des Prozesses und zu einem Vergleich. Wenn er, Schütz, im April zu seiner Vereidigung (vermutlich als Landrat) nach Berlin müsse, würde er mit Bernhardi sprechen können, dessen Vertrauen er jetzt so ziemlich besäße, würde dies aber nie tun, „wenn ich nicht Deine Gesinnungen darüber zuvor wüßte“.

Tieck blieb den wohlgemeinten Mahnungen des Freundes gegenüber taub. Fünf Jahrzehnte später, in einem Brief an Graf Yorck von Wartenburg vom Februar 1853, sieht er seine Haltung in einem andern Licht:

---

* Anhang, Brief 1.

Ich riet, beschwor, tat alles, um sie zu bewegen, daß sie durch einen verständigen Vergleich von ihrem Mann, dem Bernhardi, loskäme; alles half nichts, sie hielt sich für so ausgezeichnet tugendhaft, daß der Skandal ihr als ein Triumph erschien; und wie hat sie durch diesen Prozeß gelitten, mehr als ich geweissagt hatte.[87]

Varnhagen war es, der sich besonders eifrig für Bernhardi einsetzte. In der oben zitierten Darstellung aus den ,Denkwürdigkeiten' heißt es weiter:

Jedoch eines thätigeren Beistandes bedürftig, als diese [Fouqué und Schütz] ihm gewähren konnten, hatte Bernhardi auch mir, schon bei meiner vorjährigen Anwesenheit in Berlin, seine ganze Sache vertraut, und mich zum Zeugen und Helfer seiner Maßregeln aufgefordert. Ein besserer wäre ihm auch nicht zu finden gewesen, denn ich war, nachdem ich einmal seine Sache für die bessere hielt, eben so bereit mit dem Degen, als mit der Feder und dem Worte für ihn aufzutreten, obgleich ich sehr gut wußte, welchem großen und vielfachen Hasse ich mich bloßstellte. Ludwig Tieck schien seine ganze Dichterkraft jetzt zum Verderben Bernhardi's aufzubieten, und nahm sich des Prozesses mit nachdrücklicher Thätigkeit an. [...] Hiergegen hatte nun auch Bernhardi scharfe Waffen, wie die Gegenseite sie nicht vermuthete; die Mägde seiner Frau hatten sich das Vergnügen gemacht, mit Kreidestrichen die Zahl der Küsse anzumerken, welche sie im Nebenzimmer schallen hörten, wenn Madame Bernhardi mit Knorring so lange allein blieben, bis der besorgte Ehemann aus der Apotheke zurückkam, wohin er selber zu eilen pflegte, um die vorgeschriebenen Arzneimittel gegen die Krampfanfälle der Gattin herbeizuholen; der ehrwürdige Fichte bezeugte auf Verlangen gerichtlich, daß er bei Madame Bernhardi, als er unerwartet in deren Schlafzimmer getreten sei, den ältern Schlegel in sonderbarster Verfassung angetroffen habe, und was dergleichen Aergernisse mehr waren. Wegen einer Liebelei, deren Bernhardi mit einer Verwandten Tieck's beschuldigt wurde, konnte er anführen, daß dieser ja selbst darin vorangegangen war, und die lästig gewordene Liebschaft an den bequemen Schwager gleichsam abgesetzt hatte. Ueberhaupt schrieb nun Bernhardi seine Bekenntnisse und Denkwürdigkeiten, die er als letzte Nothwehr wollte drucken lassen. [...] Wir riethen ihm, seine Denkwürdigkeiten wenigstens vollständig zu schreiben, und bereit zu halten, mit ihnen aber dann erst hervorzubrechen, wenn doch schon alles verloren wäre.

In seinem Bestreben, für den bevorstehenden Scheidungsprozeß Entlastungszeugen herbeizuschaffen, bediente sich Varnhagen mit Erfolg auch der Hilfe Heinrich von Kleists in Dresden, den er von den gemeinsamen Berliner Jahren 1804/5 her kannte. In einem undatierten Billett meldet er Bernhardi:

Soeben, mein lieber Freund, läuft inliegender Brief von Heinrich von Kleist aus Dresden ein, der freundlich genug lautet. Das Billett kann ich zum Theil nicht lesen, auch kommt mir die Form seltsam vor. Wissen Sie etwas von einer Wilhelmine Wichmann (oder Spielmann, ich kann's nicht genau lesen), oder ist sie Ihnen ganz unbekannt? Ich vermuthe, daß Kleist dieser den Auftrag gegeben hat, sich zu erkundigen; auf jeden Fall können wir uns auf diesen verlassen.[88]

Auf diesen Briefwechsel bezieht sich offenbar Varnhagens Äußerung in seinem Brief an Fouqué vom 9. Februar 1808 über Kleist, der sonst „ein guter, lieber Mensch" gewesen sei und „auch jetzt in Bernhardis Sache mir treuen und guten Dienst leistete".[89] Ob es sich allerdings, wie Josef Körner annimmt[90], bei der „Wilhelmine Wichmann" um die Dienstmagd Mine handelte, die von Sophie wegen Mitwisserschaft aus dem Hause gejagt worden war, ist zu bezweifeln; denn „Mine" wurde von Bernhardi schon im Oktober 1806 als Hauptzeugin genannt[91], auch sollte Kleists Gewährsperson ja nicht aussagen, sondern sich erkundigen.

Ebenso wie Schütz war Varnhagen tief erschüttert von dem Einblick in Bernhardis Aufzeichnungen:

> In solch tiefe innere Zerrüttung scheinbar schöner und glücklicher Dichterverhältnisse hineinzuschauen, war mir nicht wohlthätig, eine Menge häßlicher Zustände und widriger Gebrechen enthüllten sich mir, auch auf der Seite des Freundes, der mir dadurch sehr verleidet wurde, obgleich seine nunmehrige Lage meinen ganzen Eifer erweckte, und auch die obengenannten Ehrenmänner [Fouqué und Schütz] ganz für ihn Partei nehmen ließ.[92]

Als 1829 die Gefahr drohte, daß ein Journalist die Verteidigungsschrift Bernhardis veröffentlichte, wandte Tieck alle Mittel an, um auf gerichtlichem Wege oder durch Zahlung einer Geldsumme die Herausgabe der belastenden Dokumente zu erreichen.[93] Tatsächlich sind die Akten, deren Inhalt nie bekannt wurde, seitdem verschollen.

Von Tiecks Bruch mit den früheren Freunden Genelli und Schierstedt, die mit ihm in Ziebingen wohnten, aber auch mit Wilhelm von Schütz, zeugt sein Brief an Wilhelm Schlegel vom 13. Juni 1808:

> Daß sie [Genelli und Schierstedt] mich selbst persönlich beleidigt haben, will ich gar nicht einmal in Betracht ziehn. Ich lebe mit ihnen, weil ich in meiner hiesigen Umgebung muß, so, wie man Kröten in seinem Garten dulden muß. [...] *Schütz* hat sich ebenfalls auf die dummköpfigste Weise von dem Schurken *Bernhardi* hintergehn lassen, und ich habe ihm darüber tüchtig die Meinung gesagt. Doch ist er eine gute Haut; recht im buchstäblichsten Sinne; denn von Fleisch, Gebein und Sehnen ist bei ihm nicht mehr (moralisch gemeint) die Rede; so haben ihn die Formeln der Fichteschen Philosophie ausgehöhlt, und zum Dummkopf gemacht. —[94]

Schütz hatte sich in dieser Zeit enger an Varnhagen und dessen Freundeskreis angeschlossen. Obwohl damals schon auf seinem Gut Kummerow lebend, kam er regelmäßig nach Berlin, wo er mit Varnhagen, Bernhardi, Theremin, dem jungen Mediziner Adolph Müller und Alexander von Marwitz im Reimerschen Hause verkehrte, mit Schleiermacher, Marwitz und den andern an Varnhagens bejubelter Lesung aus Grimmelshausens ‚Simplizissimus' teilnahm

und im Winter 1807/8 zusammen mit ihm und Bernhardi Fichtes berühmte
‚Reden an die deutsche Nation‘ im Akademiegebäude hörte, eine Veranstaltung,
von der sich, wie Varnhagen bemerkt, die andern Freunde trotz des geringen
Honorars von noch nicht voll zwei Talern zurückhielten.[95]

Nach Varnhagens Weggang von Berlin sollte Schütz den steckengebliebenen
Roman ‚Die Versuche und Hindernisse Karls‘ fortsetzen, jenes nie zum Abschluß gelangte Gemeinschaftswerk Varnhagens, Bernhardis, Wilhelm Neu-
manns und Fouqués. Am 4. Januar 1809 schreibt Varnhagen aus Tübingen an
Neumann:

> Bitte doch Schüz [!] in meinem Namen, daß er zum zweiten Theil eine Epi-
> sode schreibe, oder freilich noch besser, eine Zeitlang die Begebenheiten fortführe,
> wenigstens soll er ein Paar Romanzen dazu geben. [Und zum Schluß noch ein-
> mal:] Apropos! Bitte doch Schüz![96]

Von seiner Freundschaft mit Schütz in Berlin und den damals entstandenen
Dichtungen erzählt Varnhagen in den ‚Denkwürdigkeiten‘:

> Wilhelm von Schütz war in dieser Zeit bemüht, ideale Erkenntnisse in Dich-
> tung auszubilden, und wählte dafür unter andern die Form des antiken Dra-
> mas, die er aber unglücklicherweise nicht den ursprünglichen griechischen Vorbil-
> dern absah, sondern den ungenügendsten Übersetzungen, und namentlich wurde
> der Sophokles von [Friedrich] Ast sein Grund- und Hauptbuch. Die harte, ver-
> renkte Sprache, den in genauer Nachahmung erstarrten Versbau, kurz alle zu-
> fälligen Gebrechen dieser einzelnen Übersetzung, nahm er sich zum Muster, und
> arbeitete so mit Fleiß und Sorgfalt wahre Mißgebilde aus, die zwar wegen dar-
> über schwebender Ideen den Geist im Allgemeinen wohl ansprachen, und inson-
> derheit von Fichte und Bernhardi mit großer Zärtlichkeit aufgenommen wurden,
> auch durch viele glückliche Bilder und lebensreiche Ausdrücke ächten Dichter-
> sinn bezeugten, aber doch als wahre Kunstgestalten in keiner Weise bestehen
> konnten. Die Tragödie Niobe war schon gedruckt, und sollte, wie im Vertrauen
> gesagt wurde, einen Strahl der [Fichteschen] Wissenschaftslehre in sich tragen,
> von dem man nun erwartete, ob und wie er in den Gemüthern leuchten würde.
> Schon aber war Schütz mit einer zweiten Tragödie dieser Art, die Gräfin von
> Gleichen, weit vorgerückt, und sogar schon mit einer dritten beschäftigt, wozu
> Charlotte Corday die Heldin war, und das Pariser Volk den antiken Chor vor-
> stellte. Ich hatte gleich gegen diese Richtung vieles einzuwenden, besonders auch
> gegen die metrische Bearbeitung und prosodische Willkür. Da jedoch Schütz, wenn
> er vom Lande aus kurze Zeit zur Stadt kam, ganz von diesen Dingen erfüllt,
> und mit dem schönsten Feuer seines damals noch jugendlichen Strebens darin
> thätig war, die Freunde zu heitrer Theilnahme stimmte, und zu mannigfachen
> Verhandlungen, die niemals unangenehm wurden, den besten Anlaß gab, so hat-
> ten wir von seiner verfehlten Arbeit dennoch günstigen Eindruck und erwünsch-
> ten Ertrag. Seinen kleinen Gedichten, Romanzen und Liedern, konnten wir da-
> gegen größtentheils unsern vollen Beifall widmen, denn obgleich er auch hier die

Poesie, bisweilen als bloßes Gefäß eines mystischen Inhalts gebrauchen wollte, so
wurde ihm doch gegen die Absicht meist freie Poesie daraus, nur konnte er sich
von der Sprachquälerei, die ihm der Astsche Sophokles angethan hatte, nie ganz
erholen.[96a]

Daß Fichte, wie Varnhagen berichtet, Schützens Dichtungen „mit großer
Zärtlichkeit" aufgenommen habe, wird von Schütz selbst bestätigt, der 1820
in den Wiener ‚Jahrbüchern der Literatur' darüber schreibt:

> Es ist dem Recensenten stets merkwürdig geblieben, wie der verstorbene *Fichte*
> diesen Versuch [‚Lacrimas'] anfangs so albern fand, daß er nicht einmal den
> ersten Akt zu Ende las, bis er nachher wieder durch einen Zufall auf das Schauspiel
> geführt und so davon ergriffen ward, daß er es sich zur Angelegenheit machte,
> durch mancherley Mittel das Verständniß des Gedichtes zu befördern. Besonders
> lieb ward ihm die Art und Weise, wie im Anfang sich alle Persönlichkeiten in den
> Anblick des Meeres wie in ein gemeinsames Element versenken [...][96b]

Für Schütz kam die Anregung zur ‚Niobe', die zur Ostermesse 1807 in Reimers Realschulbuchhandlung erschien, zweifellos von Tieck. Dieser hatte 1801
selbst ein gleichnamiges Trauerspiel „in antiker Form" im Wettbewerb mit den
Brüdern Schlegel geplant, zu welchem Zweck er sich von Wilhelm Unterricht
„in den alten Silbenmaßen" erbat.[96c]

Als die Ankündigung der ‚Niobe' im Meßkatalog erschien, machte Friedrich
Schlegel sofort den Bruder darauf aufmerksam und bestellte am 23. Juni 1807
das Buch bei Reimer auf eigene Rechnung und mit fahrender Post;[97] auch bat er
abgeschnitten vom literarischen Leben, wie er sich in Köln fühlte, am gleichen
Tag Freund Schleiermacher um nähere Auskunft:

> Entspricht die Niobe von Schütz einigermaßen dem was seine ersten Versuche
> versprachen? Es kommt Dir vielleicht sonderbar vor, daß ich nach diesem noch
> so späte Nachfrage halte; aber ich kann nicht von alter Erinnerung lassen.[98]

Als er das Buch endlich in Händen hat, ist er enttäuscht. Seinem Bruder gegenüber nimmt er am 5. August 1807 grundsätzlich Stellung:

> Neues hab' ich unterdessen nicht erfahren, außer der *Niobe* von Schütz —
> aber daran ist nicht viel Freude zu erleben. Die Art, wie er die Fabel genom-
> men hat, möchte recht gut sein; Niobe ist Verehrerin der allerzeugenden Erde
> und Sinnbild dieser selbst; dieß ist recht deutlich dargestellt, und der Chor der
> Frauen läßt sich fast allzu deutlich heraus über die Zeugungsgluth die in ihren
> Gliedern braust; die Jungfrauen scheinen anfangs eben so gesinnt, doch sind sie
> bescheidener und kehren noch zu rechter Zeit um — zum Licht des Zeus und der
> Pallas; dieses Licht aber (des Verstandes oder des Unendlichen und Himm-
> lischen), was den Gegensatz gegen die Erde machen soll, ist aber schier dunkel
> geblieben. Was soll man zu der mehr als Vossischen Steil- Stein- und Steifheit

NIOBE.

Eine Tragödie

vom

Verfasser des Lacrimas

Berlin 1807.
In der Realschulbuchhandlung.

der bleihackrigen Verse und Sprache oder vielmehr Wortklumpen sagen? — Es ist gar sehr misrathen. Es thäte überhaupt recht Noth daß wir uns der Deutschen Litteratur einmal wieder annähmen und tüchtig aussezten; tadeln dürften wir meist alles, ohne Besorgniß etwas Gutes zu treffen. Loben aber ja nicht, wenigstens nicht unsre ehemaligen guten Freunde; denn diese haben uns eigentlich viel Schaden gethan.[99]

An Schleiermacher am 10. August:

Die Niobe von Schütz habe ich gelesen; sie ist aber für mich fast ein wenig gar zu griechisch. Die deutsche Litteratur nimmt überhaupt eine sonderbare Wendung; der Himmel wird hoffentlich das Beste dabei thun und es seinen Kindern im Schlafe geben; das Beginnen des Menschen ist verkehrt und wundersam.[100]

An Tieck am 26. August:

Die Niobe von Schütz habe ich gelesen; wie ist es aber möglich, daß dieser sonst so lebensvolle und jugendliche Geist sich auch in diese zwanghafte Frostsprache hat einklemmen lassen, die ich dem Herrn Heinrich Voß allein vom Himmel bescheert glaubte. Es ist recht traurig, daß so einer nach dem andern zu Grabe geht. Man hört keinen männlichen fröhlichen deutschen Ton mehr.[101]

Friedrich Schlegel ist es denn auch, der im ‚Morgenblatt‘ vom 12. Januar 1808 mit seinen ‚Proben der neuesten Poesie‘ neben Arnim, Brentano, Fouqué und Goethe als ersten Schütz anonym aufs Korn nimmt:

I. Griechisch.

Steil zu meist mir steinern versteigender Gott
Apollon ist. Der bleyern hockrige Wort-
klump bricht hervor mit Weh des Zahns, des Lesenden Lohn.
Knirschend anfangs zu kau'n bemüht das Gedicht,
Ihm hängt es im Leim klebend Kiesel-
steine des Buchhändlers wie.

Aber vom Zahngrimmen Schmerz
Eilend freyer geübt schon
Braus't im geflügelten Hirne
Bald des Hellenen schönere Sylbenwuth.

Die Parodie, die Friedrich zur Wahrung der Anonymität nicht in die ‚Gedichte‘ von 1809 aufnahm, scheint bedeutender als das Original, so daß man sie schon auf Hölderlins Sophokles-Übersetzung bezüglich glaubte. Daß Schütz gemeint ist, bezeugt Friedrich in einem Brief vom November 1807:

Liebster Bruder, ich schicke Dir hier einige Späße [...]; bei dem *Griechisch* hatte ich den ersten Chor in Schützens Niobe vor Augen.[102]

Seine Parodie war nicht die erste. Schon im ‚Morgenblatt' vom 16. Oktober 1807 hatte der Tübinger Professor und Äschylus-Übersetzer Carl Philipp Conz einen anonymen ‚Poetischen Brief' in Hexametern veröffentlicht. Dort wurden den modernen „mondsiechen Poeten" als strahlende Sterne Klopstock und Wieland, Schiller und Goethe gegenübergestellt. Der Anfang ist der ‚Niobe' gewidmet, wobei vier Verse zitiert werden, die Conz in geschickter Collage aus sieben verschiedenen Stellen der ‚Niobe' zusammengestellt hatte:

> Wer, o ihr Himmlischen, rettet mein Ohr mir vor diesen modernen
> Griechen, welche daher in Sophokles ernstem Kothurn gehn,
> Und, verrenkend Teutoniens Sprache zum Baue der fremden,
> Chöre summen herab in strotzenden Phrasen und Bildern,
> Bildern, von denen Geschmack und Scham erröthend hinwegfliehn.
> „Süß zumeist mir, Schützrinn der Sprossen, Schöpferinn, du E-
> „Lithyia — Wollustbring'ndes Quell'n in den Busen!
> „Süß fühlt sich der Fruchtkeim! Hold ists ihn nähren, doch höchst hold
> „Sehen ihn schwell'n! O laß den seligen Garten nicht ausdürr'n!"
> Hörst du das zart jungfräuliche Flehn, die naiven Akkorde
> Schöner Griechennatur? [...]

In Johann Friedrich Schinks Lustspiel ‚Die Schriftstellerin' (in seinem Taschenbuch ‚Dramatisches Scherflein', Lüneburg 1810) hat die schöngeistige Dilettantin Amanda eine Tragödie „Niobe" in Terzinen, Stanzen und Sonetten gedichtet, die unter fremdem Namen zur Aufführung kommt und im Gelächter des Publikums untergeht. Der Freund ihrer Tochter, dessen Namen sie dafür mißbraucht hatte, ist mit Recht empört und läßt sich nur durch Amandas Zustimmung zur Heirat von der Aufdeckung der wahren Autorschaft abhalten, wobei er auf Rat seiner Braut das Stück als gewollte Persiflage auf die „unsinnige Idee der neuesten Ästheten, das moderne Trauerspiel zu vergräzisiren", ausgibt, so daß aus dem poetischen Ungeheuer ein Meisterstück des Witzes wird. Was man von Amandas Trauerspiel an Einzelheiten erfährt, hat mit dem von Schütz wenig zu tun. Ein unsichtbarer Chor symbolisiert die sieben Farben des Regenbogens, Niobes Kinder rezitieren aus Homer, Pindar, Äschylus und den Anakreontikern, ihr Gemahl Amphion läßt den Chor der Felsen und Bäume zu seiner Leier tanzen und singen, die Kinder hauchen in Terzinen ihren Geist aus, während Niobe selbst mit einem Sonett auf den Granitlippen erstarrt. (Schütz hatte, anders als bei ‚Lacrimas', nur gräzisierende Versmaße verwendet.) Im Vorwort seines Taschenbuchs versprach Schink, seine ‚Niobe', falls sie sich als possierlich genug erweise, das Publikum zu amüsieren, vielleicht einmal selbst „für die Freunde der Griechheit" ans Licht zu bringen. Eine überzeugende Parodie auf Schützens Stück wäre das schwerlich geworden, sollte es wohl auch nicht sein.

Nach Varnhagens Zeugnis waren Friedrich Asts griechische Übersetzungs-
kunststücke das Vorbild für Schützens Verssprache gewesen. Aber Ast selbst ist
keineswegs mit Schützens Tragödie einverstanden. Im ersten Heft seiner ‚Zeitschrift für Wissenschaft und Kunst' beanstandet er, wie schon Friedrich Schlegel, die allzu kraß herausgestellte „Zeugungsgluth".

> Die Idee des Irdischen, dessen Wesen wechselndes Gebähren ist und dessen
> Lust den Sterblichen täuscht, daß er es für das wahrhaft Unendliche und Gött-
> liche hält, ist im Ganzen der Tragödie schön angedeutet: nur wird die Lust des
> Gebährens zu oft geschildert und zu nachdrücklich hervorgehoben, so daß solche
> Stellen zuletzt einen widrigen Eindruck machen, zumal auf ein sittliches Gemüth,
> das sich bei einer solchen Enthüllung des in der Natur als Mysterion Verbor-
> genen nicht anders als abgestoßen fühlen kann. Die Auflösung des Ganzen ist
> didaktisch oder philosophisch.[103]

Und er zitiert die Verse der Pallas Athene, in denen die Idee, welche dem
Dichter vorgeschwebt habe, zuletzt ganz enthüllt sei:

> Von mir, auf die verblendet nur du konntest schmäh'n,
> Stammt alles Leben, das im todten Stoff sich regt;
> Auch jenes, was mit Wonne hat dein Herz berührt.
> Denn wo, von mir begrüßt, der fernste Hauch sich regt,
> Wie auch in finst'rer Todesschluft er sich verwirr',
> So bleib' ich doch von aller Lust der Anbeginn.
> Geboren werden, wachsen und gebären ist
> Nur mir, der Ungebornen, Ungewachs'nen, Nicht-
> Gebärenden, in immer schönerm Lichte nah'n,
> Bis zu dem Einzug in den Schooß, der eins mit mir.

In einer ausführlichen anonymen Rezension im ‚Morgenblatt' vom 27. Mai
1807 beschäftigt sich auch Karl August Böttiger als Archäologe mit dem Werk.
Er weiß zu melden, daß die hübsche Vignette auf dem Titelblatt „aus dem berühmten Sarcophag im Pioclementinischen Museum" stamme, und erzählt den
Inhalt der Tragödie, nicht ohne auf einen „argen Solöcismus wider die griechische Tempelsitte" aufmerksam zu machen. Zuletzt kritisiert er genüßlich die
„mystische Lösung" des ganzen Rätsels:

> Denn religiös und fromm im Sinn unserer neusten, naturphilosophischen, poeti-
> schen Poesie ist das ganze Gedicht, und was dem Uneingeweihten leicht eine
> Schaamröthe über die Wange giessen könnte, liegt in der cista mystica zwischen
> Feigen und Rebenblättern eingewickelt, und stößt oft, als Schlange sich empörend,
> den Korbdeckel ab. Wenn also hier der Zustand der befruchteten Frau so ge-
> schildert wird:
>
> — es umquillt, gleich Bienenkost,
> Allstets das Herz, süß fühlt sich der Frucht-

Keim, hold schon ists, ihn ernähren im Schooß:
Aber höchst hold, sehn ihn schwellen;

oder wenn von dem namenlosen Gefühl, wenn sich die Brüste mit Milch füllen,
Niobe den Jungfrauen vorsingt, die sich dem Dienst der keuschen Artemis wei-
hen könnten:

Laßt den seligen Garten nicht ausdürren,
Süß er den Busen [bei Schütz: Süß von den Bächen!] durchrieselt, womit
Hoffender Jungfrauen erröthendes Aufblühn,
Hoch ansteigender Waldstämme Schönheit (Zu deutsch: Mädchen und Bübchen)
Wässert und nährt die sich opfernde Mutter:

so könnten manche freylich diese Sprache höchst indecent finden, und sich über
diese Entweihung der heiligsten Muttergefühle lebhaft ereifern; allein diesen
wird als Unmündigen billig keine eigene Rede gestattet. Es werden uns hier
noch ganz andere Dinge entschleiert. Ernstlich nur *eine* Frage: welche Stufe der
Theo-Pornie, wie sie Georg *Forster* im ersten Theil seiner *Ansichten* schon so
treffend charakterisirte, hat unser neuestes Heidentum nun schon erstiegen? Ists
Verdienst um Mitwelt und Nachwelt, oder ists auch nur eine Capucinade, wenn
wir ausrufen, wie jener: deutsche Welt, thu einmal wegen dieser Philosophie und
Poesie die Augen auf!

Man meint, ähnliche Töne und Formulierungen schon von Kritikern unseres Jahrhunderts gehört zu haben. Immerhin erwähnt Böttiger in der gleichen Rezension (‚Über die jüngsten Früchte unserer dramatischen Dichter')
auch den soeben erschienenen „Amphitruo vom geistreichen Verfasser der Familie von Schroffenstein", der fast alle Bedingungen eines wahren Lustspiels
erfülle und den Dramaturgen einen dankbaren Stoff zur Parallele mit Plau-
tus, Molière und Falk biete.[104]

Wesentlich aufgeschlossener gegenüber Schütz und seiner Tragödie zeigt sich
Achim von Arnim, wenn er im August 1807 an Brentano schreibt:

Die Niobe von Lacrimas-Schütz wird Dir vielleicht wenn auch nicht gefallen,
doch Dich erschrecken durch eine Kühnheit, die ich bei Weibern, die viel Kinder
geboren haben, oft wahrgenommen; sie halten sich für Weltschöpfer. Das Stück
ist in seiner Manier so ruhig gehalten, wie ich seit Göthes Iphigenie nichts
kenne.[105]

Am 31. März 1808 bittet Arnim in einem Schreiben an Tieck um „Arbeiten
Ihrer Freunde, von Mad. Bernhardi, von Schütz, Schierstädt u. a." für seine
Einsiedlerzeitung[106], und noch 1817 muß ihm Jacob Grimm bedeuten, daß im
Rückert gewiß zehnmal mehr Natur sei, „als im Lacrimas-Schütz, den Du mei-
nes Wissens zu vertheidigen pflegst".[107]

Abschließend sei die recht verständige Kritik in der ‚Jenaischen Allgemeinen
Literatur-Zeitung' vom 26. August 1807 zitiert, deren Verfasser „H. D. F."

(d. i. Jariges) wiederum auf den philosophisch-didaktischen Charakter der Tragödie abhebt:

> So hoch der Gegenstand dieses nach antiker Form gearbeiteten Trauerspiels gestellt ist, so erhaben die symbolische Ansicht, die durch das Ganze geht, und so umfassend und tief die mystisch philosophischen Deutungen sind, womit das Werk sich schließt: so wird man gleichwohl von aller dieser Größe und Erhabenheit wenig getroffen, und garnicht durchdrungen oder ergriffen. Diese geringe Wirkung bey so viel Aufwand von Kraft erklärt sich wohl am natürlichsten eben aus der großen Anstrengung, die bis zur Überspannung geht; man fühlt gleichsam die Mühe, die der Autor anwendet, um seinen Gegenstand auf der ungewöhnlichen Höhe zu erhalten, und dieses macht jeden freudigen Genuß unmöglich. Über das Bestreben, alles bedeutend und großartig erscheinen zu lassen, geht das ächt Poetische, das Lebendige, das zum Menschen Sprechende, fast gänzlich verloren, und der Gesamteindruck des Gedichts ist mehr philosophisch-didaktischer, als dramatisch-tragischer Natur.

Schütz selbst bekannte sich noch im Alter zu diesem Werk und seiner Intention. In einem Aufsatz über den ‚Zusammenhang der antiken Tragödie mit dem Hebraismus' schreibt er 1843:

> In Wahrheit meinen wir hier eine Entdeckung gemacht zu haben. Ob das Wesenhafte der antiken Tragödie von uns mehr denn formell, ob es in seiner eigentlichen Tiefe gefaßt worden sey, darüber mögen zwei vor mehr denn vierzig Jahren componirte Tragödien: Niobe und der Graf von Gleichen, entscheiden. Genug, es ward damals schon uns klar, daß — um einen geräumigen Ausdruck zu brauchen — das antike tragische Drama nur ein einziges Thema zur historischen, also zur nicht ersonnenen Unterlage habe, den Tod nämlich und das Leben, dargestellt in der Orchestra und der Skene.[108]

Auch die zweite von Schütz erwähnte Tragödie ‚Der Graf und die Gräfin von Gleichen' erschien noch im Jahr 1807 in der Realschulbuchhandlung. Wenn aber Schütz die Entstehungszeit auf mehr denn vierzig Jahre zurückdatiert, also unmittelbar hinter den ‚Lacrimas' ansetzt, so scheint hier ein Irrtum vorzuliegen. In dem gleichen Brief vom 27. März 1807, mit dem er Tieck zum Vergleich in Sophiens Scheidungsprozeß drängte*, spricht er davon, daß er mit der ‚Gräfin von Gleichen' schon ziemlich vorgerückt sei. Mit der ‚Niobe' habe sein Streben angefangen, Licht und Klarheit in die Poesie zu bringen und sie gleichsam durchsichtig zu machen. In der ‚Gräfin von Gleichen', mit der er bald fertig zu sein gedenke, nehme er die Form der antiken Tragödie mit dem Chor nun noch strenger.

————

* Anhang, Brief 1.

Eine Besprechung des ‚Grafen von Gleichen‘ lieferte Varnhagen. Wie es dazu kam, schildert er in den ‚Denkwürdigkeiten‘:

> Ich sah Fichte'n bisweilen, ich sah Wolf, und hielt mit Bernhardi und mit Wilhelm von Schütz fleißige Gemeinschaft. Des letztern Trauerspiel, der Graf und die Gräfin von Gleichen, mir vom Entstehen her durch fortrückende Mittheilung schon vertraut, war jetzt im Druck erschienen, und gab mir zu mancherlei, dem Autor nicht willkommenen Aeußerungen Anlaß, die ich, um sie gegen lebhaften Einspruch besser zu vertheidigen, schriftlich zusammenfaßte, woraus die nachher in der Jenaischen Litteraturzeitung abgedruckte Recension wurde, welche Bernhardi, der als Mitarbeiter oft um Beiträge gemahnt wurde, dorthin abschickte und mit Hülfe einer aufdringlichen Täuschung einschwärzte, indem er die Buchstaben „rnha“ zur Bezeichnung wählte, welche der Redaktion als der Kern seines Namens unbedenklich einleuchteten, während sie doch eben so, was den grammatischen Grübeleien dieses auch gar gern spielenden Sprachgeistes [d. i. Bernhardi] nicht entgangen war, den Kern meines Namens bildeten, den sie diesmal auch allein zu bedeuten hatten, welchen aber, als den eines Fremden und Unaufgeforderten, niemand rathen konnte. Die Redaktion war in der Folge, als sich der kleine Streich entdeckte, sehr ungehalten gegen Bernhardi, und fand seine Ausrede unzulänglich, mir aber verschloß sie mit der mißbrauchten Hinterthüre nun auch das Hauptthor um desto sorgsamer. So hatte weder Schütz, dem ich drastisches Talent absprach und nur lyrisches Wesen in diesen angeblich dramatischen Formen zugestand, noch ich selbst, der sich jener kritischen Anstalt schlecht empfohlen hatte, und am wenigsten Bernhardi, dessen Verbindung dort seitdem völlig aufhörte, von diesem Versuche viel Vergnügen, und sogar das Honorar für die wenigen Blätter sollte in der Aufrechnung einiger Rückstände durch die bloße Ziffer verzehrt werden![110]

Varnhagens Rezension findet sich in der ‚Jenaischen Allgemeinen Literatur-Zeitung‘ vom 20. Februar 1808, wo sie zusammen mit einer zweiten, bedeutend kritischeren von Franz Passow eine ganze Nummer füllt.

Varnhagen flicht in seine Kritik manch blumiges Lob:

> Das vorliegende Gedicht beginnt diese neue glänzende Laufbahn; ein deutscher und christlicher Sinn bricht wie aus tausend Blütenknospen duftend hervor, und überströmt das Gemüth mit Lieblichkeit und inniger Ruhe; die Herrlichkeit des Morgenlandes selbst, zu deutschem Grund entführt, spiegelt in dessen reinem Krystall sein eigenstes Wesen; und wenn Sprache und Bilder mit kühner Gewalt die Tiefen des Gefühls aufreißen, schreiten diese mit ruhiger Größe einher, gezügelt in dem Maß der Verse, deren Wahl größtentheils, weniger die Bearbeitung, dem gediegenen Styl griechischer Kunst gemäß geleitet worden.

Eben jene Versbehandlung aber hat er zu beanstanden:

> Wenn wir das uns bekannte Beste in dieser Gattung, eine Übersetzung aus dem Äschylus von *August Wilhelm Schlegel* gegen unsere Tragödie halten: so

sehn wir durch die That die Möglichkeit dessen dargethan, was wir hier vergebens erwarten, wofür wenigstens nicht darin die Entschuldigung seyn kann, daß ein Gedicht von größerem Umfange weniger Freyheit gestatte, als ein bloßes Fragment. [...] Indessen sind auch viele, nicht nur untadliche, sondern auch vortreffliche Verse vorhanden; und da es sichtbar ist, wie nicht aus Unfertigkeit, sondern nur aus Mangel an sorgfältigem Studium, dieser wesentliche Theil des Gedichtes unvollendet blieb: so haben wir vielleicht schon jetzt die Stimme des Vfs. auf unserer Seite, oder werden dieselbe gewiß bald haben.

Am Beispiel der Chöre, die auch in diesem Stück eine wesentliche Rolle spielen, spricht ihm Varnhagen die Begabung zum Dramatiker ab:

Wenn nun vollends der Chor sich entfernt, eine Entfernung, für die, so wie für das Weggehen der beiden Töchter, sich kein anderer Grund finden läßt, als weil es eben vorbey seyn soll mit ihnen, indem sie den Folgenden im Wege stünden, so möchte man wirklich fragen, ob ein Dichter, der die große und herrliche Bedeutung des Chors so sehr miskenne, oder seine Erscheinung so sehr mißbrauchen konnte, jemals wird im Stande seyn, ein Drama zu liefern, das in seiner Art der sonstigen Vortrefflichkeit dieses Dichters entspräche [...]

Vernichtend ist Passows Kritik. Für ihn bildet die bekannte Erzählung von der Doppelehe des Grafen Gleichen eher einen Stoff für die Komödie oder Idylle:

Hr. *v. Schütz*, der als Vf. des vor uns liegenden dramatischen Gedichts genannt wird, stellt dagegen in *griechischen* Rhythmen modernen Religionsmysticismus, der unglücklich nachgebildet ist, aus mißverstandener Ansicht *spanischer* Meisterwerke, auf *altdeutschem* Boden zur Schau; welchem allem, um die heilige Quadratur der dichterischen Elemente voll zu machen, noch *orientalischer* Bilderschwall beygemischt ist. Hindert die überall, gewiß nicht ohne Mühe, verrenkte, mehr undeutsche, als griechische Sprache schon das niedere Verstehn: so setzen die drey übrigen bezeichneten Ingredienzien dem tieferen Eindringen beträchtlichere, und zum Theil vielleicht unüberwindbare, Schwierigkeiten entgegen: was um so beklagenswerther ist, als solche Afterpropheten, die ihr Heiliges, Unendliches und Ewiges an allen Gassenecken predigen, den erklärten Feinden alles Höhern gefährliche Waffen in die Hände geben, und aus falschem Eifer die gute Sache auf Jahre zurück drängen.

Über die als ungewöhnlich empfundene Doppelkritik von Varnhagen und Passow machte sich der ,Freimüthige‘ vom 2./3. März 1808 lustig:

Kaum hatte sie [die Literatur-Zeitung] das herzlichste und dringendste Festhalten an den Verfasser des Grafen v. Gleichen empfohlen, so statuirte sie hinter drein das schrecklichste Beispiel an ihm, und nannte *den* einen poetischen Schuft, der, wenige Seiten früher, als Herr und Meister gegrüßt — von dem gerühmt worden war, daß aus ihm ein deutscher und christlicher Sinn, wie aus tausend Blüthenknospen duftend hervorbreche und das Gemüth mit Lieblichkeit und innerer Ruhe überströme.

Und noch einmal, am 15. November 1809, zitiert der ‚Freimüthige' die blumige Einleitung Varnhagens, um ihn einen „jämmerlichen Sprachverhunzer" schimpfen zu können.[111]

Carl Philipp Conz, der durch seinen ‚Poetischen Brief' im ‚Morgenblatt' von 1807 bereits seine Abneigung gegen die ‚Niobe' bekundet hatte, übernimmt in seiner Kritik des ‚Grafen von Gleichen' im ‚Morgenblatt' vom 14. März 1808 fast wörtlich einige Formulierungen aus Passows Aufsatz in der Jenaischen Literaturzeitung. Dort hatte Passow „die überall, gewiß nicht ohne Mühe, verrenkte, mehr undeutsche, als griechische Sprache", kritisiert, hier tadelt Conz „die undeutsche, in allen ihren Gliedern verzerrte, verrenkte Sprache", die eine wahre Ohrenfolter sei, und er rät dem Verfasser, die dramatische Bahn ganz zu verlassen und sein philosophierendes Talent der Prosa zu widmen:

> Da er nach gewissen philosophisch-ästhetischen Theorien seine Gedichte nicht ohne Mühsal komponirt; diese Theorieen oft aber selbst so beschaffen scheinen, daß sich nach ihnen, um mit *Wolf* zu reden, so wenig, als nach einer Brontologie ein Gewitter, ein wahres Kunstprodukt schaffen kann; so sehen wir nicht ab, wie sie für die Kunst von heilsamem Einfluß seyn können.

Alle Rezensenten sind sich einig in der Ablehnung der Sprachmanier und in der Kennzeichnung des philosophischen Charakters dieser Poesie. So auch Friedrich Ast in seiner ‚Zeitschrift für Wissenschaft und Kunst'[112]:

> So wie die *Niobe* ganz antiken und zwar naturphilosophischen Geist athmet, so ist dagegen *der Graf und die Gräfin von Gleichen* rein christlich und orientalisch. Beide Tragödien haben vermöge ihrer idealen Tendenz weniger historisches und dramatisches Leben; denn die Handlung ist nicht so wohl um ihrer selbst willen dargestellt, nicht in ihrer Individualität vollständig ausgebildet und nach allen ihren Momenten entfaltet, sondern vielmehr Symbol der Idee, welche das Ganze beseelt, worauf alles hinstrebt und in die sich alles verklärt. Darum sind diese Trauerspiele mehr *philosophische,* als eigentlich *poetische* Dramen: das Leben entfaltet sich nicht in eigner, realer Bildung, sondern der alles beherrschende Geist des Künstlers stellt es nach der ihm vorschwebenden höheren Idee dar. Daraus vornehmlich ist auch die durchaus frei gebildete, von der objektiven Anschaulichkeit sich entfernende Sprache des Verfassers zu erklären, die jedoch oft so in das Unverständliche, Verworrene und Harte ausartet, daß sie den Leser nicht nur ermüdet, sondern ihm selbst den Zwang auflegt, die Sprache des Verfassers zuvor eigentlich zu studieren und die Sätze zu construiren, um den Sinn zu finden.

Ein Kritiker, der zumindest ein gewisses Verständnis für die Absicht der Schützschen Dichtung aufbringt, ist August Klingemann in der ‚Allgemeinen

Deutschen Theater-Zeitung' vom 9. Februar 1808. Da die Schützschen Verse
mit ihrem bewußten Manierismus nicht ohne Reiz für uns Heutige sind, mag
auch die von Klingemann mitgeteilte Probe wenigstens auszugsweise hier ihren
Platz behalten:

> Der prosaische Geist der im Ganzen auf der deutschen Bühne herrscht, wird
> sie schon an sich vor diesem hyperidealischen, antik-modernen, in tragische Tri-
> meter mit furchtbar gothischen Sprachformen, eingeklemmten Produkte bewahren,
> das überall eine Art von poetischem Wahnsinn beurkundet, der freylich wieder,
> wie jeder höhere Wahnsinn, in lucidis intervallis Spuren von ächter Genialität
> offenbart. Die Intenzion des Gedichts ist eine Apotheose des Christenthums;
> daher auch auf dem Titelblatte ein ecce homo! [nach Dürer] als Symbol des
> modernen Mythus. Diesem gemäß verliert sich der Geist des Ganzen tief in
> Mystik, und alles geht in dem himmlischen Leibe unter. Die deutsche Sprache
> ist dabey absichtlich gegen ihre bisher übliche Konstruktion behandelt, und der
> Verfasser hat ihr auch einen neuen Leib anziehen wollen; so daß Sprechfügun-
> gen wie die folgende:

> „Zum Christenthum des Uebertritts entband sie ihn."

noch zu den gewöhnlichsten gehören, weshalb auch keinem Zweifel unterworfen
ist, daß der aufmerksamste Zuhörer bey der vollkommensten Deklamation dieses
Gedichts doch immer nicht wissen wird, wovon eigentlich die Rede ist. — Als
einen kleinen Beleg über das bisher Gesagte, mag hier die Schlußrede des Grafen von *Gleichen* stehen:

> „Und ich den Gürtel nehme Dir wie das Gewand
> Vom Leibe weg, auf daß Du siehst den himmlischen.
> Denn himmlisch erst gewiesen, blüht er himmlisch Dir
> Ein sel'ger Spiegel jener wonnereichen Flur
> Des Morgenlands, das früh erfahren Gottes Huld.
> Drum auch ist dort nicht Erde, noch die Erde mehr,
> Nein, ein von seinem Wesen süß beseelter Leib
> Voll Kraft, statt wuchernden Gesträuches, Blumen, die
> Im Blumenreiche, Bilder sel'ger Engel sind,
> Zur Wonne nachtbefangner Menschen auszublüh'n
> Von Gottes unsichtbarer Harfe Klang geweckt.
> Tönt diese nun dem Menschen, dessen Leib bereits
> Der lieblichen Verschönung höchste Blüth' erreicht,
> Wird der bey Leibern suchen noch das Schön're woll'n,
> Und ausblüh'n einen schönern, der nicht möglich ist? [...]
> Drum ein der grünen Burg ins Thor nun laß uns zieh'n!
> Dort blühe meinen Theuren auf, im Abendschein
> Zuerst, und dann anstrahle sie als Morgenstern
> Als Bild des Lichtes, welches uns vornächtlich blüht,
> Sichtbar im Streit erst mit der Nacht, durch die es dringt.
> So aber mög' auch scheinend wandeln über dies
> Mein theures Deutschland und das ganze Reich der Welt!"

Wie dergleichen Dinge in eine Tragödie kommen, begreift man freylich nur dann, wenn man bemerkt, daß hier die Idee der Tragödie in ihrer ursprünglichsten Bedeutung hat wieder aufgefaßt werden sollen.　　　　*Aug. Klingemann.*

Seit Schütz sich gegenüber Tieck für Bernhardi eingesetzt hatte, verschlechterte sich auch das Verhältnis der Brüder Schlegel zu ihm. Friedrich, dem in Köln durch den jungen, von Varnhagen gerühmten Mediziner Adolph Müller Nachricht von den Berliner Parteibildungen zugekommen war, schreibt am 1. Dezember 1807 an Wilhelm:

> Es war ein Fremder hier, der mir Wundernarrheiten besonders aber Gemeinheiten von alle dem jungen Geniepöbel erzählt hat; Varnhagen, Schütz, Fouqué, Bernhardi alles das fraternisirt zusammen.[113]

und am 6. Januar 1808:

> Ich habe nun auch Schützens Gräfin von Gleichen gelesen; sie ist noch toller verunglückt als die Niobe.[114]

Aber am 23. November 1809 läßt er durch Georg Reimer alle seine Freunde (zu denen er Schleiermacher, Wolf, Fichte und Schütz rechnet!) aus Wien recht angelegentlich grüßen: „Geben Sie mir doch, so viel Ihre Zeit erlaubt, einige Nachricht von diesen Männern und dem ganzen Berlin."[114a]

Als Tieck Wilhelm Schlegel von den Enttäuschungen mit den Berliner Freunden berichtet, antwortet ihm dieser am 4. Mai 1809:

> Ich danke Dir für die desengaños über unsre ehemaligen Bekannten in Berlin. Deine Berichte scheinen mir nur allzuglaubhaft, auch von andern Seiten ist mir dergleichen zu Ohren gekommen. Es kann mir wohl sehr gleichgültig seyn, was jene in ihrer armseligen und dunkeln Existenz über mich ausbrüten. Nur bedauert man seine verlohrne Auslage an redlichen Gesinnungen. Schütze ist nach seinen Tragödien zu urtheilen ein großer Fratz geworden, die wahnwitzige Eitelkeit richtet solche Menschen zu Grunde.[115]

Als einzigen dankbaren Schüler, den er gehabt, bezeichnet er Fouqué. Aber auch dieser war mittlerweile, was Schlegel wohl nicht wußte, in das andere Lager übergegangen.

Trotz der inzwischen eingetretenen Verstimmung beabsichtigte Tieck bemerkenswerterweise, die beiden neuen Tragödien von Schütz für die ‚Heidelbergischen Jahrbücher' zu besprechen. Auf eine Anfrage von Johann Georg Zimmer antwortet er am 20. Dezember 1807:

> Ich fühle zwar wenig Talent zum Recensiren in mir, und habe es noch so gut wie gar nicht versucht, indessen verspreche ich den „Graf von Gleichen" anzuzeigen, nur werde ich die „Niobe" gleich damit verbinden, um meine Meinung deutlicher zu machen.[116]

Da Tiecks Plan, wie so oft, nicht zur Ausführung kam, wurden die Schütz-schen Tragödien Wilhelm Schlegel zur Rezension angetragen, so am 10. April 1809 durch Friedrich Creuzer:

> Auch Niobe und der Graf von Gleichen erwarten noch ihre Kritiken.[117]

ebenso am 25. Dezember 1809 durch August Böckh.[118] Möglicherweise riet Wilhelm ganz von einer Besprechung ab, denn Böckh schreibt am 10. Februar 1810:

> Wegen der Werke des Verfassers des Lacrimas bin ich mit Ihrem gütigen Vor-schlag ganz einverstanden.[119]

1819 veröffentlichte Achim von Arnim sein eigenes Schauspiel ‚Die Glei-chen‘, und Jacob Grimm ist, bevor er es noch gelesen hat, überzeugt:

> Den Lacrimas hast Du ohne allen Zweifel und schon von sich selbst über-troffen.[120]

Eine seltsame eigene Ausdeutung seines Gleichen-Dramas gibt Schütz im Alter, und zwar im Zusammenhang mit Goethe, den er als den zwischen dem achtzehnten und dem neunzehnten Jahrhundert stehenden Janus Deutschlands charakterisiert, der ebensoviel Sinn für das Antike wie für das Christliche be-sessen habe. Diese Janus-Bestimmung erscheine unter allen Bestimmungen die schwierigste:

> Sich der einen Richtung ganz hinzugeben, ganz darin aufzugehen, das ist viel leichter als sich stets auf der scharfen Mittellinie zwischen beiden zu erhalten. Es ist dieses halb und halb ein mystisches Verhältniß, das ich in meiner Tra-gödie: „die Gleichen", durch das Medium der Poesie verständlich zu machen ver-sucht habe. Man nenne, ja man erdenke ein schwierigeres Problem, als das Pro-blem einer Doppelliebe, die nach beiden Seiten wahr bleibt![121]

Schütz ließ sich durch keinerlei Kritik davon abhalten, weiter zu produ-zieren und zu veröffentlichen. So erschien schon im nächsten Jahr, 1808, zwar kein neues Drama, aber eine Sammlung von Romanzen, Eklogen, Vers- und Prosa-Erzählungen, die von Reimer unter dem Titel ‚Romantische Wälder‘ verlegt wurde und deren Titelblatt eine hübsche Zeichnung des Kopfes von Michelangelos Delphischer Sibylle schmückt. Die Sammlung enthält unter anderm zwei Romanzen aus dem Musen-Almanach von 1802 und die dort nicht mehr aufgenommene Versdichtung ‚Des Kamaldulensers Pfingst-Feier‘, weiter die beiden Beiträge aus Friedrich Schlegels ‚Poetischem Taschenbuch‘ von 1806, zehn Eklogen aus dem 1811 erscheinenden ersten Buch des ‚Gartens der Liebe‘ sowie rund vierzig weitere Eklogen, die vermutlich für die späteren Bücher dieses Ritter- und Schäferromans bestimmt waren. Einige Gedichte erfreuten sich besonderer Beliebtheit, so das Sonett „Des Schäfers Loos muß ich dem Thau vergleichen", das außer im ,Poetischen Taschenbuch', in den ,Romantischen Wäldern' und im ,Garten der Liebe' auch in Raßmanns ,Sonette der Deutschen' von 1817 und in der antiromantischen Spottschrift ,Comoedia divina' von 1808 gedruckt erschien.

Graf Loeben, der die ,Romantischen Wälder' in Asts ,Zeitschrift für Wissenschaft und Kunst' bespricht,[122] kann auf seine Bekanntschaft mit einigen dieser Gedichte hinweisen. Im übrigen bedauert er auch in diesem so ausgezeichneten Werke wieder manche Härten, gewaltsame Wendungen und unrichtige Reime:

> Es scheint wirklich die außerordentliche Lebhaftigkeit des poetischen Genius zu seyn, die den Verf. oft über seine Fehler sorglos hinwegführt; denn an der Gabe, die Forderungen der Kunst zu befriedigen, kann es *diesem* Geiste nicht fehlen.

Sehr angetan hat es ihm die morgenländische Erzählung, mit der im Sinne Wilhelm Schlegels eine Erstlingsgabe auf unserm Boden gezeitigt worden sei, wie wir sie bisher nur auf Spaniens und Italiens Fluren gesehen hätten:

> Von *Aser und Zalinde* gilt, was über den Verf. um aller seiner romant. Werke Willen gesagt werden muß: sein Geist hat eine Wahrheit, eine, man möchte sagen, gläubige Fülle in den Darstellungen des späten orientalischen Seyns und Lebens, vorzüglich wo dasselbe mit der Zone Spaniens in Berührung steht, daß ihm darin bis jetzt kein anderes unter den neuen deutschen Produkten auch nur nahe kömmt.

Friedrich Laun, seinerzeit Mitarbeiter am Schlegel-Tieckschen Musen-Almanach, freut sich im ,Morgenblatt' vom 3. Sept. 1808, die Romanze ,Zauberei der Nacht' von damals wiederzufinden. Er sieht in den ,Romantischen Wäldern' die gleiche Dichterweihe wie im ,Lacrimas' bekundet, „obschon viele der darin vorkommenden Gestalten, Bilder und Gleichnisse allzuschwankend und neblig erscheinen, ja zuweilen in eine totale Verwirrung aller Form und Sprache sich verlieren". Im übrigen bemüht er sich, zwischen den streitenden literarischen Parteien zu vermitteln:

> Unglücklicher Weise zerfällt die deutsche Dichter- und Leserwelt neuerlich in zwey entgegengesetzte Theile. Die einen sind der sogenannten neuen Schule gewonnen, die andern dem Gesichtspunkte zugethan, von dem die Aesthetik in frühern Zeiten ausging, und die Majorität von beyden wird weit weniger durch eigene Ueberzeugung, als durch einen thörigen Glauben an partheiische, nicht selten sinnverdrehende, oder sinnlose sogenannte Kritiken zu ihrem Hasse oder ihrer Liebe der einen oder der andern Parthey bestimmt.

Die romantikerfreundliche ,Zeitung für die elegante Welt' vom 23. September 1808 rühmt die Romanzen, von denen sie die erste vollständig abdruckt, und weiß das spanische Kolorit der Sammlung zu schätzen:

Unter den Dichtern, welche die südliche und insbesondere die spanische Poesie lieb gewonnen haben, und in ihrem eigenthümlichen Geiste und in ihren Formen nachbildend zu dichten sich angetrieben fühlen, gebührt unstreitig dem Verfasser des Lacrimas eine der ersten Stellen. Denn es ist ein ähnlicher romantischer Sinn, eine ähnliche phantastische Grundstimmung, was ihn zu der spanischen Poesie hinzieht, und keinesweges eine eitele Sucht, das nachzuahmen, was eben jetzt beliebt ist; man muß überhaupt, trotz allen abentheuerlichen Verirrungen, in die er auch hier wie in seinen ersten Werken öfters geräth, und obgleich er selten etwas Vollendetes, vollkommen in sich Ausgebildetes hervorbringt, dennoch sein ächt poetisches Talent anerkennen.

Die hier von dem anonymen Kritiker wiedergegebene Romanze, die Schütz seinem Jüngling Timbrio im ,Garten der Liebe' in den Mund legt, gehört zu seinen frühesten und bemerkenswertesten lyrischen Erzeugnissen. Schütz selbst zitiert noch 1823 die „gewiß vor 25 Jahren schon niedergeschriebene" Romanze im Zusammenhang mit einer Äußerung Goethes über die Bedeutung des Dunkels und der Nacht.[123] Man kann dem Gedicht eine eigentümliche poetische Schönheit nicht absprechen:

Endlich bist du aufgeduftet,
Nacht, gleich einer dunklen Rose,
Und es darf mein Haupt sich schlummernd
Tauchen in den Blumen-Oden.
Büsche, Lüfte, Wälder, Berge,
Steine, Schatten, Thäler, Wolken
Sind zu einer Blume Blätter
All zusammen nun geflossen.
Meine Lippen können ruhen
An dem duft'gen dunklen Schooße,
Meine Seele kann nun trinken

Aus dem tiefen tiefen Bronnen.
Meine Augen dürfen baden
In den lichtlos warmen Wogen,
Findend in den dunklen Fluten
Eine tiefe goldne Sonne.
Alles alles kann ich fühlen
Was im Arm der Erde wohnet
Wenn ich so mein Antlitz drücke
In die nächt'ge Blumen-Krone,
Und im Grund des Kelches dämmern
Seh den Stern von lichtem Golde.

Verhöhnt wird Schütz in dem gegen die Romantiker gerichteten anonymen Pasquill ,Comoedia divina' von 1808.[124] Schon in den einleitenden Spottversen werden die Titel seiner Tragödien erwähnt:

Hochgesträubet das Haar steht er im Kreise, wirft
In des mystischen Kessels Bauch
Kindermythen, ein Reis von dem bezauberten
Ast [Friedrich Ast] und alle Violen des
Dichtergartens [von Rostorf] und zu Häcksel geschnitten
Grafen Gleichen und Lacrymas.
Und den Kessel ergreift selber Begeisterung,
Brummend tönt er ein Klinggedicht.

Unter den wörtlichen Auszügen aus den Dichtungen von Novalis, Tieck, Friedrich Schlegel, Sophie Bernhardi, Loeben, Ast und anderen finden sich sechs Passagen aus der ‚Niobe‘, vier aus dem ‚Graf von Gleichen‘ und vier aus den ‚Romantischen Wäldern‘. Bei seinen Parodien gibt der anonyme Autor vor, nicht zu wissen, woher er manches liebliche Bild geborgt habe, ob aus der ‚Niobe‘ oder dem ‚Grafen von Gleichen‘:

> Dasselbe gilt auch von den kühnen, geschleiften, gestoßenen Tönen oder Ellipsen, welche der Verfasser der eben genannten Stücke mit wahrer Virtuosität in unsre Sprache eingeführt hat, und wodurch sie eigentlich erst musikalisch wird [...] Daß ich aber freilich in der Nachbildung hinter dem Originale geblieben bin, kann der geneigte Leser aus folgender Stelle ersehen. [Es folgt ein Chor aus dem ‚Graf von Gleichen‘]

Wesentlich schwächer ist die Parodie in Baggesens 1810 bei Cotta erschienenem ‚Karfunkel oder Klingklingel-Almanach‘. Ein Sonett auf ‚Die siebenundzwanzig Romantiker‘ (enthaltend die Namen von Lacrimas, Friedrich Schlegel, Bernhardi, Kleist, Arnim, Görres, Isidorus-Loeben, Ast, Tieck, Rostorf, Pellegrin-Fouqué, Sophie Bernhardi, Brentano, Adam Müller u. a.) ist unterzeichnet „Sirius“. Die gleiche Unterzeichnung trägt die letzte Parodie der ‚Comoedia divina‘. Offenbar hat derselbe Anonymus (wohl Aloys Schreiber) an beiden Schmähschriften mitgearbeitet.

Kotzebues Farce ‚Der Graf von Gleichen‘ mit dem Untertitel ‚Ein Spiel für lebendige Marionetten‘ (in seinem ‚Almanach dramatischer Spiele‘ von 1808) mag gleichfalls Schützens Stück parodieren, so wenn die Figuren in holprigen Alexandrinern sprechen und gelegentlich in Hexameter verfallen (*Graf*: „Ich les’ Hexameter in Deinen nassen Blicken —“ *Adelheid*: „Dactylen entströmen den Lippen, die Sonne steigt glänzend herauf.“); zugleich persifliert sie Goethes ‚Stella, ein Schauspiel für Liebende‘ (*Graf:* „Ich theile zwar mein Herz, doch keine leide Noth. / Zwiefach umarmt, geküßt, fahr’ ich vergnügt zur Höllen, / Und liefre *Göthe’n* Stoff zu einer Ketzerey.“). Im übrigen wird zwar nicht Schütz, wohl aber — außer Goethe — Johann Daniel Falk namentlich erwähnt: „Satyren bessern nichts, besonders die von *Falk*, / Der muß den ganzen Tag sich selber kneifen, kitzeln, / Bis endlich seine Frau ihm lächelnd zuruft: *Schalk!*“

Im Sommer 1808 trifft Schütz in Karlsbad mit Goethe zusammen, worüber dieser in seinen Tag- und Jahresheften folgendes bemerkt:

> Mit Bergrath *von Herder* setzte ich die herkömmlichen Gespräche fort, als wären wir nur eben vor kurzem geschieden, so auch mit Wilhelm *von Schütz*, welcher, wie sich bald bemerken ließ, auf seinem Wege gleichfalls treulich fortschreiten mochte [zunächst: fortzuschreiten bedacht war].[125]

Goethes Äußerung überrascht insofern, als von vorhergehenden Kontakten nichts bekannt ist und Schütz in Goethes Tagebüchern von 1808 nicht erwähnt wird. Dagegen werden in der Zeit vom 26. Juli bis 3. September 1808 als Gäste in Karlsbad und Franzensbad mehrfach Graf Finckenstein und seine Angehörigen aufgeführt: Am 3. September 1808 speist Goethe mittags bei Frau von Eskeles, der Gattin des bekannten Wiener Bankiers[126], zusammen mit einer Frau von Bibra, Herrn von Schönfeld dem jüngeren, sowie „Graf Finkenstein, Vater, Sohn und Tochter"; danach ist er bei „Frau von Matt". Am nächsten Tag wieder „Mittag bey Frau von Eskeles, wo Fräulein von Matt und Frau von Bibra und Graf Finkenstein"; zuvor „las Graf Finkenstein einen artigen dramatischen Epilog von Tieck vor, geschrieben zur Aufführung eines Holbergischen Stückes".

Von den im Register der Sophien-Ausgabe nicht identifizierten Personen lassen sich einige ausmachen: so Fräulein Wilhelmine von Matt (1789—1814), Tochter des Wiener Geheimrats Freiherr Franz von Matt, die 1813 Alexander von Finckenstein, den dritten Sohn des Grafen, heiratete, sowie ihre Mutter Elisabeth von Matt geborene von Humlauer, eine „sehr gebildete, sogar gelehrte Dame", die 1805 in Wien von Gentz besucht wurde, im Briefwechsel mit Adam Müller stand und 1808 an Wilhelm Schlegels Wiener Vorlesungen teilnahm.[127] Ihre ältere Tochter Maria Regina von Matt (1786—1855) war bereits seit 1805 mit Wilhelm von Finckenstein vermählt; von ihnen ist vermutlich in Goethes Tagebuch vom 1. September 1808 die Rede, wenn sich zum Dejeuner bei Frau von Eskeles auch „der junge Graf Finkenstein und Frau" einfinden. Die am 3. September erwähnte Tochter des Grafen ist natürlich nicht, wie im Register der Sophien-Ausgabe vermerkt, Tiecks Freundin Henriette, sondern unsere Barnime, Schützens Verlobte, die er ein Jahr später heiratete; und wir dürfen mit Sicherheit annehmen, daß er sich als Bräutigam mit unter dem Finckensteinschen Gefolge befand.

Goethe hält seinen Namen in den Tagebüchern nicht für erwähnenswert. Für ihn war damals Schütz nur der Dichter des ‚Lacrimas', den er kurz zuvor im Sonett ‚Nemesis' verspottet hatte. Von Schütz dedizierte Bücher gibt es erst ab 1819 in Goethes Bibliothek[128]; im Jahr 1808 hat Schütz nicht gewagt, ihm etwa die gerade erschienenen ‚Romantischen Wälder' zu überreichen. Im März 1819 aber, als Goethe an dem „chronologisch-literarischen Auszug" seiner Biographie für die Tag- und Jahreshefte arbeitete und zu eben der Zeit den „Landrath Schütz" zu intensivem naturwissenschaftlichem Gespräch empfing[129], wurde er an die damalige erste Begegnung in Karlsbad erinnert, der er aus einer Perspektive der Rückschau ein paar freundliche Worte widmet, während nun des intensiven Zusammenseins mit der Familie Finckenstein nicht mehr gedacht wird.

AUF MÄRKISCHEN GÜTERN
(1808 — 1819)

Am 21. Juli 1809 wurden Wilhelm von Schütz und Barnime von Finckenstein in Madlitz getraut. Sechs Jahre hatte es gebraucht, bis alle Bedingungen
des Grafen erfüllt waren. 1803 war Schütz durch die Verleihung des Erbadels
an den Vater ein Edelmann geworden; er hatte das Rittergut Kummerow,
Kreis Beeskow-Storkow, erworben, war 1807 zum Landrat des Beeskow-Storkowschen Kreises ernannt und endlich auch zum „Ritterschaftsdirektor in der
Neumark" gewählt worden. Der früheste uns erhaltene Brief, an Tieck vom
27. März 1807, ist bereits aus Kummerow datiert. Er spricht dort davon, daß
er im April zu seiner Vereidigung nach Berlin müsse, was sich vermutlich auf
die Bestallung zum Landrat bezog. Aus seiner Landratstätigkeit besitzen wir
zwei Berichte für die Kriegs- und Domänenkammer in Berlin von seiner
Hand; der erste, vom 14. Februar 1808, handelt von der Kantonierung der
französischen Truppen auf den Dörfern, der zweite, vom 28. September 1809,
von den Ernte- und Gesundheitsverhältnissen des Kreises.* Bis zum frühen
Tod Barnimes im Jahr 1812 lebte das Ehepaar auf dem Gut Kummerow und
dem benachbarten Gut Madlitz.

Wir wissen von Barnime und den näheren Umständen ihrer Verbindung
mit Schütz sehr wenig. In Tiecks ,Sommerreise' wird die dritte Finckenstein-
Tochter als „muthwillig und froh" charakterisiert. Ihren seltsamen Vornamen
erhielt sie, weil sie im Reisewagen auf der Fahrt von Madlitz nach Berlin im
Kreise Niederbarnim zur Welt gekommen war.[130] Vielleicht ist sie im Okto-
ber 1809 neben Arnim, Brentano, Wilhelm Grimm unter den Taufgästen des
Postrats Pistor in der Berliner Dreifaltigkeitskirche: im Kirchenbuch wird eine
„Frau von Schütz" verzeichnet.[131] Einmal, am 8. März 1812, läßt sie ihren
Mann aus Kummerow Grüße an das Ehepaar Tieck, an ihren Vater und ihre
Geschwister bestellen.[132]

Der Ehe entstammte eine Tochter, die nach dem Tode der Mutter auf dem
großväterlichen Gut in Madlitz aufgezogen wurde. Auf einer Reise nach Berlin im Mai 1819 nimmt Schütz den Weg über Madlitz, um, wie Tieck
schreibt, „sein Kind zu sehn, und vielleicht mitzunehmen".[132a]

---

* Anhang, Brief 2 und 3.

Zuvor scheint sich Schütz darum bemüht zu haben, dem Kind die Mutter zu ersetzen. Welche romantischen Vorstellungen er damit verband, wird aus dem rührenden dreiteiligen Gedicht deutlich, das 1816 in Loebens ‚Hesperiden‘ erschien: Des Morgens wird das Kind fern „von der Menschen Verwirrung" in die holde Naturwelt gebracht: „Dich treu zu bewahren / Vor Menschen, mein Kind, / Führ' ich dich zum klaren / Quell, welcher dort rinnt / Am Berg in Thaugewölken wie Gold". Am Mittag schläft es unter Veilchen: „Kommt Rinder aus den Gründen, / Kommt Schäflein von den Höh'n, / Kommt Täubchen aus den Linden, / Kommt Schwäne von den See'n, / Daß wenn es wird erwachen / Euch's freundlich mög' anlachen." Am Abend liegt es in laubumwölkter Zelle Bett an Bett mit dem Vater: „Wenn die leisen Athemzüge / Ihm durch rothe Lipplein dringen, / Fühl' ich sie wie Andachtschwingen / Worauf ich zum Himmel fliege". Des Vaters Andachtsodem durchfließt die Zelle: „Du Kind hast's im Schlaf genossen. / So kann ich dir Kost bescheren / Und mir Mutterlust gewähren":

> Ja ich werd' in holdem Frieden
> Dich so treulich Pflänzlein pflegen,
> Ungetrennt am Herzen hegen,
> Daß du Englein sollst hienieden
> Nichts vom ird'schen Theil behalten,
> Ganz im himmlisch reinen Walten
> Deinen Liebreiz nur entfalten.

Schütz heiratete nicht wieder. Er war nach Varnhagens Zeugnis „ein schöner, blondlockiger junger Mann von Anmut, Freiheit und Ruhe", nach Brühl „ein gewandter, feingebildeter, heiterer, rüstiger Mann untersetzten, aber kräftigen Körperbaues".[133] Doch anders als bei seinen Dichterfreunden ist bei ihm von literarischen und privaten Beziehungen zu Frauen nicht weiter die Rede.[134] Eines seiner ersten Gedichte, die ‚Zauberey der Nacht‘ von 1802, mag etwas von dieser Problematik andeuten: Der Dichter verabschiedet sich nachts vor der Hütte von seinem Mädchen, dem er treu zu bleiben verspricht. Im Mondschein begegnet ihm auf der Heide ein wunderbares Reiterpaar, ein kühner bärtiger Mann und ein anderer, „gar lieblich zart, / Ein Knabe anzusehn"; doch „Herz und Auge sich besann, / Daß dies ein Mädchen sey", dem er nun bis zu seinem hohen Schlosse nachfolgt, wo das „Bildniß" ihm entschlüpft: „Drum kann ich nicht zu jener gehn / Im Hüttchen dort im Wald, / Ich habe vor dem Schloß gesehn / Die lieblichste Gestalt."

Für Tieck bildete die Heiratsaffäre seines Freundes das Motiv seiner 1832 entstandenen Novelle ‚Die Ahnenprobe‘[134a]: Der bürgerliche Sekretär eines Grafen liebt dessen jüngste Tochter, der alte Graf verweigert sie ihm aus Standesrücksichten, um zuletzt im Laufe der romanhaft verwickelten rührenden Begebenheiten doch noch seine Einwilligung zu geben:

Dem Könige habe ich die ganze Sache erzählt und vorgetragen, er hat seine volle Einstimmung gegeben, ja er hat mir mit übergroßer Gnade ein Adelsdiplom für meinen Eidam aufgezwungen! Ja, ich sage mit Recht aufgezwungen, denn ich suchte diese Gnade nicht und verbat sie im Gegentheil, aber er hat meine Einwendungen nicht beachtet. Danken wir ihm diese Huld und feiern seinen Namen.

Es ist kein Zweifel, daß der Graf Seestern alias Graf Andreas von Winterfeld, „ein langer, alter Mann stumm und aufrecht wandelnd", mit seinen drei Töchtern einige Züge vom Grafen Finckenstein erhalten hat, so wenn er sich dem Sekretär gegenüber äußert:

Je mehr in unsern Tagen alle jene ehrwürdigen Anstalten der Vorzeit unterzugehen drohen, um so mehr ist es die Aufgabe und die höchste Ehre Derjenigen, die von dem Werthe dieser Einrichtungen durchdrungen sind, sie aufrecht zu erhalten. Diese, die am Alten festhalten, sind Streiter für das Göttliche, sie kämpfen für die ewigen Rechte. Wer nachgiebt, diese überkommenen Vorrechte wissentlich oder leichtsinnig schmälert, seinen Nachkommen die angestammte Herrlichkeit verkümmert, ist ein Frevler und Sünder.

Und weiter, in nicht zu überbietender Feudalgesinnung:

Ein Baron oder Graf aus einer alten Familie, der ein Bürgermädchen heirathet, handelt viel schlimmer und liebloser als Derjenige, der sie in seinem unmoralischen Taumel verführt und erniedrigt, oder der sich heftig seinen jugendlichen Leidenschaften und Lüsten auf eine Zeitlang in der schlechtesten Gesellschaft überläßt. Dann wenigstens untergräbt er doch die Ordnung des Staates nicht, und seine Sünde fällt nur auf sein Haupt, das Unglück trifft nur Einige, die es oft durch Leichtsinn verschuldet haben. Aber auf jenem scheinbar tugendhaften Wege macht er sich und das Mädchen unglücklich; wenn sie Aeltern und Verwandte hat, auch diese; mit seiner eignen Familie, Aeltern, Oheim, Basen, geräth er in das traurigste Mißverhältniß; seinen Kindern raubt er die Auszeichnung und Vorzüge, zu welchen das Schicksal sie bestimmt hatte; er giebt andern Leichtsinnigen Beispiel und Rechtfertigung, und verschuldet es, daß noch in später Nachwelt sein heilloser Irrthum traurige Früchte trägt.

Tiecks Novelle spielt im Jahre 1810, womit ziemlich genau die Zeit der Schützschen Eheschließung bezeichnet ist. Ein paar Jahre später, am 27. November 1819, berichtet Varnhagen von einer (sonst unbekannten) Schwester des Herrn von Schütz mit leisem Spott:

Seine Schwester, kaum geadelt, hat doch wieder einen Bürgerlichen, den Kaufmann Pietsch, geheirathet.[184b]

In späteren Jahren wird Schütz ein besonders eifriger Apologet des sogenannten „Grundadels", dem er in Fouqués ‚Zeitung für den Deutschen Adel' zahlreiche Aufsätze widmet. Da heißt es denn etwa am 24. April 1841:

Der Adel ist nicht rein spirituell oder pneumatisch, wie das wahre Priesterthum; auch nicht in solcher Weise materialistisch, wie der für die Production thätige Bauer und der fabricirende Gewerker. Er stellt zwischen Beiden ein Mittelglied dar, eine Art von Gelenk, das die reale und praktische Uebereinstimmung der göttlichen und der zeitlichen Bewegung neben der Kirche in den übrigen praktischen Regionen vollenden hilft.

Doch kann es nicht ausgeblieben sein, daß er von den neuen Standesgenossen mit Zurückhaltung und Mißtrauen empfangen wurde. In den ‚Betrachtungen über das Nobilitiren in der neueren und neuesten Zeit' äußert sich beispielsweise ein Friedrich von Sydow in der gleichen Adelszeitung vom 18. Mai 1842:

> Der alte und ältere *Geschlechtsadel* freuet sich des neuen Zuwachses nicht; — auch er durchschauet die Gründe, welche ihm denselben zuführten, und kann dieselben weder ehren, noch achten; er kann die von dem ursprünglichen Begriff des Adels abweichende verdienstlose Erhebung nur mißbilligen und sieht in derselben nur eine augenscheinliche Herabsetzung des Adelswerthes, findet das *Eindrängen* in einen höheren Stand anmaßend und unbescheiden. — Er nimmt daher, wohl nicht ganz ohne Grund, Anstand mit der unbedingt vorausgesetzten, zuvorkommend freundlichen Aufnahme und legt einen strengen Maaßstab bei der Beurtheilung des Neugeadelten zum Grunde. — [...] Daß aber die Erhebung in den Adelsstand, so wie die Sachen jetzt stehen, nur in sehr einzelnen Fällen den Verhältnissen und dem Zweck einer wahren, verdienten Belohnung und Auszeichnung entspricht, dürfte wohl keiner weiteren Erörterung bedürfen.

Von dem neuen Leben als Landwirt und Ehemann, das für Schütz mit der Verheiratung begann, berichtet recht amüsant Genelli an Wilhelm Schlegel aus Madlitz, 6. Oktober 1809:

> Sobald ich nach Berlin schreibe, werde ich nicht ermangeln, Ihren Gruß an Bury zu bestellen. Hr. *v. Schüz* [!] und Hr. *v. Schierstedt* laßen Sie freundlichst grüßen. Sie waren beide sehr erfreut wieder etwas freundliches von Ihnen zu vernehmen, und haben Ihre Vorlesungen [Band 1 der Wiener ‚Dramaturgischen Vorlesungen'] mit vielem Antheil aufgenommen. Der erste ist jetzt Landwirt bis über die Haarspitzen hinaus und dazu patriotischer Geschäftsmann. Seine Unterhaltungen wittern daher jetzt stark nach Dünger und Metall; doch, glaube ich, hat er darum die Poeterei noch nicht ganz hintan gesetzt. Schierstedt hingegen, der gleichfalls Landwirt ist, hat seine tentamina in der edlen Verskunst gänzlich auf den Nagel gehänkt. Man kann ja auch nicht alles zugleich sein; dazu haben sie noch übernommen *Ehemänner* zu sein. Schierstedt, wie Sie wißen werden, hat die vierte Tochter des Grafen von Finkenstein, und Schüz jetzt die dritte geheirathet. Dem Schwiegervater ist nach angesammleter Erndte das Gehöfd hier abgebrannt: ein Verlust von 10 000 Rthlrn. Von seiner Arethusa wird wohl bald der zweite Theil erscheinen. Burgsdorff hat geheirathet — eine Burgsdorff aus Dresden.[135]

Der „nach Dünger und Metall" riechende Schütz begann, vermutlich unter dem Einfluß seines Schwiegervaters, sich stärker auf politische Dinge einzulassen. Er gehörte, schon durch seine gesellschaftliche Stellung, zu dem Kreis der konservativen, sich gegen die Reformen der preußischen Regierung auflehnenden Patrioten, deren Wortführer damals Adam Müller war. Von ihm sagt Schütz:

> Während dieses Zeitraums, wo wir ein gemeinschaftliches Interesse verfochten, dies auch beide recht gut wußten, hätten wir eigentlich in *persönliche* Berührung kommen sollen. Allein Müller blieb nur kurze Zeit in Berlin, und mir ließ mein damaliges Geschäftsverhältnis als Landrath des Beeskow-Storkowschen Kreises wenig Zeit zu Reisen übrig. Erst nachdem Müller bereits Berlin verlassen hatte, ward ich, eigentlich in Folge der Nachwirkungen damaliger Vorbereitungen [...] davon entledigt.[136]

In dieser Zeit gab Heinrich von Kleist die ‚Berliner Abendblätter' heraus, die durch Adam Müller streckenweise zum Organ dieses Kreises wurden, und es ist ziemlich sicher, daß Schütz mit Kleist persönlich zusammentraf. Ludolph Beckedorff, wie Kleist und Müller Mitglied der „Christlich-deutschen Tischgesellschaft", wird später von Clemens Brentano als „aus dem Kreis Adam Müllers, von Schütz, des Heinrich Kleist usw." charakterisiert[137]; hier stehen die Namen von Kleist und Schütz unmittelbar nebeneinander. Natürlich war Kleist auch dem Grafen Finckenstein kein Fremder; am 22. Dezember 1810 meldete er seinem Gutsnachbarn Ludwig von der Marwitz:

> Adam Müller und Kleist sollen Posten angeboten seyn, letzterer hätte ausgeschlagen; ob ersterer, wußte man nicht.[138]

Am 9. Mai 1811 überreichen die Stände des Lebusschen und Beeskow-Storkowschen Kreises dem Staatskanzler Hardenberg eine von Marwitz verfaßte Denkschrift, mit der sie gegen die neuen Finanzeinrichtungen und gegen die Einschränkung der Feudalrechte opponieren. Über die Folgen ihrer Vorstellungen, die „in einem Tone abgefaßt waren, den die Regierung ahnden zu müssen glaubte", berichtete der ‚Oesterreichische Beobachter' von 1811:

> Es wurden demnach zufolge einer Kabinetsordre Sr. Majestät vom 24. Juni 1811 die Landräthe der beiden Kreise, die HH. *Lehmann* und *von Schütz*, als für die Schritte der Kreisstände zunächst verantwortlich, ab officio suspendirt; die bei Abfassung der Vorstellung des Lebussischen Kreises besonders thätig gewesenen Mitstände dieses Kreises, Graf von *Finkenstein* auf Madlitz, und Hr. Major *von der Marwitz* auf Friedersdorf, auf ein Verhaftsbefehl von Seiten des Kammergerichts am hellen Tage arretirt und auf die Citadelle von Spandau gebracht, wo sie indeß sehr anständige Behandlung genossen; der Obermarschall von *Massow* hingegen, als zur unmittelbaren Dienerschaft des Königs gehörig, wegen seiner sehr unerwarteten Mitunterschrift, mit königl. Ungnade aller seiner Stellen und Pensionen verlustig erklärt.

Unterzeichnet hatten die Denkschrift der Reichsgraf von Finckenstein, von der Marwitz, von Burgsdorff, Lehmann, von Massow, Wilhelm von Schütz, von Löschbrand und andere.[139]

Schütz, der den Zeitungsartikel noch 1835 in einem Aufsatz über Adam Müller zitiert, schreibt dort ergänzend:

> Da dieser Vorgang mit dem Verhältniß, worin *Müller* zur preußischen Monarchie gestanden, Verbindung hat, also auch deshalb, und nicht meinetwegen hier wiederholt worden, so findet sich als nothwendige Berichtigung nur zu bemerken, daß ich keineswegs blos ab officio suspendirt wurde, vielmehr, obgleich mein Patent die Zusicherung enthält, daß ich ungehört nicht sollte entlassen werden, dennoch ohne Untersuchung und Urtheil meine Entsetzung vom Dienste statt gefunden hat. Seitdem und gerade aus der erzählten Veranlassung sind gewisse Zweige des Politischen mir Gegenstand der Beschäftigung geworden, recht eigentlich aber setzte ich meine Betrachtungen und Forschungen über den Ursprung aller germanischen Gründungen aus dem kirchlichen Verhältniß fort, wo die Gestaltung des *Ackerbaues* obenanstand, und dies führte die nähere Verbindung herbei, in welche ich nun bald mit dem Verstorbenen trat.[140]

Damals entstand das seltsame didaktische Poem in fünf Kapiteln von insgesamt fast tausend Versen, betitelt ‚Triumphe deutscher Vorzeit‘, mit dem Schütz seine reaktionären politisch-religiösen Anschauungen zusammenfaßte. Er veröffentlichte es erst 1820, und zwar in der Zeitschrift ‚Askania‘, die auch Arnim, Fouqué, Loeben, Wilhelm Grimm zu ihren Mitarbeitern rechnete. Dort heißt es in der Einleitung zu dem Gedicht:

> Nachstehendes Gedicht in Form der Triumphe Petrarchs ward im Jahre 1810 geschrieben, und entstand aus der Trauer über die in diesem Jahre erlebte Vernichtung der vaterländischen Verfassung, als sie Einrichtungen weichen mußte, die der Zeitgeist ersonnen. Dies im Vaterlande erfahrne Ereigniß hat aller Wirksamkeit des Verfassers seitdem die Richtung gegeben, die Frage: ob wir Recht haben und ob wir klug handeln, unsere Vorzeit zu verkennen? ihn mit einem Ernst beschäftigt, von dem er die Beweise dem deutschen Vaterlande noch hofft ablegen zu können. Das Gedicht damals dem Drucke übergeben, wäre fast Thorheit gewesen. Wer würde nicht den verlacht haben, der in jenem Jahre Deutschlands Vergangenheit so geehrt, die Unausbleiblichkeit des nahen Sturzes der französischen Weltherrschaft so bestimmt behauptet, die Wiedergeburt der Kirche so sicher ausgesprochen, endlich der vaterländischen Natur des Ackerbaues und der Gemeindeverfassung solche Kraft und Wirksamkeit zugeschrieben hätte, wie das Gedicht ihr beigelegt? — Doch war der Verfasser von der Wahrheit alles dessen tief durchdrungen, und wer seine Versuche über einzelne politische Gegenstände kennt, dem kann nicht entgehen, daß sie sämmtlich Entwickelungen jener Ansichten aus Gründen sind, Bemühungen, Erscheinungen, die uns im Dunkel stehen, unter ihren wahren Lichtpunkt zu stellen, und diese letzteren Bemühungen haben theils unbedingte, theils bedingte Vertheidiger gefunden. Möglich, daß das, was sein

Leben noch leistet, nichts sein wird denn Begründung dessen, was in jenem Gedicht nur wie Wink und Andeutung erscheint. Denn er hat den Glauben an die
Wahrheit desselben.

Wenn Kirche und Staat, Glaube und Verfassung feststehen, dann mag es der
Poesie wohl vergönnt sein, sich zu anmuthigem Spiel zu verschönen, weil ihr eine
Realität gegenüber stehet, aus der die Seele des Dichters trinken konnte, um zum
Rausch zu gelangen, welcher die feste Wirklichkeit in anmuthige Bilder, in Kin-
der der reinsten Lust umwandelt. Er darf die Wirklichkeit zu einem schönen Far-
benspiel verklären. Zerfällt aber das Leben, so wird sein Gesetz ein andres. Er
soll nicht lügnerisch das Verderbte schminken wollen. Er muß es in Beziehung
bringen auf das Ewige, Unwandelbare und Rechte. Er muß nach der unsterblichen
Wurzel alles Daseins trachten in allen jenen unendlichen Formen, welche die
Dichtung ihm darbietet.[141]

Die im Kreißen liegende Mutter Zeit erhebt sich aus ihrem Bette, umschaut
den sie umstehenden Kreis der Völker und singt ihnen ihr Schwanenlied, in
dem es unter anderem heißt:

> Falls denn nach Gleichheit Euer Trachten geht,
> Sucht sie in Euch, vor'm Herrn, wo nichts Euch fehlt,
> Wo im Verschiedensein Ihr Gleichheit seht.
>
> Ja, in dem Tempel seid Ihr ungequält,
> Dort Einheit wird, und in ihr Gleichheit funden,
> Derweil gesatzt noch draußen und gezählt.
>
> Doch seit Euch jenes Irrniß hat umwunden,
> Seit Euch die Gleichheit nur im Weltreich waltet,
> Und sie aus heilger Kirche drum verschwunden,
>
> Hat die Gemeinde Gottes sich entstaltet,
> Ihr Bild und Wesen ist nicht mehr auf Erden,
> Zeigt sie sich auch, so ist ihr Herz erkaltet.

Seine Vorstellung vom Wesen des Ackerbaus führt zur Verherrlichung des
Mittelalters:

> Dennoch war einstmals alles Leben nur,
> In Priester, Ritter, Bürger, Ackersmann,
> Ein frommes Wandeln auf geweihter Spur.
>
> Der Geistliche ging ihrer Schaar voran,
> Anzeigend hier den Weg zum Himmelreich,
> Von dem das Vorbild er im Geist gewann.
>
> Und ihm zur Seite stand der Ritter gleich,
> Des Wollens voll, so Gut wie Blut zu lassen,
> Daß ihm und Volk der Garten blüh' zugleich.

> Wohl nannten All' sich, die der Scholl' Ansassen,
> Nur zeitlich hier und brüderlich belieh'n,
> Weil eigenthümlichen Besitz zu fassen
>
> Vom Land auf immer, welches Gott verlieh'n
> Ja nur der heiligen Gesammtheit hatte,
> Zu kühn und frech so frommer Zeit noch schien.

Zuletzt bleibt die Abrechnung nicht aus:

> Das Werk, bewegt nicht vom Einklang der Liebe,
> Rückt langsam fort, und immer mehr gehäuft
> Wird äußre Kraft, weil sonst es stehen bliebe.
>
> Doch alles Zeitliche zu Ende läuft;
> Des ird'schen Dämon Kraft erblickt ihr Ziel,
> Sie hat sich eignem Untergang gereift.
>
> Daß ihre Riesenkraft ein Gaukelspiel,
> So sich zum höchsten Gipfel mußte treiben,
> Bevor entseelt sie auseinander fiel,
>
> Mag keinem Aug' verborgen länger bleiben [...]

Am 8. März 1812 schreibt Schütz aus Kummerow an Tieck:

> In der Ode, die mein Schwiegervater so vieler Aufmerksamkeit gewürdigt hat, habe ich das geändert, was er angestrichen hatte, und übersende Dir eine geänderte Abschrift mit der Bitte, sie ihm zu übergeben und ihn meiner kindlichen Gesinnungen zu versichern.[142]

und am 13. September aus Madlitz:

> Solltest Du den Triumpf der Vorzeit durchgesehen, das nöthige angestrichen, auch einiges geändert haben, so hätte ich ihn wohl gern bald zurück, um ihn an Fr. Schlegel zu senden. Wenn es Dir also möglich ist, so sey so gut ihn mir recht bald zuzusenden.[143]

Im Aufsatz über Adam Müller spricht Schütz von seinen Ideen über das Feudalwesen, wie er sie nach und nach immer mehr ausgebildet habe, „bis das Jahr 1810 die Veranlassung herbeiführte, sie zusammenzufassen in ein Gedicht: Triumphe deutscher Vorzeit".[144] Im Verfolg dieser Ideen kam es zu seinen beiden ,Sendschreiben an Herrn Hofrath A. B. [!] Müller' über den Ackerbau, die durch Adam Müllers ,Agronomische Briefe' in Friedrich Schlegels ,Deutschem Museum' von 1812 veranlaßt worden waren:

> Diese richtige Erörterung begegnete sich mit der mich damals lebhaft beschäftigenden Betrachtung des christlich-germanischen Ackerbaues als einer vom Geiste der christlichen Kirche getränkten Gründung, deren Stifter nur Priester gewesen

sein konnten, oder vielmehr, wie sorgsame Forschungen ergeben und bestätigen, wirklich gewesen waren. Ich hatte nun Veranlassung dies in Form eines an Müller gerichteten *Sendschreibens* auszuführen, welches sich im Augusthefte des ersten Jahrganges der nemlichen Zeitschrift abgedruckt findet. Indessen mußte auch noch erst wieder der allgemeine europäische Krieg gegen Napoleon vorübergehen, der Müller sehr in Anspruch nahm [...][145]

Adam Müller seinerseits erwähnt in Schlegels ,Concordia‘ von 1820 (3. Heft, S. 136) Schützens Mitarbeit an den dort aufgestellten Thesen über die „wahre Natur des Landbaues":

> Ich habe nicht erst zu bemerken, daß ich in diesem ehrenvollen Kampfe gegen das größte Verderben unsrer Zeit nicht allein stehe. Seit dem Jahre 1812, wo meine agronomischen Briefe in Fr. v. Schlegels deutschem Museum erschienen, haben meine edlen und erfahrnen Freunde *Wilhelm von Schütz* und *Bayrhammer* sich mit mir zu dem gleichen Zwecke verbunden, und die oben aufgestellten Sätze sind die gemeinschaftlichen Resultate unsrer Bestrebungen.

Über die Bedeutung des ,Deutschen Museums‘, in dem im April 1813 auch eine erste literarhistorische Arbeit von Schütz, ,Betrachtungen über das Trauerspiel Hamlet‘, erschien, urteilte Schütz später aus katholischer Sicht:

> Schlegels deutsche Museum ward unser erstes universelles Journal von katholischem Colorit. Zwar noch mehrfarbig gehalten, doch im Ganzen glücklich redigirt, verband es Vielseitigkeit mit geistreicher, ja geschmackvoller Darstellung. Auf alle möglichen Elemente des Lebens, das theologische, das sprachliche, das poetische, das artistische, ergoß sich ein katholisches Licht. Dennoch ward der Ausgang genommen vom Charakter und Geist der protestantischen Wissenschaft und Kunst, des protestantischen Lebens und Zustandes. Daher die unglaubliche Nachwirkung, welche jene Zeitschrift von wenigen Jahrgängen ausgeübt hat; denn sie ward Base für eine neue Richtung.[146]

Neben der neuen politisch-publizistischen Tätigkeit blieb er mit Tieck, der sich ihm wieder völlig versöhnt hatte, in regem Austausch über Fragen poetischer Art. Er erwartet sein Urteil und teilt ihm seine Eindrücke über Tiecks Dichtungen mit; und es ist überraschend, wie wichtig Tieck diese Korrespondenz nimmt und wie liebevoll er auf die Hervorbringungen des Freundes eingeht. Auf Tiecks Beurteilung des damals nach einer Novelle von Boccaccio begonnenen Trauerspiels ,Gismunda‘, das 1821 in den ,Dramatischen Wäldern‘ veröffentlicht wurde, erwidert Schütz am 8. März 1812 aus Kummerow:

> Deine Mittheilungen über meinen Anfang eines Drama: Guiscardo und Gismonda, sind für mich eben so belehrend wie ermunternd gewesen, und ich habe die Eröffnung des Stücks nach Deinem Rathe angefangen, leider aber von meinem ersten Entwurf keine Concepte mehr gefunden, so daß ich nicht fortfahren kann, ohne die Abschrift zu benutzen, die ich Dir gelassen habe. Gern bliebe ich

in dem Zug, um so mehr, da bald Unterbrechungen kommen möchten, und deshalb bitte ich Dich, mir recht bald jene Blätter zu senden. Vielleicht können sie noch Montag Abend in Ziebingen zur Post kommen.

Schütz seinerseits urteilt über Tiecks ‚Phantasus‘ (dessen Einleitung, eine kaum verhüllte Schilderung der Ziebinger Gesellschaft, Tieck natürlich dort bereits vorgelesen hatte) in einem Brief vom 13. September 1812*:

> Mit vielem Dank sende ich Dir liebster Freund hierbei den Phantasus zurück. Wie sehr mir die Einleitung dazu gefallen, sagte ich Dir schon nach der Vorlesung. Diese aber hatte mir immer noch nicht den Eindruck gewähren können, welcher sich erst davon trägt, wenn man sie und die Unterredungen nicht abgesondert, sondern in ihrem Zusammenhange mit den Dichtungen genießt, zu denen sie gehören. Erst dann wird man des Reitzes theilhaftig, der sich dadurch so anziehend über das Ganze verbreitet, daß das in den Dichtungen sich regende unmittelbare Leben einen so wunderbaren Contrast mit dem mannigfaltigen Hin- und Hersprechen bildet, welches dazwischen unter den Erzählern vollführt wird. Ich glaube daher auch, daß es dem Buche recht vortheilhaft sein muß, wenn der Darstellung des Wesens der Erzähler, und in ihm des Wesens ihrer Zeit zwischen den Dichtungen recht viel Platz vergönnt wird, so daß die letztern hierdurch recht wie Erinnerungen theils an die gewesene, theils an die noch in der Dunkelheit und Zurückgezogenheit wohnende unmittelbare Poesie des Lebens antreten. Von den neuen mir erst jetzt bekannt gewordenen Dichtungen sind mir die Elfen und der Pokal ganz vorzüglich lieb, die ich in jeder Hinsicht für sehr gelungen halten muß.

Gleichzeitig übersendet er ‚Gismunda‘ zu neuerlicher Beurteilung:

> Ich übersende Dir nun auch mein Trauerspiel, den letzten Akt aber so, wie ich ihn während des Dichtens niedergeschrieben habe, mit den während dessen

---

* Im gleichen Brief erwähnt Schütz ein aus Ziebingen geborgtes Buch, von dem er sich nicht gern trennt, da es ihm so erbaulich gewesen sei: es handelt sich um ein Werk des Alchemisten und Mystikers Jacob Hermann Obereit, ‚Die Einsamkeit der Weltüberwinder, nach innern Gründen erwogen‘, Leipzig 1781. (Der Katalog der Tieck-Bibliothek führt 1849 das anonyme Werk als „livre singulier et rare“ auf, wobei als Verfasser irrtümlich Oberthür genannt wird.) Auch erfahren wir, daß er sich wegen der Bibliothek des ein Jahr zuvor verstorbenen Karl von Finckenstein mit dessen Witwe Rosa besprochen habe, welche die Bücher ihrem kleinen Sohn erhalten wissen wolle. Ginge dies nicht, so sollte die Bibliothek durch den Staatsrat Roux in Berlin im ganzen verkauft werden, zu welchem Zweck Schütz um die Übersendung des Katalogs bittet. Doch beabsichtigt Schütz in diesem Fall, die Bücher für 1 000 Taler bzw. der ihr in Berlin gebotenen Summe selbst zu erwerben. Die Bibliothek scheint später geschlossen an die Berliner Königliche Bibliothek gekommen zu sein; jedenfalls lieh sich Tieck in einem undatierten Billett an den Bibliothekar Friedländer aus der „Bibliothek des Herrn Grafen v. Finkenstein“ eine alte spanische Ausgabe der ‚Celestina‘ (s. Uwe Schweikert, Korrespondenzen Ludwig Tiecks und seiner Geschwister, Jahrb. d. Fr. Dt. Hochstifts 1971, S. 377 u. 424).

und beim Ueberlesen gemachten Correcturen, also auch vielleicht etwas unleserlich. Du solltest ihn in seinem ersten Wurf sehen, und ich wollte Dich erst hören, bevor ich zu Aenderungen und Verbeßerungen schritt. Ich glaube im zweiten Akt wird Guiscardo den einen Monolog in fünffüßigen Jamben sprechen müssen, auch vielleicht im dritten Akt den, wo er nach dem Anselmo auftritt, und dann könnten sie wohl auch im ersten Akt beibehalten werden, denn ich bin der Meinung, daß sie als Unterbrechung der beständigen Assonanzen doch gut thun.[147]

Zu den fünffüßigen Jamben für Guiscardo kommt es dann, vielleicht auf Tiecks Rat, allerdings nicht. Am 22. Januar 1813 schickt er bereits den ersten Akt eines weiteren Dramas aus Madlitz an Tieck und ist auf dessen Ratschläge begierig; auch stellt er einen neu abgeschriebenen Aufsatz in Aussicht.*

Andere Beziehungen verbinden Schütz mit Fouqué, dem er durch das gemeinsame Eintreten für Bernhardi nähergekommen war. Als Fouqué sich 1811 mit seinem Freund Hitzig berät, wen er zur Mitarbeit an der geplanten Zeitschrift ‚Die Jahreszeiten‘ auffordern könnte, denkt er unter anderm an Tieck, aber auch an Schütz und Heinrich von Kleist. Sein Brief vom 25. April 1811, von dem bisher nur die Kleist-Passage mitgeteilt worden ist, ist in einigen Einzelheiten interessant genug, um in seinem nicht privaten Teil in extenso veröffentlicht zu werden. Nach der Kondolation zum Tod eines neugeborenen Kindes von Hitzig schreibt Fouqué:

> Ich muß mich zu unsern Geschäften wenden. An Amalie Helwig, — oder lieber Imhof; es klingen da so holde Vergangenheiten mit herauf, — schreibe ich künftigen Posttag. Ich denke, ich will Dich zu ihr in das Verhältniß stellen, welches Euch beiden geziemt. — Daß ich Deinen Rath wegen des Schreibens an die beiden Schlegel befolge, versteht sich, auch an Tiek, nur habe ich wegen des letztern einige Bedenklichkeit. Du weißt, er und ich waren eine Zeitlang durch die Bernhardische Geschichte gänzlich getrennt, ja man konnte unser Verhältniß feindlich nennen, ohne daß freilich, schriftlich oder mündlich das Mindeste von Streit oder dergleichen direkt zwischen uns vorgefallen war. Dabei hatte man mir manche nachtheilige Aeusserungen von ihm über mich zu Ohren gebracht, die allerdings wohl mögen erfolgt sein, und wobei er in der damaligen Zeit nicht durchaus Unrecht haben mochte. Natürlich aber ward dadurch meine Erbitterung vermehrt, und ich verhehlte sie keinesweges, sondern sagte Jedermann bei Gelegenheit frei heraus, wie ich über Tiek dächte. Auch nahm ich keinem dabei im Geringsten das Versprechen der Verschwiegenheit ab; kurz, ich verfuhr nach meiner Art, die Du nun wohl von ihren guten und übeln Seiten schon ziemlich auswendig weißt. Nun ist zwar im vorigen Winter durch Schede [ein Freund Tiecks] eine bedeutende Annäherung — von meiner Seite wenigstens — erfolgt, denn ich gestand zu, daß ich wohl in aller Hinsicht unendlich übertrieben gezürnt haben könne, wie denn auch Schede mir versichern wollte, Tiek sei nie so arg gegen mich gesinnt gewesen, als man es mir gesagt habe. Das thut

---

* Anhang, Brief 6.

nun hier nichts zur Sache; das arg gesinnt *gewesen* sein ist ihm von ganzem
Herzen vergeben und vergessen, ja, wie schon gesagt, ihm ein gewisses Recht
dabei zugestanden, aber es kommt nun darauf an, wie er es jetzt meint, vorzüglich literarisch, und ob er wohl geneigt wäre, auf meine Vorschläge einzu-
gehn. Das müßte wenigstens im Voraus den Ton meines Briefes bestimmen, und
ich bitte Dich also, erst mit Schede die Sache zu besprechen. Dann könnte ich
den Brief wohl durch Lacrymas Schütz besorgen. Dieser war früher in fast gleicher Verdammniß bei Tieck, als ich, sagte mir aber im vorigen Winter, er habe
ihn liebenswürdig, innig und mittheilend gefunden, wie in den besten der guten
alten Tage. Sage mir noch vor Deiner Abreise nach Leipzig Deine Meinung
hierüber, wie auch ob ich Lacrymas zum Beitritt auffordern soll. Dies letzte
wüßte ich gern recht bald, weil ich ihm gleich nach der Erscheinung der Vaterländischen Schauspiele ein Exemplar und einen Brief schicken möchte. Wir haben
uns bei unserm letztern [!] Zusammentreffen sehr aneinander geschlossen, und
er hätte wohl ein Recht, eine solche Aufforderung von mir zu erwarten. Doch
laß Dir Dein Urtheil dadurch nicht beschränken. Du mußt in dieser Unterneh-
mmung unbedingt nach Deiner besten Einsicht verfahren. Dies vorausgesetzt, eine
Frage. Wenn Jean Paul nichts zum ersten Hefte einsendet, ist es dann nicht an-
stößig für die, welche die Identität des Fouqué und des Verf. des Todesb[undes]
kennen, nur den Herausgeber, und immer nur den Herausgeber, ausgenommen
die Liedermelodieen von Stilling, zu finden? Und wüßtest Du keinen unsrer
Berliner Freunde, der aushülfe? Hätte nicht vielleicht Hagen etwas, das roman-
tisch und nicht allzugelehrt wäre? Nun, Du wirst das schon zu machen wissen.
Noch eine Frage: Heinrich Kleist kommt vermuthlich in diesen Tagen her. Soll
ich den um Beiträge angehn? Freilich ist das Verhältniß mit ihm immer ein
leicht störbares. Entscheide Du, ob es gewagt sein soll. Was nun das grössere
Publikum betrifft, wären da nicht ein Paar bekannte Namen gleich im ersten
Stück sehr gut? Wer mich auch allenfalls kennt und gern liest, fragt doch ge-
wißlich gleich nach den Mitarbeitern.

Was den welschen Teufel [?] betrifft, so meine ich, wenn etwas geschehn soll
gegen ihn, müßte es gleich so sein, daß es ihm die Lust zum Widerkläffen be-
nähme, sonst wäre stillschweigende Verachtung des Possenreissers besser. Zu jenen
Mitteln würde nun freilich ein ernstes Wort von Fichte ganz vorzüglich gehören. Dann aber müßte Neumann recht bald zu ihm gehn. Sonst verschallt die
Geschichte, bevor sie gerügt wird. — Hat auch Neumann einen Brief von mir
mit der Einlage von Varnhagen erhalten? Ich bin nach meiner hypochondrischen
Weise besorgt darüber. —[148]

Hitzig antwortet am 2. Mai 1811:

> Wegen der Aufforderungen zur Theilnahme an den *Jahreszeiten* im Allgemei-
> nen also auch an Tieck, Lacrymas Schütz, Heinrich Kleist etc. schreibe ich Dir
> ausführlich, sobald das erste Stück fertig ist. Früher muß alles in suspenso blei-
> ben.

Während sich die anderen zur Mitarbeit Aufgeforderten offenbar nicht
recht in Fouqués Intentionen schicken wollten und Fouqué der einzige Beiträ-

ger der ‚Jahreszeiten‘ blieb, scheint Schütz immerhin seinen Operntext ‚Der
Raub der Proserpina‘ für das zweite Frühlings-Heft — das erste erschien 1811
mit Fouqués ‚Undine‘ — bestimmt zu haben, wie der Untertitel ‚Eine Frühlingsfeier‘ ausweist. Als es dann zu dem zweiten Jahrgang nicht mehr kommt,
bietet Schütz die ‚Proserpina‘ zusammen mit Fouqués ‚Normann auf Lesbos‘
dem Verleger Reimer für einen als ‚Neujahrsgeschenk‘ bezeichneten Almanach
an.

Aus dem Begleitbrief vom 14. Oktober 1811, mit dem er die Manuskripte
übersendet*, erfahren wir zugleich, daß es Reimer war, der in diesem Jahr
Schützens ‚Garten der Liebe‘ ohne Angabe von Verlag, Ort und Jahr verlegt
hatte. Schütz bittet nämlich, daß das für Fouqué bestimmte Exemplar diesem
noch vor ihrem Zusammentreffen in Berlin zugestellt werde. Aus dem gleichen
Brief geht ferner hervor, daß er sich Tiecks ‚Alt-Englisches Theater‘ vom Verleger Reimer hatte leihen müssen, es also nicht von Tieck selbst bekommen
hatte.[148a] Auch hören wir von einem in Berlin lebenden Bruder, bei dem Reimer die Manuskripte deponieren möge. Vermutlich ist es der gleiche, den Schelling 1802 während seines Jurastudiums betreuen sollte.[148b]

Reimer lehnte ab; ebenso Cotta, dem Schütz ein Jahr später, am 8. Oktober
1812, den gleichen Vorschlag eines mit Fouqué zusammen herauszugebenden
Musenalmanachs macht.** Vergeblich setzen sich Schütz und Fouqué auch für
den achtzehnjährigen Seegemund in Berlin ein, der unter dem Titel ‚Jahrbuch
deutscher Dichter‘ eine Sammlung von Poesien „unser beliebtesten Dichter“ (zu
denen sich selbstverständlich auch Schütz und Fouqué selbst rechneten) zusammengestellt hatte. Seine Anthologie kam nicht bei Cotta, sondern als ‚Jahr-
büchlein Deutscher Gedichte auf 1815‘ bei Carl Wilhelm Struck in Stettin
heraus, allerdings ohne die Beiträge von Schütz. Fouqués ‚Normann auf Lesbos‘ dagegen erschien 1814 in Friedrich Kinds ‚Harfe‘, und Schützens ‚Raub
der Proserpina‘ 1818 in Friedrich Försters ‚Sängerfahrt‘, dem Almanach, der im
Untertitel gemäß dem ursprünglichen Vorschlag von Schütz als „Jahresgabe“
bezeichnet ist.

Auch zu Graf Loeben bestanden enge Beziehungen. Er hatte 1810 in Asts
Zeitschrift die ‚Romantischen Wälder‘ von Schütz besprochen; ein Titel übrigens, den Loeben selbst, offenbar unabhängig von Schütz, dem Verleger Cotta
im Frühjahr 1808 für eine eigene Sammlung romantischer Dichtungen vorge-
schlagen, dann aber zurückgezogen hatte. Im gleichen Heft der Astschen Zeitschrift nennt er an anderer Stelle den ‚Lacrimas‘ „das Zarteste, Reizendste
und Höchste“, was die Sehnsucht nach dem Himmelsstrich Spaniens hervor-
gebracht habe (Bd. 2, 1. Heft, S. 90). Im Winter 1809/10 lebte Loeben in

---

* Anhang, Brief 4.
** Anhang, Brief 5.

Berlin, wo er im Sanderschen Hause verkehrte und unter anderm Fouqué, Schütz, Bernhardi, Adam Müller und Kleist kennenlernte. Als er, von Wien kommend, im August 1810 in Teplitz an der Mittagstafel mit Goethe zusammentrifft, rühmt er im Gespräch den (wie er meint) Goethe noch unbekannten Dichter Schütz. Dies berichtet Loeben selbst in einem Brief an Varnhagen, in dem er von Schütz in den liebevollsten Ausdrücken spricht.[149] Offenbar ist er sich mit Varnhagen, den er in Wien kennenlernte, in der Wertschätzung von Schütz einig.

In dieser Zeit dichtet Loeben seinen Schäfer- und Ritterroman ‚Arkadien‘ nach dem Vorbild von Schützens ‚Garten der Liebe‘. Von Nennhausen aus, wo er im Februar/März 1811 zum drittenmal bei Fouqué zu Gast ist, bietet er am 11. Februar das Manuskript Reimer zum Verlag an, in der Hoffnung, „daß irgend ein Urtheil, etwa von Herrn v. Kleist oder Mad. Sander, denen einzelne Stellen bekannt wurden, zu Ihren Ohren gedrungen seyn möchte". Weiter heißt es in dem Brief:

> Von meinem Herzensfreunde Fouqué erfuhr ich, daß Schüzens Paradies [!] der Liebe in der Realschulbuchhandlung erscheinen soll, und Fouqué hegt den Wunsch, daß beide ihrer Meinung nach verwandte Werke in Einem Verlage erscheinen möchten, welches ihm in vieler Hinsicht schön und paßend erscheint. Auch würde ich in Betreff der Bedingungen mir recht gern die nämlichen ausmachen, welche mir Fouqué als die des Herrn von Schüz angeführt hat, den Erfolg des Verlags zu erwarten und hierauf erst ein Honorar zu empfangen.[150]

Für den Druck bittet er sich die „Ungersche Schrift" aus, in der bereits, was Loeben nicht weiß, auch Schützens ‚Garten der Liebe‘ herausgekommen war. Reimer, der offenbar an dem einen Schäferroman genug hatte, lehnte ab.

Als Loeben 1814 zusammen mit Helmina von Chezy die Herausgabe eines Musenalmanachs plant, sucht er Schütz, und durch ihn auch Tieck, zur Mitarbeit zu gewinnen. Am 15. Dezember 1814 berichtet er ihr aus Dresden:

> An Schütz habe ich vor einigen Wochen geschrieben, und der sendet mir bestimmt manches, er ist mir gut.

Und am 6. März 1815:

> An Schütz habe ich von Neuem geschrieben, und die Bitte an Tieck durch ihn erneuert [...][151]

Inzwischen waren Loebens im Juni 1814 verfaßte ‚Deutsche Worte über die Ansichten der Frau von Stael von unserer poetischen Litteratur in ihrem Werk über Deutschland‘ erschienen, und Loeben legte großen Wert darauf, daß Schütz ein Dedikationsexemplar erhielt, zumal er dort den Freund nach Kräften hervorgehoben hatte. Auf Seite 69 heißt es:

Lyrischer Poesie bey den Deutschen zu gedenken, und zu verschweigen, was *Tieck* und *Friedrich Schlegel* auf zwey ganz verschiedenen Wegen für sie gethan, was *Novalis* für Hymnen gesungen; so vieler ihnen nachfolgender Erscheinungen nicht zu gedenken, worunter die von *Wilhelm von Schütz* als Repräsentanten des deutschen Strebens nach Umfassung südlich-idealer Poesie, wie die von *L. A. v. Arnim* und *Clemens Brentano* als Repräsentanten ächter Wiedererneuerung des Volksliedes, wenigstens genannt werden muß, vieler anderer reicher Genies und Talente hier zu verschweigen; heißt den Becher absichtlich mit Lethe füllen.

Und weiter auf Seite 152, nach dem Lob Fouqués und Heinrich von Kleists als Dramatiker:

Ein dritter, herrlicher Dichter, dessen dramatische Poesien unerwähnt geblieben sind, ist *Wilhelm von Schütz*. Da jedoch sein *Lacrimas* wie seine Tragödien im antiken Style, durchaus mehr lyrisch-romantische und lyrisch-philosophische Gesänge, als eigentlich dramatische Spiele sind, so hätten diese Poesien allerdings auch an einem andern Ort erwähnt werden können. Den idealen Geist, der sie durchathmet, aber ganz zu verschweigen, verdient auf keinen Fall Rechtfertigung.

In seiner verspäteten Danksagung vom 16. März 1815 billigt Schütz die „Berichtigung der vielen Schiefheiten" im Werk der Stael, ohne auf die ihn selbst betreffenden Bemerkungen einzugehen.* Er erzählt Loeben von seiner engen Zusammenarbeit mit dem gichtkranken Tieck, macht ihm in Tiecks Auftrag Hoffnung auf unbekannte Novalis-Handschriften für den Almanach und lädt ihn in etwas vager Form zu einem Besuch in Ziebingen ein, worüber Loeben entzückt ist, wenn er der Aufforderung auch nicht nachkommen kann.

Nicht von Tieck, wohl aber von Schütz treffen Beiträge ein, wie Loeben am 16. April 1815 an Helmina berichtet:

Wilh. v. Schütz hat mir himmlische Gedichte gesendet, von Tieck habe ich einen Gruß erhalten, der mich aufs innigste rührt, und schämen würde ich mich, wenn nun der Almanach langsam zurückginge.[152]

Sechs der „himmlischen Gedichte" erscheinen dann 1816 im ersten (und einzigen) Band von Loebens ‚Hesperiden', zwei weitere in Helminas 1818 nachfolgenden ‚Aurikeln'.

Nach Clemens Brentanos Zeugnis soll Schütz 1816 Tieck, Loeben und Varnhagen zu den drei einzigen Verehrern seiner Poesie erklärt haben.** Zwar kennen wir von allen drei Genannten auch durchaus kritische Äußerungen über die Dichtungen von Schütz, besonders aus späterer Zeit; doch stehen diesen immer wieder Bekundungen schwärmerischer Begeisterung gegenüber, wie sie etwa in der Niederschrift dreier Sonett-Versuche in Loebens Nachlaß zum Ausdruck kommen, von denen das erste lautet:

---

* Anhang, Brief 7.
** s. S. 84.

An Wilhelm von Schütz.

Die ewge Schönheit, wie sie selig waltet
Im Abbild der Natur und Menschenschöne,
Im Farbenschimmer, in dem Hauch der Töne,
Klar in des Südens Zauber sich gestaltet:

Die ward mir, Freund, in deinem Sang entfaltet,
Daß sich der Sinn an Himmelslust gewöhne,
Dem Auge sich die innre Welt verschöne,
In Andachts-Morgenglut, die nicht veraltet.

So oft dein Sang mir durch die Seele wehet,
Wird mir wie Wipfeln welche hauch-erfrischen
Wenn in dem Hain der Liebe Athem gehet.

Die tiefste Seele will sich ihm vermischen,
Und weil die reine Schönheit vor ihr stehet,
Mag sich ihr dann all' andres Bild verwischen.

Die beiden anderen, ‚Demselben‘ überschriebenen Sonette sind vielfältig korrigiert und textlich kaum ganz herzustellen. Das eine beginnt:

Sollt ich zusammen in Ein Bild gefloßen
Die Schönheit denken, die Dir einzig eigen:
So würd' aus Marmor ewge Blüthe steigen
Der Jünglingsjugend, hehr zum Lichte sproßen.

das andere:

Den Garten hat der Frühling uns bereitet,
In seinen Lauben Hand in Hand zu weilen,
Ein Tempel strebt aus schlanken Blüthensäulen,
So recht zu fühlen, was der Lenz bedeutet,

und es schließt:

Wo bleibst du, meines süßten Spiels Geselle?[153]

Außer Loebens ‚Hesperiden‘, Helmina von Chezys ‚Aurikeln‘ und Försters ‚Sängerfahrt‘ belieferte Schütz in dem Jahrzehnt von 1814 bis 1824 zahlreiche Almanache und Zeitschriften mit seinen poetischen Erzeugnissen*, so Johann Erichsons ‚Musen-Almanach‘, Fouqués ‚Frauentaschenbuch‘, Brockhaus' ‚Urania‘, Fleischers ‚Minerva‘, Wendts ‚Taschenbuch zum geselligen Vergnügen‘, Raßmanns Unterhaltungsblatt ‚Thusnelda‘, Gubitz' ‚Gesellschafter‘, Wilhelm Müllers ‚Askania‘, Kuffners in Brünn erscheinende ‚Feierstunden‘, Weichselbaumers ‚Orpheus‘. In all diesen Fällen handelte es sich um Originalbei-

---

* s. Bibliographie, S. 280—283.

träge, nicht um Nachdrucke. Im übrigen nahm der eifrige Herausgeber Friedrich Raßmann viele Gedichte von Schütz in vier seiner poetischen Anthologien auf, darunter, zumindest in der Sammlung ‚Sonette der Deutsche' von 1817, auch „handschriftliche Mittheilungen" wie etwa die folgende:

Der letzte Kampf.

Noch Einen Kampf — und Alles ist gewonnen!
Die finstern Mächte, die seit tausend Jahren
Mit uns im Streit auf Tod und Leben waren,
Bald sind sie hin und ihre Kraft zerronnen!

Frisch auf! und euch nicht kalt und träg' besonnen!
Wie Adler stürzt auf die verruchten Schaaren,
Recht nach dem Herzen müßt ihr ihnen fahren,
Sie würgen in der Luft vor'm Aug' der Sonnen!

Seht, Gottes Blitz erwacht, schlägt sie zu Staube!
Die Erde thut sich auf, sie zu verschlingen!
Drum vorwärts! vorwärts! vorwärts, Waffenbrüder!

Und unser Aller sey der frohe Glaube,
Womit zur Schlacht sonst Rußlands Krieger gingen:
Wer auswärts fällt, steht auf daheime wieder!

Das Sonett gehört anscheinend zu den uns nicht bekannten „Kriegsliedern aus dem Jahre 1813", die Schütz in einem späteren Brief an Fouqué erwähnt.

Schütz nahm an den Freiheitskriegen, von ihm als „allgemeiner europäischer Krieg gegen Napoleon" bezeichnet, selbst nicht teil. Allerdings war Madlitz, wo Schütz sich damals aufhielt, nicht ganz von den Kriegswirren verschont geblieben. Im August 1813 erhielt der Ort Einquartierung von preußischen Soldaten, darunter einem früheren Mitschüler von Schütz namens Karl August Köhler. Dieser, inzwischen Feldgeistlicher geworden, gibt uns einen anschaulichen Bericht seiner dortigen Begegnung:

> Wir gingen den 14. [August] bis Madlitz, einem dem Grafen Finkenstein gehörigen Dorfe, und waren schon um 10 Uhr da. Wir fanden schon zwei Dragoneroffiziere im Quartiere, und nun kamen wir dazu: 12 Offiziere, eine Dame mit 2 Kindern und einem Mädchen, 20 Bediente und 42 Pferde! Ich fühlte mich höchst unglücklich; denn es war mir noch im frischen Andenken, wie unangenehm eine starke unvermutete Einquartierung ist, und nun war ich mit unter denen, die wie ein Schwarm Heuschrecken in ein friedliches Haus einfielen. Außerdem war es noch ein Graf, dem ich gern, ich weiß nicht ob aus Stolz oder Demut oder Vorurteil aus dem Wege gehe. Ich resolvirte gar nicht zu sprechen und ward in meinem Vorhaben noch mehr bestärkt, weil ein paar Offiziere *viel* redeten und von der feinen Familie, welche aus dem Grafen, 5 Töchtern und 2 Schwiegersöhnen [v. Schütz und v. Schierstedt] bestand, sehr abstachen.

Mein Vorsatz ward, wie so viele in der Welt, nicht lange gehalten; denn der Graf schien es drauf anzulegen, mir durchaus Rede abzugewinnen, ob ich gleich immer nur sehr kurze Antworten gab. Außerdem entdeckte der eine Schwiegersohn, der Regierungsrat von Schütz, in mir einen Schulfreund. Nun änderte sich mit einem Male die Sache; ich vergaß meinen Vorsatz, und die Erinnerung an die frohe, glückliche Jugend, an den trefflichen Gedike und die andern unvergeßlichen Lehrer verscheuchten allen Unmut. Ich vergaß es, daß ich einquartiert war, sah, daß ich durch ein gefärbtes Glas gesehen hatte, und fand die Familie sehr liebenswürdig.

Nach Tische ging ich mit Schütz und dem Grafen in dem Garten spazieren. Das Schloß liegt in einem englischen Garten so, wie er immer sein sollte; denn er ist so groß und natürlich, daß man gar kein Menschenschnitzwerk merkt. Alles ist Natur. Bäume von verschiedenen Arten, Gänge, oft mit Rasen bewachsen, eine Aussicht auf einem Berge, Wasser, eine Insel, eine gewöhnliche Hütte, einmal ein Sitz unter einem Baume, ein Fleckchen mit Gemüse, Obstbäume, eine Wiese, Getreide, da hast Du alles. Man sieht nicht, daß Menschen etwas daran gemacht haben, es scheint alles Zufall zu sein, aber jede Baumgruppe muß gerade da stehen, jeder Sitz dort angebracht sein, alles ist berechnet, daß es zum schönen Ganzen paßt. Vor und hinter dem Hause ist ein langer Rasenplatz; hier und da stehen ein paar Sträucher. Aus dem oberen Stocke des Schlosses ist es unbeschreiblich schön in die Nacht vom mannigfaltigsten Laube und den langen, grünen Weg dazwischen zu sehen.

Die Töchter sind feingebildete, sehr unterrichtete Wesen, die aber die fröhliche, gutmütige Heiterkeit gerettet haben, die so häufig durch die Politur der Welt zur Künstelei wird und zurückstößt. Beim Tee rückten wir in unsrer Bekanntschaft immer weiter vor, und nach demselben ward auf einem schönen englischen Piano gespielt. Die Gräfinnen sangen schön und herrlich, anspruchslos, ohne alle Ziererei und ohne sich bitten zu lassen.

Ich komme mit Schütz auf den Unterschied zwischen der griechischen und unsrer Musik zu sprechen, und da erst erfahre ich, daß der Graf der bekannte Übersetzer vom Pindar ist, daß er mehrere Versuche gemacht hat, die griechische Musik wieder herzustellen, und daß er auf diese Art mehrere Oden Pindars komponiert hat, welche eine seiner Töchter singen könne.

Auf meine Bitte, mir eine Probe dieser Musik zu geben, ging die Gräfin mit dem Grafen, Schütz und mir in einen Saal, dessen Glastüren offen waren, weil sie die heiligen Lieder nicht vor ungeweihten Ohren singen wollte. Da hörte ich Pindars Oden, nicht in moderner Übersetzung, sondern griechisch, wie sie der göttliche Sänger vor vielen tausend Jahren dichtete, im Halbdunkel einer hellen Mondscheinnacht singen. Wer das noch nicht gehört hat, weiß noch nicht, welche Kraft eine einfache Musik hat; wer sie hörte, weiß nun, wie Orpheus Menschen und Tiere und Steine bewegte, wie er milder machte die wilden Sitten und die Menschen in Gesellschaften vereinte. Es war bald, als wenn die Helden Asiens daherstürmten, bald als wenn Minona die Klagen um den Geliebten aushauchte; ja, Pindar selbst war aus dem Grabe erstanden, um uns in der eisernen, wilden Zeit zu trösten und zu besänftigen.

Ich habe einen sehr glücklichen Tag unter diesen Menschen gehabt, die sich durch das Innere noch weit mehr auszeichnen als durch den Zufall des Standes. Dazu kam noch ein alter, unscheinbarer Mann [Genelli], den man als einen Architekten aufführte, und der voller Verstand und Gelehrsamkeit steckte.

Recht schwer riß ich mich gegen 12 Uhr von der Gesellschaft los. Wir lagen unserer 8 in einer Stube, in welcher uns eine Streu freundlich aufnahm. Allein wir hatten eine Gitarre mitgenommen, und wir sangen, lachten und scherzten noch lange und rekapitulierten den schönen Tag.

Als wir uns nach 2 Uhr niedergelegt hatten, überfiel ein paar von uns eine Legion ausgehungerter Flöhe, worüber wieder ein großer Lärm entstand, bis sich endlich die Kreuzträger ein ruhigeres Lager im Pferdestalle suchten.

Aus dem Schlafen ward wieder nicht viel, denn um 4 Uhr standen wir auf. Ich war noch eine Stunde bei Schütz und trennte mich mit schwerem Herzen von einem Orte, an dem ich nichts suchte und soviel fand.[154]

Zu Ostern 1814 ist der gichtkranke Friedrich August Wolf, wohl auf Schützens Anregung, für sechs Tage beim Grafen Finckenstein zu Besuch. In einem Brief aus Berlin vom 31. Mai 1814 an seine Tochter Wilhelmine Körte schildert der berühmte Homerforscher seine Erlebnisse in Madlitz, wo ihn die „gute warme Luft" und musikalischer Umgang gestärkt und erheitert habe, und legt einen an ihn gerichteten Brief der Gräfin Henriette bei, von der er schreibt:

Die *älteste junge* Gräfin (von etwa 35 Jahren) ist so große Kennerin, selbst der Griechischen Musik, und herrliche Sängerin, daß die Zelters vor ihr sich bloß in Bewunderung zeigen. Denn bei ihrer Anwesenheit hier geht sie wol in die [Zeltersche Sing-]Academie. Mit ihr selbst wollte ich keine Correspondenz anfangen, weil sie mir schon in Madelitz durch öfteres Vorsingen gar gefährlich zu werden drohte. Schon ihres Lobes wegen über solche schriftlich gefaßte Homerische Compositionen, als ich Dir eine geschickt, mußte ich Dir so ein Briefblatt schicken. Dort wurde alles von 2 Schwiegersöhnen und den 3 Haupttöchtern vollstimmig gesungen und mit dem Fortepiano accompagnirt. Könntest Du das Ἄειδε hören, wovon dort die Rede ist — so würdest Du endlich Töne wie Statuen vor Dir gestellt hören! — so sonderbar dies klingt.—

Mine bittet später den Vater um Mitteilung dieser Kompositionen:

Wie gern wäre ich bei Finkensteins gewesen und hätte sie dort ordentlich vierstimmig vortragen hören von den herrlichen Sängerinnen, deren Talent ich schon so oft habe rühmen hören [...]

Wolfs Hoffnung, daß der nachbarliche Gutsbesitzer Schütz ihm als Mitreisender die „unseligen Kosten" seiner Badereise erleichtern würde, erfüllt sich allerdings nicht: „Leider hat der Lacrimas wegen Weltgeschäften von der Mitreise abstehen müßen."[155]

Anläßlich A. W. Schlegelscher Bemerkungen über den antiken Versrhythmus erinnert sich Schütz später (im ‚Literarischen Conversations-Blatt' vom 5. Januar 1821) an das anregende Zusammensein mit Wolf:

> Wer so glücklich gewesen ist, die Homerischen Verse aus dem Munde unsers Wolff gesangsweise recitirt zu hören, und wer der Uebertragung des Anfangs der Odyssee in seinen Analekten ihren wahren Charakter abgewonnen hat, dem muß die Verwandtschaft der Homerischen Gedichte zu kriegerischen Gesängen mit Tanz, und das Wesen der Cäsur recht deutlich werden. Der Phantasie stellt sich wirklich ein Waffentanz und Gesang mit einem Zusammentreffen und Auseinanderfahren am Punct der Cäsur vor. Auch ist etwas davon in die Strophe der Niebelungen über gegangen.

Nach einem mehrtägigen Ziebinger Aufenthalt schreibt Schütz, nach Madlitz zurückgekehrt, am 22. März 1814 an Tieck:

> Theuerster Freund, ich kann Dir nicht sagen, wie ich die Zeit über, daß ich wieder hier bin, von den Tagen gezehrt habe, welche ich mit Dir zugebracht; mein inneres Leben erhöht sich immer mehr in dem Umgange mit Dir. Wie erfreulich mußten mir also Deine Worte sein, welche mir sagten, daß mein Genuß und mein Bedürfniß auch die Deinigen gewesen.[156]

Im Sommer des gleichen Jahres siedelt er ganz nach Ziebingen über, um wie er Loeben mitteilt, recht mit Tieck zu leben.* Am 27. Juni 1814 meldet Tieck dem gemeinsamen Freunde Solger in Berlin:

> Mein Freund Schütz ist jetzt hier, und mit ihm (da ich Ihre Erlaubniß voraussetzte) habe ich den Dialog noch einmal gelesen, er hat sich eben so sehr, wie ich, über die Klarheit und geschmeidige, oft überraschende und doch so gelinde Entwickelung der Gedanken gefreut.

Es beginnt eine Zeit intensiven Zusammenlebens, von dem Solger am 10. Dezember 1815 Friedrich von Raumer berichtet:

> Ich war acht Tage in Ziebingen bei Tieck; wie angenehm ich diese Zeit verlebt, kann ich Ihnen gar nicht sagen. Schütz Lacrimas wohnt jetzt auch da und führt mit Tieck ein sehr vertrautes poetisches Leben. Zuweilen machte auch Kadach den vierten Mann. Fast den ganzen Tag von des Morgens um sieben Uhr bis Abends elf oder zwölf waren wir ungetrennt, mit tüchtigen gründlichen Unterhaltungen oder mit Vorlesen beschäftigt. Nachher war es mir wirklich wie ein Rausch.[157]

Einen späteren Besuch im Jahr 1817, bei dem es auch um Kleists ‚Robert Guiskard' ging, schildert Solger ausführlich in einem Brief an seine Frau:

> Gestern [29. März 1817] Morgen wurde um 7 Uhr gefrühstückt; ich war dabei mit Tieck allein, nur Schütz kam dazu. Hier ging nun wieder das Gespräch in

---

* Anhang, Brief 7.

seiner ganzen Fülle an; der Hauptgegenstand war die Philosophie und meine letzten Gespräche. Tieck geht immer tiefer darein ein, und die wahre Aussicht auf alle meine noch künftig darzustellenden Ideen entwickelt sich ihm immer deutlicher. Es ist eine wahre Lust, wenn ein gutes Wort und ein guter Gedanke so eine gute Stätte findet. Es ging nun nach der alten Art, daß wir bald in seine Stube gingen und so gleich bis 11 Uhr in ununterbrochener Unterhaltung blieben; beim zweiten Frühstück wurde dann auch der Fortunat noch weiter kritisirt, und Tieck hatte sich sehr richtig vorgestellt, was darüber geurtheilt werden würde.

Von halb vier bis gegen sechs Uhr liest Schütz auf seiner Stube ein von Tieck entdecktes angebliches Shakespeare-Stück:

> Hierauf kam Tieck, abgeschickt, um mich zu Schütz zum Thee hinunterzuführen. Wir geriethen aber sogleich in ein Gespräch über das Stück, so daß nach einiger Zeit Charles [wohl ein Diener] abgeschickt wurde, um uns durch die Nachricht, daß der Thee schon ausgetrunken sey, zu schrecken. Dies erschütterte uns denn so, daß wir sogleich hinuntergingen, wo viel gelacht wurde, daß sie uns lange mit langsamen Schritten über sich hatten auf- und abgehen hören, und immer geglaubt hatten, nun würden wir herunterkommen. Tieck las uns beim Thee einen nachgelassenen Anfang einer Tragödie von Heinrich Kleist, betitelt Robert Guiscard, vor. Ich hörte das Fragment mit tiefer Bewunderung und eben so tiefer Trauer um den Verlust des Ganzen und des Dichters, und wir waren einig, daß es, in gleicher Schönheit vollendet, nicht allein Kleist's Meisterstück, sondern eins der größten Werke deutscher Kunst geworden seyn würde. Abends wurde oben gegessen.[158]

Schütz selbst bemerkt später darüber:

> Ernst und Klarheit sind mancher dramatischen Dichtung vaterländischer Autoren nicht abzusprechen; wir nennen hier beyspielsweise auch den trefflichen Anfang eines Trauerspiels, *Robert Guiscard,* von *Heinrich von Kleist,* ein Fragment, das neben echter Klarheit und Männlichkeit auch noch eine bewundernswerthe Plastik und seltner dramatischer Verstand schmücken. Aber jene Eigenschaften erschöpfen nicht das Wesen des Klassischen.[159]

Am nächsten Tag schreibt Solger weiter an seinem Brief:

> Nach dem Abendessen saß ich mit Tieck und Burgsdorf um den Kamin, und wir geriethen wieder in ein tiefes und langes Gespräch über Shakespeare. [...] Nach dieser Unterhaltung zog ich mich zurück und schrieb noch bis gegen Mitternacht an diesem Briefe. Heute Morgen haben wir uns beim Frühstück hauptsächlich über meine Gespräche und dann mit Schütz über den Würtembergischen Verfassungsentwurf und andere Staatssachen unterhalten.

Die Freundschaft zwischen Tieck und Solger bestand noch nicht lange. Im Herbst 1810 hatte Tieck den damals in Frankfurt a. d. Oder lehrenden Professor erstmals aufgesucht; Pfingsten 1811 kam Solger dann zu Pferd nach Ziebingen, wo er das Palast-ähnliche prächtige Haus, die Geselligkeit der dort versammelten gebildeten Familien, ihre Liebe zur Kunst und ihren leichten und bequemen Anstand bewunderte:

> Vorzüglich aber hat mich der Umgang mit Tieck erfreut, der mich durch die nähere Bekanntschaft ganz eingenommen hat. Wir waren vom Morgen an beisammen, theils im schönen runden Bibliothek- und Lesesaal, theils im Garten. Unsere Gespräche betrafen meistens die Poesie, zum Theil ihre neuesten Erscheinungen, kehrten aber immer wieder zum Shakespeare zurück [...][160]

In dem sich dann anbahnenden, durch persönliche Begegnungen unterbrochenen Briefwechsel ist oft von Schütz und seinen Plänen die Rede. Bei aller Wertschätzung des Menschen, der mit seinen häufigen Reisen nach Berlin die Verbindung zwischen den Freunden aufrecht erhielt und den Boten spielte, wächst doch die Kritik an seinen poetischen und literarischen Bestrebungen.

Die aus Solgers Nachlaß ohne Angabe des Adressaten veröffentlichten Briefe vom 17. Dezember 1814 und 12. August 1815 sind zweifellos an Schütz gerichtet. Im ersten geht es zunächst um Solgers ‚Dialoge‘, die von Tieck und Schütz im Manuskript gelesen worden waren:

> Es hat mich auch unendlich gefreut, daß Sie meine Gespräche, die jetzt gedruckt werden, so aufmerksam gelesen und im Ganzen gebilligt haben. Ich glaube zwar, daß wir, da Sie ein strenger Anhänger des Fichteschen Idealismus sind, über viele Dinge nicht ganz einig werden können; aber fühlen wird es doch jeder von uns, wo beim anderen das Wahre zum Grunde liegt.

Im weiteren Verlauf wendet sich Solger zur Beurteilung eines Aufsatzes über Platons ‚Phädrus‘, den Schütz ihm zugeschickt hatte:

> Sie verstehen gewiß den Phädrus wie nur wenige, welche nicht der Ursprache mächtig sind, noch den gesammten Zusammenhang der platonischen Philosophie überarbeitet haben. Die allgemeine Bedeutung, welche Sie diesem Werke in Beziehung auf die übrigen des Philosophen beilegen, kommt ihm auch gewiß zu, aber wie diese sich gerade hier individualisirt, das, glaube ich, hätte bestimmter aufgefaßt werden können. Auch gestehe ich, daß ich Ihnen über die Art, wie sich die platonische Darstellungsart auf Mythologie bezieht, nicht ganz beistimmen kann. [...] Jene Ansicht des Mythischen ist auch wohl mit der Grund, warum Sie in der Sache selbst das Innere und Äußere viel zu scharf entgegensetzen, da es doch sonst recht Platons Art ist, beides als Eines zu behandeln. So wird das *Innere,* nach Art des Idealismus, zuletzt zu negativ gefaßt, und das farblose und *gestaltlose Wesen* im Mythus zu wörtlich verstanden. Die Erklärung des Einzelnen, besonders der Theile des Dialogs und ihrer Verhältnisse zu einander, hat sehr meinen Beifall; vorzüglich aber das, was Sie zuletzt über die Sprache sagen.[161]

Über den gleichen Aufsatz hatte sich Solger bereits am 11. Dezember 1812 Tieck gegenüber geäußert:

> Die Abhandlung von H. von Schütz habe ich mit vielem Vergnügen gelesen, und sende sie mit einigen Bemerkungen zurück. Sie hat mir etwas Zeit gekostet, weil mir die Handschrift große Schwierigkeiten in den Weg legte. So viel Gutes und Schönes auch darin ist, so bleibt es immer wahr, daß dergleichen Gegenstände von dem, welcher der Ursprache nicht mächtig und nicht mit allen historischen Beziehungen bekannt ist, schwerlich genügend behandelt werden können.[162]

Im zweiten Brief, vom 12. August 1815, bedankt sich Solger für das Manuskript der ,Proserpina‘, die ihm viel Vergnügen gemacht habe, „besonders im Einzelnen, wo sie so leicht und lieblich und zierlich ist, wie ich kaum etwas von Ihnen kenne". Ein weiterer Aufsatz von Schütz, diesmal über Goethes ,Wahlverwandtschaften‘[163], über die Solger selbst schon 1809 gearbeitet hatte, regt ihn zu ausführlichen Betrachtungen an. An Schütz' Aufsatz lobt er die Schärfe und Umsicht der Kritik:

> Über das was die Charaktere und die aus diesen hervorgehenden Verknüpfungen betrifft, bin ich völlig mit Ihnen einverstanden. Der Naturseite dieses Werkes, wie ich sie nennen möchte, finde ich bei Ihnen weniger erwähnt. [...] Eduard und Ottilie, welche, wie Sie auch sehr richtig bemerken, den unbewußten Antrieben folgen, fallen damit in die Gewalt einer undankbaren Macht, die sich durch dunkle Triebe ihrer ganzen Individualität bemächtigt hat. [...] Ich finde es vorzüglich schön, daß gerade in der klügelnden Charlotte sich zu Anfang die Ahndung der künftigen Schicksale und jenes Grauen offenbart, wodurch uns der innere Zusammenhang unsres ganzen Wesens öfters warnt, uns in irgend eine freche Einseitigkeit hineinzuwagen. Jenes Klügeln aber und jene müßige Alltagsweisheit, die sich und andre unaufhörlich meistern und ordnen will, haben Sie vortrefflich hervorgehoben, und ich hatte ordentlich meine Lust daran, wie Sie diese verdammte, naseweise Schulmeisterei so trefflich beurtheilen.[164]

Als Solgers Brief in Ziebingen eintrifft, ist Schütz gerade wieder für vierzehn Tage auf einer Geschäftsreise; Gräfin Henriette, die mit Schütz im Untergeschoß des Hauses wohnt, nimmt den Brief an sich, vergißt ihn aber „in ihrer Kränklichkeit", wie Tieck bemerkt, abzugeben, wodurch Tieck den für ihn bestimmten Teil der Sendung verspätet erhält: „ich bin immer hier", fügt er hinzu, „Schütz dagegen oft verreist".[165]

Auch Anfang 1816 ist Schütz wieder in Berlin. Er verkehrt bei Marie von Kleist und trifft dort Clemens Brentano, Ernst von Pfuel, Fouqué. Man liest gemeinsam Kleists noch unveröffentlichte ,Hermannsschlacht‘ im Manuskript. Darüber und über seinen Eindruck von Schütz berichtet Brentano an Arnim am 3. Februar 1816:

Zur Kleist gehe ich alle Freitag, Pfuel und Schütz-Lacrimas sind immer da. Das ist ein recht guter Mensch, und wenn er gleich stark nach der Tieckischen Clausur spricht, so hat er doch einen seltenen Enthusiasmus für Poesie, was einem heutzutage beinah altfränkisch vorkömmt. Er hat Dich recht lieb und läßt Dich grüßen. Ich fragte ihn, ob er viele Verehrer seiner Poesie gefunden habe. Er versicherte mich, nur drei: Tieck, der sie die musikalische nenne, Isidorus Orientalis [Loeben] und Varnhagen! Damit war er ganz zufrieden, ich gab ihm Dein Interesse für den Nabelort [Zitat aus ‚Niobe‘, Vers 1] noch zu, was ihm viele Freude machte. Wir haben Kleists ‚Hermann‘ dort gelesen. Bei vieler Bizarrheit finde ich es in Haltung groß und in der Bizarrität ungemein lustig. [...] Übrigens ist es recht schön und ehrlich bei der guten Kleist.[166]

Als Schütz wieder in Ziebingen ist, läßt Brentano in einem undatierten Billett an Tieck seinen herzlichen Gruß „an den liebenswürdigsten Herrn von Schütz" bestellen: „er war recht freundlich gegen mich und ich habe ihn sehr lieb gewonnen"; auch möge Tieck ihn um Beiträge für Försters Taschenbuch ansprechen.[167]

Eine verschlüsselte Schilderung der Leseabende bei Marie von Kleist enthält Fouqués ‚Gespräch über die Dichtergabe Heinrichs von Kleist‘ im ‚Morgenblatt‘ vom 1. März 1816, wobei wir uns Schütz in der Gestalt des Ferdinand zu denken haben. Er will „etwas ausnehmend Kluges" über Kleists wundersame Gründlichkeit zu Markte bringen, die Kleist nie verlassen habe, am wenigsten beim ‚Zerbrochnen Krug‘, der deshalb auch weniger auf die Bühne als ins Lesegemach gehöre.[168] Ähnlich berichtet K. F. von Jariges in einem leider datumslosen Brief aus Berlin von dem „Poeten Schütz": „Übrigens halte er von allen Dramen Kleist’s den Zerbrochenen Krug nicht nur für sein bestes, sondern überhaupt für ein treffliches Lustspiel: freilich mehr zum Lesen, als für die Bühne, es müßte denn durchaus musterhaft gegeben werden."[169]

In dieser Zeit ist Schütz auch viel mit Solger zusammen. Er nahm als „treuer hospes" an Solgers Vorlesungen über Ästhetik teil und ging in seinem Hause aus und ein. Solger sah in ihm, wie er schreibt, Tiecks Repräsentanten. In einem Brief an Tieck vom 14. Februar 1816 heißt es:

Schütz habe ich indessen viel bei mir gesehen, und ihn weit gesprächiger, und wenn ich so sagen darf, offener als sonst gefunden. Meine Frauen [Solgers Frau und Schwiegermutter] haben ihn auch sehr lieb gewonnen. Er hat mir allerlei vorgelesen; darunter muß ich vorzüglich die Braut loben, die ich über meine Erwartung schön gefunden habe. Es ist eine dramatische Kraft, ein Fortschreiten der Handlung darin, wie ich von Schütz, bei seinem lyrischen Hange, es gar nicht erwartete; und die Ausführung des Einzelnen ist oft sehr schön.

Bei der von Solger so gerühmten ‚Braut‘ handelt es sich vermutlich um die sehr dramatische, stellenweise an Kleists ‚Marquise von O‘ erinnernde Erzählung ‚Der Raub der Verlobten‘, die im Taschenbuch ‚Urania‘ von 1821 erschien.

Bedeutend negativer urteilt er über ein (wohl nach Solgerschem Vorbild) verfaßtes philosophisches ‚Gespräch‘:

> Sie kennen es doch wohl? Ich kann es nicht billigen. Mit dem Inhalte stimme ich, so weit er mir deutlich geworden ist, auch nicht überein, was ich aber besonders für verfehlt halte, ist die Form und Methode. Man sieht daran recht, wie schädlich ihm das Philosophiren ist. Er sucht in diesem Gespräche Dinge mit einander zu vereinigen, die auf ganz verschiedenen Gründen beruhen, und sich nie auf dieselbe Formel zurückführen lassen. Eine Methode ist eigentlich gar nicht darin. Einige kleinere Gedichte, die er mir vorgelesen, haben mir sehr gefallen.[170]

Nach Schützens Abreise kamen Solger anscheinend Skrupel, ob er Tieck gegenüber nicht zu streng über dessen Schützling geurteilt habe; so schreibt er am 23. März 1816:

> Über Schützens Brief habe ich mich sehr gefreut, und will ihm auch noch besonders danken. Wir verständigen uns immer mehr. Dieses gemeinsame Denken und Wirken macht mir eine unbeschreibliche Lust, und ist fast die einzig wahre Geselligkeit, die ich genieße. Messen Sie mir diese nicht zu spärlich zu. Um noch sicherer in Schützens Sinnesart eingehen zu können, will ich mich wieder mit seinen Werken beschäftigen, und habe jetzt zu diesem Zwecke den Lacrimas hervorgeholt.[171]

Tieck aber waren Solgers Bedenken über das abstruse Philosophieren ihres gemeinsamen Freundes aus der Seele gesprochen, wie sich aus seiner ausführlichen Antwort vom 1. April 1816 ergibt:

> Seit lange hatte ich mir vorgenommen, Ihnen darüber zu schreiben, besonders als er damals seinen Dialog mitnahm, Ihnen denselben mitzuteilen. Denn dieser scheint mir die Fülle aller Confusion zu seyn, bis in die Beiworte und Zierrathen hinab, und unwidersprechlich ergiebt sich daraus, daß Sch[ütz] kein philosophischer Kopf ist. Warum quält er sich nur damit? Ich wollte damals hauptsächlich dem möglichen Verdachte bei Ihnen zuvorkommen, als ob mir dergleichen recht wäre, oder ich ihn darin bestärkte. Sch[ütz] theilt aber eine Sonderbarkeit mit vielen andern Menschen, er läßt sich in der Poesie, zu der er herrliche Talente hat, alles sagen, aber in der Philosophie nichts, wenigstens nichts, das sein Geist vernähme, denn er ist in dieser ein Adept und hat es völlig weg, entweder jeden Widerspruch völlig wie vor einem Ungeweihten abzuweisen, oder ihn gar durch sein aufgestreutes Pulver in seine Wahrheit zu verwandeln.

Selbst in seinen schönsten Poesien findet er dieses „Nebelwesen, Verflattern aller Consistenz, Tappen ins Blinde“:

> läßt er sich nicht vom Reim, von den Schwierigkeiten des Verses, denen er, statt sie zu heben, ausweicht und sie umgeht, von einem halben und schiefen Gedanken in den andern hinüberlocken?

Tieck hatte geglaubt, in Zusammenarbeit mit Schütz die Dichtungen zur inneren Vollendung bringen zu können, und war, wie er im gleichen Brief gesteht, von Solgers Skepsis tief berührt worden:

> Darum schreckten Sie mich voriges Jahr aus einem meiner liebsten Träume auf, indem Sie äußerten, es würde mir unmöglich seyn, meine Poesie dieser anzuschließen; denn ich bilde mir immer noch ein, durch Hinzufügen, Motiviren, bessere Entwickelungen, wie durch einen Firnis die Parthieen des Gemähldes und seinen Lichtzauber hervortreten lassen zu können. Sehn Sie jezt den Roman an; mir scheint er ungenießbar. Und doch, welcher Frühlingszauber, welcher Glanz, welche Blumenfrische; oft mein' ich, wenn ich diese Sachen wieder durchgehe, ich habe über Liebe, über Reitz und Schönheit der Weiber, über Sehnsucht, von der ganzen Fülle jugendlicher Phantasie noch gar nichts gelesen, so entzückt, wahrhaft bezaubert bin ich von der Herrlichkeit: nur bleibt es nicht, ruht nicht, verflattert, verweht wie Wolkenpracht, und man kann sich der Gebilde nachher kaum erinnern.[172]

Solger fühlt sich nach der Lektüre des ,Lacrimas' in seiner Kritik bestätigt; doch betont er die menschliche Lauterkeit und Reinheit des Freundes, auch glaubt er in der ,Braut' neue hoffnungsvolle Ansätze zu entdecken; an Tieck, 7. April 1816:

> Schütz habe ich ganz außerordentlich lieb, wegen der großen Reinheit und Unschuld seines Gemüths. Das schöne Gefühl, Wahrhaftigkeit und reine Aufrichtigkeit bei ihm zu finden, überwiegt bei mir alle seine Schwächen. Was Sie von seiner Philosophie, und selbst auch von seiner Poesie sagen, ist leider nur allzu wahr. Der Lacrimas, den ich neulich wieder gelesen, hat mich ordentlich ergötzt. Es ist, als wenn das Drama erst erfunden werden sollte, als wenn die ganze Menschheit von Charakteren, dramatischer Handlung und Entwicklung noch schlechterdings nichts wüßte; recht wie aus der stammelnden Kindheit, und dabei dann der seltsame Luxus mit Bildern und Formen. Ich würde strenger gegen ihn gewesen sein als Schlegel. Wie finden sie aber die Braut? Mich dünkt doch, es ist durchaus anders als seine übrigen Sachen. Es thut mir leid, daß ich Ihre Plane mit seinen Arbeiten durch meine unüberlegte Äußerung gestört habe. Versuchen Sie es doch immerhin. Ich habe nur überhaupt immer so viel gegen solche Vereinigungen, weil ich lieber sehe, daß jeder selbst sein Ganzes vollende.[173]

Doch auch Solger versuchte, auf die Dichtungen von Schütz korrigierend einzuwirken. Als er das Manuskript von ,Gismunda' das zweitemal erhält, ist er enttäuscht, wie er an Tieck am 11. Mai 1816 schreibt:

> Ich finde es nicht sehr verändert, besonders muß ich ihm vorwerfen, daß die Wasserfahrt [im 2. Akt] nicht viel bedeutender ist. Ich nehme mir die Freiheit, einige allzu starke metrische und grammatische Härten abzuschleifen, die er mir gewiß einräumt.[174]

Am 28. Juli 1816 findet er den ,Krieg von Granada', von dem sich Tieck bereits am 27. Mai 1815 zwei Akte hatte vorlesen lassen[175], eben so ohne Handlung wie ,Gismunda', gibt es aber auf, weiter einzugreifen, und läßt den Dingen ihren Lauf:

> In dieser Erwägung habe ich auch Schützens Gismunda, wie er mir schon lange aufgetragen, an Reimer abgegeben, obwohl es gewiß viel besser wäre, wenn sie von ihm mit Ihnen gemeinschaftlich überarbeitet worden wäre.[176]

Aber Reimer ist offenbar nicht geneigt, weitere Werke von Schütz zu verlegen, hatte er doch schon 1811 den ,Garten der Liebe' ohne Verlagsangabe erscheinen lassen. Erst 1821 bringt Brockhaus die ,Gismunda' zusammen mit dem Schauspiel ,Evadne' unter dem Titel ,Dramatische Wälder' heraus, während von dem ,Krieg von Granada' vermutlich ein Aufzug unter dem Namen ,Der Mohrenkönig' in der Zeitschrift ,Orpheus' von 1824 erhalten geblieben ist.

Immer wieder hat Tieck über den sonderbaren Freund zu klagen; so am 7. Januar 1817:

> Ich finde Schütz recht krank, ich glaube, seine Diät, seine Brunnenkuren, sein übermäßiges Laufen im schlechtesten Wetter, alles ist verkehrt, aber er läßt sich nichts sagen.[177]

Auch seine reaktionäre Haltung versteift sich. Im Februar 1817 erscheint in Okens neugegründeter „encyklopädischer Zeitung", in der ,Isis', Heft 5, ein längerer Artikel von Schütz über ,Preußens neueste Anordnungen', der sich offenbar an eine Gesprächssituation anschließt, wie er sie bei seinen Badeaufenthalten in Karlsbad erlebt haben mochte:

> Gewöhnlich, wenn in Carlsbad der einförmige Zuspruch zu den verschiedenen Quellen und die gezwungenen Bewegungen beendet waren, traf ich zum gesellschaftlichen Frühstück und freieren Spaziergang mit dem Baron von D.. aus Wien zusammen. Baron von D.. ist ein eifriger Oesterreicher, voll Anhänglichkeit an das Habsburgische Regentenhaus, und besonders der Person des Kaisers ergeben, wie man nur dem geliebten Oberhaupt einer Familie zu sein pflegt. Diese Eigenschaft theilt er mit allen Oesterreichern.
>
> Wie herrlich es sich in seinem Lande leben lasse, darüber breiteten sich seine Gespräche in immer neuen fast unerschöpflichen Wendungen allemal gegen mich aus, wenn wir morgens über die Wiese spatzieren gingen, und bald den Lauf der Eger verfolgten, bald die Berge bestiegen. Auch heut hatte ich das meinige in vollem Maaße gehört, und wir waren schon bis zum sogenannten Mylordstempel, unserm letzten Ruhepunkt gekommen, als er dem, was er mir bis dahin einzeln und abgebrochen gesagt, die Krone durch eine Beschreibung aufzusetzen gedachte, wie sein Kaiser die Geschäfte des Staats führe [usw.]

Ein preußischer Freund, der Herr v. W.., gesellt sich dazu, noch tief bewegt durch die plötzliche Abreise des wackern Grafen von G.. aus Karlsbad nach der Lektüre des letzten preußischen Gesetzblattes, enthaltend die „Deklaration des Edikts vom September 1811 wegen der gutsherrlichen und bäuerlichen Verhältnisse":

> Ich besuchte ihn vorgestern, als er eben jenes Edikt gelesen, das mir zwar auch bekannt war, das ich jedoch, was ich gestehe, nicht mit seinen Augen betrachtet, und in dem ich freilich nichts Preiswürdiges, aber auch nicht das Verderbliche und Zerstörende gefunden hatte, was ich zuletzt darinn sah. Vielleicht macht die sonderbare Fassung, denn es ist ein Labyrinth von Citaten und Bezugnamen auf andere Gesetzbasen, es mir anfangs unklar; aber gewiß versteckt sich auch noch eine Nebenabsicht tief genug, um es lesen zu lassen, ohne gerade Arges darinn zu entdecken. Nur die scharfen, vorzüglich die Linien des Rechts durch alle Verdrehungen und Verdunkelungen fest verfolgenden Augen des Graven G.. sahen gleich bis auf den Grund, und ich selbst erschrack über die Untiefe, die des alten Patriziers Worte mir aufdeckten.

Wir erkennen in dem alten Patrizier, diesem „ehrwürdigen Patriarchen unter den Brandenburgern", der „mit unerschütterlicher Liebe an Vaterland und Verfassung hängt", unschwer den alten Graf Finckenstein, der sich nun mit heftigen Klagen gegen die Beschränkungen der alten gutsherrlichen Rechte ergeht. Auf den Einwurf des Barons, der Graf müsse wohl Jurist sein, da ihm die Erhaltung des Rechts so heilig sei, erwidert Herr von W..:

> Es hängt freilich mit seinem früheren Leben zusammen, daß die Ansicht von der Seite des Rechts überall in ihm die vorwaltende geworden, aber glauben Sie nicht, daß es deshalb seine einzige ist. Auch über das Schädliche der Maasregel, von der wir sprechen, in moralischer, ökonomischer, selbst finanzieller und polizeilicher Rücksicht, ließ er sich gegen mich ausführlich aus, daß zur Wiederholung uns heut kaum die Zeit gegönnt seyn möchte, und erhob sich dann wieder bis zu den größten allgemeinen Staatsbetrachtungen und politischen Ansichten, wie Ihnen ja schon der merkwürdige Schluß aller seiner Aeußerungen, die ich Ihnen mitgetheilt, muß gezeigt haben.

Dieser pathetische Schluß, den er, „ein anderer Johann von Gaunt in Shakespears Richard dem zweiten", vorgetragen hatte, lautete:

> „Wehe um Europa, gelingt jene Zertrümmerung der Güter — diesen baierischen Kunstausdruck wählte er mit Fleiß — und bleibt dann Preußen noch mächtig in unserm Welttheile, dann dann ist das Recht ein Phantom geworden, und nordamerikanisches Gift verdirbt den Thron der Christenheit, Europa. Ach was klage ich um Europa? Um dich muß ich klagen theures Vaterland! um dich erhabnen und edlen Regentenstamm, der du es groß und blühend gemacht. Europa wird bleiben, aber welches wird Euer Schicksal werden? Wer weiß, ob nicht Eurer Mitstaaten Waffen sich gegen Euch richten werden, wie sie es thaten ge-

gen Frankreich? Schon höre ich den Kreuzzug predigen gegen die, welche das Recht und Europas heilige Gründungen zu untergraben einen Plantagenstaat und eine Kongreß-Regierung an dessen Spitze stiften wollen."

So fand ihn Herr von W. bei seinem Besuch tags zuvor in Gesellschaft der Freunde, die von ihm Abschied nahmen, da seine Kur nun doch verdorben sei; und Herr von W.. fuhr fort:

> Möge der freundliche Schatten der selbst gepflanzten Bäume auf seinen Besitzungen, der fromme und heitere Kreis der den ehrwürdigen Alten umsprießenden Kinder und Enkel mildere Segnung um ihn ausbreiten, und der erquickende Anblick seines Familienglücks ihm um so heilendere Kraft für jene Erschütterung geben, als er dort lange schon, jede Kunde von den Verordnungen des Tages von sich abweisend, selbst in den Zeiten unserer äußersten Bedrängniß seine unerschütterte Hoffnung auf Spaniens und Tyrols Thaten hinrichtete. Nur ein Angriff auf den Grundpfeiler unsers Wesens, wie er in den letzten Tagen kund geworden, ward seinem Gleichmuth zu viel.

In dieser Weise würdigte Schütz die ultrakonservativen Anschauungen des Grafen Finckenstein, den sein eigener Standesgenosse Ludwig von der Marwitz einmal als „größten Egoisten gegen alle Maßregeln der Regierung" bezeichnet hatte.[178] Kaum aber würde man einen solchen mit Schützens vollem Namen gezeichneten Artikel in Okens Blatt vermuten, das wegen seiner radikal-liberalen Gesinnung schon bald nach seinem Erscheinen unliebsames Aufsehen erregt hatte, auf dessen gefährliche Tendenz Adam Müller in seinen Berichten nach Wien aufmerksam machte und das nach Goethes Meinung am besten sofort verboten werden sollte.[178a] Oken war einer der vier Jenaer Professoren, die am Wartburgfest teilnahmen, und auf ihn als Kronzeugen berief sich ein Graf Stourdza bei seiner Anklage gegen die deutschen Hochschulen. Zur Aufnahme des Beitrags von Schütz aber war es durch ein groteskes Mißverständnis gekommen. Im Vertrauen wohl auf Okens Devise „In dieser Zeitschrift kann Jeder unaufgefordert einsenden, was er will" hatte Schütz seinen Artikel zur Verfügung gestellt, der nun aber von Oken als willkommene Persiflage auf den reaktionären Feudalismus ausgegeben wurde. Jedenfalls äußert sich Oken in einem Nachwort folgendermaßen:

> Wir kennen die wahren Gesinnungen des Unterzeichners nicht, da er uns selbst fremd ist; doch wird wohl Jedermann bemerken, daß er durch eine treffende Satyre hier die Perückengedanken eines eingerosteten Adels über die Rechtmäßigkeit der *Leibeigenschaft* mit eben so viel Geschick als Edelmuth herunterpfeift. Solche Aufsätze sind jetzt allein noch dem verächtlichen Gegenstand angemessen; ernsthafte Ausführungen würden ihm das Ansehen geben, als stände er noch in Jugendkraft da, und könnte noch was machen. Nicht *alte* Rechte sind Gerechtigkeit, sondern die *ewigen* Rechte! Die gleiche Freiheit aller Menschen, mithin Unabhängigkeit und Eigenthum, mithin Theilung der Güter, wofern sie nicht

Korporationen gehören [...]. Darum, und nur darum sollen und dürfen ade-
liche Güter nicht vertheilt werden, weil es hier so recht ist, und weil dadurch
der Adel zu Grund gienge, das nicht seyn darf, wenn in der Welt ein *Wehrstand*
seyn soll, welches der Adel ist. Sieht das der Adel nicht ein, und will er lieber
bauern, als die Welt vor Raub und Mord lebenslänglich und überall mit den
leiblichen Waffen (deren Führung sein Handwerk ist), nicht mit dem Maul oder
der Feder vertheidigen, dann verliert er billig seine Güter als Ordensgüter, d. h.
sie werden vertheilt, weil außer einem Staatsorden es kein anderes Eigenthum,
als des Einzelnen geben kann.

Natürlich erkannte jedermann, daß es Schütz mit den hier bloßgestellten
aristokratischen Anschauungen bitter ernst war und er keineswegs, wie ihm
Oken listig unterstellte, eine Persiflage hatte schreiben wollen. Entsprechend
nahm auch Cottas ‚Allgemeine Zeitung‘ vom 13. April 1817 auf Schütz Bezug,
wenn es dort in einem Artikel aus „Berlin, 1. April" von den neuernannten
Mitgliedern des preußischen Staatsrats hieß:

> Diese Männer, besonders Graf Gneisenau, besizen das Zutrauen der Nation;
> sollten unter den zu berufenden Ständen thörichte Stimmen laut werden, oder
> überspannte aristokratische Forderungen, wie sie z. B. Hr. v. Schüz in dem 5ten
> Hefte der Isis vorträgt, so darf ein solcher Mann nur den Mund aufthun, und
> jene verstummen.

Zu der Zeit, da Schütz seinen Artikel verfaßte, in dem bereits von Güter-
verkauf und Ansiedelung im Österreichischen als letztem Mittel die Rede ist,
trifft Achim von Arnim ihn in Berlin. Arnim, dem zwar auch „unsre neue Ge-
setzgebung über Dienstaufhebungen sehr viel zu schaffen" macht, ist denn
doch über die Äußerungen seines Standesgenossen verblüfft. Er berichtet den
Brüdern Grimm am 15. November 1816:

> [Es fällt mir jetzt ein,] Euch einen andern seltsamen Fall, nämlich mit dem
> Lacrimas-Schütz, zu erzählen, den ich beim Bücherverleiher in Berlin zufällig
> traf und der mir ganz ernsthaft den Fall vortrug, er wolle mit seiner Klage
> sich an den deutschen Bund wenden, wenn es in unserm Lande dabei bliebe, die
> Dienste aufzuheben. Ich stellte ihm vergebens vor, daß das Volk nun einmal
> auf den Baum des Erkenntnisses von den Ministern lüstern gemacht sei, und
> wenn unser Herrgott den einen Adam nicht davon habe abhalten können, er
> und die zehn Bundesgesandten, worunter neun ihn nicht einmal verstehen wür-
> den, nicht ein paar Millionen Bauern übermeistern könnten, die alles, was sie je
> verloren und je gehofft, mit dem einen Durchschnitt ihrer bisherigen Verhältnisse
> wiederzugewinnen meinen; sind erst ein hundert Dorfschaften ruinirt, so sind
> die übrigen von selbst klug, und es entsteht mit dieser Klugheit eine Verfas-
> sung, die jetzt vergebens von unsern Staatsräthen gesucht wird. Lacrimas schwor
> darauf, daß er auswandre, wenn nichts hülfe, ich schwöre aber, daß ich nur
> darum bleibe, weil ich die Sache abwarten will, weil unmöglich ein so unge-

heures Experiment ohne himmlische Zulassung über ein Volk ergehen kann, endlich weil ich nicht nach Frankfurt reise.[178b]

Schütz' unsinniges Vorhaben, die Regierung beim Bundestage zu verklagen (wovon noch 1823 Varnhagen in seinen Tagebüchern berichtet), regte Arnim vermutlich zu dem scherzhaften Gedicht ‚Klage beim Bundestage' an, das in Gubitz' ‚Gesellschafter' vom 3. Oktober 1817 erschien: Ein alter Zecher will sich beim deutschen Bund darüber beschweren, daß die Rheinländer den ihm zustehenden Anteil an der Weinernte wegtränken!

Inzwischen war Adam Müller zum österreichischen Generalkonsul in Leipzig ernannt worden, wo er von 1816 bis 1818 die ‚Deutschen Staatsanzeigen' herausgibt und mit Schütz in persönliche Beziehungen kommt. Schütz bemerkt darüber:

> Die Nähe von Leipzig begünstigte persönliche Zusammenkünfte, und diese wurden nun auch, so viel es nur möglich war, häufig veranstaltet, ja sie waren schuld, daß, weil man so Vieles für die mündliche Mittheilung aufsparte, der Briefwechsel nicht die Wichtigkeit und Bedeutsamkeit gewann, die er unter andern Verhältnissen vielleicht gewonnen hätte.[179]

An den ‚Staatsanzeigen' ist Schütz mit etwa 14 politischen und nationalökonomischen Aufsätzen beteiligt, die auf Friedrich Gentz allerdings wie „Tartarus emeticus" (Brechweinstein) wirkten, während Friedrich August von Staegemann die „Thränen des Lacrymas-Schütz" als „wenigstens sehr langweilig" empfindet.[180]

Müller selbst schätzt Schützens Mitarbeit außerordentlich:

> Für Ihre Aufsätze über den Getraideverkehr kann ich Ihnen nicht genug danken; das 12. Heft der St. A. ist dadurch eins der lehrreichsten geworden. Ueber die Abhandlung von der Gewerbefreiheit ist nur eine Stimme; besonders von Berlin aus ist mir der größte Beifall für diese vortreffliche Schrift bewiesen worden. Auch Graf Fr. L. Stolberg liest, wie er mir schreibt, Ihre Arbeiten in den St. A. mit dem größten Interesse: eben so Haller. Die Milde, mit der Sie die Personen der Gegner behandeln, bei der Strenge gegen die unseligen Theorien, verdient meinen unbegrenztesten Dank.[181]

An Bernard von Bucholtz, damals Angehöriger der österreichischen Bundesgesandtschaft in Frankfurt am Main (später Herausgeber der Wiener ‚Jahrbücher'), schreibt er am 8. August 1817:

> Vorläufig bitte ich Sie, die Arbeiten des Herrn v. Schütz wegen einiger Ungelenkigkeiten des Vortrags nicht zu übersehen. Der Aufsatz über die Gewerbefreiheit im 11ten Heft und drei Abhandlungen über den Getreidehandel im 12ten enthalten einen wahren Schatz glücklich und zu Gunsten der Sache der Ordnung und Wahrheit aufgefaßter Erfahrungen.[182]

Die Freunde sind über Schützens Begeisterung für Adam Müller wenig erbaut. Tieck beklagt sich am 10. Februar 1817 Solger gegenüber:

> Warum muß Schütz so gut, und auch so schwach seyn? Hat er Ihnen nicht viel und zu viel von Adam Müller vorgesprochen? Der Charlatan hat ihn mit ein paar Taschenspielerkünsten ganz gewonnen, und er hält ihn für außerordentlich. Ich bin immer über dergleichen empfindlich, und habe dies schon öfter mit Schütz erlebt. Die wahre Freundschaft muß durchaus mehr Symptome der Liebe haben, und das ist, was so viele Menschen nicht begreifen wollen. Sagen Sie mir ja recht unverhohlen, wenn ich Sie einmal durch etwas dergleichen kränken sollte, ich will es ebenso machen. Schütz ist wahrhaft trunken vom Müller; braust doch îgen Wasser auch in manchen Krankheitszuständen.

Solger antwortet am 15. Februar 1817:

> Was Schützens Liebe zu Müller, seinen Rausch für ihn, betrifft, so habe ich darüber einigemal etwas stark herausgesprochen. Mich rührt dann immer seine Gutmüthigkeit, die aber wirklich zum Theil auch arge Schwäche ist: denn wenn ich auf Müller schelte, so weiß sich Schütz so zu accomodiren, und sein Lob so zu modificiren, daß er zuletzt mit mir Eines Sinnes scheint. Er zeigt dabei dieselbe wunderbare tausendseitige Wankelhaftigkeit, mit welcher er auch alle Meinungen und Systeme für sich gleichsam zu neutralisiren versteht.

Immerhin weiß Solger den Aufsätzen von Schütz in den ,Deutschen Staatsanzeigen' einiges Gutes abzugewinnen, wie sein Brief vom 7. Dezember 1817 zeigt:

> In seinen Aufsätzen in Müllers Journal finde ich so viel Verstand und praktischen Blick, daß ich mich recht daran erfreut habe. Nur machte es mir auch hier die Sprache sauer, und sein Herumfahren in allgemeinen Ansichten schreckt gewiß manchen ab, und giebt wohl gar manchem Gelegenheit zum Spott, der sich dadurch belehren könnte.[183]

So wie Schütz versucht hatte, Tieck und Solger von der Bedeutung Adam Müllers zu überzeugen, so scheint er auch bemüht gewesen zu sein, bei Adam Müller Verständnis für Solgers Philosophie zu erwecken und zwischen den widerstrebenden Geistern zu vermitteln. Ein von Schütz mitgeteilter Brief Müllers an ihn läßt darauf schließen:

> Ueber Solger, an den ich auf Tiecks dringendes Anrathen den zweiten Anlauf genommen, komme ich nicht zum eigentlichen Wohlgefallen, so sehr mich Einzelnes in den philosophischen Gesprächen erbaut hat. Dieses Urtheil aber beweiset nichts gegen ihn, außer in Hinsicht auf die Form, in deren Verwerfung ich Recht habe. Denn diese Form gehört zur Platonischen Philosophie, nicht aber zur christlichen, gegen die Solger, so viel es die Consequenz des Lutheraners gestattet, unverkennbar hinsteuert. [...] Daher finde ich mich in der Solge-

rischen Ironie überall unbehaglich, und die Zwitterhaftigkeit der poetischen Behandlung eines unbedingt positiven Stoffes ist mir im Innersten zuwider. Jedoch ehre ich das Urtheil solcher Freunde.[184]

Nach Lage der Dinge ist es unwahrscheinlich, daß die dringende Empfehlung zum Solger-Studium wirklich von Tieck ausging, für den Müller, wie wir wissen, damals ein Taschenspieler und Charlatan war; offensichtlich steckte auch hier Schütz selbst dahinter.

Im Mai 1817 besucht der Hamburger Verleger Friedrich Perthes seinen Freund Adam Müller in Leipzig und trifft Wilhelm von Schütz bei ihm. Beim Abschied kommt es zu einem Dreiergespräch über religiöse Fragen, wie sie Müller und Schütz liebten. Ein Brief von Perthes, den er nach seiner Rückkehr am 25. Mai 1817 an Adam Müller schreibt, nimmt ausführlich darauf Bezug:

> Im flüchtigen fast zerstreuten Gespräch der letzten Minuten, da wir uns sahen, äußerten Sie an H. v. Schütz, daß in den jetzigen religieusen Streitigkeiten so selten, fast nie, vom Eigentlichen, vom Glauben die Rede sey, sondern nur immer vom unwesentlicheren — Sehr recht — so ist's!
>
> — ich in meiner Lebhaftigkeit und in der Angst die ich immer habe, wenn ich einem verehrten Mann gegen über in neuer Bekanntschaft lande, eiligst mich zu geben wie ich bin, nur daß er sich nicht irre, mich nicht zu gewichtig nehme, aber auch wisse: er habe an mir einen wahrhaft wahren Menschen — ich sagte Ihnen gleich, wie tief nach meiner Forschung und Sinnigkeit ich in Erkenntniß des Christenthums katholischer Kirche gekommen sey — erlauben Sie mir dies hier noch einmal zu wiederholen, da ich glaube, daß nach meinen Kräften dies das Eigentliche der Sache, des Glaubens, drum der höchsten Bedeutung sey [...][185]

Den größten Teil des Sommers 1817 ist Schütz auf Reisen. Von Leipzig aus besucht er Goethe in Jena. Goethes Tagebücher verzeichnen seinen Namen („Herr von Schütz aus Ziebingen") am 20. Mai; am Abend dieses Tages treffen sie sich noch einmal bei dem Verleger Frommann und dessen Schwager, dem Drucker Wesselhöft. Da Goethe in diesem Jahr keine Badereise macht, beauftragt er Schütz, ihm im Sommer vom Leben in Karlsbad Bericht zu geben. Auch lernt Schütz den kurz vor der Hochzeit stehenden Sohn August kennen, bei dem er sich später aus Karlsbad für eine Zusendung bedankt.*

Über das damalige Gesprächsthema sind wir durch einen späteren Bericht von Schütz orientiert. Es betraf Schützens Idee vom Zusammenhang der Dreifeldereinteilung mit der heiligen Trinität:

> Ich hatte, in Schlegels deutschem Musäum [!], vom christlich abendländischen Ackerbau behauptet: daß in ihm sich die Einwirkung römisch-katholischer Kirchlichkeit und Lehre lebendig verköpert manifestire. Das gehe hervor nicht blos

---

* Anhang, Brief 9.

aus der Beachtung des Mysterium der heiligen Trinität bei der Dreifeldeintheilung gegenüber der hebräischen siebenfeldrigen — auch die zweite das Irdische betreffende Tafel des Dekalog enthält sieben Gesetze —; sondern bestätige sich auch im merkwürdigen Zusammenfallen gewisser heiliger Kalendertage mit einzelnen besonders wichtigen ackerbaulichen Verrichtungen. Diese Aeußerung war zu früh geschehen. Ich hatte vor der rechten Zeit prophetisch, wenigstens mystisch gesprochen. Da ging mir es denn in Deutschland wie so Manchem in Athen. Ich ward parodirt, ward zur Caricatur gemacht, namentlich an der Spree und am Neckar — nicht am Lech —; denn die guten Schwaben sind ganz liebe Leute; nur um das regnum coelorum zu erkennen möchten sie kaum die rechten Mittel besitzen. Ihr ganzes Nervensystem ist vergeistigte Sinnlichkeit. Wahre Katholiken, Katholiken in des Herzens Geist und Empfindung möchten sie wohl zuletzt werden.

Dem entgegen hatten meine Andeutungen über den christlichen, d. h. christkatholischen Ackerbau ganz besonderen Anklang bei Göthe gefunden. Als dem längst Verehrten mich zum erstenmale zu näheren mir das Glück in dem eben bemerkten Jahre [1817] ward, da dachte ich nichts weniger, als daß die Unterredung sich auf den deutschen Ackerbau richten werde. Gerade dies geschah. Von Poesie und Kunst war kaum die Rede; vielmehr ergriff Göthe einen zufälligen Anlaß um die Unterhaltung auf das agronomische Thema zu lenken. Es geschah mit aller jener Behutsamkeit und taubenschlauen Umsicht, bei welcher der von ganz Europa's Aufmerksamkeit schon sehr umgebene Mann sich selbst, seine eigene geheime Meinung, durchaus nicht verrieth. Auch gegen mich knöpfte der Außerordentliche sich wohlbedachtigst zu um mich errathen zu werden, sprach daher nur die Frage aus: ob ich wirklich die Wiederherstellung des alten frommen Ackerbaues nach seiner früheren Pietät für möglich halte. Es war mir nur die eine Antwort offen: wie dies wohl mein Fall sein müsse, da es mir Grundgedanke sei, der seinen Einfluß mit ausdehne auf mein sonstiges Thun und Treiben, daß, wenn der Ackerbau, als die Grundlage des thätigen Lebens modernisirt und dereligionisirt würde, alle übrigen Wirksamkeiten und Zustände nachfolgen müßten. Zu meiner nicht geringen Freude ward, wenigstens einer Beziehung nach, mir beigepflichtet. Göthe sprach das bedeutsame Wort aus: weit besser würde man verfahren, wenn statt der Constitutionsversuche man die alte Unschuld und Frommheit im Ackerbau zu erhalten und zu verjüngen sich bemühen wollte. Mehr noch als dieses übertraf es alle meine Erwartungen, daß der Dichter des Faust allein nur gewisse Andeutungen über die Organisirung des Ackerbaues im Geiste der christlichen Religion und Kirche nicht verspottet, sondern sie ernster Prüfung in sofern gewürdigt hatte, als sich gewisse Eigenthümlichkeiten desselben bis auf die Zeiten des h. Bonifacius zurückgeführt, und sich aus Anordnungen dieses Verbreiters des Christenthums in Deutschland abgeleitet fanden. Da dieser Bekehrer hauptsächlich in Thüringen wirksam gewesen war; so hatte Göthe Anlaß genommen, sich Lage der Felder und Anderes zu betrachten wodurch meine Angaben sich bestätigt zeigten. Mir ward dadurch die Möglichkeit, den zweiten Theil der Tragödie Faust gleich nach dem Erscheinen anders zu nehmen und zu fassen als die meisten Leser. Ich besaß für tieferes Verständniß schon Schlüssel und Faden.[186]

Über die Begegnung dieses Jahres schreibt Goethe selbst in den Tag- und Jahresheften:

> Wilhelm von Schütz erneuerte frühere Unterhaltungen in Ernst und Tiefe [zunächst: gar bedeutende Unterhaltungen im früheren Sinne]. Mit diesem Freunde erging es mir indessen sehr wunderlich: bei dem Anfange jedes Gespräches trafen wir in allen Prämissen völlig zusammen; in fortwährender Unterhaltung jedoch kamen wir immer weiter aus einander, so daß zuletzt an keine Verständigung mehr zu denken war. Gewöhnlich ereignete sich dieß auch bei der Correspondenz und verursachte mir manche Pein, bis ich mir diesen selten vorkommenden Widerspruch endlich aufzulösen das Glück hatte.

Es sei ihm nämlich mit einem andern Gesprächspartner, dem Archäologen Hirt, gerade umgekehrt ergangen; während er sich bei diesem im Grundsätzlichen nicht hätte einigen können, sei es im Einzelnen ohne Differenzen gelungen:

> Betrachtete ich nun das angedeutete Verhältniß zu beiden Freunden [zunächst: dieses Phänomen] genau, so entsprang es daher, daß von Schütz aus dem Allgemeinen, das mir gemäß war, in's Allgemeinere ging, wohin ich ihm nicht folgen konnte, Hirt dagegen das beiderseitige Allgemeine auf sich beruhen ließ, und sich an das Einzelne hielt, worin er Herr und Meister war, wo man seine Gedanken gern vernahm und ihm mit Überzeugung zustimmte.[187]

Vom 29. bis 31. Mai 1817 trifft Schütz dann in Stuttgart mit Ludwig Uhland zusammen.[188] Uhland hatte sich, wie er im Tagebuch vermerkt, bereits 1811 durch Schütz' ‚Romantische Wälder' zu seiner Oktave ‚Die Schiffenden' anregen lassen. In der Folge verehrt er Schütz die gerade erschienene Sammlung seiner ‚Vaterländischen Gedichte', wofür sich dieser am 23. August 1817 bedankt.*

Im Juni 1817 ist Schütz in Frankfurt am Main, der Stadt, die seit Eröffnung des Deutschen Bundestages am 5. November 1816 zum „interessantesten Mittelpunkt Europas" geworden war. Er besucht Friedrich Schlegel, der dort als erster Legationsrat der österreichischen Präsidialgesandtschaft fungiert, und lernt im Haus des bevollmächtigten österreichischen Ministers Graf Buol-Schauenstein den mit Schlegel befreundeten Legationssekretär Franz Bernard von Bucholtz kennen, der am 12. Juni 1817 seiner Mutter über diese Begegnung berichtet:

> Vor kurzem lernte ich hier Hrn. von Schütz aus der Neumark kennen, der mir gar wohl gefiel. Ruhe und Klarheit eines vorzüglichen Geistes, mit einem angenehmen und feinen Scharfsinn, und dabey ein Zutrauen einflößendes und edles Gemüth und Gesinnung zeichnen ihn aus. Besonders war mir bemerkenswerth, daß

---

* Anhang, Brief 10.

er, so sehr im Gegenfalle mit den meisten seiner Landsleute, alles von der innern Belehrung und Beßerung der Menschen hofft, nicht treibt und stürmt. Du kennst ihn vielleicht aus einigen Aufsätzen in den Staatsanzeigen.[188a]

Friedrich Schlegel schreibt am 15. Juli 1817 seinem Bruder:

> Kürzlich hat Schütz ein paar Tage hier bey mir zugebracht, die mir sehr interessant waren; er lebt jetzt ganz in der Politik und Staatsökonomie, hat aber die immer gleiche Empfänglichkeit für alles Große und Schöne.

Er sowohl wie Tieck, der ihn auf der Rückreise von England gleichfalls aufsuchte, hätten mit großer Liebe von Wilhelm gesprochen.[189] Wie Adam Müller scheint auch Friedrich Schlegel erst auf Drängen von Schütz Solgers ‚Philosophische Gespräche' gelesen und ihm sein Urteil brieflich mitgeteilt zu haben; jedenfalls berichtet Tieck seinem Freund Solger am 22. Oktober 1817:

> Friedrich Schlegel hat endlich Ihre neuen Gespräche gelesen (ein Brief von Schütz spricht davon); er findet sie schön geschrieben, meint aber, die Form führe freilich zu Wiederholungen [...]. Er bittet Sie an der Concordia Theil zu nehmen, deren Ankündigung ich beilege.[190]

Im Frühjahr 1817 hatte Schütz in Berlin Henrik Steffens kennengelernt, der an der Breslauer Universität lehrte, aber seine Ferien in der Hauptstadt verbrachte, wo gerade das Steffens so verhaßte Jahnsche Turnwesen seine Blüten trieb. Schütz und Steffens verabredeten für den Sommer eine gemeinsame Badereise, über die der Norweger in seinen Lebenserinnerungen einen ausführlichen Bericht gibt.[191] Seine Schilderung der historischen Situation, der gemeinsam erlebten menschlichen Begegnungen mit ihren politischen und religiösen Gesprächen gewinnt in Hinsicht auf die Biographie von Schütz eine besondere Bedeutung. Sie sei hier in Auszügen wiedergegeben:

> Wilhelm v. Schütz, der Verfasser des Lacrimas, einer Tragödie, die durch A. W. Schlegels Lob im Anfange des Jahrhunderts Beifall gewann, ward damals mein Freund. Ich traf ihn in Berlin. Auch er hatte beschlossen, nach Karlsbad zu reisen, und ich fand ihn, der Abredung gemäß, in Hirschberg. Zwischen Prag und Karlsbad wohnte [Jakob Nikolaus] Möller, jener ausgezeichnete Freund, mit dem ich in meiner Jugend in Freiberg so glückliche Tage verlebte. Durch die damalige geistig bewegte Zeit innerlich erschüttert, war ihm die religiöse Frage ernsthaft entgegengetreten, und nach langen Kämpfen zum Entschluß gekommen, ward er Katholik. [...] Indessen war diese Zusammenkunft, wie ich nicht zweifle, von beiden Seiten eine sehr erfreuliche, um so mehr, da mein geliebter Freund W. v. Schütz als ein eifriger Anhänger von Adam Müller damals stark zum Katholicismus neigte. Die paar freundlichen Stunden, die wir im Hause meines Freundes Möller zubrachten, verflossen schnell, aber sie sind mir unvergeßlich geblieben. [...] So angenehm mir nun die Zeit bei meinem Freunde verfloß, so kam sie mir in einer anderen Richtung theuer zu stehen. Möller hatte mir einen sauren Oesterreicher vorgesetzt, und ich glaubte ihn nicht

ausschlagen zu dürfen, ward aber von den heftigsten Krämpfen angegriffen und fuhr in einem wahrhaft fürchterlichen Zustande in Karlsbad ein.

Diese Stadt war im Jahre 1817 sehr glänzend. Der König von Preußen hielt sich da auf, der Fürst Hardenberg in seinem Gefolge, eine Menge deutscher Fürsten hatten sich eingefunden, Gesandte mehrerer deutscher Höfe und kaiserliche Minister waren da, auch Kapo d'Istria lernte ich dort kennen. Mächtige und politisch bedeutende Männer schienen die Haupteinwohner des Städtchens auszumachen. Man könnte glauben, daß eben eine solche Umgebung uns unbedeutenderen Gästen in der Länge wenig Unterhaltung bieten würde. Aber auch in meiner nächsten Umgebung gestaltete sich Alles höchst freundlich. W. v. Schütz, mein Reisegefährte, ist ein geistig gebildeter und interessanter Mann, und selbst seine absonderlichen Ansichten, wenn ich sie auch nicht billigte, hatten für mich etwas Anziehendes. Freilich konnte ich in der Dreifelderwirthschaft nicht das Vorbild der heiligen Dreieinigkeit erkennen, in der Brache nicht den heiligen Geist. Ueber meine Schrift [‚Die gegenwärtige Zeit und wie sie geworden'] sprach er sich unumwunden aus, und betrachtete mich als einen Ultraliberalen. Er meinte, daß durch das Hin- und Herreden nichts klar werde, und faßte den Entschluß, meine Schrift zu recensiren. Ich munterte ihn dazu auf, und in den Heidelberger Jahrbüchern erschien einige Monate später eine Kritik, die mir freilich die Ueberzeugung abzwang, wie wenig es uns gelungen war, trotz des langen Zusammenlebens uns wechselseitig zu verständigen. Aber ich habe diesen treuen Freund herzlich liebgewonnen, und werde ihn trotz seiner Uebersetzung und Herausgabe von Casanova immer in treuem Andenken behalten. Wir wohnten Stube an Stube, und sahen uns oft, aber die Umgebung, in welcher wir lebten, war doch sehr verschieden. Er hielt sich an die österreichisch Ultralegitimen, ich an die Liberaleren, wie sie sich freilich nur sparsam in Karlsbad sehen, und noch weniger hören ließen; näher freilich an die freisinnig Loyalen. Merkwürdig war überhaupt die Rolle, die wir auf einer Reise durch das südliche Deutschland spielten, wenn er in den ihm zusagenden, ich in den mir freundlichen Kreisen erschien. In den erstgenannten mußte ich mir es gefallen lassen, ganz übersehen zu werden, während mein Freund als ein entschiedener Anhänger und Vertrauter von Adam Müller ausgezeichnet und gehuldigt wurde. Eine ähnliche Rolle spielte er in der Umgebung solcher Männer, die meine Schrift mit Wohlwollen und Theilnahme aufgenommen hatten. Ich darf aber mit Wahrheit behaupten, daß diese Differenz unser freundschaftliches fröhliches und heiteres Zusammenleben niemals störte.

Auch hier finden wir wieder das im persönlichen Umgang so gewinnende Wesen von Schütz bestätigt.

In Karlsbad trifft Schütz das Ehepaar Frommann aus Jena wieder, ferner Achim von Arnim sowie den Berliner Arzt Dr. Heinrich Meyer, den zweiten Gatten der berühmten Henriette Meyer-Hendel-Schütz. Von dieser Karlsbader Begegnung besitzen wir verschiedene Zeugnisse. So schreibt Frommanns Sohn in seinen Erinnerungen von den „genußreichen Stunden" der Eltern mit Steffens, Arnim, Lacrymas-Schütz und Heinrich Meyer in Karlsbad 1817.[192] Arnim seinerseits berichtet Bettina am 31. Juli 1817:

> Mein Aufenthalt hier hat sich durch die Ankunft von Meyer, Steffens und Schütz-Lacrimas angenehm belebt, wir frühstücken, spazieren und essen zusammen, und da das Lesen und Schreiben verboten ist, so wird mit desto mehr Eifer gesprochen. Hierzu kommt, daß bei der pflichtmäßigen Bademäßigkeit die Aufmerksamkeit weniger irdisch zerstreut ist. Das wäre hier ein Leben für den Clemens, er hätte mit Meyer herreisen sollen; mit dem Morgen fängt hier der Feierabend an, sagte ein alter Geschäftsmann.

Und im nächsten Brief vom Anfang August:

> Das beste Stück meines hiesigen Aufenthalts ist offenbar zuletzt gekommen, mit Steffens, Schütz, Meyer lebt es sich recht gut, wir sind den ganzen Tag beisammen, dazu kommt die Familie des Buchhändlers Frommann.[193]

Ein Blatt in Arnims Stammbuch vereinigt ihre Unterschriften:

> Frühstück in Carlsbad. Preßburger Zwieback. Colatschen. Eierkuchen. Bretzeln. den 11. August 1817.
>
> H. Meyer. Fr. Frommann. Wilhelm von Schütz. Henrich Steffens.[194]

Steffens berichtet:

> Der Dichter Achim v. Arnim hielt sich ebenfalls hier auf; ich hatte ihn zuletzt in Berlin gesehen und war sehr erfreut, ihn hier zu treffen; es war eine wahrhaft noble Natur und sein Umgang höchst erfreulich. [...] Einen meiner vertrautesten Freunde, den Dr. Heinrich Meyer aus Berlin, fand ich zu meiner Freude auch in Karlsbad. Der durch Kenntnisse, Geist und ächte edle vaterländische Gesinnung ausgezeichnete Staatsrath von Rehdiger schloß sich uns an. Nach dem Bade und vor der Promenade vereinigten wir uns zum Frühstück. Es ist bekannt, wie ausgezeichnet wohlschmeckend das Brod in Karlsbad ist, und wie hoch der Genuß des Kaffee's nach dem Sprudel gesteigert wird. Die Frühstücksstunden sind mir unvergeßlich. Die noch immer tief aufgeregte Zeit, die Großen, die in Karlsbad vereinigt waren, und einen, wenn auch nur vorbereitenden Congreß über deutsche Angelegenheiten, höchst wahrscheinlich veranstalteten, brachten die Rede oft auf politische Gegenstände, die uns alle, nicht bloß äußerlich, etwa als Neuigkeiten, interessirten. [...] Aber politische Gegenstände bildeten nicht den einzigen, ja nicht einmal den vorzüglichsten Gegenstand unserer Gespräche. Wir vertrauten uns wechselseitig und hielten oft, selbst mit den gewagtesten und bizarresten Aeußerungen nicht hinter dem Berge.

Am 29. Juli liefert Schütz Goethe den versprochenen Bericht über das Leben in Karlsbad.* Er fällt etwas dürftig aus, weil Frommann zwei Tage zuvor

---

* Anhang, Brief 9.

schon alles Wichtige mitgeteilt hatte. Außer vom schönen Wetter, von der Abreise der „Großen" und seiner Landsleute sowie dem preiswerten Wohnen weiß er nichts zu melden, doch erwähnt er die Anwesenheit seines Reisebegleiters Professor Steffens.

Für die zahlreichen Preußen in Karlsbad — nach Steffens' Schätzung wenigstens die Hälfte der Badegäste — gab es in diesen Tagen mancherlei Aufregung. Während des Aufenthalts Friedrich Wilhelms III. brannte am 29. Juli in Berlin das Schauspielhaus ab. Auf der Rückfahrt von Karlsbad stürzte der Wagen des Königs zwischen Bayreuth und Bamberg um, der König wurde verletzt. Alle fragten nach dem Befinden des beliebten Monarchen, und sein Geburtstag am 3. August wurde mit allgemeiner Anteilnahme gefeiert.

Weiter berichtet Steffens:

> Im sächsischen Hause [einem berühmten Hotel] schlossen sich öfters die bedeutenderen Karlsbader Gäste unserem Mittagsmahle an, und in der völlig unabhängigen Lage, in welcher ich von Freunden umgeben in einer bedeutenden Zeit, und wenn auch mehr aus der Ferne, von mächtigen Persönlichkeiten mich angeregt sah, verschwand die Zeit meines Aufenthaltes in Karlsbad auf eine so angenehme Weise, wie es selten in Bädern der Fall ist.
>
> Was sehr viel dazu beitrug, mir diesen Aufenthalt sehr angenehm zu machen, war, daß eine Equipage ganz zu meiner Disposition stand. Dr. H. Meyer hatte sie mitgebracht, und so heiter er in unserer Gesellschaft beim Frühstück war, so erlaubte seine Gesundheit ihm doch selten eine Ausfahrt. Ich erinnere mich, daß er nur ein paar Mal, mit v. Schütz und Arnim an meinen fast täglichen Spazierfahrten Theil nahm. Ich benutzte diese zu geognostischen Untersuchungen des sehr schwierigen Terrains, und als ich einst über Schlackenwalde nach Joachimsthal reisen wollte, schlossen meine Freunde sich mir an.

In Joachimsthal besuchten sie die große, schöne Kirche, in der einst Luthers Freund Johann Mathesius gepredigt hatte, und Achim von Arnim entschloß sich hier, die Predigten des Mathesius über Luthers Leben und Sterben herauszugeben. Das Büchlein erschien noch im gleichen Jahr bei Maurer in Berlin, und in der Vorrede erzählt Arnim, wie er dazu durch die gemeinsame Fahrt mit den Freunden angeregt wurde:

> Es war mir daher ein Festtag, als ich in diesem Jahre mit guten Karlsbader Frühstücksgenossen zwischen den hohen Wölbungen der Urgebürge nach Joachimsthal hinauf fuhr und endlich in der Bergspalte die Häuserreihe, welche die Stadt ist, von kleinen Gärten umgrünt, vom gewerktrüben und eiligen Bergwasser durchrauscht, vor mir erblickte [...] Obgleich ich es voraus wußte, daß die harten Zeiten der Religionskriege die von Mathesius so mühsam hier begründete reine Lehre verdrängt hatten, dennoch war es mir etwas Seltsames, die Weiber, welche in den Arbeitsstunden als einzige Bewohner der Bergstadt erscheinen, neben dem Spitzenknöppeln mit ihrem Rosenkranz beschäftigt zu sehen, und an

einer Betkapelle eine lateinische Inschrift zu entdecken, welche die Rückkehr zur katholischen Religion rühmte.[195]

Sowohl Arnim wie Steffens äußern ihr Bedauern über das Erlöschen der alten lutherischen Tradition an diesem Ort, eine Empfindung, die Schütz kaum geteilt haben dürfte.

Mitte August treten Steffens und Schütz über Franzensbrunn und Eger ihre Fahrt nach Süddeutschland an. Zunächst geht es über Regensburg und Landshut nach München.

Von Regensburg aus schickt Schütz am 23. August 1817 einen Brief an Uhland, den er im Mai in Stuttgart besucht hatte. Er legt auf der Reise entstandene Gedichte bei, die Uhland in Cottas ‚Taschenbuch für Damen‘ unterbringen sollte, und rühmt im übrigen Uhlands ‚Vaterländische Gedichte‘, die sich mit dem Innersten seiner Gedanken begegneten.*

Über die in der alten Universitätsstadt Landshut verbrachten Tage berichtet wiederum Steffens:

> Ich lernte hier den theologischen Professor, später Bischof in Regensburg, [Johann Michael] Sailer, kennen. Seine Uebersetzung von Thomas a Kempis Nachfolge Christi, war mir schon seit längerer Zeit in meinen besten Stunden ein theures Buch geworden. Wir schlossen uns innig an einander; er verleugnete seine Gesinnung nicht, aber er drängte sich nie auf. Was mich zum Katholiken machte, wenn ich mit ihm sprach, machte ihn in meinen Augen zum Protestanten, und nie trat mir die Einheit des Christenthums in allen seinen Formen inniger, tiefer entgegen; seine offene, unbefangene Freundlichkeit übte eine recht eigentliche religiöse Gewalt über mich aus, und mir war es, wenn ich ihn sah, wenn ich ihn sprechen hörte, als würden mir alle jene, sonst lästigen Ceremonien, alles Nebelwerk des Katholicismus durchsichtig, daß ich den reinen innersten Herzenskern desselben entdeckte. Mein Reisegefährte ward durch seine Nähe erbaut, und wenn wir unter einander waren, galten unsere Gespräche jederzeit dem Gegenstande, der uns innerlich in Bewegung setzte. [...] Wir besuchten ihn wenige Stunden nach unserer Ankunft, und von da an trennte er sich den ganzen Tag über gar nicht von uns. Am frühen Morgen erschien er in unserem Gasthofe, begleitete uns bei allen Besuchen, horchte aufmerksam und mit einer Art kindlicher Neugierde, die unbeschreiblich liebenswürdig war, wenn [Prof. Johann Nepomuk] Fuchs mir neu entdeckte Fossilien zeigte, mir die Resultate seiner Analysen erzählte, mir seinen genauen, für die Krystalle bestimmten Winkelmesser oder seinen verbesserten Lampenapparat zeigte. Wir waren, irre ich nicht, bei dem Professor Zimmermann zum Mittag eingeladen und Sailer nicht. Als wir ihm aber unser Bedauern äußerten, mehrere Stunden von ihm getrennt zu sein, erwiderte er mit kindlicher Unbefangenheit: ich begleite Euch, ich weiß, daß ich meinem guten Freunde willkommen bin. Als unsere Abreise bestimmt war, erschien er früh, frühstückte mit uns, begleitete uns mit [Prof. Konrad] Stahl

---

* Anhang, Brief 10.

an den Wagen, und mir war es, als hätte ein segnender Geist, dessen leise Töne wie eine höhere Atmosphäre mich umsäuselten, und mir liebevolle, bedeutende Worte zuflüsterten, mich nun verlassen.

In München stiegen sie im „Schwarzen Adler" ab und besuchten sogleich Schelling, den Steffens seit vierzehn Jahren nicht gesehen hatte; auch Schütz war seit der Jenaer Begegnung im Jahr 1802 vermutlich nicht mehr mit ihm zusammengekommen. Steffens:

> Acht Tage brachte ich mit meinem freundlichen Reisegefährten täglich in seinem Hause zu, seine junge schöne Frau (eine Tochter des Dichters von Gotter) trat uns milde und gastfreundlich entgegen. Lieblich und heiter erschien sie in der zierlichen Wohnung von den ersten Kindern umgeben. Ich lebte ganz für ihn, lauerte auf eine jede Aeußerung und begriff wohl, daß, wenn auch das Fundament unserer wechselseitigen Verständigung dasselbe geblieben war, dennoch die fernere Ausbildung derselben uns in verschiedenen Richtungen äußerlich auseinander gebracht habe. Beide wollten wir das Leben aus einer Wirklichkeit erkennen, und doch nicht in *derselben*. Er schöpfte aus ganz anderen, mir zum Theil unzugänglichen Quellen. Er wollte das Geschlecht aus seinem Ursprung, aus seiner ersten, einer höhern Macht unterworfenen That begreifen, ich aus der mir vorliegenden verworrenen Gegenwart. Er faßte den göttlichen Entschluß in seinem Ursprunge: mir mußte er aus den Verwickelungen des Daseins als Religion, als der einzige lichte Punkt der in sich zerrissenen Geschichte entgegentreten.

Durch Schellings Freundschaft lernt Steffens (und mit ihm Schütz) bedeutende Männer in München kennen, wie den Philologen Friedrich Thiersch, den Historiker Karl Johann Friedrich Roth, den Hydrotechniker von Wiebeking und den damals noch jugendlichen Arzt Johann Nepomuk Ringseis.

> Was nun meine Aufmerksamkeit auf sich zog, war eine religiöse Bewegung im Lande, ein Versuch, das innere Christenthum des Glaubens und der Gesinnung an die Stelle der äußeren Werke zu setzen. Es war, als wollte die Zeit Luthers sich innerhalb der katholischen Kirche wieder regen. Viele waren gewonnen, die sich eng verbündeten, und der mächtigen katholischen Geistlichkeit gegenüber sehr vorsichtig verfahren mußten. Der kühne Urheber dieser Bewegung, der Prediger Boose [Martin Boos], mußte sich verborgen halten; meine jungen Freunde lebten dann mit ihm in Verbindung.

Auch Franz von Baader wird besucht:

> Als ich ihn 1817 in München traf, dachte er an nichts, als an eine große kirchliche Union. Die ultramagnetische Krise seines Lebens hatte, irre ich nicht, sich überlebt. Während derselben war er mit den Heerscharen der bösen Geister bekannt geworden, und hatte ihre Namen kennen gelernt durch magnetische Experimente, die mir schauderhaft erschienen; jetzt war er ganz mit der Union der drei Kirchen (der katholischen, protestantischen und griechischen) beschäftigt. Die

katholische und protestantische Kirche, behauptete er, bildeten einen starren Gegensatz, der sich immer steigere. Das mystische Dreieck, die Formel einer Vereinigung, entstünde nur durch das Hinzutreten der griechischen Kirche. Er glaubte den Kaiser Alexander dafür zu interessiren. Fr. Baader verband sich mit dem Herrn v. Sturdza, und beschloß, eine Reise nach Rußland zu machen und für die Sache zu wirken.

In Nürnberg treffen sie einen ungenannten Mystiker eigener Schule (das ist der „Rosenbäcker" Matthias Burger):

> In Nürnberg besuchte ich einen Mann von ganz anderer Art, einen Nürnberger Bürger, der unter den Mystikern Süddeutschlands wohl bekannt war. Auch die ausgezeichneteren Geister der neuesten Zeit, in so fern sie sich zum Mysticismus neigten, kannten und schätzten ihn. So war er mit Fr. Baader, Clemens Brentano, Ringseis u. s. w. in Verbindung, und der Besitzer einer der ausgezeichnetsten Bibliotheken der mystischen Literatur, mit einem großen Reichthum der seltensten Werke. [...] Ein größerer Contrast durch ursprüngliche Natur, Stellung, Studium und Gesinnung, als derjenige zwischen dem Katholiken Sailer und dem Nürnberger Bürger war kaum denkbar, und dennoch hatten beide auf die entschiedenste Weise ihr ganzes Leben dem Christenthum und der christlichen Lehre geweiht.

In dieser Stadt erreicht Steffens die Nachricht von angeblichen Volksaufständen in Breslau; er ist sehr beunruhigt, da er seine Frau in Gefahr wähnt:

> v. Schütz merkte es und drang auf meine Abreise. In Bayreuth wie in Hoff [!] erfuhr ich nichts; in Zwickau, wo, ohne daß wir ausstiegen, die Pferde gewechselt wurden, trat der Wirth hervor, um von dem sehr gefährlichen Aufruhr in Breslau zu reden. [...] Wir eilten nun über Chemnitz nach Freiberg, und erst in Dresden bei dem preußischen Gesandten, Herrn Baron v. Oelsen, ward ich beruhigt.

Der schwedische Dichter Atterbom begegnet den beiden in Dresden beim Professor Ferdinand Hartmann und läßt sich ihre Erlebnisse mit Jean Paul in Bayreuth erzählen und eine Empfehlung an Schelling mitgeben.[195a]

Manches von den menschlichen Begegnungen und Gesprächen auf dieser Reise findet seinen Nachklang in Schützens späteren katholisierenden philosophischen Aufsätzen im ‚Anticelsus' von 1843, z. B. über Schellings und Baaders Verhältnis zu Jakob Böhme:

> Sollte übrigens es darauf ankommen, diese Theosophie des sogenannten philosophus teutonicus umzugestalten in Philosophie, so würde Schelling vorzugsweise der Mann dazu seyn, mehr als Baader und Hegel, namentlich der letztere, der noch weniger als Baader sich fähig erwiesen hat, jene ganz eigenthümliche und merkwürdige Theosophie, die nun einmal da ist und Eindruck gemacht hat, folglich nicht übersehen werden darf, zu übersetzen oder vielmehr zu verwandeln aus oft willkührlicher Mystik in Philosophie. Schelling hat sich nur selten,

und mit großer Behutsamkeit über J. Böhme geäußert, aber am wenigsten phantasirt, am meisten wissenschaftlich und philosophisch gesprochen über ihn.

Er spricht im gleichen Aufsatz von Schelling als Philosophen, „dem nach langer Unruhe und langem Streben der tief, der beharrlich ersehnte Silberblick geworden", und zitiert aus dem Schlegel-Tieckschen Musenalmanach von 1802, an dem Schelling unter dem Pseudonym Bonaventura mitgearbeitet hatte, sein ‚Lied‘: „Ich will dich nicht umfassen; / Nur fliehe nicht von mir ...":

> Eine merkwürdige Strophe, überreich an Inhalt, Vieles erklärend an dem Manne, der sie sang, mehr noch an der Sache, die ihn unablässig beschäftigte, und wohl zugleich entscheidend über den erfolglosen Ausgang.[196]

Nicht so positiv fällt sein späteres Urteil über den Reisegefährten Henrik Steffens aus:

> Im Grunde haben alle Scandinavier doch eine bloße Natursympathie, die sie Religion nennen und mit dem Christenthume in eine allegorische Beziehung bringen. Lese man beispielsweise nur H. Steffens sämmtliche Schriften mit Besonnenheit und ruhiger Prüfung, namentlich seinen christlichen Religionseifer unter die Retorte bringend, das meiste wird verfliegen; übrig bleiben was aber? — Etwa der Glauben an die Nothwendigkeit für den Geist, daß er erlöset werde vom Naturzustande, um hinüberzutreten in den Stand der Gnade? Keinesweges! — Beide sollen in bloße Wechselwirkung treten, sollen einmal sich anziehen, einmal sich abstoßen, dabei aber doch gute Cameradschaft halten. Es ist Tiecksche Romantik in einer anderen Gestalt, ohne Glaube an die Religion und ruhend auf bloßer, sentimental religionsliebend gewordener Phantasie und Neigung zum Allegorienspiel. Die Scandinavier sind mehr pseudomystisch, als gläubig und dogmatisch.[197]

Steffens erwähnt in den Erinnerungen die Rezension seiner bei Reimer 1817 erschienenen Schrift ‚Die gegenwärtige Zeit und wie sie geworden, mit besonderer Rücksicht auf Deutschland‘, die Schütz aufgrund ihrer Karlsbader Gespräche angefertigt habe und die einige Monate später in den ‚Heidelbergischen Jahrbüchern der Litteratur‘ erschienen sei. Tatsächlich findet sich die anonyme Besprechung mit der Unterzeichnung „W." in Nr. 56 des 10. Jahrgangs. Da diese Nummer bereits im September 1817 erschien, ist anzunehmen, daß die Gespräche über Steffens Schrift schon in Berlin stattgefunden hatten und die Rezension von Schütz bereits vor der Karlsbader Reise abgeschickt worden war.

Schütz stellt hier der Steffensschen Schrift Friedrich Schlegels ‚Vorlesungen über die neuere Geschichte‘ gegenüber, die vom religiösen Standpunkt her bestimmt seien:

> Steffens dagegen, der aus dem Gebiet der Natur zu dem der Geschichte hinübertritt, kann sich nur sagen: nichts geschiehet auch hier ohne höheren Ein-

fluß, und ohne daß es höheren allgemein nothwendigen Zwecken dient. Daher ist es zu erklären, daß er manche Erscheinung als nothwendigen Durchgangspunkt für ein werdendes Gutes ansehen muß. So scheinen ihm selbst Sekten, die sich bilden, als neue Lebensanflüge, gleichsam neue Kristallisationen, und Luther ist ihm ein Aufblicken neuer Hoffnung für die Zukunft. Nichts ist bey dieser Beschaffenheit der beyden Bücher erbaulicher, als daß mit dem Anbeginn des achtzehnten Jahrhunderts beyde Autoren sich völlig trennen müssen, und in Oesterreich und Preußen offenbar ein ganz verschiedenartiges Bild darstellen; der eine in der österreichischen Monarchie das Einzige, was noch aus einer erlöschenden schönen Vergangenheit sich mit möglichster Kraft erhalten hat, und worauf alles hoffend sich hinwenden muß, erblickt, der andre aber in dem nun erst zu geschichtlichem Einfluß gewordenen Preußen bey der nicht unterdrückten Rüge alles dessen, was er diesem Staat zum Vorwurf gereichen läßt, und ohne in denselben die einzige Hoffnung für Deutschland zu setzen, in ihm das Bild einer neuen Zukunft als solcher im Gegensatz zur Vergangenheit sieht, aus deren beyder Wechselwirkung das neue Leben werden muß.

In der Sache des von Steffens so sehr befehdeten Turnwesens nimmt Schütz 1819 in seiner Schrift ‚Rußland und Deutschland‘ einen vermittelnden Standpunkt ein.

Nach Ziebingen zurückgekehrt, macht sich Schütz im Herbst 1817 an die Umarbeitung seines neuesten Schauspiels ‚Graf von Schwarzenberg‘, eines unter dem Einfluß Schillers stehenden Jamben-Dramas aus der märkischen Geschichte. Bei einem seiner üblichen Berlin-Aufenthalte übergibt er das Manuskript Solger, der am 7. Dezember 1817 an Tieck schreibt:

> Unser lieber Freund Schütz wird Ihnen manches erzählt haben. Er hat mir seinen umgearbeiteten Schwarzenberg hier gelassen. Noch habe ich ihn nicht ganz lesen können; aber es kommt mir wieder so lose in der Composition vor, und die Sprache und der Versbau sind so hart als je. Oft sind es gar keine Verse. Er sagte mir, Sie seien nun zufriedener damit; ich kann das nicht recht glauben. Dabei rührte es mich ordentlich, daß er sich so äußerte, als wollte er damit noch einmal einen Versuch machen, ob er sich nicht endlich der Kunst des Dramas bemächtigte. Wenn ich doch wüßte, wie ich ihm meine ganze Meinung darüber sagte, ohne ihn zu betrüben!

Anfang des nächsten Jahres hatte Solger das Stück noch immer nicht gelesen. Dann scheint er in einem längeren Schreiben versucht zu haben, Schütz von seinem dramatischen Bemühen ganz abzubringen. In einem Brief vom 8. Februar 1818 an Tieck heißt es nach der Mitteilung von der Geburt eines Sohnes (die er auch „unserm lieben, so theilnehmenden Freunde Schütz" zu melden bittet):

> Hat Ihnen Schütz von dem Briefe gesagt, den ich ihm geschrieben habe? Ich hatte dabei recht die Absicht, ihm ganz ehrlich meine Meinung über sein sämt-

liches dramatisches Treiben zu sagen. Er hat mir dieses auch gar nicht übel genommen, sondern sich dabei ganz als der wahre Freund bewiesen, wie ich ihn erwartete. Aber meinen Zweck habe ich so wenig erreicht, daß er nun den Schwarzenberg noch einmal umarbeiten will, und ich glaube doch wirklich, daß dadurch um so weniger etwas eigentlich Dramatisches daraus werden kann.[198]

Tieck antwortet ausweichend, daß sich über „unsren Schütz und sein Talent" sowie über seinen Mangel, die Gegenstände zu arrangieren, viel sagen ließe: „Wenn er nur erst langsamer arbeiten lernte!"[199] Ausführlich äußert er sich noch einmal am 16. Mai 1818:

> Schütz hat für eigentliche Studien gar keinen Sinn und kann sie nie machen, er hat zu sehr die Vorkenntnisse aller Art versäumt, daher kann er auch alles und zugleich nichts brauchen, bei jedem Buch, es habe Nahmen wie es wolle, fällt ihm ein Aufsatz ein, der gantz rhapsodisch ist, wo Episode Episode verdrängt, und den er dann im Mittelpunkt der Welt und vor dem Anfang der Zeiten basiren will. Daher ist ihm auch mit Rath gar nicht beizukommen. In der Poesie ist die Eil seine Begeisterung, und der Zufall sein Plan; was er kürtzlich gelesen und gedacht soll wie ein übergeworfener Nebel die widersprechenden und zerfließenden Theile zusammenhalten. Je länger er schreibt, je mehr verlernt er die Sprache, schlimmer wie einer, der seit der Kindheit unter Ausländern leben muß.

Und abschließend Solger am 6. Juni 1818 aus Berlin:

> Schütz besucht mich oft, und ich sehe ihn immer mit Vergnügen bei mir. Er ist liebevoll und meint es redlich, wenn er auch confuse ist. Diesmal finden wir ihn alle vorzüglich lebhaft und gesprächig.[200]

,Graf von Schwarzenberg, Schauspiel in 5 Aufzügen' erscheint 1819 in Großoktav unter voller Namensnennung des Verlegers Reimer und des Autors Wilhelm von Schütz. Dazu resignierend Solger an Tieck, 27. Februar 1819:

> Seinen Schwarzenberg hat er mir nun gedruckt übergeben.[201]

Im Jahr 1818 unternehmen Solger und Schütz gemeinsam eine Badereise nach Karlsbad. Solger ist überzeugt, Schütz werde „viel dazu mitwirken, mir die Reise so heilsam wie möglich zu machen".[202] Als sie abreisen wollen, bittet Tieck dringend um Aufschub, da er Schützens Unterstützung bei den Auseinandersetzungen um die Erbschaft des am 18. April verstorbenen Grafen Finckenstein benötigt; er schreibt am 27. Juli 1818 an Solger:

> Schütz für seine Person kann dabei nichts einbüßen, er mag zugegen oder abwesend sein: — es verhandelt sich aber in diesen Tagen hauptsächlich um die künftige Wohlfarth der Gräfinn Henriette, die nach dem Testament des Vaters

sehr begünstigt ist, die schon vieles dieser Gunst freiwillig aufgegeben hat, und die nun, bei dem Unverstande der Brüder und deren zu eigennützigen Absichten sehr vieles verliehren kann, wenn sie nicht mit Verstand und Einsicht vertreten wird. Ihr darin beizustehen, hatte Schütz ihr schon früher versprochen, hauptsächlich den Minister [Otto Karl Friedrich von Voss, mit dem Schütz befreundet war] auf manche Paragraphen des Testamentes aufmerksam zu machen. Schütz ist nicht im Stande, je wieder der Gräfinn, seiner Freundinn, einen solchen ächten Freundschaftsdienst zu erzeigen, und die Gräfinn Henriette und ich und Schütz bitten Sie nun flehentlichst, ergebendst, ja beschwörend, unsern Freund von seinem Ihnen geleisteten Versprechen dahin zu suspensiren, daß Sie ihm einige Tage noch zugeben mögen, um der Gräfinn in dieser bedrängten Lage zu helfen.[203]

Im übrigen rät Tieck den Freunden, mit eigenen Pferden zu reisen (deren Schütz zwei sehr gute habe), weil das seiner Ansicht nach bequemer und viel wohlfeiler sei.

Über die Reise selbst, zu der sie sich dann in Luckau trafen, sind wir durch Solgers Briefe an seine Frau im einzelnen unterrichtet. Am 13. August, dem letzten Tag in Dresden, sitzen sie nach dem Galeriebesuch noch eine Weile bei häßlichem Ostwind auf der Zwingerterrasse. Abends machen sie einen Besuch bei Otto von der Malsburg in seiner allerliebsten Wohnung im „Italienischen Dörfchen". Schütz kannte ihn von früher her; und gemeinsam lästern sie nun über Herrn Grillparzers ‚Sappho‘, die in Dresden von der ganzen schönen Welt bewundert werde.[204]

Recht interessant berichtet Solger am 23. August aus Karlsbad von ihrer Begegnung mit Goethe:

> Göthe lebt sehr eingezogen, hauptsächlich weil er sehr leidet; nur zuweilen kommt er an den Neubrunnen oder an den Sprudel. Schütz stellte mich ihm vor; er war sehr freundlich, und erkundigt sich auch immer, wenn er mich sieht, theilnehmend nach meinem Befinden. Wir haben gestern Nachmittag mit ihm einen fast drei Stunden langen Spaziergang nach einem benachbarten Dorfe gemacht. Da Weiß [ein Berliner Mineraloge] dabei war, so war das Gespräch größtentheils mineralogisch; er wußte es aber doch allgemein genug zu halten, und benahm sich überhaupt auf die einnehmendste Weise, gar nicht abstoßend, wie man ihn oft schildert. Aber verändert hat er sich, seit ich ihn in Jena sah, so sehr, daß ich ihn von selbst nicht wieder erkannt hätte. Es ist mir doch lieb, daß ich von der sinkenden Sonne noch einige Strahlen selbst gesehen habe.[205]

Von diesem Spaziergang notiert Goethe im Tagebuch vom 22. August:

> Abends mit Weiß, v. Schütz, Solger gegen Fischern [Dorf bei Karlsbad].

Am 30. August schreibt Solger an Frau von Gröben, seine Schwiegermutter:

Mit Solger in Karlsbad (1818). Ein Abendständchen für Goethe

Der Aufenthalt in Carlsbad ist bei den strengen Gesetzen der Cur noch ein wenig langweilig; um so lieber ist es mir, meinen lieben Freund Schütz hier zu haben, mit dem ich wirklich fast brüderlich lebe. Wir wohnen sehr gut und für die hiesigen Verhältnisse auch nicht theuer, und sind in unseren Vergnügungen und allem unzertrennlich.

Da sie beide die Natur lieben, machen sie sich gern nach der Vorschrift recht viel Bewegung. So seien sie am Nachmittag nach dem Dorfe Hammer, „fast so weit wie Charlottenburg", gewandert und hätten dort mit dem Geheimrat Berends (einem Berliner Medizin-Professor), der aber den Weg zu Wagen gemacht habe, Kaffee getrunken. Auch mit Goethe seien sie noch einige Male zusammengekommen. Für seinen Geburtstag hatten sich beide etwas Besonderes ausgedacht:

Vorgestern war Göthe's 69ster Geburtstag, und es wunderte mich, daß hier gar nicht davon Notiz genommen wurde. Schütz und ich brachten noch einige Verehrer des großen Mannes zusammen, und mit diesen gemeinschaftlich haben wir ihm wenigstens eine Abendmusik gebracht, welches ihn, nach der Versicherung des Dr. Rehbein, der sein Begleiter ist, sehr gerührt haben soll. —[206]

Goethes Tagebuch verzeichnet an diesem Tage: „Abends für uns. Nachtmusic."

In der Karlsbader Kurliste sind sie als „Herr von Schütz, Ritterschaftsdirector und Landrath aus Ziebingen" und „Herr Karl Solger, Dr. und Professor aus Berlin" aufgeführt. In Goethes Tagebüchern erscheint der Name von Schütz diesmal an fünf Tagen (20., 22., 28., 31. August, 7. September), Solgers Name dagegen nur am 22. August.

Am Abend nach Goethes Geburtstag machen sich die Freunde den Spaß, die „vortreffliche Schantrachische Truppe" in einer Aufführung von Kotzebues ‚Kreuzfahrern' zu besuchen, da man solche Stücke, wie Solger meint, nur durch solche Schauspieler verstehen könne:

Vorzüglich die Männer unter den Schauspielern gaben uns in den edelsten Scenen viel zu lachen. Wir waren beide in einer Loge ganz allein, und machten es uns so bequem, wie ein Curgast nur immer verlangen kann.[207]

Am 7. September sehen sie noch ‚Thaddädl, der dreißigjährige Abc-Schütz'; dann geht es am 9. September weiter nach Prag, wo sie nach kurzer Restauration gleich wieder das Schauspiel besuchen und ein „albernes kleines Stück von Kotzebue und den Dorfbarbier" sehen. Am Sonnabend Vormittag (12. September) besichtigen sie einige Kirchen; am Abend erleben sie Grillparzers ‚Ahnfrau' in einer recht guten Aufführung, wie überhaupt die Schauspieler dort weit besser seien als in Berlin. Am 15. September schreibt Solger aus Aussig:

Daß ich hier bin, rührt besonders daher, daß ich erstens gern Töplitz sehen, zweitens mit Schütz länger zusammen bleiben wollte: denn dieser hat seinen Wagen von Dresden aus hierher bestellt, um sich hier von mir zu trennen. Leider ist er aber noch nicht eingetroffen.[208]

Am folgenden Tag trennen sich ihre Wege; Solger fährt allein nach Breslau. Von dort kann er am 30. September berichten:

Zu Mittag werden wir bei Steffens essen und zum Schluß im Theater Käthchen von Heilbronn sehen.[209]

Anfang nächsten Jahres erhält Schütz, offenbar auf Goethes Veranlassung, ein Schreiben des Weimarer Hofmedikus Dr. Wilhelm Rehbein, Goethes Arzt, den Schütz in Karlsbad kennengelernt hatte, mit der Aufforderung, nach Weimar zu kommen. Solger an Tieck, 27. Februar 1819:

Sie wissen gewiß schon, daß Schütz auf einen Brief von Dr. Rehbein, den er erhielt, sich plötzlich entschlossen hat, nach Weimar zu reisen. Ich kann es nicht lassen zu bemerken, daß mir seine Freundschaft mit Göthe gar zu wunderlich vorkommt. Kann man sich eigentlich wohl zwei unversöhnlichere Gegentheile denken? [...] Ich wollte noch manches mit ihm besprechen, nun wurde aber sein Aufenthalt so plötzlich abgebrochen.[210]

Am 1. März meldet sich Schütz mit Dr. Rehbein bei Goethe, der gerade mit dem „chronologisch-litterarischen Auszug" seiner Biographie für die Jahre 1806 bis 1809 beschäftigt ist. Das Tagebuch meldet:

Nach Tische Landschaftsdirector Schütz von Ziebingen mit Hofmedicus Rehbein. Fortgesetztes Geschäft.

Am 3. März:

Zum Thee Staatsrath von Köhler, Hofrath Meyer, Prof. Riemer, Landschaftsdirector Schütz und Hofmedicus Rehbein.

Am 5. März:

Mit Herrn von Schütz spazieren gefahren. [...] Abends Meyer, von Schütz und Rehbein.

An diesem Tag scheint Schütz ihm sein neuestes Drama dediziert zu haben, das Goethe tags darauf liest und mit Exlibris versehen seiner Bibliothek einreiht; das Tagebuch vermerkt am 6. März:

Graf von Schwarzenberg, Schauspiel von Wilhelm von Schütz.

Endlich am 7. März:

Abends Hofrath Meyer. Landschaftsdirector von Schütz. Gräfin Lina von Egloffstein und Clementine von Milkau. Verunglückte Preußische Getraide-Speculation.

Unerwähnt bleiben die Schwiegertochter Ottilie und der gleichfalls anwesende Kanzler Friedrich von Müller, der unter demselben Datum in sein Tagebuch einträgt:

Abends mit Line und Schütz bei Goethe. Persiflage der versuchten Parallele zwischen Wangenheim [liberaler Württ. Staatsmann] und Posa. Heitere Erzählung vom Entstehen des Klosters im Park (30. Januar 1777) und von dem abendlichen Fischerspiel in Tiefurt. Ottiliens alberner Schmerz über antipreußische Äußerungen.[211]

Goethe hielt von den Gesprächsthemen des Abends nur die „verunglückte Preußische Getraide-Speculation" des Notierens wert. Aufgebracht hatte das Thema Schütz, der bereits 1817 für Adam Müllers ‚Deutsche Staatsanzeigen‘ mehrere Aufsätze ‚Über das Steigen und Fallen der Getreidepreise‘ geschrieben hatte.[212] Er warf darin der preußischen Regierung verfehlte Maßregeln im Ankauf von Getreide für die bedürftigen Gegenden vor und behauptete, daß sie „durch vermeintliche Theorien und willkührliche Annahmen" ganz aus den Fugen sei: „antipreußische Äußerungen", die Ottilie natürlich schmerzen mußten.

Im Ganzen konnte Schütz mit seinem Weimarer Aufenthalt zufrieden sein. Er hatte in dieser Woche im engsten Freundeskreis Goethes und in bester Gesellschaft verkehrt, mit Riemer, Dr. Rehbein, dem Kanzler Müller, dem „Kunst-Meyer", Ottilie von Goethe, der gräflichen Hofdame Caroline von Egloffstein und dem Fräulein von Milkau, der Braut des Weimarer Justizrats von Mandelsloh. Auch der Staatsrat von Köhler war anwesend, der im Gefolge der Zarin Maria Feodorowna zusammen mit Alexander Stourdza von Petersburg nach Weimar gekommen war.

Im November bedankt sich Schütz in einem langen Brief, der eine interessante Selbstdarstellung seiner poetischen und politischen Bestrebungen enthält, für das Wohlwollen und die Güte, die er im Winter in Weimar genossen, und die Huld des Hofes, die ihm widerfahren war.* Anscheinend hatte Schütz gehofft, Goethe im August in Karlsbad persönlich zu seinem 70. Geburtstag gratulieren zu können, doch hatte sich Goethe an diesem Tage im Reisewagen seinen Verehrern entzogen. So schickt ihm Schütz nun seine soeben bei Fleischer in Leipzig erschienene Schrift ‚Rußland und Deutschland oder über den Sinn des Memoire von Aachen‘, die Goethe laut Tagebuch am 25. November empfängt und am nächsten Tag liest.

---

* Anhang, Brief 12.

Es ist denkbar, daß die Schrift durch den Aufenthalt in Weimar angeregt worden war; jedenfalls mußte sie auf Goethes lebhaftes Interesse stoßen. Der Verfasser des ,Mémoire sur l'état de l'Allemagne', um das es hier geht und das von Schütz „als ein Anfang, mit dem deutschen Geiste sich auszugleichen und ihm näher zu treten", verteidigt wird, war der Graf Stourdza, der kurz vor Schützens Ankunft Weimar verlassen hatte. Sein Memoire, das scharfe Anklagen gegen die deutschen Universitäten enthielt, die als Pflanzstätten des revolutionären Geistes bezeichnet werden, war auf dem Aachener Kongreß von 1818 im Auftrag des Zaren Alexander verfaßt und in nur fünfzig Exemplaren an die Fürstlichkeiten verteilt worden, doch gelangte eine Abschrift in die Hände der Londoner ,Times' und von dort über das ,Politische Journal' in die deutschen Journale. Goethes Tagebuch vom 18. Januar 1819 erwähnt eine „spöttliche Anzeige des Stourdzaischen Werks in der Berliner Zeitung". Adam Müller berichtet am 8. März 1819 nach Wien an Metternich, daß Stourdza bis zu seiner Abreise von Weimar die heftigsten Schmähungen in Zeitungen und Flugschriften ertragen mußte und danach noch eine Herausforderung zweier Jenaischer Burschen erhielt, was den Großherzog in höchste Bestürzung brachte, da ihm der Zar selbst das Aachner Memoire bei seinem letzten Aufenthalt in Weimar eigenhändig übergeben und zur Beherzigung empfohlen hatte.[213]

An Schütz schrieb Adam Müller in dieser Zeit:

> Mit Stourdza bin ich durch das Memoire und einen meiner hiesigen Alliirten [d. i. der russische Generalkonsul in Leipzig], der ihm vom Kaiser für den Aufenthalt in Weimar beigegeben, in fortgehendem unmittelbaren Verkehr. Diese Angelegenheit beschäftigt mich seit einem Monat ausschließlich.[214]

Als sich August von Kotzebue in seinem ,Literarischen Wochenblatt' als Stourdzas Verteidiger aufwirft, kommt es zu der verhängnisvollen Tat des Jenaer Studenten Sand, der Kotzebue am 23. März 1819 in Mannheim erdolcht.

Adam Müller am 3. April 1819 an Gentz:

> Wie gefällt Ihnen unsre Jugend? Der arme Stourdza liegt noch heut, hinter verschlossenen Türen und Sauvegarden verschanzt, zu Dresden [...]. Indes scheint der erste Versuch auf Stourdza verfehlt.
>
> Über die Kotzebuesche Geschichte bitte ich Sie, sich nicht durch die Berliner Staatszeitung irreführen zu lassen und zu bedenken, daß Varnhagen der Verfasser jener Depesche ist.[215]

In diesen Tagen entstanden Goethes Verse: „Jena's Philister und Professoren / Sagen, es habe keine Noth, / Kotzebue sei zwar mausetodt, / Doch niemand habe sich verschworen. [...] Von Jenischen behaarten Molchen / Sieht

Stourdza sich bedroht mit Dolchen", wobei der Schluß: „Dann schreit er laut, / Er flieht, es kommt ein Dolch, die Braut." auf Stourdzas Verlobte, die Tochter des berühmten Hufeland, anspielt.[216]

Ebenfalls am 3. April schreibt Adam Müller aus Leipzig an Reimer in Berlin:

> Herr Landrath von Schütz trägt mir auf das beikommende Manuscript Ihnen zu übersenden. Ich setze voraus daß desfalls eine frühere Verabredung zwischen Ihnen beiden statt gefunden habe; zugleich soll ich Sie um gütige Beschleunigung des Druckes bitten, der hier, auch wegen Überhäufung der Pressen gegen die Zeit der Messe nicht wohl statt finden kann.[217]

Ich möchte annehmen, daß es sich bei dem Manuskript um ‚Rußland und Deutschland' handelte, das wegen der von Müller angedeuteten Gründe zunächst in Berlin gedruckt werden sollte, dann aber doch von einem Leipziger Verlag übernommen wurde. Von dem gleichen Werk stellte Fouqué seinem Freund Gneisenau Aushängebogen in Aussicht, der am 2. August aus Schlesien an ihn schreibt:

> Ihre Zuschrift vom 14. v. M. mein lieber Baron, hat mich sehr erfreut. Die Zusage, mir die Aushängebogen der geschichtlichen Forschungen unseres Schütz zu senden, ist mir sehr angenehm; von ihm läßt sich nichts anderes, als gediegenes erwarten; treffliche Kost für gute Zähne; keine Milchspeise.[218]

Als Folge der Attentate von Sand auf Kotzebue und von Karl Löning auf den Nassauischen Regierungspräsidenten kommt es zu den Karlsbader Beschlüssen vom 20. September 1819. Doch hatte die preußische Polizei unter ihrem Polizeidirektor von Kamptz bereits Mitte Juli eine Welle von Verhaftungen und Haussuchungen nicht immer legaler Art in Bewegung gebracht; unter den Betroffenen befanden sich Friedrich Ludwig Jahn, Schleiermacher und Reimer in Berlin, Ernst Moritz Arndt in Bonn und Görres in Koblenz, so daß Cottas ‚Allgemeine Zeitung' am 5. August 1819 aus Wiesbaden melden muß:

> Die Verhaftungen in der bekannten Verschwörungsgeschichte, mit der auch Lönings Mordversuch in Verbindung gesezt wird, dauern fort, meistens auf preußische, von Berlin kommende Requisitionen. Die Gefängnisse sind bereits mit Personen aus allen Ständen angefüllt. Täglich werden noch Gefangene eingebracht, und Schreken hat sich über das ganze Land verbreitet.

Ebendort liest man am 10. August:

> Ein nicht geringer Theil des hiesigen Publikums will hartnäkigerweise sich nicht davon überzeugen, daß es in Deutschland der bösen Leute so viele gebe, die darauf ausgehen, die Ordnung der Dinge mit gewaltsamer Hand umzusto-

ßen, um eine einzige untheilbare Republik an deren Stelle zu sezen [...] Viele legen dem verhafteten Turnlehrer Jahn zwar übermäßige Rusticität zur Last, halten ihn aber nicht für einen Jakobiner. Die Versiegelung der Papiere des hiesigen Buchhändlers Reimer befremdet Viele, da ihnen keine andere Veranlassung bekannt ist, als die, daß der Angeklagte vor einiger Zeit seinen vormaligen Freund, den bekannten Professor Steffens [als Gegner Jahns bekannt], sehr kalt in seinem Hause aufgenommen habe, und gegen Einige geäußert haben soll, St[effens] brauche nur noch einen Kazensprung zu thun, um zu den Finsterlingen und Umnebelten zu gehören. Man hat sich hier einige Tage mit dem Gerüchte getragen, daß auch Schleiermacher und Görres, als revolutionärer Grundsätze und Umtriebe verdächtig, unsere Regierung zur Verhaftnehmung denunziirt worden seyen.

Solche und ähnliche Meldungen, Eingesandts, Korrespondenznachrichten aus anderen Blättern waren seit dem 18. Juli Tag für Tag unter der Rubrik ‚Preußen‘ zu lesen. Auch Wilhelm von Schütz, der im Sommer wieder auf Reisen war, fühlte sich in diesen aufgeregten Tagen bemüßigt, zu der politischen Situation, in die Freunde wie Reimer, Schleiermacher, Steffens verwickelt waren, Stellung zu nehmen. Am 18. August schickt er von Salzburg aus ein Manuskript an die Augsburger ‚Allgemeine Zeitung‘, als einen Versuch, „den Gesichtspunkt für die Beurtheilung der Verhafteten im Preußischen und für das fernere Verfahren mit denselben festzustellen".*

Da der Redaktion „nach dem lezten Hofrescript" die Aufnahme derartiger Eingesandts untersagt war, gibt der Redakteur den Beitrag an die ‚Tribüne‘ weiter, eine gleichfalls bei Cotta erscheinende ‚Würtembergische Zeitung für Verfassung und Volkserziehung zur Freiheit‘, die unter ihrem als Jakobiner verschrieenen Herausgeber Friedrich Ludwig Lindner allerdings nicht über den ersten Jahrgang hinauskam, sondern mit Nr. 79 vom 30. September 1819 einging. Schützens Stellungnahme zu den Demagogenverfolgungen ist uns nicht erhalten. Zwar brachte die ‚Tribüne‘ vom 20. bis 24. August einen längeren Artikel ‚Prüfung der Urtheile eines Berliners über die große Verschwörung‘, der aber schon aufgrund des frühen Erscheinungsdatums kaum der eingesandte Beitrag sein kann, sondern vermutlich von Lindner selbst verfaßt worden war.

In seinem Begleitschreiben vom 18. August hatte Schütz angegeben, daß er in etwa drei Wochen wieder in Ziebingen sein werde. Zunächst jedoch fährt er von Salzburg nach Wien, wo er Friedrich Schlegel aufsucht. Schlegel war im Sommer in Rom gewesen und setzte sich nach Kräften für die dort lebenden Künstler der deutsch-christlichen Schule ein. So suchte er nun auch den Freund, wie er Frau Dorothea nach Rom berichtet, zu einem Ankauf zu bereden:

> Eben ist auch Schütz, mein alter Freund von Berlin hier; da er mehrere Landgüter besitzt, so habe ich ihm schon ein Kirchenbild in irgend[eine] seiner Dorf-

---

* Anhang, Brief 11.

kirchen eingeredet und hoffe, daß es nicht fehlen soll; ich weiß aber auch noch andre.²¹⁸ᵃ

Es ist nicht bekannt, daß es zum Erwerb eines Bildes der Nazarener für eine märkische Dorfkirche kam, doch beschäftigte sich Schütz später im zweiten Heft des ‚Anticelsus' mit der ‚Rückwirkung der Kunst auf die Religion', wobei er der romantischen Schule wenig Verdienste für die katholische Kirchenmusik zuspricht, wohl aber einige für die katholische Poesie und sehr viele für die katholische Malerei und dadurch auch für die katholische Kirchenarchitektur.

Am 8. September kann Schlegel seiner Frau von einem gemeinsam mit Schütz und Bucholtz verbrachten Nachmittag im Wiener Prater berichten, wo er vor Jahren so oft gewesen sei, und am 22. September schreibt er von den Plänen seines Freundes, sich in Karlsbad ein Haus zu kaufen:

> Schütz ist über alle Maaßen eingenommen für Karlsbad, wo er seine Gesundheit ganz wieder hergestellt hat. Nun will er dort ein Haus kaufen, zum Frühling will er ohnehin wieder herkommen und einige Monathe hier mit mir leben; da könnte sich's denn leicht machen, daß er mich mit dorthin nähme und ich sehr wohlfeil das dortige Wasser brauchen könnte [...]²¹⁸ᵇ

Ende November ist Schütz wieder in Berlin, wo er mit Varnhagen zusammentrifft. Ihm berichtet er über politische Gespräche während seines Aufenthalts in Karlsbad und dediziert ihm sein gerade erschienenes Buch ‚Rußland und Deutschland'. In seinen Tagebuchblättern notiert Varnhagen:

> *27. Nov. 1819:* Ich hörte, Herr von Schütz sei hier, suchte ihn auf, er kam zu mir als der herzliche alte Freund. Der sanfteste Aristokrat, der liebreichste Frommdeutsche! Er will auf Gesinnung und Handlung sehen; die Wohlmeinenden und Redlichen hofft er vereint zu sehen; Denkart und Ansicht, meint er, sollten nicht trennen. Er tadelt heftig die neuesten Maßregeln, besonders den Preßzwang. Er war diesen Sommer in Karlsbad; Friedrich Schlegel, Pilat und selbst Metternich wollten die Presse frei wissen; Metternich befragte sogar des anwesenden Schelling's Meinung, um sich durch Autoritäten zu stärken; aber Gentz, ängstlich und zaghaft, besonders auch persönlich üble Behandlung in den Tageblättern fürchtend, drang und wandte alles auf Zwang und Hemmung hin. Ihm, glaubte Schütz, verdanke man diese Unseligkeit zumeist. Schütz sieht viele Vornehme als Verfechter ihnen willkommen.

> *28. Nov. 1819:* Schütz sandte mir sein Buch über das Stourdza'sche Memoire; kam nachher selbst, fand [den Berliner Bankier] Abr. Mendelssohn, der von dem französischen Ministerwechsel als einer traurigen Begebenheit erzählte. [...] Schütz mußte Manches anhören, was ohne Absicht vorkam; er stimmte in Vieles billiger ein, als seine Denkart erwarten ließ. Er sagte, sein Buch würde jetzt unter der Zensur schwerlich durchgekommen sein; der Unterdrückung sei das

Thor geöffnet; die Legitimität solle durch illegitime Mittel vertheidigt werden. Ueber Gefahr der Revolution. —

29. Nov. 1819: Herr von Arnim Abends nahm heftig die ehemaligen Vorrechte des märkischen Adels in Anspruch [...]. Auch Schütz wollte die landständischen Vorrechte des märkischen Adels nicht ungültig, obwohl verletzt, nennen; fürchtete halbe Maßregeln in den Konstitutionssachen, sagte das ernste Wort: er sehe bedenklich in die Zukunft und fürchte in der großen Verwirrung unabsehbaren Gewaltskampf, neuen dreißigjährigen Krieg; die Regierungen hätten sich durch die Karlsbader Sachen ganz in das Gebiet der Willkür gestellt, das Gebiet des Rechts verlassen, daher gewinne der Geist der französischen Revolution wieder volle Anwendung gegen sie; die französische Revolution habe Recht gehabt in allen ihren Richtungen gegen die Willkür, nur in Hinsicht auf Positives seien ihre Grundsätze zu tadeln gewesen. Er sprach lebhaft für Preßfreiheit, auch Goethe habe ihm beigepflichtet, daß sie gerade jetzt am größten sein müsse. Er schreibt ein neues Buch über diese Sachen, das Reimer im Auslande zum Drucke fördern will.[219]

Später fügt Varnhagen die Notiz hinzu: „Ist 1821 in Baiern erschienen". Es handelt sich um die 1821 bei dem Universitätsbuchhändler Philipp Krüll in Landshut herausgekommene umfangreiche Schrift ‚Deutschlands Preßgesetz, seinem Wesen und seinen Folgen nach betrachtet'. Interessant ist die Druckvermittlung durch Reimer, der offenbar auch bei der in Leipzig erschienenen Schrift ‚Rußland und Deutschland' seine Hand im Spiele gehabt hatte, sowie die angebliche Äußerung Goethes über die Notwendigkeit der Preßfreiheit. Am 11. April 1821 notiert Varnhagen: „Wilhelm's von Schütz Buch gegen die Karlsbader Preßbeschränkung."

In Ziebingen war es inzwischen einsam geworden, nachdem Tieck im Juli 1819 das Finckensteinsche Gut verlassen und mit seiner Familie und der Gräfin Henriette nach Dresden übersiedelt war. Vorher hatte es höchst unerfreuliche familiäre Auseinandersetzungen um die Erbschaft des alten Grafen gegeben, die für Henriette keineswegs ungünstig ausgefallen waren. Darüber berichtet Tieck auf Solgers Anfrage am 17. Dezember 1818:

[Die Gräfin Henriette] hat auf meinen Rath ihr strenges Recht fallen lassen (es schien mir, daß die Geschwister sich an sich selbst zu sehr versündigten) und ist also, doch unter bessern Bedingungen, aus dem Besitze getreten. Sie erhält dafür 5000 Thaler, die zu ihrer Erbschaft geschlagen sind, so daß sie jetzt mit diesen wenigstens 20,000 Thal. Vermögen hat; außer diesen hat sie als Rente noch 5000 Thal. erhalten, die im Gut bleiben und nach ihrem Tode der Familie, von diesen erhält sie also 250 Th. Zinsen; freies Logis unten, ihr gehören auch die Stuben von Schütz, eine Anzahl Klafter Holtz, nebst andren Erleichterungen und nach dem Tode der alten Burgsdorfs die ganze obere Etage unumschränkt. Sie hat also alles erhalten, was sie früherhin forderte, und was man als Unsinn abwies, und noch 5000 Thaler obenein.

Solger fürchtet nun wohl nicht zu Unrecht, daß der gutmütige und hilfsbereite Schütz bei dieser Erbteilung zu kurz gekommen war; er schreibt am 1. Januar 1819:

> So habe ich Sie immer schon fragen wollen, und es nicht gewagt, ob etwa auch Schützens Interesse bei jener Gelegenheit in unangenehme Collisionen gerathen ist. Es schien mir, als suchte er sich von Ziebingen abzusondern, und als wäre überhaupt etwas unklares in seinen dortigen Verhältnissen.[220]

Im Mai ist Schütz mit Tieck zusammen in Berlin, wo dieser im Reimerschen Palais wohnt. Am 26. Mai fährt Schütz mit Atterbom für ein paar Tage zu Fouqué nach Nennhausen und im Juni mit Dorothea Tieck nach Ziebingen zur goldenen Hochzeit der alten Burgsdorffs, wovon sich Tieck zu dispensieren gewußt hatte.[220a]

Auf Solgers nochmaliges Drängen berichtet Tieck dann am 22. September aus Dresden über die neuentstandene Situation:

> So viel müssen Sie doch wohl gesehen haben, daß es nur die innigste Freundschaft und gegenseitiges Vertrauen zur Gräfinn Henriette war, was mich in Zib. festhielt, was die Ursach war, daß ich jede Verbindung mit der Welt, so wie jede Beförderung vermied, die mir in früheren Zeiten namentlich in Wien und München entgegen getragen wurden. Seit sie durch des Vaters Tod frei ist, kam es mir abgeschmackt vor, in dieser Einsamkeit zu verweilen, und meine Freundinn hätte dort nur Verdruß, Krankheit, wohl Tod gefunden, in einer Familie, wo keiner ihr Wesen versteht. Es ist sonderbar, daß ich von diesen Sachen, zu Ihnen nur wie zu einem Freunde sprechen kann, der Sie doch in meinem Hertzen und Geiste der nächste sind; Schütz und Kadach, besonders der leztere, sind mir hier wieder so nahe, weil sie diesen Theil meines Lebens gleichsam mit erlebt haben. Diese beide abgerechnet, haben sich schon längst die übrigen Freunde nicht so betragen, daß man es loben könnte, Bgsd. [Burgsdorff] ist seit seiner Heirath mit einer Frau, die ich schlecht nennen muß, nicht er selbst, und die Finkensteins sind immer gantz ohne Charakter gewesen. Kadach ist ein treuer und wahrer Freund: Schütz ist schwach, und durch seinen nichtswürdigen Geitz für wahre Freundschaft erstorben, sonst harmlos und gut. Die Abreise war für uns alle nöthig und heilsam, wir sind alle wohler und heitrer: wenn wir uns beschränken, können wir auch hier, oder einem andern Orte ohne Sorge leben. Mit Schütz bin ich ohngefähr im alten Verhältnisse, nur merkt er wohl, daß ich mich etwas von ihm zurückgezogen habe, denn sein Betragen gegen die Gräfinn hat mich zu tief verletzt. Alles dies kann Ihnen nur halb klar sein; denn wie viel müßt' ich erzählen.[221]

ALS LITERAT IN DRESDEN
(1820 - 1828)

Schütz hielt es nicht lange mehr in dem verödeten Ziebingen aus. Bereits im nächsten Jahr, wohl schon im Frühjahr 1820, folgte er Tieck nach Dresden nach. Er wird Mitglied des kleinen Zirkels um Tieck, zu dem außer ihm nur der kränkelnde Graf Loeben, der Calderon-Übersetzer Ernst Otto von der Malsburg, damals kurhessischer Geschäftsträger in Dresden, sowie der heute völlig vergessene Friedrich Graf von Kalckreuth gehörten, der Mitarbeiter an mancherlei Almanachen und Verfasser ,Dramatischer Dichtungen' war, die 1824 von Brockhaus in zwei Bänden verlegt wurden.

Die Zusamensetzung des Zirkels veranlaßt die mitunter etwas scharfzüngige Helmina von Chezy, Tieck der Jägerei nach einem adligen Schwiegersohn zu verdächtigen, da man bei ihm keine andern heiratbaren Herren treffe als von adliger Geburt oder anderweitig bevorzugter Stellung.[222]

In den Tagebüchern von Karl Förster, der selber nicht zu diesem engsten Kreis gehörte, wird Schütz lediglich am Anfang seines Dresdner Aufenthalts, im Mai 1820, erwähnt:

> Während eines großen Mittagsmahls bei Gr. Kalkreuth, wo Baron Biedenfeld, Kind, Tieck, W. v. Schütz, Gehe, Winkler und ein paar Freunde gegenwärtig, kommt es zu lebhaften Discussionen über die Rechte der dramatischen Schriftsteller an die Bühnen. Alle behaupten, Moral und Recht verlange, daß jede Bühne bei Aufführung der auch schon gedruckten Stücke, dem Verfasser dieselben honorire. Ich widerspreche lebhaft [...][222a]

Obwohl Förster auch weiterhin auf Dresdner Gesellschaften mit Schütz zusammentraf, wird sein Name in den Tagebüchern nicht mehr erwähnt — im Gegensatz zu Loeben, Malsburg und Kalckreuth, der „lieben Dreieinigkeit", wie Jean Paul sie nannte. Das mag mit Försters Abneigung gegenüber „katholicirenden Dichtern" zusammenhängen, die er mit Jean Paul teilte[222b], hat aber dazu geführt, daß in der Literaturgeschichte Karl Förster die Rolle im Tieckschen Fünferbund zugesprochen wurde, die tatsächlich Wilhelm von Schütz gespielt hat.

Man traf sich einmal in der Woche zu poetischem Austausch, bei dem nun auch Schütz seine alten und neuen dramatischen Erzeugnisse vortragen durfte. Im Sommer war man, bis auf den gichtgelähmten Tieck, meist auf Reisen. Auf einer solchen Reise in seine schlesische Heimat erkundigt sich Loeben am 7.

September 1820 nach dem Ergehen von Malsburg und Kalckreuth und fährt fort:

> Wird uns wohl auch Schütz gewiß zum Winter wiederkehren? Ich freue mich darauf, so wie, seine Evadne und Guiscardo und Gismunda gedruckt zu sehn. Gedruckt angesehen — in der Ascania — scheint mir sein Karl der Kühne *noch* ungenießbarer, als an jenem Abende bei Ihnen. Gern, wie gern möchte ich mich recht bald in dem mir so lieben, geistesheimathlichen Kreise befinden.[223]

Im Frühjahr 1821 ist Malsburg wegen einer Nachlaßregelung in Kassel und auf seinem in der Nähe gelegenen Schloß Escheberg. Von seinen Erlebnissen gibt er Tieck am 21. März eine ausführliche Schilderung, die zugleich auch für die Freunde bestimmt war:

> Einmal ausgesprochen, werde ich sie in meinen übrigen Briefen nicht wiederholen und unsern nächsten Freunden, Loeben und Kalkreuth und Schütz, theilen Sie ja ohnehin wohl diese Blätter mit; außer unserm kleinen Liederkreise braucht Niemand etwas davon zu wissen. — Wie geht es denn in diesem lieben Kreislein?[224]

Vom „Kreislein" spricht Malsburg im Gegensatz zu dem seit 1815 bestehenden „Dresdner Liederkreis" um Friedrich Kind und Theodor Hell-Winkler, von dem sich Tieck mit den Freunden exklusiv distanziert hatte.

In der gleichen Zeit ist Schütz mit Loeben in dessen Lausitzer Heimat bei den adligen Damen von Stift Joachimstein, dem Loebens Mutter als Stiftshofmeisterin vorstand. Loeben ist unschlüssig, ob sie von dort, Dresden passierend, Freund Malsburg auf Escheberg besuchen sollen; er schreibt am 14. Mai 1821 an Tieck:

> Schütz ist reisefertig und dabei so geduldig mit Abwarten meiner Entschlüße, daß ich seiner Gefälligkeit Gerechtigkeit wiederfahren lassen muß. Den 1. bei ihm uns vorgelesenen Act seines Falieri hatte er mir, wie ich Ihnen mittheilte, zum Wiederlesen zugestellt, allein der Mangel der Zeit mußte mich bei ihm entschuldigen. Es ist unbegreiflich, daß er die Hölzernheit und völlige Todtheit des Dialogs darin nicht selbst einsieht, und leider bestätigt dies Ihr in dem Brief an mich ausgesprochenes strenges Urtheil. Weiter als bis Escheberg werde ich wohl nicht reisen, wenn noch aus dieser Fahrt etwas wird.[225]

Von Tieck waren inzwischen zwei wichtige Editionen erschienen: bei Hilscher in Dresden die ersten zwei Bände seiner ,Gedichte' und bei Reimer in Berlin Kleists ,Hinterlassene Schriften' mit Tiecks Vorrede, die er den Freunden zum Teil schon vorgelesen hatte. Malsburg schreibt dazu am 7. Juni 1821 aus Kassel:

> Ihre Gedichte habe ich erst in der Hamburger Zeitung [angezeigt] gelesen, ich hoffe, Hilscher schickt sie mir bald; und wie vergnügt werden Sie seyn, daß

der Kleist fertig ist, schenken Sie mir ihn nur je eher je lieber und geben Sie ihn an Hilscher zum Mitschicken. [...] Grüßen Sie auch Schütz, wenn er wieder kommt; ich habe seinen Brief erhalten, und erwarte ihn nun mit oder ohne meinen lieben armen Loeben bestimmt, aber je eher je lieber, denn ob ich gleich noch gar nicht weiß, wann ich nach Dresden zurückkomme, so scheint mir Ende August oder Anfang September der äusserste Termin meines Hierseyns.[226]

Loeben, der sich noch immer — und zwar in Begleitung von Schütz, wie das Wort „wir" verrät — in der Lausitz aufhält, hat inzwischen beide Neuerscheinungen von Tieck zugeschickt erhalten; er schreibt am 4. Juli 1821 aus Schloß Laußke bei Bautzen, dem Familiensitz seiner Frau, einer geborenen Gräfin Breßler:

Wir haben hier, am Strande des Meeres, abwechselnd Ebbe und Flut gehabt, ich meine bald tiefe Einsamkeit, bald rauschende Gesellichkeit. [...] Indeß gehn wir morgen auf 8 Tage zu der Fürstin Hohenzollern nach Hohlstein [in Schlesien], und ich muß Ihnen durchaus zuvor dies Wörtchen des Danks zufliegen laßen. Daß Sie die herrlichen Gedichte und die Schriften unseres Kleist sogar mit einigen Zeilen begleiteten, setzte Ihrer Freundlichkeit in meinen Augen die Krone auf. Ich habe durch die eben nach Löbichau reisende Herzogin von Sagan in voriger Woche selbst an Tiedge geschrieben, um Ihre Aufträge auszurichten und ihm die Uebergabe des Exemplars von Kleist an Frau v. der Recke anzuempfehlen. Was ich vorkostend, von der Fortsetzung der Vorrede zu Kleists Schriften gelesen, hat mich sehr durchdrungen, ich rechne darunter auch die Mittheilung aus Solgers Briefe. Erst kürzlich hatte ich den Kohlhaas gelesen und mehrere Bemerkungen gemacht, die ich in Ihrer Beurtheilung der Kleistischen Erzählung bestätigt fand.[227]

Malsburg auf Escheberg hatte sich inzwischen zwar noch nicht „den Kleist", aber doch Tiecks ,Gedichte' verschaffen können, von denen ihm, wie er am 2. Oktober 1821 Tieck schreibt, die Sonette an Anna besonderen Eindruck machten:

Lassen Sie dieses [den Sonettenkranz] ja einen der ersten Gegenstände Ihrer Beschenkung unsers kleinen Liederkreises seyn, den hoffentlich der Winter eben so wieder verbinden soll, wie ihn der Sommer auseinanderflattern ließ. Für mein Theil werde ich übrigens mit der tiefsten Beschämung der Armseligkeit darin auftreten, und ich bitte mir zum Voraus die Erlaubniß zu geben, den ganzen Winter nur als zuhörender Singvogel figuriren zu dürfen, den erst der Gesang der Uebrigen wieder belebt [...] Im letztern Betracht gereicht es mir jedoch zum wahren Verdruß, daß ich noch immer nicht Ihren Kleist habe erlangen können, indem [der Buchhändler] Krieger sein herkömmlich einziges Exemplar sofort abgesetzt und noch ein neues nicht geschafft hat. Nun weiß ich zwar, daß Sie mir das Buch, sobald ich nach Dresden komme, schenken, es fällt mir aber unmöglich, so lang zu warten, eh' ich die gewiß herrliche Vorrede kennen lerne. Wäre es möglicherweise erlaubt, nach einer Vorrede von Ihnen eine von mir auch nur zu nennen, so würde ich Ihnen vertrauen, daß die zum 4ten Calderon das Einzige ist, was ich hier von allem Vorgesetzten habe durchwinden können, und demnach fürchte ich auch ernstlich, daß ausser einigen Episoden von Schütz und Kalkreuth nicht viel daran ist.[228]

Den beiden Stücken in dem erwähnten vierten Band der Calderon-Übersetzung, der ‚Seherin des Morgens‘ und der ‚Morgenröthe in Copacavana‘, waren nicht nur drei Sonette von Loeben und zwei Sonette von Schütz vorangestellt; nach Malsburgs Worten scheinen Schütz und Kalkreuth auch in „einigen Episoden" an der Übersetzung mitgewirkt zu haben.

So wie er sich in dem vorstehenden Brief „gar innig auf Kalkreuth und Schütz" freut, so grüßt er nach einer Berlin-Reise im nächsten Sommer wieder überschwenglich am 9. Juli 1822 aus Escheberg:

> Auch Kalkreuth bereiten Sie umarmend auf einen Briefkuß vor, sagen Sie Schütz, der Solgerin, Allen die mich lieben Liebes, und lassen Sie sich selbst tausend tausendmal an ein Herz drücken, das ewig für Sie glüht und schlägt.[229]

Auch Loeben ist in dieser Zeit wieder auf Escheberg, wo sie gemeinsam ihre Geburtstage feiern und Stücke aus dem ‚Sommernachtstraum‘ aufführen. Am 23. Juli 1822 schreibt er Tieck von seinen neugedichteten ‚Junggesellenliedern‘:

> Zweie darunter (es sind ihrer neun) kennen Sie aus unseren schönen, ach ich weiß nicht warum im Beginnen besonders schönen, Abenden. Ist Schütz noch unter Ihnen anwesend, so erinnern Sie ihn doch ja, nebst meinem Gruß mir wegen des in seinen Händen gebliebenen Gedichts von mir recht bald Auskunft zu geben.[230]

Bei dem erwähnten Loebenschen Gedicht handelt es sich wahrscheinlich um ein Überbleibsel aus dem ‚Frauentaschenbuch‘ von 1822. Fouqué war 1821 von der Herausgabe dieses Almanachs zurückgetreten, und der Nürnberger Verleger Schrag hatte sich nach neuen Mitarbeitern umsehen müssen, zu welchem Zweck er sich an Schütz wandte. Schütz bot ihm mit Schreiben vom 8. März 1821* außer einigen Gedichten auch ein „sehr lyrisch gehaltenes Drama ganz in Versen" an und bestätigte die Aufträge an Graf Kalckreuth und Graf Haugwitz (das ist der preußische Kammerherr Otto von Haugwitz, der Mitarbeiter an verschiedenen Almanachen war). Unbeauftragt hatte Schütz auch bei Graf Loeben angefragt, von dem er „mehrere sehr schätzbare Gedichte" kenne, die dieser auf Aufforderung sicher gern beisteuern würde. Wirklich erschienen im ‚Frauentaschenbuch für 1822‘ sechs Gedichte von Loeben, ein Poem von Kalckreuth: ‚Sehnsucht nach dem Vaterlande‘, „geschrieben in Frankreich im September 1815", und sechs Lieder von Schütz. Übrigens besprach

---

* Anhang, Brief 13.

Schütz auch Loebens ‚Irrsale Klotars und der Gräfin Sigismunda‘ im ‚Literarischen Conversations-Blatt‘ vom 16. März 1822, wobei er sie mit Tiecks ‚Sternbald‘ verglich.

Bald nach Veröffentlichung des ‚Prinz von Homburg‘ durch Tieck war es in mehreren Städten zu Aufführungen gekommen, so im Oktober 1821 in Wien und Breslau, im November in Frankfurt am Main und am 6. Dezember auf Tiecks Betreiben auch auf der Dresdner Bühne unter ihrem Generaldirektor Hans von Könneritz. Tieck hatte das Stück den Schauspielern vorgelesen, an den Proben teilgenommen und für Winklers ‚Abendzeitung‘ mehrere Artikel geschrieben, die noch im Manuskript dem intimen literarischen Freundeskreis zu Gehör gebracht wurden. Zu der Aufführung war auch Kleists und Schütz’ Verleger Reimer mit seinem Sohn aus Berlin gekommen. Dies und anderes erfahren wir aus einem Brief von Tiecks Tochter Dorothea vom 16. Dezember 1821 an eine Freundin:

> Doch nun muß ich Ihnen auch noch etwas von unserem Leben erzählen. Malsburg, und Kalkreuth sind nun wieder hier, noch vor Neujahr kommt auch Loeben. Kalkreuth hat sich hier in der Brüdergasse sein neues Logis sehr schön eingerichtet. Er zieht sich fast ganz aus der großen Welt zurück und ist außerordentlich wohl und heiter, es vergeht selten ein Tag, ohne daß wir ihn sehen. Malsburg sehen wir, wegen seiner ausgebreiteten Bekanntschaften, nicht so viel. Wöchentlich einmal kommen wir abwechselnd bei uns, Kalkreuth, Malsburg, Schütz und Loeben zusammen, hier muß jeder von den Herren etwas eigen gearbeitetes lesen und es wird niemand zugelassen als die Mitglieder. Schütz, den wir außerdem gar nicht sehen, schreibt verwirrte Trauer Spiele, Malsburg übersetzt ein sehr schönes Lustspiel von Calderon, Vater hat einige Aufsätze über den Homburg gemacht, diese Abende sind immer sehr hübsch. Einmal die Woche kommen wir auch zusammen, um den Shakespear zu lesen, entweder bei uns oder bei Kalkreuth, wir nehmen nun die weniger bekannten Stücke, und haben zuletzt das Wintermährchen gelesen. [...] Zu diesen Vorlesungen, werden auch minder Eingeweihte eingelassen, Könneritzens sind öfter dabei. [...]
>
> Wenn Sie Reimers sehen, werden Sie recht viel von der Aufführung des Homburg hören, die während ihres Aufenthalts war, ich will deswegen nichts weiter sagen als daß ich ihn drei mal hintereinander gesehen habe, und jedes mal mehr davon ergriffen worden bin. Wer unsre hiesige Bühne kennt wird eine so treffliche Darstellung für unmöglich halten und ich selbst würde es nie jemand anders als meinen eignen Augen und Ohren glauben.[231]

Indessen schrieb Schütz nicht nur, wie Dorothea bemerkt, „verwirrte Trauerspiele" — er war vielmehr aufs engste mit Tiecks Bemühungen um das Werk Heinrich von Kleists verbunden. Selbstverständlich hatte er an der Dresdner Aufführung des ‚Prinz von Homburg‘ teilgenommen, so wie er schon 1816 bei Marie von Kleist der Lesung der ‚Hermannsschlacht‘ und 1817 in Ziebingen der Lesung des ‚Robert Guiskard‘ beigewohnt hatte. Am Zustandekommen der

Tieckschen Kleist-Ausgabe nahm er entscheidenden Anteil. Nachdem Tieck und Solger lange vergeblich versucht hatten, biographische Unterlagen für die vorgesehene Einleitung zu beschaffen, wobei sie vor allem an Kleists Freund Rühle von Lilienstern dachten, erwies sich Schütz durch seine Bekanntschaft mit Marie von Kleist und Ernst von Pfuel als Retter in der Not. Solger an Tieck aus Berlin am 4. Februar 1817:

> Heute Mittag habe ich bei Burgsdorff gegessen, wo ich, nebst Schütz, auch Reimer traf. [...] Die Sache Kleist habe ich nicht vernachlässigt. Aber ich weiß nun nicht mehr, was ich mit Rühle machen soll. Er scheint nicht recht zu wollen, und da ist es mir zuwider, ihn nochmals anzugehen. Ich muß ihn also aufgeben, und meinen ganzen Antheil an der Sache, was mir sehr leid thut. Dagegen hat Schütz Wege gefunden, authentische Nachrichten über Kleist zu erhalten, und er wird Ihnen gewiß etwas Brauchbares verschaffen.

Und weiter am 15. Februar 1817:

> Ich war mit Schütz in Gesellschaft, bei Frau von Kleist, in der Kochstraße. [...] Von dieser Frau von Kleist, bei der mich Schütz eingeführt, soll er Ihnen auch Nachrichten über Heinrich Kleist verschaffen[,] und vom Obristen Pfuel. Ich treibe ihn dazu an, und er wird Ihnen gewiß etwas mitbringen. Rechnen Sie mir es nicht an, daß meine eignen Versuche deshalb nicht geglückt sind.[232]

Das, was Schütz von Marie von Kleist mitbrachte, waren vier Seiten stichwortartiger Notizen über Kleists Leben, wie er sie in hastiger, fast stenogrammähnlicher Niederschrift aufgrund von Maries Aussagen zu Papier gebracht hatte, nebst 15 Seiten mit auszugsweisen Abschriften von Briefen Kleists an Marie.[233] Wie der im Anhang durchgeführte Vergleich lehrt*, hatte Schütz damit bis in die Formulierungen hinein das gesamte Material geliefert, das Tieck für den biographischen Teil seines Vorworts zur Verfügung stand. Tieck nannte seine Quelle nicht; auch zum Abdruck der Briefe bemerkte er lediglich: „Folgende Bruchstücke aus einer Korrespondenz mit einer geistreichen Verwandtinn sind dem Herausgeber erlaubt, mitzutheilen."

Durch Schützens Hand waren die Manuskripte von ‚Prinz von Homburg‘ und ‚Hermannsschlacht‘ gegangen, und er unterstützte Tieck eifrig bei der Herausgabe, wenn er ihm auch nicht die gewünschten ‚Berliner Abendblätter‘ mit Nachweis der Kleistschen Beiträge beschaffen konnte, die Tieck in einem Schreiben an Reimer vom 28. Februar 1817 gewünscht hatte:

> Wenn Sie mir doch durch Schütz die Originale von Hermann und dem Prinzen von Homburg von Kleist wieder könnten zukommen lassen, denn Ihre Kopien werden Sie behalten wollen, um sogleich, wie Sie meine Vorrede haben, den Druck anzufangen, und ich lese gern die Gedichte noch einmal, weil ich meinem

---

* Anhang, S. 199—205.

121

Gedächtniß, so gut es sonst ist, nicht ganz vertraue. Auch bitte ich Schütz die Abendblätter, und die sichre Nachweisung, was darin von Kleist ist, ja mitzubringen.[234]

Nachdem Schütz die Verbindung zu Marie von Kleist hergestellt hatte, schrieb sie selbst am 3. März 1817 an Tieck:

> Ganz wunderbar ist mir zu Muthe, indem ich heute die Feder ergreife, um an Tieck zu schreiben, an Tieck mit dem ich seit so vielen Jahren gelebt und geliebt. [...] Außerdem sind Sie noch der Geistes-Verwandte meines Vetters Heinrich Kleist, den er oft selbst für seiner Nächsten Einen erklärte. Jetzt wollen Sie noch seine Werke herausgeben: wie viele Fäden zu einem Seelenbündniß! — Werde ich Sie denn einmal sehen? — — — Ueber die Details der Herausgabe habe ich mit Schützen geredet; ohnmöglich kann ich diese Sachen gegen Sie berühren. Das wäre mir eine unleidliche Störung. Auch abschreiben kann ich diesen Brief [an Schütz] nicht; auch das würde mich Ihnen entfremden.[235]

Durch Tiecks Saumseligkeit — der stete Mahner Solger war am 20. Oktober 1819 gestorben — verzögerte sich die Herausgabe der nachgelassenen Schriftstücke bis zum Herbst 1821. Unbekannterweise ist es wiederum Schütz, der das Erscheinen von Tiecks Edition mit mehreren ausführlichen und keineswegs unbedeutenden Rezensionen begleitete.

Zunächst läßt er sich am 15. Dezember 1821 in Brockhaus' ‚Literarischem Conversations-Blatt‘ vernehmen.* Er nennt ‚Prinz von Homburg‘ und ‚Hermannsschlacht‘ die „letzten und schönsten Blüthen eines echt poetischen Genius" und rühmt Tiecks 78 Seiten umfassende Vorrede. Eigensinnig wie seine Poesie sei Kleists Leben gewesen, und beides eng miteinander verwebt. Sein tragischer Tod müsse durch die besonderen Umstände allgemeine Liebe erwecken:

> Es sind nur wahrhaft große und heroische Seelen, die, nachdem das Vaterland zerfallen ist und sein eigenthümliches Wesen verloren hat, nie wieder heiter werden und das Leben leicht nehmen können, sondern in eine tiefe Melancholie versinken, deren Schluß ein zufälliges am Ende ganz anderes Ereigniß herbeiführt, wie das, von dem die Schwermuth ausgegangen ist.

Ein bemerkenswertes Zugeständnis des katholischen Schütz, dem gegenüber der liberale Tieck von einem Vergehen sprach, für das es „Strafe genug" gewesen sei, daß Kleist in den Freiheitskriegen nicht habe mitsiegen oder fallen können! Während Schütz hinsichtlich des ‚Prinz von Homburg‘ zunächst der Überzeugung ist, daß bei einem Werk von solcher Vollkommenheit alle Urteile übereinstimmen müßten, ist er mit Tiecks Charakteristik der ‚Hermannsschlacht‘ nicht einverstanden. Tiecks Urteil, Kleist sei ein großartiger Manierist, müsse insofern modifiziert werden, als sich die Größe von Kleists

---

* Anhang, Rezension 1.

Gesinnung schwerlich den bisher gangbaren Regeln der dramatischen Kunst einfügen könne. Sein brandenburgischer Geist, wie er in dem Charakter Hermanns wiederklinge, habe sich so nur in den engsten brandenburgischen Verhältnissen seiner ersten Jugend entwickeln können. Dies sei die Lebensluft gewesen, deren er bedurfte, und er habe nicht länger zu leben vermocht, als er sie nicht mehr atmen konnte.

Was Schütz im Conversations-Blatt nur andeuten konnte, führte er in einem gleichfalls anonymen Aufsatz in Brockhaus' ,Hermes' von 1822 auf einundzwanzig Seiten tiefgründig weiter.* Zu Beginn zitiert er aus dem neuesten Heft von ,Kunst und Alterthum' den Passus von der zerstörenden und der produktiven Kritik, mit dem Goethe Manzonis ,Graf Carmagnola' gegen dessen englische Kritiker verteidigte.[236] Goethes Forderung entsprechend, daß eine produktive Kritik von der Absicht des Autors auszugehen habe, wendet sich Schütz im zweiten Teil seiner Besprechung noch einmal gegen Tiecks Vorwurf, daß in der ,Hermannsschlacht' nicht Hermann, sondern Marbod der Sieger sei und man von der Schlacht selbst wenig erfahre. Kleist habe vermutlich in Hermann ein weit größeres Heldentum darstellen wollen, als es im Sieg einer Befreiungsschlacht liege. Daß eine solche unverführbare, in der Reinheit ihrer Natur nicht zu beugende Gestalt überhaupt da sei, rette die Germanen, und kein bestimmtes Tun, das Hermann vollbringe: „Er stehet mehr in dem Verhältniß eines Gottes wie eines Heroen zu den Mitfürsten." Schütz rechnet den Charakter Hermanns zu dem Großartigsten, was er in der Poesie kenne. Aber gerade diese poetische, undramatische Behandlungsweise erschwere die Darstellung des Stückes auf der Bühne seiner Zeit und verlange neue Aufführungsformen, für die er auf das Theater der Griechen und Calderons verweist.

Ausführlicher geht Schütz diesmal auf den ,Prinz von Homburg' ein, gegen den inzwischen aufgrund der stattgefundenen Aufführungen mancherlei Kritik laut geworden war. Nach längeren Zitaten aus Tiecks Vorrede und aus Solgers dort mitgeteiltem Brief gesteht Schütz, das Schauspiel habe ihn jedesmal auf eine Weise befriedigt, daß er zur Überzeugung gekommen sei, den Dichter müsse noch ein anderer Gedanke geleitet haben als jener von den bisherigen Kritikern angenommene. Das Vergnügen und der Genuß, die wir an der Gestalt des Prinzen empfänden, und das, was ihn zur Lieblingserscheinung des Hofes und auch des Kurfürsten werden ließ, entsprängen aus einer schönen Sonderbarkeit, seinem Leben in blühender Imagination, in poetischen Träumen, die auch die Eigentümlichkeit von Kleists eigenem Leben ausgemacht habe. Das Schauspiel selbst stelle die Versöhnung jener inneren Traumwelt des Prinzen mit dem wirklichen Leben dar, vollzogen durch Natalie, in der Schütz die

---

* Anhang, Rezension 2.

wesentliche Gestalt sieht: „Durch sie wird Friedrich von Homburg über den
Abgrund hinüber geleitet, der ihn überall anblickte, wo die Grenze seiner
schönen Welt der Träume und des Wahns, in der allein er bisher gelebt, zu
Ende ging." Jeder habe zuletzt aus der ihm widerfahrenen Erschütterung
einen Gewinn gezogen: Des Prinzen phantastische Jugend sei männliches, zur
Wirklichkeit führendes Wesen geworden; der Kurfürst habe erfahren, daß er
in seinen Brandenburgern etwas besitze, das ihn der Notwendigkeit überhebe,
militärischen Pedantismus mehr, als sich zieme, zu heiligen; Natalie endlich
habe die Überzeugung davon getragen, daß Friedrichs Erschrecken und Zagen
nur die Vorboten einer schönen Natur waren, die dank ihrer hilfreichen Mitwirkung nun zum glücklichen Durchbruch gekommen seien. Schütz entgeht es
nicht, daß die Schlußszene, in der der Prinz durch den „Humorismus" des
Kurfürsten noch einmal „mystificirt" wird, in einem gewissen Widerspruch
zu seiner eigenen Deutung steht. Immerhin enthalten seine Betrachtungen, zu
denen er Goethe, Calderon, Plato, Sophokles, Shakespeare und den von Goethe
geschätzten persischen Liebesroman „Medschnun und Leila" heranzieht, manche feinsinnige und originelle Bemerkung, und seine Rezension gehört zweifellos zu den gehaltvollsten der damaligen Zeit.

Schütz' Darstellung im ‚Hermes' findet eine sehr verständige Entgegnung
im ‚Literarischen Conversations-Blatt', die sich durch vier Nummern vom
15. Mai bis 15. Juli 1822 hinzieht.* Der unbekannte Anonymus versucht hier
in Weiterführung der Schützschen Bemerkungen eine Charakterisierung der
Hauptgestalten aus seiner eigenen Sicht, wobei er vor allem dartun will, daß
es sich bei der Entwicklung des Prinzen um den Übertritt aus einer an die
niedere Wirklichkeit gefesselten Phantasie in das Leben der wahren Ideale
handle und nicht, wie er Schütz mißversteht, um eine Versöhnung der idealen
Welt mit der Wirklichkeit; auch Schütz' Äußerung, der stille Reiz in Nataliens
Wesen liege darin, daß sie (im Gegensatz zum Prinzen) gar keine Poesie in
sich habe, findet wenig Verständnis bei ihm. Schütz muß sich daher in einem
weiteren Artikel ‚Der Prinz von Homburg nochmals' im Conversations-Blatt
vom 20. September 1822 um Richtigstellung seiner Auffassung bemühen.** Daß
es zu dergleichen Mißverständnissen kommen konnte, lag nicht zuletzt an
seinem Stil, den Goethe einmal wohlwollend als „dem ersten Anblick nicht
sogleich klar" bezeichnete.

Außer den Artikeln von Schütz und seinem Kontrahenten enthält der gleiche Jahrgang des Conversations-Blatts zwei weitere aus Dresden stammende
Beiträge zum ‚Prinz von Homburg', dessen dortige Inszenierung die Gemüter
von Lesern und Mitarbeitern besonders bewegt haben muß. So unterrichtet
Karl August Böttiger, Brockhaus' anonymer Dresdner Korrespondent, in einem

---

* Anhang, Rezension 5.
** Anhang, Rezension 6.

Brief vom 12. Dezember 1821 eingehend über die Verhältnisse am Hoftheater unter seiner neuen Direktion, über die verbesserte Bühneneinrichtung, das neugegründete Regie-Team und vor allem über die Proben und die Aufführung des ‚Prinz von Homburg', zu der unter anderm auch Gäste aus Wien und Berlin gekommen seien.**

In einem auszugsweise mitgeteilten Briefe aus Dresden im Conversations-Blatt vom 29. März 1822 äußert sich ferner eine Dame ausführlich über ihre Eindrücke von der Homburg-Aufführung.*** Wie alle Mitarbeiter des Blattes bleibt auch sie anonym. Doch verrät sich in ihrem gefühlvoll-schwärmerischen Stil, dem Ausspielen des äußeren Lebens mit seinen Alltäglichkeiten gegenüber dem „inneren, höheren Leben", dem Wohlgefallen an Homburgs Andacht in der Kapelle vor Beginn des Treffens und andern Einzelheiten deutlich Loebens und Tiecks Freundin Helmina von Chezy, wodurch auch dieser Beitrag eine besondere persönliche Bedeutung gewinnt.****

Schütz' Name war nicht nur mit Tiecks Kleist-Ausgabe, sondern auch mit der zweiten Tieckschen Edition des Jahres 1821, seinen ‚Gedichten', verbunden. Nach der Lektüre der damals erschienenen ersten beiden Bände schrieb der Altphilologe Karl Otfried Müller an Tieck:

> Wie haben mich die tiefen, langen Töne der Sonnette an Alma bewegt. Aber über wen haben Sie die großen Worte gesprochen in dem Sonnett an einen jüngern Dichter? Ich frage jetzt alle Leute, welche etwas vom Zustande der Poesie wissen, was wir für Hoffnungen hegen dürfen für die Zukunft, und welches die neuen anwachsenden Dichter sind.[238]

Müller bekennt, nur von Uhland und Rückert zu wissen, und bittet Tieck, ihn zu den ihm unbekannten Schätzen zu führen. Es war aber kein anderer als Wilhelm von Schütz, dem die „großen Worte" in dem Sonett ‚An einen

---

** Anhang, Rezension 3.
*** Anhang, Rezension 4.
**** Im Conversations-Blatt nennt die Autorin die Liebesszene Homburg-Natalie eine Blume, welche die Zartheit des Dichters „vom Thau der Wehmuth und des Schmerzes umperlt", in seinen Kranz zu flechten wußte, womit er „ihren Glanz milderte und zugleich erhöhte". Damit vergleiche man etwa, was Helmina von Chezy in den ‚Aurikeln' von 1818, S. 305, über die altdeutsche Malerei sagt: „Der Künstler rang nach Schönheit, doch diese sollte nur gleichsam als zarter Blumenkelch den reinen Thau in sich tragen, in welchem das ewige Licht sich spiegelt." Vgl. ebendort ihren Beitrag ‚Von Seyn und Schein im christlichen Wandel'.
Übrigens stehen in der oben angeführten Stelle die Wörter „Schmerz" und „Glanz" in enger Nachbarschaft, ebenso kurz vorher: „der Schmerz über den Verlust des Oheims mildert den Glanz der Freude"; doch ist diese Tatsache keineswegs geeignet, die Diskussion über „Schmerz" oder „Schmutz" in Kleists Brief über die ‚Penthesilea' aufleben zu lassen[237], sondern besagt lediglich, daß Helmina selbstverständlich Tiecks Vorrede zu Kleists ‚Hinterlassenen Schriften' gelesen hatte, wobei sich ihr dieses Begriffspaar Tieckscher Diktion eingeprägt haben mag.

jüngeren Dichter' galten. Wir kennen sie aus Tiecks 'Poetischem Journal' von 1800:

> Ist's mir versagt, mein Tagwerk zu vollbringen,
> Soll mir das Licht des Tages bald verschwinden,
> Wird mich die Nacht froh und gerüstet finden,
> Was ich gewollt, wird künftig dir gelingen. [...]

Doch diesen frühen Versen hatte Tieck als eine Art Abgesang ein zweites, erst 1821 entstandenes Sonett zugesellt, das die angeschlagenen Motive weiterführte:

An — —

> Dir sang ich, als die Jugend dich bekränzte,
> Und hört' entzückt die frühen Leyerklänge,
> Vorboten froher, herrlicher Gesänge,
> Ein Morgenroth, das jung erfrischend glänzte.
>
> Doch wie das Thal auch bunt von Blumen glänzte,
> Wie dich anlachten scherzende Gesänge,
> Der Fluß dir sprach, des Waldes süsse Klänge,
> Wie Liebesmuth dein Leben auch bekränzte, —
>
> Ein ernster Land, von Wolken überzogen,
> Ein hoch Gebirg mit dunkeln Felsgestalten,
> Von wo das Aug' im Schwindel nur erkennet
>
> Das weite Land, — dahin warst du entbrennet,
> Dich schmiegend an die finstern Gewalten,
> Und unter dir, Flur, Wald und Regenbogen —
> Wenn fortgeflogen
> Der Nebel, wähnt' mein Aug' ich seh' dich ferne
> Im Jugendlicht, wie ungewisse Sterne.[239]

Wie eine Antwort auf Tiecks elegische Verse mutet ein Gedicht von Schütz an, das er im 'Frauentaschenbuch für das Jahr 1822' erscheinen ließ:

Ewge Liebe.

> Noch aus weiter, weiter Ferne
> Schaut mein Aug nach dir zurück,
> Sucht im Wald beim Glanz der Sterne
> Nächtlich wandelnd deinen Blick. [...]
>
> Wenn im allerhöchsten Rausche
> Hoher Freunde Geister blüh'n
> Fühl ich, wenn ich mich belausche,
> Dich nur dich im Herzen glüh'n. [...]

Von seiner Freundschaft mit Tieck kündet auch die anonyme Besprechung der Tieckschen Gedichte, die Schütz für das ,Literarische Conversations-Blatt' vom 18. Mai 1822 lieferte:

> Aber nicht immer bleibt dem Dichter in gleichem Maße die Ferne unaufgehoben. Die Trennung schwindet ihm um so mehr, das Wesen kömmt ihm um so näher, je eigener er sich der Mystik übergibt. Sie und die Romantik führen ihn am weitesten. Wenn ihm im Lichte der letztern das menschliche Treiben am klarsten und liebsten wird, so macht jene ihn am meisten mit dem Mysterium des Weltalls vertraut. Davon zeugen unter mehreren andern die Gedichte, Lebenselemente, die Sonette aus Alma, einem Buch der Liebe, vor allem aber die Gedichte über die Musik, so reichhaltig merkwürdig und geheimnißvoll, daß es wohl der Mühe verlohnen möchte, über sie ausschließlich zu sprechen.

Die Frage, ob Tiecks Dichten als der Anbeginn einer neuen Epoche in der Poesie oder nur als der Anlaß zur Bildung einer neuen Schule zu gelten habe, stellt er der Zukunft anheim; doch verweist er in seiner Rezension auf das schon vorhandene Urteil eines „tiefsinnigen Denkers und selbst dichtenden Kritikers", nämlich Friedrich Schlegels in seinen Vorlesungen über die Geschichte der alten und neuen Literatur: „Unter allen Dichtern aber, die von einem gleichen Streben beseelt sind, wüßte ich keinen zu nennen, der um die Wiedererweckung der Phantasie in Deutschland ein so großes und allgemeines Verdienst hätte als Tieck ..."

Schütz nimmt ferner 1823 das Erscheinen der Tieckschen Theater-Aufsätze in der Dresdner ,Abendzeitung' zum Anlaß einer eigenen Artikelserie im ,Conversations-Blatt', wo er sich nun vom Mai bis Juli in sechs Fortsetzungen mit den Tieckschen Theater-Ansichten kritisch auseinandersetzt. Zu Beginn sagt er:

> Dem Studium der dramatischen Kunst ist eine große Bereicherung seit dem Anfange dieses Jahres durch den Entschluß Tieck's geworden, seine Erfahrungen, Beobachtungen und Einfälle, das Theater betreffend, durch die Abendzeitung bekannt zu machen. Was aus dieser Feder fließt, darf kein ernster Anhänger der Bühne übersehen, auch der Dichter nicht, denn es dringt ein in das Ganze der Poesie.

Aus Wien erkundigt sich Friedrich Schlegel wiederholt bei Tieck nach dem gemeinsamen Freund; so am 19. Juni 1821:

> Grüße [...] auch den Freund Schütz. Dieser hat unsre Hoffnung, ihn hier zu sehen, leider bis jetzt nicht erfüllt. Ich interessire mich immer sehr für alle seine Arbeiten, doch bei weitem noch mehr für ihn selbst; in der Philosophie sind wir noch sehr weit auseinander; er lebt so ganz in dem Gewebe von Abstractionen, die mir nichtig scheinen, und in die ich mich nur noch mit Mühe finden kann, da ich sie schon so lange verlassen habe. Dieses war auch der Eindruck, den mir ein großer philosophischer Aufsatz von ihm machte, den mir Collin mitgetheilt

hat. Sage ihm das gelegentlich, da mir bis jetzt noch unmöglich war, ihm selbst zu schreiben.²⁴⁰

Auch jene neuen Wege, die Schütz mit dem 1821 bei Göschen erschienenen Schauspiel ‚Carl der Kühne' auf dem Gebiet des „vaterländisch-historischen Dramas" eingeschlagen hatte, wobei er Tiecks Förderung genoß, behagten Schlegel nicht.* Die interessante Begründung für seine Ablehnung gibt er in einem Brief vom 17. Juni 1823:

> Du hast mich, geliebter Freund! auf die poetischen Arbeiten von Schütz und einiges andere in Deiner letzten Erinnerung an mich aufmerksam gemacht. Ich muß Dir aber wohl gestehen, daß mir eigentlich das Einzelne solcher Kunstversuche, jetzt etwas fern liegt und mich so sehr noch nicht berührt, bis ich nicht etwas Bedeutendes daraus erfolgen sehe. Sollte aber unsre deutsche tragische Kunst noch zu einer festen Form gelangen und eine wirkliche Kraft werden, so vermuthe ich, daß dieses eher auf dem lyrischen Wege geschehen wird, als auf dem von Euch empfohlenen Shakespearschen historischen, der mir doch nur ein Surrogat des Epischen zu sein scheint, in verunglückter Form. [...]
>
> Was Schütz betrifft, so liebe ich ihn persönlich sehr, und ich glaube, es liegt eben auch nur in dem Mangel oder *Nicht-Ergreifen* des entscheidenden Mittelpunkts, daß er bei solcher Erkenntniß aller Ideen nicht zur lichten Klarheit weder im Wissen noch in der Kunst gelangen kann.

Noch einmal, am 30. April 1824, läßt er Freund Schütz grüßen:

> Sollte Schütz noch in Dresden seyn, so bitte ich mich ihm bestens zu empfehlen. Ich werde ihm nächstens selbst schreiben [...]²⁴¹

Im Herbst 1824 kommt es anläßlich des Dresdner Besuchs von Schlegel wieder zu einer persönlichen Begegnung, und im darauf folgenden Winter ist Schütz in Wien, wo er außer mit Schlegel mit einem Kreis politischer Publizisten wie Anton von Pilat, Franz Bernard von Bucholtz und Johann Georg Hülsemann zusammentrifft, ferner lernt er die Gräfin Franziska Leszniowska kennen, die somnambule Freundin Friedrich Schlegels und Adam Müllers, auf deren steirischem Gut Schlegel zuvor einige Monate zugebracht hatte, die freiherrlichen Brüder Hügel, den Baron Penckler und sonstige Ultramontane und Konvertiten aus dem Schlegelschen Umkreis. Die Pläne seiner eigenen Konversion verdichten sich und werden mit den Freunden besprochen.

---

* Nach Schlegels Tod fand sich in seinem Nachlaß das Manuskript von ‚Carl der Kühne', und Dorothea Schlegel ließ bei Tieck, als dem Freund von Schütz, anfragen, was damit geschehen solle. Darauf gab Dorothea Tieck im Namen ihres Vaters Bescheid, das Manuskript könne verbrannt werden, da es schon gedruckt sei.²⁴³ Das Gleiche muß damals auch mit Schützens Briefen geschehen sein, jedenfalls hat sich von ihrem mehrfach bezeugten Briefwechsel nichts erhalten.

Anschließend reist Schütz weiter nach Prag, wo er den berühmten Slawisten Dobrowsky und durch dessen Vermittlung die beiden Grafen Sternberg kennenlernt, von denen ihn vor allem der durch seine Goethe-Korrespondenz bekannt gewordene Kaspar Maria Sternberg wegen seiner naturkundlichen Forschungen anzieht. Den Heimweg nimmt Schütz über die Clam-Gallasschen Herrschaften Friedland und Reichenberg; bei der Übernachtung im Wallensteinschen Schloß ist er von einem Porträt des Feldherrn[242], das ihm „einen Blick in sein Gemüth und sein Wollen" gestattet, tief beindruckt. Wieder auf preußischem Boden kommen ihm im Gasthof zu Görlitz die „Phrasen" und „Plattitüden" des preußischen „Selbstgefühls" schmerzhaft zum Bewußtsein.

Von diesen Erlebnissen berichtet ein Brief vom 4. März 1825, mit dem er sich bei Bucholtz für die Wiener Tage bedankt.** Eine Einlage mit „einigen Auskünften" ist für Friedrich Schlegel bestimmt. Auch kündigt er den im Mai erfolgenden Besuch Tiecks in Wien an und verspricht, ihm Manuskripte für die Wiener ,Jahrbücher der Literatur' mitzugeben. (Auf die Mitnahme von versiegelten Briefen wollte sich Tieck bezeichnenderweise nicht einlassen.)

Wie aus dem Brief ferner hervorgeht, plante Schütz mit Bucholtz eine gemeinsame Reise, worüber sie bereits in Wien gesprochen hatten. Es handelte sich um das Projekt einer Englandfahrt, aus der dann allerdings nichts wurde. Bucholtz seinerseits verhielt sich dabei Schütz gegenüber merklich zurückhaltend. In einem sehr instruktiven Brief vom 19. November 1825 berichtete er der Mutter über den neuen Freund:

> Du fragst nach den Umständen des Hrn. v. Sch. Ich glaube nicht, daß es derselbe mit dem ist, der mit seiner Schwester bey Stolb war, ich habe nie davon gehört. Er ist bedeutender Gutsbesitzer in der Mark Brandenburg und Mitglied der dortigen Stände. Er ist allerdings ein sehr fruchtbarer und hypothesenreicher Schriftsteller; und zwar über sehr verschiedenartige Gegenstände. Alterthum, Sprache, Urreligion, besonders aber auch Nationalökonomie, worin er am klarsten und kundigsten Manchen erscheint, wie wohl er auch mehrmals über katholische Religion, und Politik recht gute Dinge geschrieben hat. Im ganzen ist er als Schriftsteller nicht klar und einfach genug, zeigt aber unstreitig einen sehr fähigen Geist. — In Betreff der katholischen Religion denkt er sehr entschieden und gut, hat aber diesen Schritt nicht gethan. — Das Leben betreffend, so hat er sehr viele Bekanntschaften auch unter Diplomaten und Gutsbesitzern und viel Neigung auf Reisen Bekanntschaften unter dieser Klaße zu machen. Seine Frau, von altem Brandenburg. Adel ist schon lange gestorben, er hat glaube ich, eine Tochter, die bey ihm oder bei ihrer Tante ist. Er ist sehr vermögend und versteht die Wirthschaft sehr gut. Im finanziellen Betracht ist der Vortheil klar. Für die Beurtheilung und Auffaßung Englands in nazionalwirthschaftlicher Beziehung wäre es sicher paßend. — Im ganzen genommen wäre mir wohl lieber, daß außer ihm noch ein anderer Reisegefährth wäre.[244]

** Anhang, Brief 20.

Der Wiener Besuch von Schütz hatte sicher auch mit seiner Betätigung für die Wiener ‚Jahrbücher der Literatur' zu tun, an denen er seit 1820 mitarbeitete. Der erste Redakteur, Matthäus von Collin, hatte im Frühjahr 1821 die Redaktion dieser von Metternich begründeten Zeitschrift an Bucholtz weitergegeben; anscheinend aus Ärger darüber, daß ausgerechnet einem von Schütz eingereichten Artikel das Imprimatur verweigert worden war. Von dieser Angelegenheit erfahren wir aus einem Brief von Gentz an Pilat vom 5. April 1821:

> Collin hat mir, nebst einem langen Begleitungsschreiben, eine Vorstellung an den Fürsten [Metternich] geschickt, worin er aufs Dringendste bittet, von der Redaction der Wiener Jahrbücher dispensirt zu werden, und den Antrag hinzufügt, dieses Geschäft Buchholtz zu übertragen. [...] Collin ist übrigens sehr böse, daß die erste Recension des nächsten Heftes von der Censur gestrichen worden ist; und ich vermuthe, daß dieser Umstand die nächste Veranlassung zu seinem Abschiedsgesuch gab. Es ist ein abgeschmackter, phantastischer, größtentheils unverständlicher Wischwasch über Goethes schriftstellerischen Charakter von *Wilhelm Schütz*. Ich vermuthe, daß ihn die Censur wegen einer Stelle, worin *Werthers Selbstmord* — construirt, und am Ende gerechtfertigt wird, verworfen hat; denn das Uebrige, obgleich keinen Kreuzer werth, scheint mir ganz unschädlich.

Collin hatte umsonst gehofft, daß der Schützsche Beitrag durch Gentz' Vermittlung doch noch das „Admittitur" erlangen würde; doch hielt Gentz überhaupt von dem Unternehmen der Jahrbücher nicht mehr viel:

> Ich kann mit gutem Gewissen nicht dafür stimmen, daß man diesem Journal, wie es jetzt beschaffen ist, irgend eine außerordentliche Unterstützung fernerhin bewillige; es hat für den Staat weder Nutzen noch Interesse; naturphilosophische, ästhetische, artistische, antiquarische und andere Träumereien können wir in Deutschland genugsam und umsonst finden; warum aber die österreichische Regierung ein Journal, welches keinen Zug österreichischer Physiognomie hat, und eben so gut in Leipzig oder Frankfurt als in Wien geschrieben werden könnte, mit Geld unterstützen soll, das leuchtet mir nicht ein.[245]

Noch bevor es zu Schütz' Mitarbeit an den ‚Jahrbüchern' gekommen war, hatte sich Collin lebhaft für dessen poetische Arbeiten interessiert. Bereits 1818, im zweiten Band der ‚Jahrbücher', widmete er in einer Besprechung von Försters Sängerfahrt-Almanach dem ‚Raub der Proserpina' von Schütz nicht weniger als neun Seiten. Während damals Friedrich Gottlob Wetzel in der ‚Jenaischen Allgemeinen Literatur-Zeitung' vom Juni 1818 lediglich konstatiert hatte, Schützens Beitrag sei etwas schwächlich ausgefallen und Schiller habe die Idee in seiner ‚Klage der Ceres' längst kürzer und besser gegeben, bemerkt Collin einleitend in seiner Rezension:

> *Der Raub der Proserpina, eine Frühlingsfeyer*, von W. v. *Schütz*, ist wohl in vieler Hinsicht eine interessante Erscheinung; doch leidet dieses, wie man sieht,

mit großem Fleiße ausgearbeitete dramatische Werk an denselben Gebrechen, welche man den früheren Arbeiten desselben Dichters mit Recht nachgewiesen. So vieles findet sich in diesem, durch Tiefe des Gefühls wie durch Gründlichkeit und durch männliche Glut der Phantasie ausgezeichneten Schriftsteller vereinigt, was einen wahren Dichter bildet, daß man seiner immer nur mit Achtung wird denken können, auch wenn man ihn an einen höheren Maßstab stellt, und dasjenige was er ist, mit dem vergleicht, was er billig seyn könnte. Immer haben Hr. v. Schützens Dichtungen den Zwang verrathen, welchen ihm die Form, in der er sie geben will, auferlegt, und er erscheint vielleicht in keiner seiner Arbeiten ganz frey, und seiner reichen Kräfte mächtig.

In einem weiteren, 1822 erschienenen Beitrag ,Ueber neuere dramatische Literatur‛, in dem Werke von Kleist, Uhland, Friedrich Gottlob Wetzel, Immermann u. a. behandelt wurden, bedachte dagegen Collin Schützens ,Carl der Kühne‛ mit großem Lob:

Die Erscheinung dieses Werks ist um so erfreulicher und belehrender, da es einen Dichter zum Urheber hat, der sich früher auf so mannigfaltige Art versucht, und beynahe alle Wege und Irrwege der deutschen dramatischen Literatur gewandelt, eh er den einfachen doch sichern gefunden, welchen er in diesem Trauerspiele sich erkor. [...]
Indem der Verfasser eine so umfassende Begebenheit in den Raum von fünf Akten zusammendrängte, war er überall genöthigt, die Begebenheit im Großen aufzufassen, und alle Lyrik ferne zu halten. Er hat dadurch der Zeit, in der er lebt und wirkt, ein großes Beyspiel, was uns allen zu thun obliege, gegeben. [...] Für *Deutschland* insbesondere, das, wenn gleich nie fremder Trefflichkeit verschlossen, doch seine eigentlichen Vorzüge so gern sich selbst allein verdanken will, ist es vor Allem nöthig, seine vaterländische Vorzeit dramatisch zu beleben, um auf die solcher Gestalt neu in's Daseyn getretene Würde des Nationalsinns eine nur in demselben mögliche unzerstörbare Kunst zu begründen. [...]
Sehr fruchtbringend für die Gründung eines echten historischen Schauspiels werden die Bemerkungen seyn, welche Herr von Schütz seiner Dichtung in einer eigenen Abhandlung vorausschickte. Diese Bemerkungen sind Niemanden nachgesprochen, obgleich sie sich zu Zeiten auf *Solgers* Recension [von A. W. Schlegels Vorlesungen über dramat. Kunst u. Literatur] im VII. Bande dieser Jahrbücher beziehen. Von der Abhandlung im Museum [M. v. Collin: Ueber das historische Schauspiel, 1812], scheint es, habe er nicht Notiz nehmen wollen. [...]
Die Gegensätze, welche er zwischen dem Theile der Geschichte *Englands*, den *Shakespeare* bearbeitete, und der zu bearbeitenden deutschen Geschichte aufstellt, sind aber in vieler Hinsicht sehr lehrreich. Eben so hat er auch tief in die Wesenheit der Sache aufhellende Blicke gethan, indem er dem Shakespearschen Schauspiel das Lustspiel wie das Trauerspiel vindicirt, und als in ihm vorhanden, nachweiset. Die gleichfalls versuchten Entwicklungen des Trauerspiels *Richard II.* und der beyden *Heinriche IV.* und *V.* zeugen von der Einsicht eines Kenners, und werden nicht, ohne zu weiterem Nachdenken Veranlassung zu geben, gelesen werden.[246]

Collin gibt Schützens Schauspiel das Zeugnis, daß es „in deutscher Sprache das erste Beyspiel eines durchaus in großem Sinne nach welthistorischen Ansichten aufgefaßten Stoffes" sei. Er stimmt mit Schütz darin überein, daß es sich bei dem geforderten historischen Drama nicht um die dramatische Darstellung einzelner vaterländischer Ereignisse handeln könne, sondern ein Stoff gewählt werden müsse, „aus welchem deutsches Leben der Vorzeit im Großen und Ganzen, und die tiefere Eigenthümlichkeit seines universalhistorischem Strebens in jenen mächtigen Verhältnissen sichtbar würde, welche unser Mittelalter charakterisiren". Ein solcher Stoff aber, „als im wahren Mittelpunkte deutscher Kraftäußerung gelegen", war nach Collins Meinung die Epoche der Hohenstaufen.[246a] Schütz greift diese Anregung auf und berichtet Collin in einem verloren gegangenen Brief von 1823 von einem Hohenstaufenzyklus, zu dem er mit ‚Heinrich der Löwe' den Anfang gemacht habe.[246b]

Im April 1820 erscheint dann ein erster langer Beitrag von Schütz in den ‚Jahrbüchern', eine sich über fast achtzig Seiten hinziehende Abhandlung über das Wesen des Dramatischen; Anlaß dafür bot die Besprechung von Adolph Müllners Trauerspielen. Goethe, der dort von Schütz als ein Dichter gefeiert wurde, der das Wunder vollbracht habe, „daß poetischer Gesang in einer ersterbenden und zerfallenden Zeit nicht nur eine neue Poesie erzeugt, sondern auch durch sie ein neues nationales Leben wieder vorbereitet," hatte davon gehört und schreibt am 9. August 1820 an Kräuter:

> Und nun folgt noch der Wunsch, eins der letzten Stücke der Wiener Jahrbücher zu erhalten, und zwar dasjenige, worin sich Herr W. v. Schütz über die Müllnerische Tragödie geäußert hat.

In unserm Zusammenhang sind vor allem Schütz' Äußerungen über seine eigenen dramatischen Versuche interessant:

> Etwas Aehnliches [wie der Chor im „Ajax" von Sophokles] hat der Recensent durch die Einwebung des Chors in die Tragödien *Niobe* und die Gräfin von *Gleichen* hervorbringen wollen. In der erstern steht der Chor mit der Niobe anfangs auf demselben Grund und Boden der übermäßigen Freude an der Fülle des irdischen Daseyns, und trennt sich warnend von ihr, als er sieht, wie dieß zur frevelhaftesten Natur- und Selbstvergötterung verführt, die nur mit gänzlichem Erstarren zu Stein endet, aus der nichts denn die Selbstauflösung in Thränen erlöset. In der Gräfin von *Gleichen* hilft der Chor den Begriff der christlichen Lehre entfalten, der, weil der Sinn des Ganzen den Spruch bilden sollte: bey Gott ist kein Ding unmöglich, zu Anfang mit aller Heiligkeit eines Sakraments Wurzel fassen mußte, um den allerdings sehr kühnen Versuch möglich zu machen, durch den Schluß den Gedanken zu versinnlichen, wie das Heilige sogar in seiner zeitlichen Aufhebung fortbestehen, wie dieß allein auch das Gegentheil von seinem eigenen Wesen seyn könne. Späterhin hat der Recensent, dem es jedesmai eine Aufopferung kostet, wenn er das höchste Princip der Religion in den Hin-

tergrund stellen soll, in dem Grafen von *Schwarzenberg* einen Versuch anderer Art gemacht, nämlich durch die in den Vordergrund gestellte Berathung über ein unauflöslich scheinendes politisches Princip, den durch dessen widersprechende Natur in ein mitleidswerthes Schwanken versetzten Fürsten, vermittelst einer priesterlichen Ansicht, die ihm dargeboten wird, mit sich selbst zu versöhnen [...].

Es zeugt von einiger Selbsterkenntnis, wenn er fortfährt:

> Es liegt in der Natur solcher Bestrebungen, daß durch sie immer keine vollständigen Dramen hervorgebracht werden können. In der Art, die Fabel und die Charaktere zu nehmen, wird viel zu sehr der Begriff in einer gewissen Nacktheit hervortreten, und sich leicht als zu frey stehende Reflexion und zu entblößter Nerv darstellen, statt daß sich beydes in wirkliche Natur, in wahren Körper, in Fleisch und Blut verwandeln sollte.

Von nun an lieferte Schütz für die Jahrbücher mancherlei Rezensionen von volkswirtschaftlichen, mythologischen und Kirchenfragen betreffenden Werken, aber auch von Goethes ‚Wanderjahre‘ oder Manzonis ‚Il Conte di Carmagnola‘. Während der Jahre 1820 bis 1825, als Collin und nach ihm Bucholtz die Herausgeber waren, erschienen insgesamt fünfzehn zum Teil sehr ausführliche Besprechungen von ihm; zwei weitere, sich über mehrere Bände verteilende geschichtswissenschaftliche Rezensionen folgten noch 1827 und 1847 unter der Ägide Hülsemanns und Deinhardsteins.*

Die Rezension von Friedrich von Raumers ‚Geschichte der Hohenstaufen‘ in Bd. 37 bis 40 der ‚Jahrbücher‘ von 1827 ist gegen Schütz’ sonstigen Gebrauch nicht unterzeichnet. Ursprünglich hatte Tieck die Besprechung anfertigen wollen[247], dann übernahm sie Schütz, der die Entstehung des großen Geschichtswerks während Raumers längerem Dresdner Aufenthalt im Jahr 1822 miterlebt hatte. In einem Brief an Pfeilschifter vom 22. November 1824** äußert Schütz den Wunsch, das Manuskript seiner Rezension in einigen Punkten berichtigend zu vervollständigen, weil „fortgesetztes Studium der Altertumskunde“ ihn zu einigen neuen Aufschlüssen geführt habe. Im übrigen verrät sein Beitrag erstaunliche Detailkenntnisse. Dabei befürchtet Schütz, daß seine Anzeige „zu gedehnt, zu umständlich, und viel mehr anzeigender als beurtheilender Natur“ erscheinen könne. Weiter heißt es dort:

> Schon oben bemerkten wir, daß der Verfasser (seltsam genug) den einen viel zu katholisch erscheine, den andern doch noch zu protestantisch, den dritten zu indifferent! Wir leben in der That in einer Zeit, wo wir ehestens erwarten müssen, auch ein Trauerspiel, auch ein Sonnett, eine üppige Landschaft, die Logen Raphaels

---

* s. Bibliographie im Anhang, S. 274.
** Anhang, Brief 19.

und die Söhne der Niobe aus dem ausschließend und feindseligen Gesichtspunkte der *Dogmatik* beurtheilt zu sehen.[248]

Eine andere Rezensionstätigkeit erschloß sich Schütz durch die Bekanntschaft mit dem Verleger Brockhaus, die ihm vermutlich Tieck vermittelt hatte. Brockhaus hatte am 1. Juni 1820 das von Kotzebue begründete ,Literarische Wochenblatt' in seinen Verlag übernommen und bis zu seinem Tod im Jahre 1823 in eigener Redaktion weitergeführt, wobei der Titel noch 1820 in ,Literarisches Conversations-Blatt' umgeändert wurde; im gleichen Jahr übernahm er auch die persönliche Redaktion des ein Jahr zuvor begründeten ,Hermes oder kritisches Jahrbuch der Literatur'. Beides führte ihn zu manchen neuen Verbindungen, darunter auch mit Ludwig Tieck, zu dem Brockhaus in geschäftliche und enge persönliche Beziehung trat.[249] Als Mitarbeiter am ,Literarischen Conversations-Blatt' gewann er aus Dresden u. a. Graf Kalckreuth, Frh. von der Malsburg, Graf Loeben, Friedrich August Schulze (Laun) und Wilhelm von Schütz.[250] Für den ,Hermes' schrieben besonders qualifizierte Rezensenten, so der Philosoph Karl Christian Friedrich Krause in Dresden, Friedrich von Raumer in Berlin, Wilhelm Grimm in Kassel, Willibald Alexis in Berlin, Freiherr von der Malsburg in Dresden (der Müllners ,Albaneserin' heftig kritisierte[251]) — aber auch, wie wir jetzt wissen, Wilhelm von Schütz.

Da Brockhaus auf strengste Anonymität hielt, wurden die Rezensionen gewöhnlich nur mit Chiffren, später mit Zahlen gezeichnet, die zudem noch mit einem neuen Jahrgang häufig gewechselt wurden. Trotz dieser Schwierigkeiten lassen sich im ,Literarischen Conversations-Blatt' von 1820 bis 1823 mit Sicherheit dreißig Artikel von Schütz ausmachen, darunter recht umfangreiche, die sich über sechs Nummern hinziehen. Schütz bespricht dort unter anderm Schriften von Goethe, Friedrich und Wilhelm Schlegel, Lord Byron, Scott, Heinrich von Kleist, Adolph Müllner, Helmina von Chezy, Graf Loeben, Henrik Steffens, Otto von der Malsburg und Ludwig Tieck.

Wie sehr Schütz mit dem Redakteur des Blattes verbunden war, wird aus der Tatsache deutlich, daß er 1822 den Leitartikel ,Zur Eröffnung des Jahrganges' zu schreiben hatte. Zu dem Thema ,Verschiedenheit der Meinungen' heißt es dort ganz im Sinne des liberalen Brockhaus:

> Zeitschriften, so gut wie Werke anderer Art, theilen sich nach den beiden Farben ein, mit welchen sich die Anhänger der beiden entgegengesetzten Ansichten, Meinungen oder Interessen bezeichnen. Jeder macht es sich zum Gesetz, dem andern entgegen zu wirken. Sie erklären, daß sie Partei genommen haben, daß es ihnen um ihre Partei, nie um die Wahrheit, die vielleicht noch in einem fernen vereinigenden Hintergrunde liegen könnte, zu thun sey. Das Gesetz solcher Schriften ist, zu trennen oder zu unterdrücken, sie mögen nun der Gesetzlichkeit oder der Freiheit das Wort reden. Und sie erreichen ihren Zweck. Denn immer sicherer trennen sie die Leser in solchem Maße, daß diese nie die Blätter

lesen, die der entgegengesetzten Farbe angehören. Daher werden beide Parteien immer halsstarriger und eigensinniger in der Ansicht, für welche sie sich erklärt haben, und auf beiden Seiten, in beiden Kreisen wird der Same des Fanatismus ausgestreut, daß er Wurzeln treibe. Kurz, die zunehmende Trennung wird genährt; denn mit Ernst, mit Ruhe und mit unparteiischem Sinn greift Keiner mehr zu den Schriften, welche die entgegengesetzten Richtungen verfolgen. [...]

Wird aber nöthig seyn es noch auszusprechen, daß das literarische Conversations-Blatt grade Beides gewährt? Hat es sich nicht ganz bestimmt durch seine erste Einladung zum gegenseitigen Austausch der Meinungen und Ansichten, sich zu begegnen und entgegen zu treten, ausgesprochen und thatsächlich bewiesen? Sollten die Regenten den Nutzen übersehen, der hieraus ihren höchsten Interessen erwachen muß?

Auch mit einer politischen Broschüre trat Schütz bei Brockhaus auf. Sie erschien unter der Chiffre „S. v. N.“ mit dem Titel ‚Beleuchtung der Schrift: Du congrès de Troppau par M. Bignon‘ und ist ein Beispiel für Brockhaus’ Tendenz, gegensätzliche politische Meinungen zu Wort kommen zu lassen. Der liberale französische Politiker und Publizist Louis Pierre Baron de Bignon, dessen von Brockhaus für Deutschland in Verlag genommene Schrift ‚Du congrès de Troppau‘ eine herbe Kritik an den Beschlüssen des Fürstenkongresses von 1820 enthielt, war für die preußische Regierung ein Ärgernis. Schon um die entstandenen Zensurschwierigkeiten zu beheben, verlegte er nun auch die Schützsche Gegenschrift, wenn er sie nicht überhaupt in Auftrag gegeben hatte. In einer Eingabe an Staatskanzler Hardenberg vom 26. Mai 1821 führt Brockhaus zum Beweis für seine unparteiische Verlagsführung als „eben bei mir erschienen“ an: „Eine Beleuchtung und Bestreitung der Bignon’schen Schrift über den Troppauer Congreß.“[252] Übrigens blieb Schütz’ Anonymität keineswegs gewahrt; in den Brockhausschen Verlagsanzeigen vom Juni 1817 findet sich der Verfassername in Klammern dazugesetzt.

Die Angriffe gegen Brockhaus ließen nicht nach. In einem längeren, vermutlich von der preußischen Regierung inspirierten Artikel der Augsburger ‚Allgemeinen Zeitung‘ vom 22. November 1821 hieß es:

> Ein nicht minder unzeitiges Hervortreten in Brockhaus’ Verlage zeigte sich in der Propagation der Bignon’schen Kritik des Troppauer Congresses und in vielen ähnlichen Besprechungen, welche die Brockhaus’schen Zeitschriften über das Prägnanteste von dem lieferten, welches die Koryphäen der linken Seite der Deputirtenkammer zu Tage förderten.[253]

Auf diesen Angriff antwortete Brockhaus am 3. Dezember mit einer ‚Abwehr‘, in der er sich ausdrücklich auf Schützens Gegenschrift bezieht:

> Jenen meinen Grundsätzen gemäß finde ich deshalb kein Bedenken, z. B. [...] der Bignon’schen Schrift über Neapel einen Gegner in Herrn Wilhelm von Schütz

zu geben; Grävell das Wort zu gönnen, aber auch dem Staatsrath Beckedorff den Verlag nicht zu verweigern; Herrn von Hormayr neben Herrn Regierungs-rath Adam Müller in meinen Verlagsverzeichnissen aufzuführen; [...] manche Mitarbeiter an den „Wiener Jahrbüchern" auch zum „Hermes" einzuladen [wie z. B. Wilhelm von Schütz!] und in meinem „Conversations-Blatt" jeder Partei das Wort zu gestatten, insofern es nur mit edler Sitte geführt wird und es gesetzmäßig zulässig ist.²⁵⁴

Es ist indes bezeichnend, daß auch der Schrift von Schütz das Debit für Preußen verweigert wurde.²⁵⁵

Im gleichen Jahr 1821 verlegte Brockhaus Schützens ‚Gismunda', jenes Schauspiel, das 1816 Solgers Mißfallen erregt hatte und vom Verleger Reimer abgelehnt worden war. Nun erscheint es zusammen mit der ebenso schwülsti-gen ‚Evadne' unter dem Sammeltitel ‚Dramatische Wälder'. Beide waren 1820 in Tiecks Liederkreis vorgelesen worden, und Loeben freute sich im Herbst des Jahres schon auf den Druck der Schauspiele, während er das historische Schau-spiel ‚Carl der Kühne', das Schütz gleichfalls bei Tieck vorgelesen hatte, als gedruckt angesehn *„noch* ungenießbarer" ablehnt.²⁵⁶

Als Wichtigstes aber bringt Brockhaus in den Jahren 1821 bis 1823 drei Hefte ‚Zur intellectuellen und substantiellen Morphologie, mit Rücksicht auf die Schöpfung und das Entstehen der Erde' von Schütz heraus, enthaltend seine naturphilosophischen und mythisch-mystischen Überlegungen. Diese Publika-tion war durch Goethes seit 1817 erscheinende Heft-Reihe ‚Zur Naturwissen-schaft überhaupt, besonders zur Morphologie' angeregt worden. Wie bei Goethe wird jedes Heft mit einem längeren Gedicht eingeleitet: ‚Diogenes der Apol-lonier an die Luft', ‚Licht und Seele', ‚Kern und Schaale'; ihm folgen Aufsätze mit weitgespannten Themen wie ‚Erster Zusammenhang der Theologie, Phy-sik, Historie, Philosophie, mythischen Symbolik, Mathematik, Sprachkunde, Chemie und Magnetlehre', ‚Schöpfung ist Scheidung' in Heft 1, ‚Das Dogma der Urreligion', ‚Eine neue Ansicht der Mythologie', ‚Über Mystik' in Heft 2, ‚Sprachbetrachtungen: Unveränderlichkeit, Pantheismus, Reinheit', ‚Verände-rung, als Verflüchtigung, Verkörperung, Verwandlung, Gährung', ‚Die Genesis und die Zendschriften' in Heft 3.

Die Gedanken dieses „äußerlich fragmentarischen, innerlich streng zusam-menhängenden Werkes" hatte Schütz als erstem Hegel bei dessen Anwesenheit in Dresden mitgeteilt, und er fühlte sich nun auch verpflichtet, „nachdem der Anfang dazu an die Luft getreten ist", Hegel das erste Heft vorzulegen.²⁵⁶ᵃ Auch Franz von Baader erhält die Schrift und reagiert mit Gegengaben und ausführlichen Briefen (Werke XV, 1857, Nr. 97, 99, 102, 106). Er hat das Heft fleißig studiert und erwartet mit Verlangen die Fortsetzung.

Schütz' morphologische Hefte besaßen ihre Vorgeschichte. Im Sommer 1820 hatte er bereits in einem sich über fünf Nummern erstreckenden Aufsatz des

,Literarischen Wochenblatts' das Erscheinen von Goethes zweitem Heft ,Zur Naturwissenschaft' zum Anlaß tiefsinniger philosophischer Spekulationen genommen, für die er unter anderm Schellings ,Weltseele', Fichtes ,Wissenschaftslehre' und Solgers ,Gespräche' heranzog. Schütz war der erste, der in solch gründlicher Weise und mit dieser Ausführlichkeit auf Goethes naturwissenschaftliche Anschauungen einging, und nachdrücklich bedauerte er die zurückhaltende Aufnahme gerade dieser Goetheschen Schrift durch die Öffentlichkeit:

> So begegnet Göthe zum ersten Male, was ihm in diesem Maße noch nie wiederfahren. Er sieht die Landsleute, einem seiner Werke gegenüber gestellt, dieselbe Natur behaupten, der er gegen die aus ihrem Leben hervorgegangenen Erscheinungen fortwährend treu geblieben, ein stilles Aufnehmen, ohne zufahrendes Urtheilen, ein Vertrautwerden mit der Sache, ohne sich von ihr durch ein jedesmal abschließendes und absonderndes Urtheil zu trennen.

> Kaum aber kann auch ein Werk mehr die Eigenschaft besitzen, das Urtheil zu entfernen, die weitere Besprechung dagegen hervorzurufen, als das vorliegende, und wenn diese bisher ausgeblieben, so möchte das wohl nur in der vielseitigen, geheimnißvollen und bedeutungsreichen Natur desselben liegen. Denn wer schweigt nicht gern da, wo die Erscheinung, indem sie als Erscheinung anregt, zugleich in eine unendliche Wurzel hinabziehet? Aber wenn der Zug zu dieser verfolgt werden soll, muß das Verstummen doch einmal aufhören, geschehe es auch nur durch gelegentliche Aeußerungen der Art, wie sie der Natur eines Wochenblatts entsprechen, und die sich solchergestalt den durch Lebensereignisse verbundenen einzelnen Aufzeichnungen Göthe's selbst gegenüber stellen.

Schütz betrachtet es als ein bemerkenswertes Ereignis,

> daß ein Geist, der in allen seinen Hervorbringungen vor- oder mitbildend in der Nation dagestanden, wegen derjenigen Mittheilungen die meiste Gleichgültigkeit, zum Theil Antipathie bei'm ersten Erscheinen erfahren, die nicht nur ihm selbst, wegen ihrer innern Wahrheit, und ihrer Sympathie mit den Elementen, aus denen sie hervortraten, vorzüglich theuer gewesen, sondern auch mit dem Fortschritt der Zeit die folgereichsten und anerkanntesten wurden, oder noch werden dürften [...]257

In einer weiteren Rezension im ,Literarischen Conversations-Blatt' vom 13. Juni 1821 besprach er ausführlich die Beiträge des dritten Heftes ,Zur Naturwissenschaft', wobei er einleitend Goethes induktive Methode dem damals üblichen „grenzenlosen Schwärmen über die Gegenstände" gegenüberstellte:

> Göthe hat in der vorliegenden Schrift dagegen das strengste Absondern und Auseinanderhalten der Materien als dasjenige Verfahren benutzt, welches ihn zu seinem Zwecke führen soll, und eine doppelte Erscheinung erneuert uns dasselbe jedesmal. Ein und derselbe Stoff wird uns bald geschichtliches Ereigniß, im eigentlichsten Sinne des Wortes, Lebensereigniß des Verfassers, bald Beobachtung und Betrachtung eines werdenden und gewordenen Daseyns, dann durch Folgerung

zum philosophischen Object, endlich da, wo jenen Auffassungsmöglichkeiten der Zutritt versagt ist, und nur die dichterische Divination hinzudringen vermag, da werden wir mittelst dieser angeweht von der Ahnung eines letzten Urzusammenhangs. [...] Mögen wir es anfangen wie wir wollen, fangen wir es nur recht an, wir gelangen gewiß zu dem einen und einzigen Ur- und Allwahren, ohne daß wir nöthig hätten, auf der Bahn zu ihm uns von Zweifeln anfechten zu lassen. Dies ist das freudige Resultat zu dem die Beiträge zur Naturwissenschaft und Morphologie anführen werden, mit denen Göthe, vielleicht unbewußt, auch der religiösen Zeitrichtung einen großen und wichtigen Dienst erweiset.

Noch bevor das erste morphologische Heft von Schütz erscheint, kommt es in Marienbad wieder zur persönlichen Begegnung. Goethes Tagebuch vermerkt am 3. August 1821:

> Herr von Schütz von Carlsbad kommend. Wolkiger Himmel, schäfchenartig. Mit obigem Freunde in vielfacher Unterhaltung. Mittags am Familientisch; abermals mit Herrn von Schütz spazieren gegangen.

Am nächsten Tag wieder „Gebadet, spazieren mit Herrn von Schütz"; der Spaziergang wiederholt sich am Nachmittag; am darauffolgenden Tag liest er „Von Schütz dramatische Wälder".

Am 11. August die bedeutungsvolle Notiz:

> Studirte das morphologische Heft von Wilhelm von Schütz.

Er wiederholt die Lektüre am 13. und 14. August: „Vorgenanntes Heft nochmals durchgesehen." Am 16. September fertigt er einen „Auszug aus Wilhelm von Schütz" an; am 21. April 1822:

> Fernerer Auszug aus Wilhelm von Schütz und Mundum. [...] Nach Tische für mich, in Betrachtung des Schützeschen Auszugs und Revision desselben.

Am nächsten Tag schreibt er an Riemer:

> Mögen Sie, mein Werthester, Beykommendem nochmalige Aufmerksamkeit gönnen; ich bin dem Verfasser bis an's Ende seiner Abhandlung gefolgt und habe innerhalb seinen Stil etwas aufzuklären gesucht. Vielleicht gelingt Ihnen das Weitere.

Am 26. April: „Wilhelm von Schütz ausgezogen zur Morphologie."

Am 3. Mai: „Für mich das Nächste gesondert und zurückgelegt. Über d'Alton, Carus, Wilhelm von Schütz und griechische Sprache."

Die so angefertigten Auszüge eröffnen das vierte Heft des ersten Bandes ‚Zur Morphologie', wo sie von Goethe folgendermaßen eingeleitet werden:

So eben als ich, durch gegenwärtiges Heft, zwei Bände, einen der Naturwissenschaft überhaupt, einen der Morphologie besonders gewidmet, abzuschließen im Begriff stehe, erhalte ich von werther Hand eine Schrift, deren Bestreben mir allzuförderlich ist daß ich derselben nicht mit Vergnügen gedenken sollte; sie führt den Titel: *Wilhelm von Schütz zur Morphologie. I. Heft.* 1821.

Der Verfasser hat meine bisherigen Bemühungen um Naturgegenstände wohl eingesehen, er hat das Unternehmen sie auf eigene Weise mitzutheilen gebilligt, und entschließt sich nunmehr was ihm von innerer und äußerer Welt aufgeschlossen worden, an Lebensereignisse geknüpft, durch sie erheitert und aufgeklärt ebenfalls zu überliefern.

Mir aber sei vergönnt hier abermals was sich zu meinen Gunsten hervorgethan, auszugsweise darzulegen.

Und nun läßt er Schütz selbst sprechen:

„Unabläugbaren Einfluß haben Göthe's Beiträge zur Morphologie und Naturwissenschaft auf die nachfolgende Reihe von Mittheilungen ausgeübt. Es fragt sich, ob sie ohne jene an das Licht zu fördern waren. [...]

Hatte Göthe mich an diese Wahrnehmung hinangeleitet, so genügt der Absicht, welche ich gegenwärtig hege, die Wahrnehmung nicht. Ich muß nach Selbsterlebtem suchen. Es quillt aus dieser Quelle etwas hervor, das an sich unbedeutend sein mag; aber es hat eine Färbung von Wahrheit davon getragen, die manchen Mangel anderer Art ersetzt."

Gerade dieses persönlich Erlebte und Gesehene ist es, was Goethe anzieht; so teilt er dem Leser die autobiographischen Bemerkungen von Schütz mit, die auch für uns hier von Interesse sind:

„Nicht Neigung, ein unfreiwilliges Lebensereigniß, das kein Widerstehen zuließ, führte mich auf das erste ursprünglichste Thun der Menschen, Bebauung des Landes. Vorher war die Einsicht in diese Beschäftigung mir ein unbegreiflicher Gegenstand gewesen. Die Theilung des Ackers in drei Felder und was davon abhängt, blieb unverstanden, noch in einem Alter und unter Verhältnissen, wo es unziemlich war. Doch ich mußte einmal ein meiner Neigung entgegengesetztes Geschäft ergreifen. Es ward begonnen nach Anleitung der neusten Lehrbücher, mit denen ich Bekanntschaft gemacht; einige glückliche Apperceptionen und treffende Verbindungen mit Natur- und Zeitverhältnissen machten den ersten Erfolg glücklich genug. Dies kam mehr auf Rechnung guter Benutzung des von den Umständen Dargebotenen als innerer Haltbarkeit der ergriffenen Verfahrungsweise. Die Entdeckung davon lenkte auf fast ausschließliches Beobachten der Natur, an welche sich, sonstiger Verhältnisse wegen, eine praktische Wirksamkeit anderer Art anschloß."

Da man über das Weitere den Verfasser gerne „bei ihm selbst" hören werde, folgen wiederum seitenlange Auszüge aus seinen Abhandlungen mit der von Goethe vorangesetzten Aufmunterung:

Man lasse sich durch einen, dem ersten Anblick nicht sogleich klaren Stil keineswegs davon abhalten.

Abschließend bemerkt Goethe:

> Vorstehendes konnte mir nicht anders als höchst willkommen sein: denn so wenig es wünschenswerth ist, daß andere uns in unserm Thun und Lassen nachahmen, so erfreulich ist es, ja erbaulich, wenn sie diejenigen Prinzipien wornach wir handeln, in sofern sie rein menschlich sind, in sich selbst entdecken, hiernach aber ihre Lebens- und Mittheilungsweise einzurichten geneigt werden. Durch diese Betrachtung finde ich mich bewogen noch einiges aphoristisch hinzuzufügen.[258]

Nach Abschluß des Manuskriptes und Zusendung an die Wesselhöftsche Druckerei äußert sich Goethe in einem Brief an den Grafen Reinhard vom 17. Juni 1822 sehr befriedigt und unter deutlicher Anspielung auf Schütz:

> Von der morphologischen Seite begrüßt mich auch manches Freundliche, so daß nur nachzuhelfen und zu genießen brauche.

Unterdessen hatte Schütz die Besprechungen der Goetheschen Schriften fortgesetzt. In Form eines Briefwechsels erschien im Conversations-Blatt vom September bis Oktober 1821 eine durch sechs Nummern laufende Rezension der echten und falschen ‚Wanderjahre‘, mit denen er sich 1823 auch in den Wiener ‚Jahrbüchern der Literatur‘ eingehend beschäftigte. Am 20. Juli 1822 wird Goethes ‚Campagne in Frankreich‘ ausführlich rezensiert, die gerade als fünfter Teil der Lebensbeschreibung herausgekommen war. Anläßlich von Goethes Betrachtung zu Hemsterhuis bemerkt dort Schütz:

> Man möchte behaupten, was er zum zehntenmal von der Natur ausgerufen, sie habe weder Kern noch Schale, das sagt er hier zum eilften mal von der Kunst und vom Schönen: es sey nicht sowohl leistend als versprechend, dagegen das Häßliche aus einer Stockung entstehend, selbst stocken mache, und nichts hoffen, begehren und erwarten lasse; was wir vielleicht so umstellen möchten: nichts hoffen und erwarten läßt, aber alles auf die falsche Weise begehren macht. Vielleicht bietet diese Betrachtung ein Mittel dar, das Büchlein vom Begehren richtig zu verstehen.

Am 21. Juni 1822 legt er Goethe die „Fortsetzung jener Betrachtungen, Wahrnehmungen, und Ausführungen" vor.* Es geht dabei um das in Goethes Schriften charakterisierte Verhältnis des Einzelwesens zum Universum, um die Schlichtung des Wettstreits von Objekt und Subjekt. Zu diesem Problem hatte Schütz schon in seinem ersten Aufsatz von 1820 eine seltsame Anschauung entwickelt, an der Adam Müllers ‚Lehre vom Gegensatze‘ nicht unschuldig gewesen sein dürfte:

---

* Anhang, Brief 14

Hieraus läßt sich eine Behauptung ableiten, welche noch kein Philosoph in dieser Schärfe ausgesprochen hat, die aber dennoch das enthält, was in aller und jeder Wissenschaft und in sämmtlichen Ramificationen derselben als letztes Ziel gesucht wird, und sie begründet, nämlich jeder Wahrheit diese, die Totalität ihres Umfangs und ihrer Begrenzung durchdringende, Vollkommenheit zu geben, mittelst welcher sie das vollkommene Gegentheil von dem wird, was sie selbst ist, ihr eigener vollkommener Gegensatz, ihre eigene volle Vernichtung und Aufhebung. Dies Streben ist das würdige Ziel aller Wissenschaft, es ist das Erreichen der Wahrheit.[259]

Diese Vorstellung führt nun Schütz in seinem Brief unter Bezug auf Goethes ‚Metamorphose der Pflanzen‘ weiter zu einer „reziproken Metamorphose", das heißt zu der Annahme einer Verwandlung alles vollkommenen Wesens in sein völliges Gegenteil, so auch der Innenwelt in die Außenwelt und umgekehrt.

Mit dem Brief schickt Schütz sein gerade bei Göschen erschienenes Drama ‚Carl der Kühne‘. In der dem Buch vorangesetzten Abhandlung hatte Schütz ebenfalls auf Goethes Metamorphosen-Idee sowie auf ‚Wilhelm Meister‘ und die ‚Wahlverwandtschaften‘ Bezug genommen; doch wagt er sich Goethe als Leser seines Schauspiels wohl nicht recht vorzustellen, sondern denkt wegen der Beziehungen zur Schweizer Geschichte, wie er schreibt, eher an den aus Zürich stammenden Kunst-Professor Heinrich Meyer, den er 1819 in Weimar kennengelernt hatte, als Interessenten.

Bald darauf, am 12. August 1822, trifft Schütz wieder mit Goethe zusammen, diesmal in Eger, einen Tag vor Goethes Abreise nach Redwitz; Goethe verzeichnet im Tagebuch:

Herr Wilhelm von Schütz kommend von Franzenbrunn; besprochen ward seine Tragödie *Karl der kühne*, sein zweytes Heft der Morphologie.

Von Eger reist Schütz nach Teplitz, wo er am 15. August Varnhagen den neuesten Karlsbader Klatsch übermittelte.[259 a] Vorher hatte er noch bei seiner Rückkehr nach Franzensbad am 13. August einen Empfehlungsbrief für zwei junge Adlige geschrieben.* Der eine, dessen Vaterlandsliebe und klarer Blick von Schütz gerühmt werden, ist der später als österreichischer Staatsmann und äußerst energischer Ministerpräsident bekannt gewordene Fürst Felix von Schwarzenberg[259 b], dessen Vater, Fürst Joseph, Goethe und Schütz bereits 1818 in Karlsbad kennengelernt hatten. Von dem andern, Graf von Hunyadi aus Ungarn, der ihn in seiner bescheidenen Unbefangenheit an Goethes Sohn erinnerte, bemerkt Schütz, daß er ein Abkömmling des „Königs Hunniades" sei, womit wohl König Matthias I. von Ungarn (1443—1490) gemeint war, der zwar keine legalen Nachkommen, aber einen natürlichen Sohn besessen hatte.

---

* Anhang, Brief 15.

Die beiden jungen Leute meldeten sich nach Goethes Rückkehr aus Redwitz und überreichten ihm ein zweites Exemplar des Schützschen Morphologie-Heftes. Goethe bemerkt am 19. August 1822 im Tagebuch:

> Fürst Schwarzenberg der Sohn und Graf Hunyadi aus Ungarn. Empfohlen durch Wilhelm v. Schütz, dessen Morphologie II. Stück bringend.

Am 2. Oktober schickt er das Heft an Riemer weiter:

> Hierbey, mein Werthester, den Eschenburger Katalog, ingleichen das zweite Heft der Schützeschen Morphologie. Sie werden solche gern durchlesen; ich bitte mit dem Bleistift in der Hand Stellen anzustreichen, die den Sinn des Ganzen aufhellen und vielleicht mitzutheilen sind. Freylich versirt der Verfasser mitunter in düstern Gegenden, wohin zu folgen mir ganz unmöglich ist.

Riemer exzerpiert offenbar zu Goethes Zufriedenheit; denn auch das neue Heft von Goethes Morphologie, das 1823 erscheinende erste Heft des zweiten Bandes, wird unter dem Titel ‚Wilhelm von Schütz zur Morphologie‘ wiederum mit einem Hinweis auf die Schützsche Schrift eröffnet und deren Inhalt verzeichnet. Die anschließenden Zitate aus verschiedenen Beiträgen werden von Goethe eingeleitet:

> Wie das allgemein Wahre einem jeden besonders wahr geworden, muß man von ihm selbst vernehmen. Folgende Stellen reizen gewiß jeden Denker sie im Zusammenhange zu lesen.[260]

Er beschließt die Auszüge mit dem gleichen Seneca-Spruch, den er im Brief an Iken vom 27. September 1827 zitiert: „Eleusis servat quod ostendat revisentibus."

Vom 4. bis 10. Oktober 1822 erscheint in vier Nummern des Conversations-Blatts wiederum ein längerer, ‚Göthe‘ überschriebener Artikel, der, wie eine Anmerkung ausweist, einen Vorabdruck der neuen Folge des Brockhausschen ‚Conversations-Lexikons‘ darstellt. Auch hier heißt der anonyme Verfasser Wilhelm von Schütz, der ausführlich die Werke der letzten sechs, sieben Jahre behandelt, den ‚Westöstlichen Divan‘, den ersten Teil der ‚Wanderjahre‘, ‚Dichtung und Wahrheit‘, ‚Kunst und Alterthum‘ und natürlich die Beiträge zur Naturwissenschaft. Er schließt seine Betrachtungen:

> So hat sich dem merkwürdigen Manne nach und nach das ganze Leben zur Freude verwandelt, die Natur gleich einem Buche voll beseligender Weisheit aufgethan, und die Kunst der Zeitgenossen zu einem Hoffnung nährenden Streben erschlossen.

In stark verkürzter Form erscheint der Goethe-Artikel in der Neuen Folge des ‚Conversations-Lexikons‘, Leipzig 1824,* wobei Schütz zum Schluß auf das „neueste Bekenntnis" Goethes über das Verhältnis seines inneren Lebens zur Außenwelt eingeht, nämlich auf den 1823 im zweiten Band zur Morphologie veröffentlichten Aufsatz ‚Bedeutende Fördernis durch ein einziges geistreiches Wort‘. Der Anthropologe Heinroth hatte Goethes Denkvermögen als „gegenständlich" bezeichnet, was Goethe — und mit ihm Schütz — auch auf die gegenständliche Dichtweise und sein gesamtes inneres Sein beziehen möchte. Schütz bemerkt dazu:

> Auf jeden Fall aber muß ein solches Wort des Meisters über sein eignes Dichten und Denken willkommener sein, als alle die Bücher und Büchlein zu Lob und Tadel, die seit Erscheinung der Wanderjahre die literarischen Märkte Deutschlands gefüllt haben und noch füllen. Wir können uns füglich der Mühe überheben, diese Schriften näher zu bezeichnen, eben so wie wir die neuerdings laut gewordenen Urtheile des Auslandes über ihn und seine Werke auf sich beruhen lassen. Eines aber, als gleich rühmlich für den Meister, wie für das Volk, das ihn den Seinigen nennt, darf hier nicht unerwähnt bleiben: es ist die Theilnahme, die bei seiner letzten lebensgefährlichen Krankheit und bei den wiederholten Gerüchten von seinem Tode durch ganz Deutschland ging, zum sichern Zeugnisse, daß sein großes Verdienst in einer vielbewegten Zeit und mitten unter den entgegengesetztesten Bestrebungen nicht unerkannt geblieben ist.[261]

Die letzte Äußerung bezog sich auf Goethes schwere Herzbeutelentzündung im Februar 1823. Schütz selbst hatte am 17. April 1823 Goethe geschrieben, welche Freude ihm dessen Wiedergenesung verursacht habe; es sei nichts Geringes gewesen, diesen Winter glücklich zu überstehen, und daß es geschehen sei, berechtige zu den schönsten Erwartungen.** Zu dem mitgesandten dritten und letzten Heft seiner morphologischen Schrift, der Goethe so ungemein viel Güte habe zukommen lassen, meint Schütz, daß er sich freue, mit dem in den ersten Heften Geleisteten „das Allgemeine" so ziemlich erledigt zu haben, um sich nun „dem Einzelnen, dem Wirklichen" widmen zu können. Aber gerade mit dem, was Schütz als das Einzelne, Wirkliche versteht, scheint Goethe wenig einverstanden gewesen zu sein. Wir denken an seine Äußerung in den Tag-

---

* Der Artikel ist vermutlich nicht der einzige, den Schütz für das Conversations-Lexikon geliefert hat. Im Vorwort der 1826 abgeschlossenen ‚Neuen Folge‘ wird er neben Böttiger, Döring, Förster, Häring, Schwab, Varnhagen, Winkler u. a. als Mitarbeiter aufgeführt. Die rigorose Bearbeitung seines Goethe-Artikels stammt wahrscheinlich von dem Dresdner Professor Friedrich Christian August Hasse, der nach Brockhaus‘ Tod 1823 die Redaktion übernommen hatte. Nach der ersten Ankündigung vom August 1821 hätte auch ein biographischer Artikel über Schütz selbst erscheinen sollen, was aber unterblieb; auch wurde in den späteren Auflagen sein Goethe-Artikel durch einen Beitrag von Karl Förster ersetzt (Förster 298, 432).

** Anhang, Brief 16.

und Jahresheften für 1817, die laut Tagebuch erst im Juli 1823 schematisiert und abgeschlossen wurden. Danach sei Schütz aus dem ihm gemäßen „Allgemeinen" statt ins „Einzelne" (wie der Archäologe Hirt) ins „Allgemeinere" gegangen, wohin er ihm nicht habe folgen können.* Es ist anzunehmen, daß Goethe gerade diesen Brief in Erinnerung hatte, als er die Charakterisierung von Schütz in den Tag- und Jahresheften gab.

Wenn Goethe auch keine weiteren Auszüge mehr aus der Schützschen Schrift brachte, so bedankt er sich doch wiederum öffentlich 1823 im ersten Heft des zweiten Bandes ‚Zur Naturwissenschaft' für das gezeigte Interesse des „geprüften Freundes":

> Und so gedenkt denn schon ein mehrjähriger geprüfter Freund, Wilhelm von Schütz, in dem dritten Hefte seiner intellectuellen und substantiellen Morphologie, abermals meiner Farbenlehre und sonstigen Leistungen dieser Art mit Wohlwollen, welches dankbarlichst erkenne. Er betrachtet das Wahrzeichen, das ich errichtet, als einen Gränzstein zwischen der Tag- und Nachtseite, von wo aus jeder nun nach Belieben zu einer oder der andern Region seinen Weg einschlagen könne.
>
> Auch dieses find' ich meinen Vorsätzen und Wünschen gemäß; denn insofern mir vergönnt ist, auf meiner von der Natur angewiesenen Stelle zu verharren, wird es mir höchst erfreulich und lehrreich, wenn Freunde von ihren Reisen nach allen Seiten wieder zurückkehrend bei mir einsprechen, und ihren allgemeineren Gewinnst mitzutheilen geneigt sind.[262]

Am 20. November des gleichen Jahres erhält Goethe Aufzeichnungen von Schütz über meteorologische Gegenstände, die durch das neueste Goethesche Heft ‚Zur Naturwissenschaft' angeregt worden waren.** Er wünschte Goethe noch recht vieles persönlich oder schriftlich vortragen zu können und will sich über die weiteren Gegenstände aussprechen, „sobald ich wieder bei meinen Papieren bin". Er schreibt nämlich aus Reichenwalde bei Frankfurt, wo er seit etwa vier Wochen „in ziemlicher Einsamkeit" lebt. Bei diesem Ort, der später ganz sein Refugium wurde, handelt es sich vermutlich um das Gut seines Schwagers August Wilhelm von Schierstedt-Reichenwalde.

Anfang 1824 ist er wieder in Dresden, von wo er am 28. Januar weitere Ausarbeitungen an Goethe schickt.*** Wie er schreibt, bildet in dieser Zeit das „Lesen und Studieren" des zweiten Bandes von Goethes naturwissenschaftlichen Heften seine vorzüglichste und beinahe einzige Beschäftigung.

Goethe empfängt die Sendung am 5. Februar und schickt sie am 15. Februar zurück. Auch er spricht in seinem Begleitbrief vom „Lesen und Studiren"

---

* Siehe S. 95.
** Anhang, Brief 17.
*** Anhang, Brief 18.

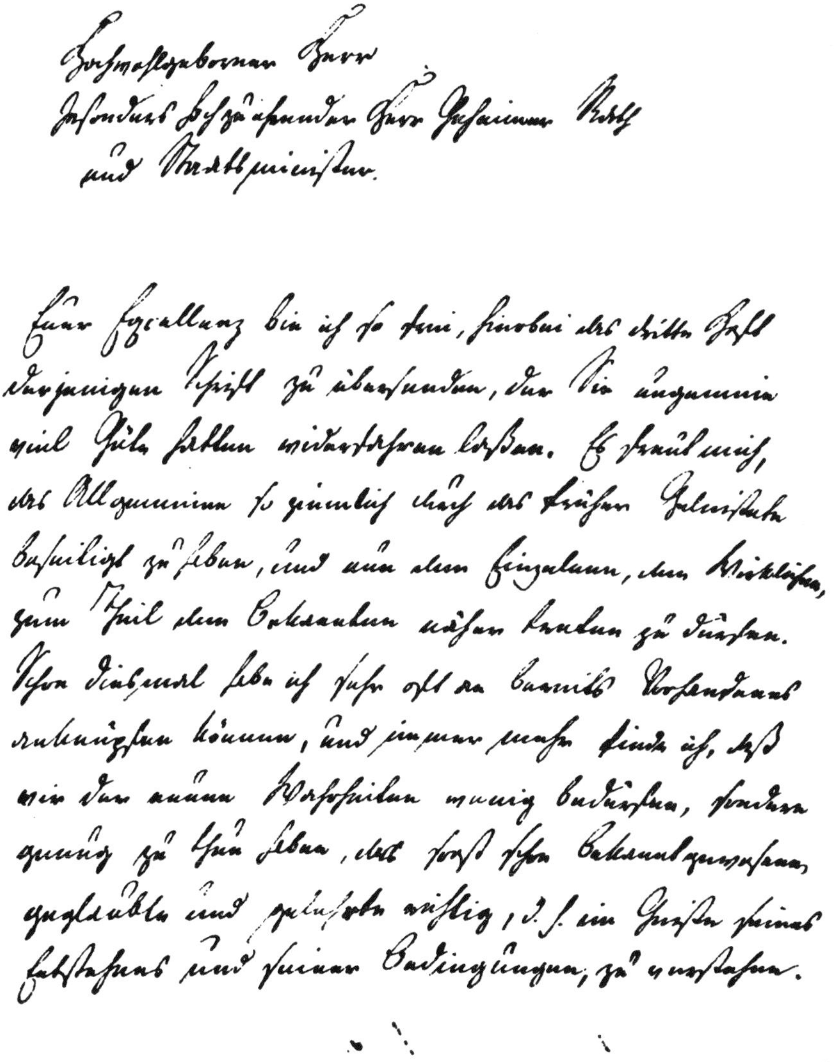

[handwritten letter facsimile]

Wilhelm von Schütz an Goethe, Dresden, 17. April 1823
(Verkleinerte Wiedergabe)

der mitgeteilten Papiere, die ihm die noch immer langen Winterabende glücklich verkürzt hätten und deren vielfachen Bezug auf seine eigenen Naturbetrachtungen er mit Vergnügen gesehen habe:

> Um hierauf nur das Allgemeinste zu erwidern, so versichere: daß ich alles was mich erregte wirken ließ, was mir gemäß war aufnahm, was ich nicht mit mir vereinigen konnte, als die Überzeugungen eines sinnigen Freundes, treu verwahrte und so von dieser Mittheilung den besten Nutzen zog.

Er hätte die Papiere noch länger behalten, wenn er nicht hoffte, daß Schütz sie im nächsten seiner Hefte (wozu Goethe noch nachträglich das Attribut „schätzbaren" einsetzt) „zu weiterer Beherzigung" abdrucken werde. Doch kam es dazu nicht mehr. Wie Schütz am 10. Mai 1825 schreibt, war das Unternehmen aus manchen Gründen ins Stocken geraten. Wieder schickt er Manuskripte mit: angeregt durch die Ausführungen von Nees von Esenbeck im zweiten Heft des zweiten Bandes ‚Zur Naturwissenschaft' berichtet er über ‚Witterungseinfluß auf den Ruß, eine Krankheit des Hopfens' und fügt einige nicht unbedeutende, auch in der Formulierung gelungene Aphorismen bei.* Der letzte Aphorismus enthält übrigens eine persönliche Erinnerung an Fichte: Dieser habe, wenn Schütz das Orakel der Natur preisen wollte, ihm gewöhnlich erwidert: „Wäre nur die Natur nicht krank!"

Zur Erläuterung der Aphorismen bemerkt Schütz in seinem Brief, daß es ihn nicht befremde, wenn man an seinen Gedanken und Ansichten den Zusammenhang vermisse oder sie im Widerspruch zueinander befände, da die Mittelglieder, die Übergangsstufen nicht mit zur Erscheinung kämen:

> In der That mache ich mir auch deshalb keine Sorge; nur verehrten Männern wünscht man einen Eindruck zu nehmen, von dem man fühlt daß man selbst ihn erregt, weil das im Dunkeln bleibt was ihn heben könnte.

Am 12. März 1824 bespricht Schütz Eckermanns ‚Beiträge zur Poesie mit besonderer Hinweisung auf Göthe'. Von Eckermann sagt er vorausahnend:

> Wir möchten behaupten, daß dieser Kritiker recht eigentlich ein Kritiker für Göthe sei; wie der Dichter das höchste Vorbild klarer und scharfer Weltansicht in der anspruchlosesten Form geliefert hat, so ist dieser Kritiker im gleichen Sinne und mit gleichem Streben in die Anschauung seines Dichters eingegangen, und seine Beurtheilung Göthe's contrastirt, so im Innern, wie im Aeußern, mit einem andern über Gebühr — auch von Göthe selbst — gerühmten Werke, dessen unklare und anmaßend breite Phraseologie allein hinreichend ist, um zu erweisen, daß jener Beurtheiler seinen Dichter nicht *ganz* verstanden hat. —

---

* Anhang, Brief 21.

Mit dem andern, auch von Goethe „über Gebühr gerühmten" Werke meinte Schütz offenbar die 1818 erschienene Schrift von Carl Ernst Schubarth ‚Zur Beurteilung Goethes'.

Das Eingehen der Goetheschen Schriftenreihe zur Naturwissenschaft im Jahr 1824 setzte dem fruchtbaren öffentlichen Dialog zwischen Goethe und Schütz ein Ende. Doch blieb Schütz seiner Verehrung treu. Auch in seiner späteren extrem-katholischen Epoche, die ihn fast allen früheren Freunden und Weggenossen entfremdete, berief er sich noch immer mit jedem Aufsatz und jeder Schrift auf Goethe, zitierte seine Dichtungen oder wählte ein Wort von ihm zum Motto seiner eigenen Gedanken.

Als Varnhagen 1823 zum 75. Geburtstag Goethes eine erste Sammlung von Zeugnissen der Zeitgenossen zusammenstellte, war natürlich auch Wilhelm von Schütz darin vertreten. Varnhagen zitiert dessen Äußerungen aus dem ersten Heft zur Morphologie und führt die Rezensionen der ‚Wanderjahre' und der ‚Campagne in Frankreich' sowie den Goethe-Artikel im Conversations-Blatt von 1822 an, wobei er trotz des anonymen Erscheinens der Beiträge den Namen des Verfassers durchaus zu nennen weiß.[263]

*

Auf Brockhaus' Wunsch hatte Schütz 1821 ein Werk übernommen, das ihn für die Zeitgenossen und in der Geschichte der Literatur berühmter und berüchtigter machen sollte, als alle eigenen Werke, den ‚Lacrimas' eingeschlossen. Das war die Übersetzung der Memoiren des Casanova. Brockhaus, dem im Dezember 1820 das noch unveröffentlichte französische Originalmanuskript von 600 engbeschriebenen Bogen zum Kauf angeboten worden war, hatte sich schnell mit dem Besitzer, einem gewissen Carl Angiolini, geeinigt, „nachdem er nur erst einige Blicke in dies Schatzkästlein von Welt- und Lebenskunde hatte thun können". In dem Taschenbuch ‚Urania' für 1822 berichtete Brockhaus selbst darüber:

> Er widmete demselben aber bald mehrere Monate in den ihm von Berufsgeschäften frei bleibenden Stunden, und als ihn auf einer Reise nach Dresden im Winter dieses Jahres die beiden letzten Bände zur Vollendung der Durchsicht noch begleiteten, hatte er das Vergnügen, mehrere seiner Dresdner Freunde, namentlich die Herren L. T. [Ludwig Tieck] — G. S. [Gustav Schilling] — W. v. S. [Wilhelm von Schütz] — und O. v. M. [Otto von der Malsburg] mit diesen Theilen bekannt machen zu können. Seine Ansicht über diese Memoiren wurde die der Freunde, daß sie nämlich an Reichhaltigkeit des Stoffs, an Lebendigkeit der Darstellung, an scharfsinniger Lebensauffassung und Originalität und innerer Wahrheit der Begebenheiten, an Vielseitigkeit der Ansichten, an Neuheit und Frische der Mittheilungen kaum ihres Gleichen in der europäischen Literatur haben dürften, daß aber auch ihre vollständige Mittheilung, sowohl im Original als in einer deutschen Uebersetzung völlig unthunlich sey.

Tieck bekommt „eine fast zu große Vorliebe" für das Manuskript; er schreibt am 26. März 1821 an Brockhaus:

> Für die Mittheilung des Casanova herzlichen Danck. Hätt' ich nur noch mehr, und Alles im Zusammenhang lesen können. Der Mensch ist gantz verrucht, aber sein Leben und die Art es darzustellen, höchst anziehend. Ich thäte gern etwas für dieses Buch, und schlage Ihnen folgendes vor. Hier ist jezt ein junger Mensch, der seine Studien in Berlin vollendet hat: [...] Er kann jezt nicht nach Berlin, muß hier wenigstens den Sommer bleiben, hat gar nichts zu thun, und dürstet und hungert nach Arbeit, den Erwerb nicht einmal gerechnet. Da sind Sie mir, und Ihr merkwürdiges Manuscript eingefallen. Wie wär' es, wenn Sie es mir, nicht diesem jungen Menschen anvertrauten? Ich theilte ihm dann heftweise zu, was er übersetzen sollte, bezeichnete ihm die Stellen, die er auslassen müste, und hülfe ihm mit meinem Rath, wie andre halb bezeichnet und halb verschwiegen werden können. Denn Vieles ist für uns Deutsche, ja vielleicht für jeden Menschen gar zu arg; andres, das schlimm genug ist, darf doch nicht gantz übergangen werden. [...] Eine kleine Einleitung (wenn man sich auch beim Text selbst aller Anmerkung enthält) ist doch wohl nothwendig, vielleicht kann ich, oder Freund Schütz sie schreiben; ich thäte es aber nur, ohne mich zu nennen. [...] Da Schilling, der beste, wie Sie gleich einsahen, es nicht bearbeiten kann, ist eine auslassende und hie und da verhüllende Uebersetzung das beste, und dieses kann der junge Mann unter meiner Anleitung vollenden. Vom Literarischen, von den Portraits und Anekdoten der Staatsmänner, Avantüriers, und Künstlern, Weibern und bekannten Leuten darf nichts wegbleiben: nur die Scenen der Wollust gemildert und abgekürzter, die Abscheulichkeit der Blutschande gantz verschweigen, oder nur oberflächlich zu errathen zu geben, und sein philosophirendes Räsonnement zusammengezogen oder durchstreichen.[264]

Im weiteren Verlauf übernimmt Schütz, der zunächst nur ein Vorwort schreiben sollte, selbst die Übersetzung, von der zur Probe drei Episoden in der erwähnten ,Urania' erscheinen. Schütz steuert eine Einleitung mit biographischen Angaben über den Verfasser bei, die dann wörtlich in die Vorrede der Buchausgabe aufgenommen wird. Brockhaus führt in der ,Urania' weiter aus:

> Casanova's Erfahrungen, Lebensschicksale, Abentheuer und Darstellungen können also in dieser jetzigen Zeit nie vollständig und am wenigsten in unserer spröderen und keuscheren Sprache dem Publicum mitgetheilt werden, allein es bleibt auch dies daraus abgesondert, noch ein großer Reichthum des Stoffs in der anziehendsten Form übrig, die in einem andern Idiom wiederzugeben aber auch des Meisters bedarf. Herr *W. v. Schütz* hat sich zu diesem Versuche verstanden, und wir theilen hier von ihm drei isolirte, ohne große Sorgfalt gewählte Episoden mit, die dem Leser einige Bekanntschaft mit unserm Helden verschaffen werden. Hr. v. Schütz hat solche seiner Seits ebenfalls mit einem kurzen Vorworte begleitet, das sich mit diesem wechselseitig ergänzt und hier folgt. Auch wird er mit der Bearbeitung des Ganzen (im Auszuge) einen Versuch machen

und vielleicht liefern wir davon noch in diesem Jahre den ersten Band, so wie auch den Anfang eines Auszugs in der Originalsprache.

Tieck ist mit Schützens Arbeit recht zufrieden; er schreibt am 11. September 1821 an Brockhaus:

> Meinen herzlichen Dank für die übersandte Urania, die mir sehr großes Vergnügen gemacht hat. Die Probeübersetzungen nach dem Casanova lesen sich in der That recht gut, und sind, wie mich dünkt, als gelungen an zu sehn.[265]

Auch die beiden folgenden Jahrgänge der ‚Urania' enthalten einzelne Auszüge aus den Memoiren, die 1823 dann zu einem Separatdruck ‚Casanoviana' zusammengefaßt werden, während Ende 1821 bereits der erste Band der zwölfbändigen Gesamtausgabe (1822—1828), „nach dem Original-Manuskript bearbeitet von Wilhelm von Schütz", erscheint.

Die 28 Seiten betragende Schützsche Vorrede gibt eine nicht ungeschickte, kluge Einführung in Wesen und Stil Casanovas. Ausgehend von Goethes Bemerkung in den ‚Unterhaltungen deutscher Ausgewanderten': „Die Gegenstände der Erzählung gebe ich frei, aber wenigstens an der Form muß zu sehen seyn, daß wir in guter Gesellschaft sind", charakterisiert er Casanovas Stil in folgender Weise:

> Casanova besitzt eine seltene Schärfe der Zeichnung. Er berührt Details, die Verwunderung erregen, und entreißt zufällig scheinende Nebenzüge der Vergessenheit, in denen eine merkwürdige Bedeutsamkeit liegt, wie wenig andere Autoren es thun. Diese Genauigkeit der Zeichnung ist freilich eine Frucht seines großen Talents für Darstellung und seiner Auffassungsgabe, aber sie gehört diesen Eigenschaften nicht allein an, vielmehr bedurfte sie eben so sehr einer gewissen Dreistigkeit und Kraft der Wahrheit, die nicht allen Schriftstellern in gleichem Grade gegeben ist. [...] Er vertieft sich bei so manchen Anlässen in Betrachtungen darüber. Aber bald führen sie ihn eben nicht weit, bald verwirren sie ihn wieder gleich so sehr, wie sie ihn aufklären. So geht es ihm nicht mit dem, was er gesehen und empfunden, erlebt und erfahren hat. Davon ist ihm ein so fester und bleibender Eindruck verblieben, daß Gedanke und Bedürfniß, es modeln oder zustutzen zu wollen, gar bei ihm nicht aufkommen kann. Nur so, wie sich etwas mit allen Nebenumständen zugetragen hat, ist es ihm Wahrheit gewesen, Wahrheit geblieben und dem Papier übergeben worden.[266]

Zu der Frage des „Anstößigen", das Casanova nicht gerade aufsuche, das er nur nicht dort übergehe, wo er es antreffe, äußert sich Schütz:

> Es veranlaßte kein kleines Bedenken und wurde Gegenstand einer nicht unerheblichen Ueberlegung: inwiefern dergleichen bald ganz weglassen, bald umschrieben werden sollte. Geschah es zu oft, zu ängstlich und zu rücksichtslos, so wurde das Werk nicht sowohl einer hinzugekommenen künstlichen Würzung, als

vielmehr des eigentlichen Salzes beraubt, durch welches sich sein wahrer Geschmack nur kund geben konnte. Der Verfasser hat Liebesabenteuer erlebt, welche gerade in dem, was man zu sagen Scheu tragen möchte, das Schicksal und die Poesie verborgen halten. Sollte dies weggelassen, oder durch anderes ersetzt werden? War es thunlich, hier und da Zucker und Vanille hineinzustreuen, wo ein scharfes Salz hingehörte und gewirkt hatte?

Die verneinende Antwort liegt nahe und nichts hinderte bei ihr zu beharren, wenn Gewißheit da wäre, daß das Buch nicht auch in die Hände der Jugend und der Frauen gelangen möchte, für die es nicht eigentlich geschrieben ist. Aber nicht alle Bücher können diesen gewidmet werden, und man ist geneigt, mit dem Autor zu sagen, es sey genug, wenn er erkläre, daß er seine Memoiren jenen nicht bestimmt habe, mithin von ihnen sie ungelesen bleiben können. Ist daher auch Vieles gemildert, anders ausgedrückt, und Einiges weggelassen worden, so durfte doch diese Purification nicht zu weit getrieben werden [...]. Dies zur Entschuldigung bei den Lesern, die Rigoristen mehr da sind, wo es die äußere, als wo es die innere Sittlichkeit gilt, die ich Keuschheit nennen möchte.

Und wieder, wie so oft in seinen Schriften, zitiert Schütz zur Bekräftigung seiner eigenen Anschauungen den verehrten Goethe:

„Nur dann wird dem wohlhabenden Menschen etwas scandalös vorkommen, wenn er Bosheit, Uebermuth, Lust zu schaden und Widerwillen zu helfen bemerkt, so daß er seine Augen wegwenden muß; dagegen aber wird er kleine Mängel lustig finden und besonders mit seiner Betrachtung gern bei Geschichten verweilen, wo er den Menschen in leichtem Widerspruche mit sich selbst, seinen Begierden und Vorsätzen findet [...]"[267]

Als Johanna Schopenhauer von Brockhaus zur Besprechung des ersten Casanova-Bandes im ‚Literarischen Conversations-Blatt‘ aufgefordert wird, antwortet sie am 25. November 1821:

Der Casanova in der Urania ist ganz vorzüglich, ein so treues und lebendiges Bild von Sitten einer Zeit die uns um so unbekannter ist, je näher sie der unsrigen steht. [...] Ich möchte sagen daß ich seit dem Leben des Benvenuto Cellini nichts bessers in der Art gelesen habe. Auch die Bearbeitung ist vortrefflich in Ton und Haltung. Daß viel wegbleiben mußte kann ich mir denken, ich habe einmal das italienische Original des Cellini in Händen gehabt, es ist Goethen damit auch nicht besser ergangen. Daß Sie, lieber Herr Brockhaus, indessen diesen Schmuz säuberlich auskehren lassen und dabei auch auf uns Frauen Rücksicht nehmen, ist gar fein und löblich und verdient großen Dank, von uns allen, denn die Lectüre ist zu ergözlich als daß wir uns gern darum gebracht sehen sollten. Sehr gern will ich im Konversationsblatt mich über dieses Buch aussprechen.

Aber Schütz hatte offenbar doch nicht genügend „Schmutz ausgekehrt"; am 12. Dezember schickt Frau Schopenhauer Brockhaus den Band entrüstet zurück:

Ich habe nur darin geblättert, stieß aber gleich auf Stellen die mich veranlaßten Herrn von Gerstenbergk zu bitten das Buch durchzusehen, und mir zu sagen ob er glaube daß es mir möglich sein werde es zu lesen. Seine Antwort fiel verneinend aus. Es ist Schade darum, die Fragmente in der Urania waren höchst interessant.[268]

Auf dergleichen Entrüstungen bezieht sich Schütz in der Vorrede zum zweiten Band:

Was sich besorgen ließ, ist theilweise, aber auch nur theilweise, wirklich eingetreten. Man hat den ersten Band von Casanova's Memoiren noch nicht gereinigt genug gefunden. Ein Glück für uns, daß es nur theilweise geschehen. Denn daraus folgt, daß doch auch solche Leser nicht gefehlt haben, die das Werk in einem höheren Sinne aufgefaßt, die das Verhältniß der Details zum Ganzen durchblickt haben und zu beurtheilen vermochten, wozu sich Einzelheiten verwandeln, sobald sie in dem Gesammtzusammenhang der Beziehungen eine gerechtfertigte Begründung finden. Wir kennen doch nun die doppelte Weise, wie das Buch genossen worden. Vergessen wir nämlich nicht, daß unsere Memoiren nie eine absichtliche Zweideutigkeit, nie eine versteckte Schlüpfrigkeit enthalten.

Selbst Frauen kann er sich nun als Leserinnen denken:

Aber wer kann leugnen, daß es auch Frauen gibt, die sich keinesweges in die Schranken einer beengten Gemüthsanlage wollen zurückdrängen lassen, die sich zu einem Blick in das Leben, ja in die Literatur und Geschichte, sogar den Staat berechtigt glauben, die sich bald befugt, bald verpflichtet fühlen, jede literarische Erscheinung ihrer Aufmerksamkeit zu würdigen? Diese müssen eines Blickes genießen, der frei und sicher, ruhig und richtig genug ist, um nie die Bedingungen des Ganzen aus den Augen zu verlieren, mit dem sie zu thun haben, und um nie durch einzelne erotische Schilderungen aus demjenigen Gleichgewicht der Seele gesetzt zu werden, mit dessen Besitz allein sich ein richtiges Urtheil fällen läßt.

Und wieder fühlt er sich zu einer Ehrenrettung Casanovas aufgerufen, den er philosophisch zu einem Don Juan hochstilisiert:

Casanova fasse ich auf als diejenige Modification der Unersättlichkeit im Naturdienst eines Doctor Faust, welche der spanische Don Juan darstellt. Er ahnt in jedem weiblichen Wesen eine neue Eigenthümlichkeit, und diese wird ihm zu einer neuen Offenbarung der Natur. Letztere läßt aus der Mannichfaltigkeit ihrer Kräfte in den verschiedenen weiblichen Wesen bald diese, bald jene Kraft hervortreten. Dadurch bestimmen sich alle übrige anders, und so sucht Casanova freilich den sinnlichen Genuß, aber er vermählt sich durch ihn zugleich der geheimsten Eigenthümlichkeit seiner Geliebten. In jeder sind ihm die Natur- und Weltkräfte ein anderes Wesen geworden, und er dringt bis an das Geheimniß derselben. [...] Casanova's scharfer, kräftiger und richtiger Gefühlssinn, verbunden mit einem festen Blick, fühlt sogleich heraus, wohin die Natur eines Weibes gerichtet ist, welcher Eigenschaft ihres Wesens sie eigentlich dasjenige Begegnen wünscht, in welchem es seine Blüthen- und Schmetterlingsentfaltung sucht, die, einmal wenigstens zu feiern, der schuldlose Wunsch manches weiblichen Wesens wohl werden kann. Denn es muß diesem, wenn dies ausbleibt, scheinen, als ob etwas, das bestimmt war, zum Leben zu gelangen, nie das Leben erreicht hätte, als ob es gestorben wäre, ehe ihm die Stunde des Lebens geschlagen, die geheimste Ahnung sich erfüllt hätte.[269]

Tieck erkannte das nicht ganz Sachgerechte der Schützschen Bemühungen. In seinem Tagebuch berichtet Brockhaus' Sohn Heinrich von einem Neujahrsbesuch 1823 bei Tieck, wo Karl Förster, Karl Maria von Weber und auch Schütz anwesend waren:

> Tieck machte Schütz besonders wegen seiner Vorrede zu Casanova lächerlich, und wegen seines in der That komischen Bemühens, aus Casanova einen Tugendhelden zu machen.[270]

In Brockhaus' ‚Literar. Conversations-Blatt' würdigten Frh. v. d. Malsburg (1822 Nr. 5; 1823 Nr. 116, 117) und Wilhelm Müller (1822 Nr. 205) die ersten drei Bände. Aus eigener Kenntnis des französischen Originals lobt Malsburg die Bearbeitung und Übersetzung, bei der sich alles nicht nur feiner und anmutiger, sondern auch freier als in Casanovas von Italianismen erfülltem Französisch ausnehme. Schütz' Vorrede zu Bd. 1 sei „historisch nützlich und vortrefflich", dabei „in derselben Durchsichtigkeit des Styls gehalten", die eine Zierde des Werkes sei; doch gesteht auch er bei der Besprechung des dritten Bandes, daß Schütz in seinen „sämtlich von tiefem Forschen" zeugenden Vorreden den Äußerungen Casanovas vielleicht zu viel Wert und Tiefsinn beigemessen habe.

Auch in der Vorrede zu dem 1823 erscheinenden dritten Band treibt es Schütz zu nicht uninteressanten philosophischen Erwägungen, wobei er von Casanovas angeblicher Maxime ausgeht: „Gebt die Abstraktion auf, trachtet nach der ursprünglichen Encheiresis alles Lebens":

> Geist und Stoff, Innenwelt und Außenwelt, thierische Triebe und höheres Bedürfniß, speculativer Verstand und praktischer Befund drohten auseinander zu reißen. Alles arbeitete dahin, den Bruch zu befördern, weil sich jedermann entweder nur auf die eine oder die andere Seite hinneigen wollte. Man pflegte jeden Lebensmoment nur zu genießen, indem man das eine Gut hingab, um des andern habhaft zu werden. In dieser Stunde opferte man dem Geist; und um nur ihm allein zu opfern, mordete man die Sinne. In der andern Stunde sollten die Sinne wieder ihr Recht behaupten; und nun mordete man den Geist. Aber längst war der Geist ein mattes und passives Wesen geworden, längst waren die Sinne gemein und verderbt. Beides nicht ganz auseinander fallen zu lassen, darauf war Casanova's Treiben gerichtet, und doch konnte beides nicht mehr in vollkommener Weise zusammenhalten. Dies gibt uns den Schlüssel zu seinem

ganzen Leben, also auch zu der philosophischen Richtung, welche dieses Leben nicht selten annahm.[271]

Schütz unterscheidet dabei die echte, unmittelbar dem Augenblick entstammende Philosophie von der, wo sie „postiche" ist:

> Auch unter den philosophischen Gedanken scheint es solche zu geben, die unvermittelt, wie ein Quell, der nun einmal da ist, dessen klares Wasser, weil es nun einmal alle Bedingungen seines vollkommenen Daseyns, als solches, erreicht hat, aus dem Boden hervorquillt, aus der Seele des Menschen unbewußt hervorwachsen; Gedanken, die in der Unbewußtheit, mit der sie entstanden, die beste Bürgschaft ihrer Wahrheit und Echtheit in sich tragen. Die Philosophen werden dies schwerlich zugeben. Wenigstens möchten sich mehr wie hundert Beispiele gegen eins aufweisen lassen, daß sie bisher es geläugnet haben; und so möchte meine Behauptung ziemlich neu da zu stehen scheinen. Aber sie ist keineswegs ganz neu. Wenigstens haben folgende Verse schon ganz dasselbe gesagt:
>
> > Ja, das ist das rechte Gleis,
> > Daß man nicht weiß,
> > Was man denkt,
> > Wenn man denkt.
> > Alles ist, als wie geschenkt. Göthe.

In Casanova's Memoiren habe ich aber den wahren Beleg zu diesen Worten, ihre praktische Bestätigung gefunden. Gedanken voll bewundernswerther Wahrheit und Tiefe enthalten seine Memoiren; aber gerade diese sind ihm jedesmal unwillkürlich gekommen, sind hervorgequollen aus seiner Seele, ohne daß er mit irgend einer Absichtlichkeit ihr die Richtung gab.[272]

Hier nun breitet Schütz auch seine Sprachphilosophie aus:

> Wir haben es leider nur zu sehr in der Art, mit einer gewissen Stumpfheit der Gewöhnung jene Wesen voll unendlichen Lebens zu betrachten, welche die Sprache uns darbietet; ich meine die Worte. Wir vergessen, daß auch sie einst eben sowohl Fleisch und Blut wie eine wahrhafte Seele besaßen, geheimnißvoll, zart und tiefsinnig. Wir pflegen sie für nichts mehr, denn für Chiffern zu nehmen, und behandeln sie viel zu sehr ganz formell. [...] Eben so stumpf nun, wie wir oft an den meisten Gegenständen der Natur vorüber gehen, die, stets dasselbe bleibend, uns täglich etwas Neues werden könnten, weil sie eben unendlich reich und vielfältig sind, grade so machen wir es oft mit den Worten. Sie sind uns zu einem Schattenriß, zu einem bloßen Profil, ja ich möchte sagen, zu einer mit Linien gezogenen Figur geworden.[273]

Die literarische Wirkung der Memoiren Casanovas, als deren Herausgeber Schütz sich mit seinem Namen bekannt hatte (Tieck wollte den seinigen verschweigen!), war stark. Heinrich Heine schreibt im dritten ‚Brief aus Berlin' vom 7. Juni 1822:

Eine andere Selbstbiographie erregt hier viel Interesse. Es sind die „Memoiren von Jakob Casanova de Seingalt", die Brockhaus in einer deutschen Übersetzung herausgibt. Das französische Original ist noch nicht gedruckt, und es schwebt noch ein Dunkel über die Schicksale des Manuskripts. An seiner Echtheit darf man gar nicht zweifeln. Das Fragment sur Casanova in den Werken des Prinzen Charles de Ligne [auf das Schütz in seiner Vorrede hingewiesen hatte] ist ein glaubwürdiges Zeugnis, und dem Buche selbst sieht man gleich an, daß es nicht fabriziert ist. Meiner Geliebten möchte ich es nicht empfehlen, aber allen meinen Freunden. Italienische Sinnlichkeit haucht uns aus diesem Buche schwül entgegen. Der Held desselben ist ein lebenslustiger, kräftiger Venezianer, der mit allen Hunden gehetzt wird, alle Länder durchschwärmt, mit den ausgezeichnetsten Männern in nahe Berührung kommt und in noch weit nähere Berührung mit den Frauen. Es ist keine Zeile in diesem Buche, die mit meinen Gefühlen übereinstimmte, aber auch keine Zeile, die ich nicht mit Vergnügen gelesen hätte. Der zweite Teil soll schon heraus sein, aber er ist hier noch nicht zu bekommen, da, wie ich höre, die Zensur bei dem Brockhausischen Verlag seit gestern wieder in Wirksamkeit getreten ist. —274

Schütz als Übersetzer und Bearbeiter wird von Heine nicht erwähnt; auch in der ‚Romantischen Schule' von 1836 wird sein Name nur im Zusammenhang mit Friedrich Schlegel, Tieck, Novalis, Werner, Carové und Adam Müller, als angeblich in einem öffentlichen Akt zum Katholizismus übergetreten, angeführt.

In Grabbes Lustspiel ‚Scherz, Satire, Ironie und tiefere Bedeutung' spielen die ersten vier Bände der Memoiren bereits als witziges Requisit mit. Der Schulmeister, der sie „in Maroquin gebunden, und dennoch ungebunden" in die Hand bekommt, nennt Casanova einen „Napoleon der Unzucht", einen „General der sieghaftesten Niederlagen". Die ihm verbleibenden drei Bände — einen hat die empörte Frau Gerichtshalterin, die sich „auf alles versteht", bereits in ihrem Strickbeutel verschwinden lassen — benutzt er als Köder, um durch die „magische Einwirkung von drei Teilen des Jakob Casanova de Seingalt, herausgegeben von Wilhelm von Schütz", den Teufel in einen Käfig zu locken. Doch für den Teufel ist der versoffene Schulmeister, mit dem verglichen das „Abscheuliche, Zuchtlose" der Bücher die wahre Unschuld darstelle, weitaus anziehender.

Auffallend allerdings ist, daß in dem Stück bereits vier Bände Casanovas erwähnt werden, obwohl zur Zeit der Entstehung erst zwei existierten. Tatsächlich ist in der Handschrift von 1822 noch nicht von Casanovas Werken, sondern von 20 „Kodons" (Kondoms) die Rede, von denen vier im Strickbeutel der Frau Gerichtshalter verschwinden; und der Teufel schwankt zwischen dem „Unzüchtigen, Kinder Verhindernden" und dem „Versoffenen, die Kinder Züchtigenden". Für den Druck von 1827 mußte Grabbe aus Zensurgründen die „Kodons" ersetzen, und er wählte dazu den damals zur Verfügung stehenden Inbegriff der Unzucht, nämlich Casanovas Werke, denen dann auch noch die Hinterlassenen Schriften von Althing (d. i. Christian August Fischer) zur Seite gestellt werden.[275]

Am 25. Mai 1822 schreibt Achim von Arnim an Bettina, daß er in Leipzig allerlei Bücher gekauft habe,

> unter anderm die Mémoiren des Casanova, die eigentlich nichts anderes sind als Aufschneidereien von Liederlichkeiten, die ein alter Mann aus seiner Jugend ausschmückt, um sich oder hohen Gönnern eine Freude zu machen.[276]

Im Literatur-Blatt zum ‚Morgenblatt' vom 16. August 1822 bespricht Arnim die ersten zwei Bände im Zusammenhang mit zwei anderen zur gleichen Zeit erschienenen Autobiographien, nämlich Goethes ‚Auch ich in der Champagne' und des Herzogs von Lauzun ‚Mémoires'. Während der Deutsche kein Wort von Zärtlichkeit in diesen Teil seiner Autobiographie einfließen lasse, male der Italiener die Liebesabenteuer seiner Jugend oft ins Possenhafte aus und könne sich in freudiger Erinnerung keine Übertreibung und Lüge versagen. Über die Beschäftigung mit Goethe vernachlässigt Arnims Rezension den Franzosen und den Italiener, was ganz begreiflich sei (und von dem Redakteur des Literatur-Blatts, Adolph Müllner, ausdrücklich gebilligt wird), denn „unter anständigen Leuten läßt sich nur ein kleiner Theil des Inhalts von dem Leben jener Ausländer erzählen".

Nach dem Erscheinen des fünften Bandes schreibt er am 29. Juni 1824 an Bettina:

> Der letzte Band des Casanova hat wenig anziehende Kraft, die Abenteuer sind meist von gemeiner Art, auch hat sich Schütz der Fortsetzung unter dem Vorwande entsagt, daß er sich ganz der Wissenschaft widme.[277]

Woher Arnim die Nachricht von Schützens Rücktritt kam, ob aus privater Quelle oder durch eine Verlagsanzeige, ist nicht ersichtlich. Doch fiel mit dem sechsten Band, der verspätet 1825 erschien, wirklich der Name von Schütz auf dem Titelblatt fort; auch gab es von da an keine ‚Vorrede des deutschen Bearbeiters' mehr. Die in dem 1828 erschienenen letzten Band enthaltene ‚Nachschrift des deutschen Bearbeiters' mit der Übersetzung von Prinz Charles de Lignes ‚Fragment sur Casanova' und den zwanzig Briefen an Faulkircher aus Casanovas Nachlaß stammt nicht von Schütz. Tatsächlich scheint sich seine Herausgeber- und Übersetzertätigkeit auf die ersten fünf Bände beschränkt zu haben, und soweit in der ‚Urania' schon Vorabdrucke aus späteren Bänden erschienen waren, wurden sie von dem anonym bleibenden zweiten Herausgeber noch einmal neu übersetzt. Daß Schütz sich nicht länger für diese Arbeit zur Verfügung stellte, mag nicht zuletzt an den mannigfachen Verunglimpfungen gelegen haben, die er sich damit zugezogen hatte.

Unter dem Titel ‚Kleine Schwärmer über die neueste deutsche Literatur' erschien 1826 anonym eine „Xeniengabe für 1827", deren Verfasser Wilhelm Ernst Weber sich in einem Epigramm über Friedrich Karl Julius Schütz (den Gatten der Hendel-Schütz) und Wilhelm von Schütz mokiert:

A propos.

Ja mit den *Schützen* sind wir in Deutschland eigen berathen,
Fangen sie Händel an, giebt es Skandal und Gelach.

Wie man als Landrath rathet, als frommer Ascete der Unzucht
Selbst noch Geschmack abgewinnt, zeiget uns Wilhelm von Schütz.

In seinen Lebenserinnerungen betont Henrik Steffens, daß er Schütz „trotz seiner Übersetzung und Herausgabe von Casanova" in treuem Andenken behalten werde, und Friedrich Laun berichtet von einem Gespräch mit Adam Müller in Leipzig im Jahr 1822:

Zugleich sprach sich Müller über einen seiner Bekannten aus, einen talentvollen Dichter, welcher damals eben eine berüchtigte Biographie aus der französischen Handschrift in's Deutsche übergetragen und herausgegeben hatte. Er mißbilligte das Unternehmen um so mehr, da er, wie er sagte, gehört habe, jener Dichter sei so eben erst, ebenfalls zum katholischen Glauben übergegangen. Mit letzterm wichtigen Schritte, behauptete er, wollte sich eine Frivolität, wie die erwähnte, durchaus nicht schicklich vereinigen lassen.[278]

Moritz Brühl aber meint in seiner ‚Geschichte der katholischen Literatur Deutschlands' von 1854:

Daß Sch[ütz] auch mehrere Bände der Memoiren Casanova's übersetzte, hat gewiß Niemand bitterer beklagt, als er selbst in seiner späteren Lebensperiode. In rein literarischer Beziehung betrachtet ist übrigens diese Arbeit ein Meisterwerk der Uebersetzungskunst.[279]

DER KATHOLISCHE KLAUSNER
(1828 - 1847)

Die Neigung zum Katholizismus war von Jugend an in Schütz veranlagt gewesen. Er selber schreibt im Jahre 1828, noch vor seiner förmlichen Konversion, die um das Jahr 1830 erfolgt sein muß, über sich:

> Außer aller Berührung mit Katholiken, sogar ohne eben Werke katholischer Autoren gelesen zu haben, hat er so weit in innerer stiller Opposition mit dem Zeitgeist, oft seiner nächsten Umgebung, gelebt, als in seinem Innersten eine Stimme der Erinnerung an eine vollkommnere, wie die dermalige Weltharmonie, ihn die Erscheinungen der Natur und des Menschenlebens, ohne allen kirchlichen Bezug, in dem Geist erblicken ließ, welcher der Geist des Katholiken zu nennen ist. Ihm sagte ein sicheres Vorgefühl, daß dieser Geist, welchen er in seinen ganzen Tiefen außerhalb der Kirche empfangen, irgendwo practisch walten müsse. Es war folglich kein Wunder, wenn ein Bekanntwerden mit den Grundbedingungen der katholischen Religion ihn nur objectiv, oder vielmehr als Wesenheit, wieder finden ließ, was in seinem Innern bereits als ahnendes Vorgefühl vorhanden gewesen war.[280]

In dem gleichen Buch, dem dieses Zitat entnommen ist, ‚Erinnerung an des Markgrafen von Brandenburg Christian Wilhelm Bekehrung zum katholischen Glauben' (Offenbach 1828), stellt er sich noch als protestantischer Apologet der katholischen Kirche dar:

> Es ist ihm zu Ohren gekommen, daß seine Art, die Dinge anzusehen und über religiöse Gegenstände zu sprechen, bei Katholiken, denen er persönlich nicht weiter bekannt ist, die Nachfrage veranlaßt habe, zu welcher Confession er gehöre, ohne Zweifel, weil jene, das echt Katholische herausfühlend, doch auch wieder etwas Fremdartiges, rein Philosophisches bemerken mußten, und die in dieser Vermischung disparater Betrachtungsweisen vielleicht eine gewisse Paradoxie oder eine Neigung zur Paradoxie entdecken dürften.[281]

Wie er seine Aufgabe als Protestant empfand, schilderte er 1823 in einem Beitrag zu den Wiener ‚Jahrbüchern der Literatur':

> Ich wenigstens nehme nicht Anstand zu bekennen, daß gerade, weil ich als Protestant geboren bin, ich mich verpflichtet halte, nicht sowol für den Katholicismus zu erwärmen, als das richtige Verständniß desselben nach allen Kräften zu fördern. Ob der Katholicismus ein Gegner des Protestantismus sei, will ich nicht entscheiden. Aber das weiß ich, daß der Protestantismus in unzähligen Fäl-

len seinen angeblichen Gegner mißversteht, und ich hasse jedes Mißverstehen, es mag betreffen, welche Religion es wolle. Ich wiederhole es daher nochmals: wäre ich Katholik, so würde ich für den Katholicismus zu erwärmen und zu bekehren suchen. Als Protestant aber erkenne ich die vorliegende Aufgabe, alle die Tiefen der Wahrheit im Katholicismus aufzudecken, über welche dessen Gegner verblendet sind.[282]

So veröffentlichte er anläßlich der Konversion des Herzogs Ferdinand von Anhalt-Köthen im Jahr 1825 einen Aufsatz, über den sich Adam Müller in einem Schreiben an den Herzog vom 20. April 1826 wie folgt äußerte:

> Euer Durchlaucht werden in dem Februarhefte des Pfeilschifterschen Staatsmannes einen sonderbaren Aufsatz des Herrn Wilhelm von Schütz über Religionsveränderungen gelesen haben, der wie der Schluß beweist durch Höchstderoselben Abjuration veranlaßt worden ist. Leider ist er etwas confus geschrieben, obwohl er vortreffliche Sachen enthält, und der Fall gewiß ganz neu ist, und in Preußen Aufsehn erregen muß, daß ein protestantischer Berliner sich öffentlich deswegen entschuldigt und rechtfertigt, daß er *noch nicht katholisch geworden ist.* Auch ist dieser Schritt höchst ehrenvoll für den bisher etwas zweideutigen Charakter dieses geistvollen Mannes. Mein Verstand, sagt er, ist unbedingt von der alleinigen Wahrheit der katholischen Kirche überzeugt, aber meinem Herzen fehlt noch die Erwärmung der Gnade. Mit Rücksicht auf die Voßische Familie hat mich diese aufrichtige Erklärung eines entfernten Vetters besonders interessirt. —[283]

Während seiner Tätigkeit an der Kriegs- und Domänenkammer hatte für ihn, wie wir wissen, die Bereisung der polnischen Klöster einen besonderen Einschlag bedeutet. Noch 1832 rühmt er in einem anonymen Artikel über ‚Die polnische Sache und die Russen‘ die „eigentliche schöne und erquickliche Seite des Katholicismus, sein Bestärken in der Demuth, der Treue, der Frömmigkeit, der Seelenfriedfertigkeit und der heiteren Schuldlosigkeit", die man ganz vorzüglich in Polen kennenlernen könne. Daraus erkläre sich vielleicht, wie er in einer Fußnote hinzufügt, „ein eigenes die ersten katholischen Convertirten betreffendes Phänomen":

> Aber daran darf erinnert werden, daß *Zacharias Werner* und *Adam Müller* den *polnischen Boden* begrüßten noch als Protestanten, jedoch ihn mit ganz anderer Gesinnung verließen; wie auch der *Verfasser dieser Zeilen,* dessen in dem von Hitzig geschriebenen Leben Werners deßhalb Erwähnung geschiehet, dieselbe Erfahrung theilen mußte, welche die vorgedachten Männer machten.[284]

Eine andere Erinnerung bezog sich auf das ehemalige Zisterzienserkloster Lehnin bei Potsdam, das er als Kriegs- und Domänenrat mit zu verwalten gehabt hatte. Im letzten Jahr seines Lebens veröffentlichte er ‚Die Weissagung des Bruders Hermann von Lehnin‘ (Würzburg 1847), jene alte, wohl für kir-

chenpolitische Zwecke gefälschte Prophezeiung zur preußischen Herrscherge-
schichte,[284a] die Schütz nach der 1827 erschienenen französischen Ausgabe von
L. de Bouverot übersetzt hatte. Dort berichtet er über sich und die Veranlassung
zu der Schrift:

> Zuerst ist jener brandenburgische Landstand, der dies schreibt, Convertit, bis
> jetzt der einzige Convertit aus dem Stande oder Gremium der brandenburgi-
> schen Ritterschaft. Demnächst hatte er während der ersten Jahre unseres Säcu-
> lums als (nachmals Regierungsrath genannter) Kriegs und Domainenrath das so-
> genannte Haveldepartement und mit diesem die vormaligen Besitzungen des
> Cistercienserklosters Lehnin als königl. preußischer Domaine in Aufsicht und
> Oberverwaltung, vielmehr in Verwaltungsinspektion. Einmal in jedem Jahre
> wenigstens brachte er dann sehr nahe den Ruinen jenes Klosters zu und verweilte
> dann gern in diesen Trümmern. Sollte da schon der Geist des Bruders Hermann
> über ihn gekommen sein und ihm gesagt haben: „Du stirbst einst als Katholik"?
> Was, beiläufig bemerkt, aber in meine Autobiographie gehörend, zur Verzöge-
> rung meiner Conversion beigetragen hat. Denn daß sie zur bestimmten Stunde
> erfolgen werde, dessen war ich gewiß.[285]

Als der Ort der endlich vollzogenen Konversion wird von Moritz Brühl
Mariaschein in der Lausitz genannt, womit offenbar der Wallfahrtsort nebst
Jesuitenkollegium Mariaschein in Böhmen gemeint ist; die Jahresangabe 1840
scheint allerdings irrig zu sein.[286]

Schon seit 1824 etwa hatte Schütz eine rege publizistische Tätigkeit für verschiedene katholisch orientierte Zeitschriften entwickelt, insbesondere für die
von Johann Baptist Pfeilschifter herausgegebene Monatsschrift ‚Der Staatsmann' (Aschaffenburg 1823—1831) und deren Nachfolgeblatt ‚Der Zuschauer
am Main' (ebenda 1831—1838). Von dieser Tätigkeit gibt ein Brief an Pfeilschifter vom 22. November 1824 Kunde.* Mit diesem Brief sandte Schütz zwei
Betrachtungen zum Freiheitskampf der Griechen, die dann unter den Titeln
‚Erinnerung an Johannes von Müller' und ‚Über die Legitimität' im ‚Staatsmann' von 1825 anonym erschienen. Seine Anfrage, ob auch Ökonomisches und
Finanzielles der Zeitschrift entspreche, war von Pfeilschifter offenbar positiv
beantwortet worden, denn der gleiche Jahrgang enthält unter der Überschrift
‚Schattenseiten der Freistellung des Landmannes' seine Aphorismen zur Ver-
herrlichung des Feudalsystems.

Vorher hatte Schütz dort bereits ‚Über das Wesen eines Ultra' geschrieben
sowie in der ‚Geschichte einer Dorfgemeinde nach Erwerbung eines Ritterguts'
einen Erlebnisbericht geliefert über das „Gut K ... zwischen Oder und der
Neiße belegen", dessen von den Bauern besoldeter Gerichtshalter in der Stadt
G ... (Guben) lebte, aber dem Oberlandesgericht zu F ... (Frankfurt) unter-

---

* Anhang, Brief 19.

stand. Später berichtet er unter anderm über einen ‚Lobredner des Feudalismus im classischen Alterthume‘, nämlich den pythagoreischen Philosophen Philolaos, mit dessen haarsträubenden Ansichten sich Schütz identifiziert, wobei er auf seine Schrift ‚Rußland und Deutschland‘ und die ‚Triumphe der Vorzeit‘ verweist, aus denen der Geist einer Philolaos entsprechenden Politik unverkennbar an den Tag trete. In dieser Weise etwa wird Schütz nicht müde, seine extrem-feudalistischen, ultrakonservativen Anschauungen zu verkünden.

Was Pfeilschifter selbst von seinem Mitarbeiter hielt, verrät er in Bd. 7 von 1825:

> Herr von Schütz gehört zur Kategorie derjenigen gemeinnützigen Schriftsteller, die nicht bloß beabsichtigen, durch Mittheilung der Resultate ihres eigenen Nachdenkens die Leser zu unterrichten, sondern denen auch noch daran gelegen ist, diese zum Selbstdenken anzuleiten. Daher jene aphoristische Form, in welche derselbe seine Gedanken kleidet, die eben deswegen schärfer hervorspringen, je gründlicher sie gedacht, aber isolirt dargestellt sind: gleich jenen Figuren, die der Pinsel des Malers auf weissem Grunde ohne Schattirung gruppirt.[287]

Weiterhin veröffentlichte Schütz von 1825 bis zu seinem Tode zahlreiche Broschüren und Streitschriften, mit denen er auf eine meist reichlich reaktionäre Weise zu den verschiedensten Tagesfragen Stellung nahm. Er beschäftigte sich mit volkswirtschaftlichen Themen wie Rentereduktion und Nationalbank, Verarbeitung der Schafwolle, Eisenbahnen und Banken, die Aufgabe des Kreditinstituts der kurmärkischen Ritterschaft, und als kirchenpolitischer Apologet befaßt er sich mit Professor Krugs Angriffen auf die geistlichen Umtriebe in Sachsen, mit der biblisch-prophetischen Begründung des Kirchenstaats, der Verteidigung des Erzbischofs von Dunin in Sachen der gemischten Ehen und mit anderen Fragen des Kirchenrechts, mit der „aufgehellten Bartholomäusnacht“, dem „protestantischen Jesuitenhaß“, der letzten Insurrektion der „heidnischen Anti-Sarmaten“.

Aber auch allgemeinere philosophische, geschichtliche und literarische Themen werden mit der gleichen katholisierenden Tendenz behandelt. So schreibt er ein Leben der Maria Stuart, „treu nach historischen Quellen geschildert“, über den „katholischen Charakter der antiken Tragödie“, über Hegel und den katholischen Philosophen Anton Günther, über Pyrkers ‚Tunisias‘ und die Epik der Neuzeit, sowie über Goethes ‚Faust‘. Daß seine meist mit großem Wissensaufwand gefertigten Publikationen nichtsdestoweniger einigen Spott erregen mußten, ist verständlich. So schreibt etwa Karl Immermann an Tieck am 29. März 1840:

> Haben Sie Wilhelm v. Schütz „Maria Stuart“ gelesen. Ich hätte nicht geglaubt, daß Ihr alter Freund solche Advocatenstreiche machen könnte. Maria und Bothwell sind ein Paar platonisch Liebender, bis ganz zuletzt, wo das Dritte, **was**

nach Pater Brey zu jeglichem Sacrament gehört, hinzugekommen ist. Unter Andrem erfährt man auch aus dem Buche, daß Shakespeare's ganze dramatische Laufbahn ein Abfall vom Katholicismus war. Es wäre zu wünschen, daß der Herr uns mehr dergleichen Apostasieen beschert hätte.[288]

Die Schrift ‚Über den katholischen Charakter der antiken Tragödie' und die angebliche „Dekatholisierung" durch Tieck und andere behandelt ein Lieblingsthema von Schütz, mit dem er sich, wie er sagt, seit vierzig Jahren beschäftigte, nämlich die szenischen Verhältnisse der antiken Bühne. Den Ausgangspunkt bildete die von Tieck auf Einladung Friedrich Wilhelms IV. inszenierte Aufführung der ‚Antigone' am 28. Oktober 1841 in Potsdam, der eine in den Zeitungen lebhaft besprochene öffentliche Wiederholung folgte. Die Inszenierung, für die Mendelssohn die Musik komponiert und der Philologe August Böckh eine antike Bühnenrekonstruktion versucht hatte, wurde von der wissenschaftlichen Welt eifrig diskutiert.

Schütz selbst hatte der Aufführung nicht beigewohnt; ihm, dem „katholischen Klausner", der, wie er schreibt, nur von seiner Zelle aus in den bedeutenden und geheimnisvollen Wandel der Weltentwicklung blickte, mußte das Studium der Zeitungsblätter genügen. Danach waren einige der Schauspieler von der Orchestra aus auf das Proszenium getreten, nicht von der Szene her; und das war es, woran Schütz bei der Aufführung Anstoß nahm. Tiecks Name wird nur auf dem Titelblatt, nicht im Text erwähnt.

Sehr ausführlich spricht Schütz über die „Scene", das „Zelt" der griechischen Bühne, in der er einen Bezug zum Tabernakel, ja zur Stiftshütte des Moses sieht. Ihr Ursprung sei nomadisch, im Gegensatz zur bukolischen Herkunft der bachischen Orchestra:

> Der gewaltige und eigentlich inspirirte Aeschylos aber begriff und durchschaute, dass das Bachische, Dionysische und Orgiastische, antikatholisch sey, mithin die Tragödie den Beruf habe, ja die Auflage trage, das Bachische zurückzuführen in diejenigen Schranken, die ihm irgend sich einräumen ließen. So geschah es, dass der Vater der Tragödie, wie mehrere altgriechische Autoren selbst ihn nannten, davon ausging, dem Bachischen ein Antibachisches gegenüberzustellen.[289]

Das Auftreten der Tragöden aus der Orchestra, aus der Mitte des Chors, mußte wegfallen, wenn die Darstellung aufhören sollte, eine dionysische zu sein. Deshalb die Errichtung der „Scene" in Form eines Tabernakels, Vorhangs, Teppichs oder dergleichen mit dem davorliegenden, gegenüber der Orchestra erhöhten Proszenium. Schütz verbreitet sich sehr detailliert und nicht ohne Sachkenntnis über die gedachte Einrichtung der Bühne und ihre szenische Anwendung, wobei er sich mit den Ansichten eines Tölken, Böckh, Solger, Otfried Müller und des Madlitzer Freundes Genelli auseinandersetzt.

Sauber getrennt von dem ersten Teil bringt der zweite Teil der Arbeit die eigentlich „mystische" Ausdeutung, wobei Schütz die höhlenartige Orchestra in Verbindung zu den kabirischen Kulten bringt, denen das „antikabirische" Priestertum eines Melchisedek und Moses gegenübergestellt wird. An diesem Gegensatz hätten sich die perennierenden Religionskriege der alten Welt entzündet. Die gleiche Polarität sieht er im Hellenismus und Antihellenismus:

> Euripides Dramen — denn eigentlich hören sie schon auf, Tragödien zu bleiben — sind kabirisch und hellenisch, und dies nennt der positive Christ antikatholisch.

Wieder zitiert Schütz als seinen, „die Spötter niederdonnernden" Anwalt den Heros Goethe, der im zweiten Teil des Faust auf das nämliche Verhältnis hingewiesen habe. Es gebe ein halbes Hundert Schriften, deren Verfasser sich das Mark aus dem Schädel gesiedet hätten, um zu erraten, was Goethe mit dem Werk gemeint habe:

> Ich will es ihnen mit zwei Worten sagen. Im ersten, völlig paganistischen Theile, hat Faust sich den kabirischen Kräften ergeben, und der Schluss dieses Theiles lässt seine Erlösungsmöglichkeit problematisch. Der zweite Theil beginnt mit der vorausgesetzten Statthaftigkeit dieser letztern. Faust ist gewitzigt worden. Mit der christlichen Aera beginnen durchaus neue Bedingungen. Es handelt sich darum, ob Faust den rechten Weg für seine Erlösung einschlagen, d. h. ob er den Kabirismus und Hellenismus verlassen werde, um sich hinzuwenden zum Tabernakel. Aber er verstrickt sich wieder mit dem Hellenismus und Kabirismus. Nun ist alle Möglichkeit der Selbsterrettung verscherzt. Nur die Hoffnung auf einen stellvertretenden Rettungsact verbleibt dem Faust, an den er sich zu wenden hat. Darum schliesst der zweite Theil der Tragödie mit einem dem Messopfer analogen Act, bei welchem drei Patres fungiren, der Pater exstaticus, der Pater seraphicus und als wirksamster der Pater Marianus. Wenn dies grundkatholisch gedichtet ist — ich will damit nicht sagen, dass es Göthe's nothwendiges Glaubenselement war —; so finden wir den nämlichen Katholicismus in der alten Tragödie.[290]

Diese Faust-Deutung, die er schon verschiedentlich vorgebracht hatte, erweitert und präzisiert Schütz in der zwei Jahre später erscheinenden Schrift ‚Göthes Faust und der Protestantismus'. Als vielleicht wichtigste und höchste Aufgabe der katholischen Kirche bezeichnet er dort die Besiegung des Bachantischen und Orgiastischen in allen früheren Kulturen. Goethes Natur sei nicht ohne heimliche Sympathie für diesen Katholizismus gewesen. Zum Protestantismus habe er geschwiegen, zum Katholizismus sich aber fast verhalten wie die Samaritaner zu den Juden, und doch habe er, den Samaritanern gleich, „ohne es zu wissen, daß es der Brunnen Jakobs sei", aus dem Brunnen des Katholicismus geschöpft".[291]

Das Buch, dessen Korrektur Schütz fern von der Bamberger Druckerei nicht mehr rechtzeitig lesen konnte, enthält manche unfreiwillige Komik, Druckfehler wie: „Gattin bleibe gnädig!" statt „Göttin", „Mephistopheles und die Komunen" statt „Lemuren", „Arschyles" statt „Aeschylus" (auch die angefügte lange Druckfehlerliste enthält wieder die seltsamsten Lesungen des durch Schütz' Handschrift überforderten Setzers); oder die Fußnote zu dem „langen Faltenhemd" der Engel:

> Da dies nicht auf den katholischen Priester-Ornat paßt; so kann nur der den Predigern der Union zugelegte faltige Talar gemeint sein.[292]

Auffallend bei diesen Veröffentlichungen, die zum Teil Sonderdrucke oder erweiterte Zeitschriftenaufsätze darstellten, ist neben der erstaunlichen Themenvielfalt der häufige Wechsel des Verlagsorts; für die vierundzwanzig nachweisbaren Einzelschriften von Schütz zeichnen siebzehn verschiedene Verlage, darunter fünf Leipziger und zwei Würzburger.

Seine interessanteste publizistische Leistung liegt in der von ihm herausgegebenen und von ihm allein geschriebenen Zeitschrift ‚Anticelsus' (nach dem römischen Philosophen Celsus, dem Verfasser der ersten beachtenswerten Polemik gegen das Christentum), die sich als „Deutsche Vierteljahresschrift für zeitgemäße Apologie des Katholicismus und Kritik des Protestantismus" verstand. Sie erschien unter dem Motto „Ora et labora" in 12 Heften von 1842 bis 1846, mit einjähriger Unterbrechung im Jahre 1844. Hier konnte er nun in sehr persönlicher Form, oft verbunden mit autobiographischen Mitteilungen, die ganze Fülle der heterogensten Themen unterbringen. Rein theologische Polemiken wechseln mit mythischen und philosophischen Betrachtungen, in denen besonders die Namen von Schelling und Hegel auftauchen (diesem wirft er wiederholt Sprachunfertigkeit, „Negligenz der Schreibkunst" vor; er selbst wolle ihn mit mäßiger Mühe durchaus verständlich machen!), aber auch Leibniz, Böhme, Görres, Baader, Solger und natürlich Friedrich Schlegel werden zitiert. Auch gibt es literarhistorische Exkurse zu Shakespeare, Lessing, Calderon, Hans Sachs, Tieck, Wackenroder, Novalis, Lenau, dem „Jungen Deutschland", allen voran aber zu Goethe, von dem u. a. die ‚Wahlverwandtschaften', ‚Faust' und ‚Triumph der Empfindsamkeit' besprochen werden.

Wieweit diese heute fast verschollene Zeitschrift ein Echo fand, ist schwer zu sagen. Der Absatz muß gering gewesen sein. Nach zwei Jahrgängen mit insgesamt 8 Nummern erschien Nr. 9 erst 1845 mit einjähriger Verspätung. In seinem Leitartikel zur Eröffnung des Jahrgangs, ‚Der Katholicismus in Deutschland durch und seit Clemens August und Möhler', fragt er sich, ob die seiner Zeitschrift zugrunde liegende Idee überhaupt verstanden worden sei:

> Ob sie verfehlt sey oder nicht, darüber wäre dem Urheber derselben ein Urtheil nicht unerwünscht gewesen. Allein er mußte beinahe in Ungewißheit gerathen,

wegen der Zweckmäßigkeit und Richtigkeit seines vielleicht verwegenen Versuches, weil weder ein Wort der Billigung, noch der Mißbilligung sich hören ließ, bis endlich in der Sion [einem Kirchenblatt] von Schlesien her eine sehr entfernte indirecte Aeußerung den Beweis gab, daß die Idee des Unternehmens doch muß richtig seyn aufgefaßt worden.[293]

Ein auf uns gekommener Brief vom 3. April 1846 an den Verleger des ‚Anticelsus‘ gibt einen Eindruck seiner Situation als Herausgeber.* Schütz schickt bereits das gesamte Manuskript für das zwölfte Heft, obwohl das elfte noch immer nicht erschienen war. Wir erfahren von zwei in Erwartung ihrer Rezensionen lebenden Autoren, nämlich dem schriftstellernden Priester Anton Passy, einem Freund Zacharias Werners, und dem in Wien praktizierenden berühmten Arzt Giovanni Malfatti, deren Werke ‚Comedia humana‘ und ‚Studien zur Anarchie und Hierarchie des Wissens‘ Schütz im ‚Anticelsus‘ bespricht. Nun hofft er, daß die beiden auch Sonderdrucke der Rezensionen bestellen werden, „ohne den Preis zu scheuen". Weiter gedenkt Schütz die Schriften des Würzburger Philosophie-Professors Hermann Müller, des Historikers Heinrich Leo und die Rede des Domkapitulars Scholz anläßlich der Gedächtnisfeier für Friedrich Wilhelm III. zu besprechen. Überhaupt wird er mit Rezensionsansuchen und unverlangten Manuskripten überhäuft: „aber wie will ich den Raum und die Zeit dafür gewinnen?" Da fertigt er Einsender wie den Pfarrer Müller aus Weilbach lieber mit der Überreichung seiner eigenen Schriften ab, etwa mit dem ‚Protestantischen Jesuitenhaß und katholischem Fastengruß‘, der der Gesellschaft Jesu gewidmet war. Auch will Schütz „nach langem Einsitzen" auf Reichenwalde zum Frühjahr wieder zu seinen Freunden in Wien oder im Rheinland auf Reisen gehen.

Allerdings scheinen die neuen Glaubensfreunde dem Konvertiten nicht immer wohlwollend begegnet zu sein. Die seltsamen, oft unverständlichen, mitunter gar zu mystischen Ideen stießen auf Mißtrauen oder fielen sogar der katholischen Zensur zum Opfer, wie etwa ein Aufsatz über die Gedichte des Domherrn C. Genelli, der ursprünglich dem ‚Schlesischen Kirchenblatt‘ zugedacht gewesen war:

> Allein der Censor des in Schlesien herrlich wirkenden Kirchenblattes, Herr Kanonikus *Schonger*, hatte den ganzen Aufsatz *wegen der darin herrschenden unfriedlichen und unfreundlichen Tendenz von Staats wegen* gestrichen. Dies geschah kurz vor der durch Preußens antidespotischen, die wissenschaftliche Freiheit begünstigenden Monarchen an die Oberpräsidenturen in Censursachen erlassenen Instructionen. [...] Ich hatte also hierüber, theils darüber Rechenschaft abzulegen, daß ich von vaterländischen katholischen Zeitschriften mich fern halte, was mich besonders in Bezug auf Schlesien schmerzt, dessen jüngerer Klerus eine höchst achtbare Richtung nimmt, und mir vielfache Beweise eines mir gezollten

---

* Anhang, Brief 23

Zutrauens keinesweges zurückgehalten hat. Meine Aufsätze dürften eine eitele Arbeit bleiben, denn deren Zurückweisung ist vorherzusehen.[294]

Ähnliche frühere Erfahrungen mögen zur Gründung der eigenen Zeitschrift beigetragen haben. In seiner letzten, im Todesjahr erschienenen Schrift über die ‚Weissagung des Bruders Hermann‘ aber beteuert er:

> Es gereicht zum Lohne meiner Erdentage und entfernt alles Herbe aus meinem Leben, daß die heil. Kirche von dem, was, seit ich ihr angehöre, mein Mund öffentlich ausgesprochen, schwerlich etwas unbedingt verwerfen wird. Daraus darf ich, logisch unbestreitbar, sogar ohne Anmaßung folgern, daß meine Ansichten und Enunciationen wegen bedeutsamer religiöser Momente sich schwerlich widersprechen mit den Grundwahrheiten und mit den aus ihnen abgeleiteten besondern Ueberzeugungen der Kirche.[295]

Sieben Jahre nach seinem Tode beurteilt der katholische Publizist Moritz Brühl, selbst ein Konvertit ursprünglich jüdischen Glaubens, in seinem bekannten Standardwerk der katholischen Literaturgeschichte die „tiefsinnigen und geistreichen Arbeiten" aus Schützens späterer Lebensperiode in folgender Weise:

> Daß diese, außer von einer enthusiastischen Verehrung der katholischen Kirche, von einer umfassenden Gelehrsamkeit und ausgebreiteten Studien, im Einzelnen sogar von einem Scharfsinn, der fast an Profetengabe und Inspiration erinnert, zeugenden Arbeiten selbst unter den Katholiken nicht immer und durchweg die verdiente Beachtung und Anerkennung fanden, liegt wol zunächst an der nicht immer klaren und zu aphoristischen, abgebrochenen Darstellung des gedankenreichen, fleißigen und ebenso bescheidenen, als für die katholische Kirche und den Glauben begeisterten Mannes, der seine Kraft nicht zusammenfaßte für eine größere, in sich abgeschlossene Arbeit, sondern es vorzog, zumeist in der Form von Studien und Kritiken, was augenblicklich sein Interesse in Anspruch nahm, in Broschüren und Aufsätzen für Zeitschriften hinauszugeben.[296]

In diesem letzten Lebensabschnitt hatte sich die Verbindung zu seinen früheren Freunden weitgehend gelöst. Malsburg und Loeben waren 1824 und 1825 gestorben; bald darauf scheint Schütz Dresden verlassen zu haben. Als einen Abschiedsgruß widmet ihm Tieck 1829 den fünfzehnten Band seiner ‚Schriften‘ mit den Straußfeder-Geschichten:

Dem Herrn W. von Schütz in der Mark.

> Dir, einem meiner ältesten Freunde, einem der wenigen, die mir aus meiner ersten Jugend- und Schulzeit übrig geblieben sind, widme ich diese leichten Erzählungen, die Dich an jene Jahre erinnern werden, in welchen sich unsre Schicksale entwickelten. Vieles haben wir mit einander erlebt, durchdacht, bestritten und genossen. Ich weiß, Du siehst eben so gern, wie ich, auf jene schönen Jahre zurück.   L. Tieck

In seiner Bibliothek, die 1849 zur Versteigerung kam, verwahrte Tieck von Schütz' älteren Werken den ‚Lacrimas‘, die ‚Romantischen Wälder‘ (im Katalog unter A. W. Schlegels Namen aufgeführt!), den ‚Garten der Liebe‘, ‚Graf von Schwarzenberg‘, ‚Carl der Kühne‘, ‚Rußland und Deutschland‘, einen Sonderdruck von ‚Triumphe deutscher Vorzeit‘, die Hefte zur Morphologie sowie die zwölfbändige Casanova-Ausgabe; aber auch noch nach der Trennung erhielt Tieck die Veröffentlichungen seines Freundes zugeschickt, so, laut Katalog, ‚Der Kirchenstaat‘ (1832), ‚Maria Stuart‘ (1839), ‚Ueber den katholischen Charakter der antiken Tragödie‘ (1842), ‚Die Epik der Neuzeit‘ (1844) und ‚Göthe's Faust und der Protestantismus‘ (1844).[296a] Merkwürdigerweise fehlen ‚Niobe‘ und ‚Der Graf von Gleichen‘, die Tieck 1807 von Schütz erhalten hatte und noch im gleichen Jahr in den ‚Heidelbergischen Jahrbüchern‘ besprechen wollte.

Auch mit Friedrich Schlegel scheint Schütz bis zu dessen Tod in Verbindung gestanden und ihn wiederholt in Wien aufgesucht zu haben. Von seinen persönlichen Eindrücken zeugen Bemerkungen im ‚Anticelsus‘ von 1842:

> Schlegel, als Gelehrter, war nicht für beharrliches Penetriren, für systematisches Fundiren, sondern war originell, war vielseitig und bis zum Mystischen tiefsinnig, dabei energisch wie kein Zweiter in einer damals erforderlich gewordenen, fast an Frechheit streifenden Verwegenheit. Dieser nämliche, in der Geschichte beinahe einzige Mann unterwirft sich aber, nachdem er den profanen Wissenskreis durchgemacht, der apostolischen Kirche, hier tiefste katholische Demuth bekundend neben einer Geistesunerschrockenheit, noch riesenhafter als die Lessing'sche. Ein Tourist sieht, spöttisch lächelnd, ihn in einer Straße Wiens einem Priester begegnen, sich trennen von seinen Begleitern, dem Kleriker die Hand küssen und sich dessen Segen erbitten und ertheilen. — Seinem Schlaf- und Studierzimmer fehlten Weihwasser, Cruzifix und Bethschemel nicht. Schlegel bleibt ein Meteor seiner Zeit durch die Wunderbarkeit, wie er titanischen Geistesübermuth mit katholischer Demuth, mit katholischer Gewissenhaftigkeit verband.[297]

In einem Aufsatz über das ‚Buch Henoch‘ berichtet Schütz über einen alten Lieblingsgedanken von sich, nämlich

> jenen Bergbau der Kainiden, dessen erste Andeutung nicht nur die periodische Presse persiflirte, sondern die auch in Briefen und Gesprächen einen Gegner in Friedrich von Schlegel fand, bis zuletzt er doch in seiner Philosophie der Geschichte der Ansicht, als einer möglichen zu gedenken, nicht umhin kann.[298]

Wirklich spricht Schlegel in den Wiener Vorlesungen von 1828 vom Stamm des Kain, jenem frevelhaften übermütigen Riesenvolk, und seinen Abkömmlingen im mittleren Ostasien, „wo auch sehr häufig große Ruinen von uraltem Bergbau gefunden werden“; auch erwähnt er „eine umgekehrte Kainsage“ bei den Tschuden, wonach der ältere Bruder durch Gold- und Silbergraben reich geworden sei, weswegen ihn der jüngere Bruder beneidet und gen Osten verjagt habe.[299] Auch fand sich in Schlegels Nachlaß ein weitläufiges Manuskript von Schütz' Hand über den Zusammenhang des Alten Testaments mit den damals gerade entzifferten Hieroglyphen, das „ganz in Schlegels Sinne" geschrieben war.[300] Ausgangspunkt war Champollions 1824 erschienener berühmter ‚Précis du système hieroglyphique', ein Buch, das auch Schlegel lebhaft interessiert hatte, wie eigenhändige Auszüge in seinem Nachlaß zeigen.[300a] Schütz hatte die Untersuchung ursprünglich für die Wiener ‚Jahrbücher der Literatur' bestimmt, wobei er auf bereits früher von ihm veröffentlichte Beiträge verweisen konnte, doch blieb sie ungedruckt, sei es, daß sie für eine Rezension zu weitschweifend war, sei es, daß Schlegel jenes ihn interessierende Manuskript zurückgehalten und vor seinem Tod nicht mehr weitergeleitet hatte.

Als Friedrich Schlegel am 12. Januar 1829 in Dresden stirbt und Tieck am nächsten Tag August Wilhelm den Tod des Bruders mitteilen muß, da meint er von sich selbst, daß er, Tieck, nie so zu seinen Vertrautesten gehört habe, „wie Schleiermacher, dann Ritter, Schütz oder später Boisserée".[301] Schütz, der in Schlegel seinen bedeutendsten Freund verloren hatte, entwirft in Ziebingen einen Nachruf in Gestalt dreier Sonette, die er an Varnhagen in Berlin schickt mit der Bitte, für ihre Veröffentlichung zu sorgen. Rahel, die den Brief öffnet, da Varnhagen in Kassel ist, schreibt ihrem Mann voll Entrüstung am 3. Februar:

> Ein winziger Brief aus Ziebingen, von Wilhelm von Schütz, ist gekommen, mit diesem auch in ihrer Art elenden Gedichten, Sonetten auf Friedrich Schlegel's Tod; leer, leer, leer, *so*, daß Liebe, Hoffnung und Glauben kommen müssen. O! Nachplauderer, Lügner: der vorgiebt, es ist ihm etwas; der Brief enthält *nur* das Anliegen sie in eine Zeitung einrücken zu lassen. O! daß doch solche Menschen, wo es eine Ecke herum geht, auch so viel Pöbel da mit herum lassen müssen! dünkelhaften, eitlen, lügnerischen Pöbel, der nicht einmal ahnden kann, daß er sich doch, *unfehlbar immer zuletzt*, selbst an den Pranger stellt, wie der mit den Gedichten. Nichts, nichts, nichts![302]

So erscheint der ‚Nachruf an Friedrich Schlegel' erst acht Jahre später in dem katholischen Almanach ‚Cölestina' seines Freundes Pfeilschifter. Das erste Sonett lautet dort:

> Ein Jüngling noch begann er aufzurollen
> Das neu'ste Buch der weltlichen Geschicke;
> In's Thun der Menschen warf er lichte Blicke,
> Und drang ein in der Vorzeit Weisheitsstollen.

> Mit Weisheit hub er an: doch in der vollen
> Kraft reif'rer Jugend fühlt' er dort die Lücke.
> Der Dichtung Traube brach er sich zur Brücke,
> Um, von ihr zechend, Andacht Gott zu zollen.

Da fühlt' er bald — les't seine Abendröthe! —
Wie Dichtung nur ein solches Luftgebilde,
Das, strahlt die wahre Sonne, muß verschweben.

Nun wehten ihm aus Orgel und aus Flöte
Der Rel'gion Chorät' in's Erdgefilde.
Ihr irrt, sprach er, Christus allein gibt Leben! —

Das zweite Sonett spricht davon, daß Schlegel heiter das Zeitliche verlassen
habe, als ein Missionär, der den Völkern in Nord und Süd das Herannahen
der Endzeit, die letzte Zeit des Antichrist, „mit glüh'nden Wangen" habe verkünden wollen.

Die Welt habe nicht sein Antlitz „abgerissen" (im Sinn von „abgemalt"),
sagt das dritte Sonett, obwohl auch Gegner seinen hohen Wert sich gestehen
müßten und Germanien ihn noch lange missen werde. Der Grund dafür liege
in seinem Bekenntnis zu dem Erlöser:

Seitdem begann von ihm die *Welt* zu schweigen,
Die Welt, der, was von *Gott* gekommen, widert,
Und die Verderbtes auszuschmücken trachtet.

O! hätt' er nur das Christenthum verachtet,
Hätt' er nur Gott und den Altar erniedert:
Es würde jede Wand sein Bildniß zeigen.[303]

Im übrigen schrieb Schütz kaum Poesien mehr. Im ‚Zuschauer am Main' von
1832 findet sich vereinzelt noch ein Gedicht ‚An Carl X. von Frankreich', an
den König also, dessen klerikale und ultraroyalistische Politik zur Juli-Revo-
lution von 1830 geführt hatte. Bei Schütz heißt es bezeichnenderweise:

Tief, ja tief vor Dir mich beugen
Muß ich, edles Fürstenhaupt,
Dem mit echten Glaubenszweigen
Blüht die Stirne lichtumlaubt.

In den zweiten Sündflut-Tagen
Strahlst Du, zweiter Patriarch,
Der, die Sünde zu verjagen,
Ueber Frankreich ward Monarch.

Noch in Frankreich blühte Glaube;
Doch in Frankreich schäumte Sünde:
Nicht zu fallen ihr zum Raube
Wähltest Du des Glaubens Binde.

Dort aus seinen Finsternissen
Brach hervor der gift'ge Drache.
Alle Banden sind zerrissen,
Und am Himmel donnert Rache.

Fleuch und schüttle von der Sohle
Dir den Staub der Undankbaren;
Denn schon wartet Dein die Stole
Bei des Himmels lichten Schaaren.[304]

Weiter veröffentlichte Schütz in Pfeilschifters ‚Cölestina‘ von 1837 außer dem schon erwähnten ‚Nachruf an Friedrich Schlegel‘ und einem längeren Poem ‚Das Leben in der Kirche‘ neun kürzere Gedichte mit bezeichnenden Titeln wie ‚Sündenstand‘, ‚Neue Sühne‘, ‚Der Geist Gottes‘, ‚Strafworte‘, ‚Gewissensforschung‘ usw.[305]

Varnhagen, den Schütz, wenn er in Berlin war, gewöhnlich besuchte und der noch 1819 eine leidlich liberale Denkart des ultrakonservativen Freundes konstatierte, läßt in späteren Tagebuchnotizen die wachsende Entfremdung gegenüber dem sich immer reaktionärer Gebärdenden deutlich werden:

11. Mai 1822. Herr von Schütz erwartet alles Beste von den preußischen Provinzialständen; Reichsstände brauchten wir im Grunde weniger, als andere Staaten, allenfalls könnte ein Ausschuß des Staatsraths deren Stelle vertreten; die Provinzialstände würden sehr beschränkt bleiben, und den Ministern nicht gefährlich werden etc. Die vorhandenen Steuern und Abgaben sollen nicht angetastet werden dürfen, neue aber die Genehmigung der Stände erfordern etc. Herr von Schütz ist befreundet mit dem Minister von Voß und mit dem Herrn von Vincke, mit dem er in Erlangen studirt hat. —

17. Januar 1823. Herr von Schütz (Lacrimas) hat die Regierungsbehörde und das Ministerium des Innern verklagt, weil es, statt des legitimen Ausdrucks „der König" sich des demagogischen „der Staat" bediene. Zugleich hat er angezeigt, daß er die preußische Regierung beim Bundestage verklagt habe, weil sie die Erbunterthänigkeit aufgehoben. Dagegen hat das Ministerium auf fiskalische Untersuchung angetragen, weil er sich ohne vorgängige Erlaubniß an auswärtige Behörden gewendet. —

Um was es sich dabei gehandelt hatte, erfahren wir von Schütz selbst in einem späteren Bericht in der ‚Zeitung für den Deutschen Adel‘ vom 28. April 1841:

Genöthigt, bei der Provinzialregierung den Mitgebrauch des Gefängnisses auf einer ganz nahen Domäne nachzusuchen, ward ich mit der Bemerkung abgewiesen: „Daß ich dem Baue eines eigenen Gefängnisses entgehen könne durch Abtretung der Gerichtsbarkeit an den Staat". Ich fand nöthig, gegen die Tendenz aufzutreten, und dem Abstractum „Staat" eine antimonarchische Idolatrie zu widmen. Ich erklärte dies dem Ministerium mit dem Beifügen: daß jenes Abstractum, welches, wie die herrschende Philosophie jedes Abstractum ein Gedanken-Ding nennt, mir eine Null sei, allein ich nur warte auf die unmittelbar ausgesprochene, nicht der Allerhöchsten Person untergeschobene, Erklärung des Monarchen, daß dieser Allerhöchstselbst die Abgabe der Patrimonialgerichte an

169

die durch die Landeshoheit eingesetzten Gerichte im Auge habe, um meinen Entschluß zu ändern. Dies zog jener Behörde einen bittern Verweis zu, und mir ward eröffnet: daß der amtliche Bescheid in einem Mißverständnisse beruhe.

Weitere Tagebuchaufzeichnungen Varnhagens:

13. Februar 1823. Herr von Schütz sagt mir, es sei nicht wahr, daß er Preußen am Bundestage verklagt habe. Die Regierung habe ihn nur wegen seines fortwährenden Aufenthalts in Dresden schikanirt, als sei er ohne Erlaubniß emigrirt; er werde sich aber an den König wenden, und die Niederschlagung des gegen ihn eingeleiteten Verfahrens verlangen, das man bei keinem andern der in Dresden lebenden Preußen in Anwendung bringe. Eine andere Geschichte, wegen angesonnener Verzichtung auf die Gerichtsbarkeit, die ihm die Regierung nahe gelegt hatte, war ebenfalls Anlaß zu einer jedoch nicht bedeutenden Beschwerde von seiner Seite. Er trauert sehr über den Tod des Ministers von Voß. Obwohl sonst ein sehr entschlossener Ultra, findet er doch den Herrn Gustav von Rochow so übertrieben und bis zur fixen Idee gesteigert für den Adel eingenommen, und für dessen bloßes leeres „Gelten" bemüht, daß er sich ganz davon lossagt, und es bedauert, daß man solchen bornirten und fixirten Mann in die höhere Staatsverwaltung einführen wollte!

16. Juni 1824. „Sonst gehörte [Generalpostmeister K. F. F. von] Nagler doch zu den Liberalen; nicht wahr?" fragte mich Wilhelm von Schütz. „Ach wer ist denn nicht liberal!" erwiederte ich; „weißt du irgend Einen, der nicht liberal wäre?" „Nun ja", stimmte er ein, „das ist allerdings wohl so." Ihn selbst aber rechnet man zu den ärgsten Ultra's!

4. Januar 1826. Wilhelm von Schütz Abends bei mir; ist ganz für Metternich, Gentz, Pilat, Friedrich Schlegel, Adam Müller etc., lobt den Fürsten Hatzfeldt, den Staatsmann von Pfeilschifter etc. und trägt dergleichen Neigung hier in mancherlei vornehmen Kreisen um.

6. Mai 1826. Wilh. von Schütz sagt mir, er sei durch und durch katholisch, aber es noch nicht förmlich geworden. Er ist voll Haß und Grimm gegen Preußen, will bald dem Staat angehören, bald ihm fremd sein, tadelt den König und seine Regierung wie es nur der ärgste Jakobiner könnte, und will dabei für streng monarchisch gelten! Er findet eine Tyrannei, daß der König dem Grafen Ingenheim die Residenz verboten, weil er katholisch geworden, sieht aber gar nichts darin, daß der Fürst Hatzfeldt seine Bauern schindet, und meint, wenn derselbe ein Recht übe indem er es thue, so müßten sie's leiden![306]

Auf einem späteren Zettel erwähnt Varnhagen Schütz neben dem ihm im äußeren Lebensgang ähnlichen Fouqué. Von Schütz, der in seiner Jugend ein schöner, blondlockiger junger Mann von Anmut, Freiheit und Ruhe gewesen sei, sagt Varnhagen, daß seine letzte Erscheinung ganz das Gegenteil der früheren war. Verkümmert, mit eingefallener Nase, mutlos, erfüllt mit Vorurteilen und Aberglauben, sei er das Zerrbild seiner selbst geworden:

Wie den auch ganz versunkenen Fouqué mußte ich ihn tief bedauern und konnte nichts mehr mit ihm haben.[307]

Gegen Ende des Lebens treffen Schütz und Fouqué selbst noch einmal zusammen. Der Brief vom 28. Mai 1841 ist ein erschütterndes Dokument von der Begegnung der beiden, über die die Zeit hinweggegangen war.* Fouqué war inzwischen nach Halle gezogen; aber nicht dort scheint sich Schütz mit ihm und seiner Familie getroffen zu haben. Aus dem Brief geht hervor, daß Schütz nach einer anscheinend überstürzten Abreise zunächst nach Bautzen gefahren war, wo er sich in der Kirche eine heftige Erkältung mit Fieberschauern zuzog, und von dort weiter nach Leipzig und Halle. In Leipzig besucht er den „sehr gefälligen" Carl Ludwig Friedrich Wilhelm Gustav von Alvensleben, einen übel beleumdeten Vielschreiber und Herausgeber der ‚Zeitung für den Deutschen Adel', deren Redakteur Fouqué war und deren eifrigster Mitarbeiter bis 1843 Wilhelm von Schütz werden sollte.

Schütz war beglückt, bei dieser persönlichen Begegnung mit Fouqué noch einmal einen späten Interessenten für seine literarische Produktion gefunden zu haben. Er schickt ihm sein Jugendwerk, die ‚Niobe' von 1807 und stellt ihm den ‚Graf von Gleichen' von 1807 und die ‚Romantischen Wälder' von 1808, die er im Augenblick unter seinen Sachen nicht findet, für später in Aussicht. Weiter fügt er bei: die ihm so am Herzen liegenden ‚Triumphe deutscher Vorzeit' aus der ‚Askania' von 1820, seine ‚Kriegslieder aus dem Jahre 1813' (die wir nicht kennen), sowie zwei Hefte des ‚Zuschauers am Main' von 1834 und 1838, das erste enthaltend eine anonyme Rezension von ihm über ‚Studien und Skizzen zu einer Naturgeschichte des Staats' von dem in Halle lebenden reaktionären Historiker Heinrich Leo, mit dem Fouqué befreundet war[308], das zweite mit einem längeren Beitrag ‚Über die Faustsagen, mit Rücksicht auf das junge Deutschland'[309], dem er gern seinen Aufsatz ‚Über das Verhältniß der neuern Poesie zur Religion' in der ‚Cölestina' von 1837 beigelegt hätte.

Mit einiger Besorgnis wegen der allzu katholischen Tendenz fügt er noch die gerade erschienene Schrift ‚Über Kirchenstaatsrecht in den preußischen Rheinprovinzen' zu, wobei er dem Freund das Katholische und Hierarchische preisgeben und sein Interesse nur auf den politischen Teil lenken möchte, der sich mit Frankreichs Stellung in der Welt, dem französischen Nationalcharakter und der „Bedeutung der ägyptischen Angelegenheit für die deutschen und kirchlichen Verhältnisse" beschäftigte. (Thiers allzu aktive Politik in Ägypten und am Rhein hatte damals einen nationalen Entrüstungssturm in Deutschland ausgelöst; im Oktober 1840 mußte er als französischer Ministerpräsident zurücktreten.)

---

* Anhang, Brief 22

Die geborgten Sachen bittet er durch den Verleger der Adelszeitung, den Buchhändler Franke in Halle, über Frankfurt a. d. Oder zurückzuschicken und ihm die „Schweiggersche Schrift" mitzugeben. Vermutlich handelte es sich um die 1836 erschienene ‚Einleitung in die Mythologie' von Johann Salomon Christoph Schweigger; der berühmte Physiker (den Schütz durch Goethe 1818 in Karlsbad kennengelernt hatte) suchte dort, wie Schütz bemerkt, nachzuweisen, „daß die Alten nicht blos den Magnetismus, sondern auch sein Verhältniß zur Elektricität gekannt haben müssen".[310]

Mit diesem Brief wird noch einmal die Fülle der Interessengebiete und Arbeitsfelder deutlich, auf denen sich Schütz ein Leben lang getummelt hat, und ein wenig auch von der Sehnsucht nach einem Echo seiner vielfältigen Bemühungen.

Besonders bewegt war Schütz von Fouqués ein Jahr zuvor erschienener ‚Lebensgeschichte, aufgezeichnet durch ihn selbst', durch die er zur Niederschrift eines eigenen autobiographischen Fragments veranlaßt worden sei und sich wieder recht in frühere Zeiten hineingelebt habe.

Fouqué, der schon in einer 1828 entstandenen, ungedruckt gebliebenen Autobiographie der „brüderlichen Annäherung Pellegrins zu Wilhelm von Schütz, dem tiefgesinnten, wenig verstandenen Dichter des Lacrimas" gedenkt, (im Gegensatz zu der „söhnlichen" Annäherung zu Fichte)[311], hatte in seiner ‚Lebensgeschichte' von 1840 über den Freund geschrieben:

> Die romantische Schule ging somit [durch die Beziehungen A. W. Schlegels zu Frau von Stael!] überhaupt einer Art von Auflösung in Betreff heiter persönlicher Wechselbeziehungen entgegen. Fouqué blieb einstweilen nur in unmittelbar inniger Berührung mit Bernhardi und durch diesen mit Wilhelm von Schütz, dem Dichter des Lacrymas, welchen man auch wohl in jener Beziehung Lacrymas Schütz benannt hat. Ein Genius, den bei weitem noch die Welt in seiner Tiefe, Räthselhaftigkeit und Vielseitigkeit nicht hinlänglich anerkannt hat. Aber nur Geduld, Freund: Es wird schon kommen: wär' es auch über Deinem Grabeshügel erst! —[312]

Vier Jahre nach Fouqué, der ihm am Ende seines Lebens diesen freundlichen Zuruf gewidmet hatte, starb auch Wilhelm von Schütz, am 9. August 1847 in Leipzig, auf der Reise in ein böhmisches Bad.

ANMERKUNGEN

1 Köpke I, 105 f.
2 Anticelsus IX, 20 f.
3 Anticelsus II, 23.
4 Schoeps passim.
5 Zuschauer II, 1835, 146.
6 Raumer I, 48, 58 ff.
7 Raumer I, 50.
8 Schweikert III, 9, 11.
9 Poetisches Journal, 489. Das Sonett wurde 1817 von Friedrich Raßmann in seine Sammlung ‚Sonette der Deutschen' II, 174, aufgenommen.
10 Tieck, Gedichte II, 1821, 98 u. 103.
11 Körner I, 131.
12 Lüdeke, 80.
13 Schlegel an Tieck 13. IV., 28. V., 13. VI. 1801 (Lüdeke, 67 ff.).
14 Lüdeke, 93.
15 Lüdeke, 110 f.
16 Körner I, 131; II, 61.
17 Körner I, 139, 142; Dreihundert Briefe III, 66.
18 Körner I, 139.
19 Krisenjahre I, 29. Dagegen schreibt Schleiermacher am 27. IV. 1801, daß Schlegel bei *Schütz* wohne und er ihn deshalb gar nicht mehr sehe (Jonas-Dilthey III, 273).
20 Krisenjahre III, 28 f. Als Taufzeugen nennt der Taufschein außer Schütz und Schlegel noch Baron Knorring, Ludwig und Friedrich Tieck, Genelli, Lieutenant von Schierstädt (Schütz' späterer Schwager), Professor Karl Fischer sowie Caroline von Rochow-Briest.
21 Solger I, 19.
22 Schelling I, 375 f.
23 Wie A. W. Schlegel am 20. IX. 1802 aus Berlin berichtet, hatte mit den andern auch Schütz eine Glosse auf Tiecks „Liebe denkt in süßen Tönen" gedichtet (Lüdeke, 125). Allerdings muß das bereits früher geschehen sein, da Schütz noch nicht von Paris zurück war; auch heißt es bei Schütz im Gegensatz zu den Freunden: „Liebe denkt in *sel'gen* Tönen" (s. ‚Romantische Wälder', 1808, S. 199).
24 Wegen der Erwähnung dieses Bildwerks im Louvre wurde Kleist zu Unrecht der Flunkerei verdächtigt (Claude David, in: ‚Kleist und Frankreich', Berlin 1969, S. 15). Meine notwendige Richtigstellung (Euphorion 1970, S. 376 f.) wurde von M. Mouseler bestätigt, der zugleich aber feststellte, daß Kleist die nebenher erwähnte Venus von Medici nun wirklich nicht gesehen haben konnte, da diese erst 1803 nach Paris kam (Etudes Germaniques 1972, S. 247/50).
25 Solger I, 81.
26 Jonas-Dilthey III, 316.
27 Walzel, 493 f.
28 Walzel, 497, 505, 512, 523.
28a E. Behler, Der Wendepunkt Friedrich Schlegels. Philos. Jahrbuch, 64. Jg., 1956, 265.

[28b] Schlegel XVIII, 478.
[29] Krisenjahre I, 68.
[30] Krisenjahre I, 215.
[31] Krisenjahre I, 239.
[32] Solger I, 84.
[33] Solger I, 84.
[34] Zuschauer II, 1835, 144 f. (Baxa I, 72).
[35] Lüdeke, 110 f.
[36] Laun I, 199, 206.
[37] Schelling I, 376.
[38] Schelling I, 402.
[39] Schelling I, 427, 429.
[40] Schelling I, 429.
[41] Schelling I, 432, 439 f.
[42] Schelling I, 455.
[43] Ausführliche Inhaltsangabe des schwer zugänglichen Stücks bei Baxa I, 370/72.
[44] Jonas-Dilthey III, 337.
[45] Jonas-Dilthey IV, 82 f.
[46] Jonas-Dilthey III, 337.
[47] Ansichten der Literatur und Kunst unsres Zeitalters, 1. Heft, Deutschland 1803 (Neudruck, hrsg. von Georg Witkowski, Weimar 1903). Den Nachweis von Merkels Autorschaft führte Erich Eckertz, Euphorion 1907, 67—83.
[48] Fuchs, 308.
[49] Walzel, 516, 519.
[50] Gentz-Briefe II, 147.
[51] WA 4. Abt., XVII, 225; „Pellegrin" war Fouqués Pseudonym, dessen ‚Dramatische Spiele' A. W. Schlegel 1804 ebenfalls herausgegeben hatte.
[51a] Wilhelm und Caroline von Humboldt in ihren Briefen, hrsg von Anna von Sydow, Bd. 2, Berlin 1907, 154.
[52] Nicht diese erst 1807/8 verfaßten Verse kann Adam Müller gemeint haben, als er am 20. Februar 1803 an Gentz schrieb: „Die Ziebing'schen Titanen liegen ohnmächtig und gelähmt unter der Last des Goethe'schen Sonnets da, das über sie hinweggewälzt ist, wie der Ätna über den Typhon." (Vgl. Baxa I, 95 f.) Vielmehr handelte es sich um das erste von Goethe in Sonettenform veröffentlichte Gedicht „Natur und Kunst, sie scheinen sich zu fliehen . . ." (im Vorspiel ‚Was wir bringen', zur Eröffnung des Lauchstädter Theaters 1802), auf das Adam Müller auch in seiner 1803 verfaßten ‚Lehre vom Gegensatz' verweist (Ausgew. Abhandlungen, hrsg. von J. Baxa, 2. Aufl., Jena 1931, S. 266).
[53] Matenko, 246.
[54] Anticelsus II, 117.
[55] Jonas-Dilthey III, 368.
[56] Briefe an Fouqué, 360 f.
[57] Nach Auskunft des Cotta-Archivs in Marbach trägt der Beitrag im Handexemplar des Morgenblatts den Verfasservermerk „Schulz", womit zweifellos Friedrich August Schulze (d. i. Laun) gemeint ist.
[58] Jahrbücher XX, 1822, 191.
[59] Familiengeschichte, 303.
[60] Lüdeke, 130 f.
[61] Anticelsus III, 68—70.
[62] Tiecks Schriften IV, 86 f.
[62a] Matenko, Germanic Review 5/1930, 180—182.

63 Varnhagen II, 1871, 114: „denn der Freund, schwach und unsicher, bestürmt von Verwandten, welche damals noch auf Standesgleichheit zu halten suchten, gegen sein besseres Innere hart, hatte die schlechte Stärke, die dargebotene Großmuth [Rahels] anzunehmen."

64 Tiecks Schriften XXIII, 8 ff.

65 Fuchs, 327.

66 Eichendorff XI, 259; die dortige Lesung wirkt etwas fragwürdig: „Nach 3 Uhr in dem großen Dorfe Ziebingen (wo einst [soll vielleicht heißen: eiligst?] bei H. v. Burksdorff: Tiek, Arnim u. Schütz gewesen u. wo die 11 [4?] Comtessen v. Finkenstein, die gestern zum Balle in Crossen) gut zu Mittag getafelt. Polnischer Offizier vor der Thür. Schreckliche Sandflächen u. Wälder u. fürchterl. Weg." Während seiner Krankheit im Winter 1809/10 hatte Eichendorff u. a. „Schlegels Lacrimas", „Phöbus von Kleist und Müller etc." mit Heißhunger hinuntergefressen (XI, 255).

67 Matenko, 428.

68 Krisenjahre III, 180; dazu neuerdings Leopold von Gerlachs Schilderung seines Besuchs in Ziebingen 1816, wo es von Tiecks Frau heißt: „Jetzt hat sie ein schlimmes Auge und scheint mir schwanger. Von wem muß man hier fragen, wenn man das zweite Kind [Agnes, geb. 1802] sieht, was B[urgsdorff] sprechend gleicht und solchen Sündenstoff in sich hat, der sich in einer ganz merkwürdigen Reizbarkeit äußert." (Schoeps, 566). Vgl. auch Chezy I, 196.

69 Rahels Herzensleben, 15.

70 Jonas-Dilthey III, 364 f.; Briefe an Cotta I, 259. — Über das von Genelli 1804 errichtete Ziebinger Wohnhaus mit dem kreisrunden Theatersaal im Obergeschoß siehe H. J. Helmigk, Märkische Herrenhäuser, Berlin 1929, S. 58, 62 f., 173 f.

71 Nach J. Körners Angabe (Krisenjahre III, 276) soll Genelli auf dem Friedhof von Madlitz zusammen mit seiner Gattin Christiane (1774—1844) beigesetzt sein.

72 Körner I, 144.

73 Angaben aufgrund der Familiengeschichte.

74 Gentz-Briefe II, 479.

75 Walzel, 524.

76 Runge II, 241 f.

77 Krisenjahre I, 89.

78 Krisenjahre I, 136 f.

79 Chamisso V, 51, 71.

80 Hitzig, 46 f., 60.

81 Anticelsus III, 81 f.

82 Krisenjahre III, 41 f.

83 Varnhagen II, 1871, 33—36. Zu den zu Varnhagens Lebzeiten unterdrückten Stellen vgl. seinen Brief an Tieck vom 1. Juli 1836: „Die Lebenden will ich überhaupt geschont wissen, und ich glaube, daß ich es meinerseits nur allzu sehr gethan habe; in welchem Ausmaße, könnte nur der beurtheilen, der einsähe, was alles in meinen unendlichen Papieren ich zum Schweigen gebracht habe!" (Briefe von Chamisso, Gneisenau . . ., Leipzig 1867, I, 241).

84 Krisenjahre I, 208, 212.

85 Krisenjahre I, 264, 280.

86 Krisenjahre I, 317; vgl. auch den von mir veröffentlichten Brief Fouqués an Prinzessin Wilhelm vom 13. VIII. 1822 über sein vormals getrübtes Verhältnis zu Tieck (Jahrb. d. Dt. Schillerges. 1958, 109 f.).

[87] Tieck-Letters, 555 f.
[88] Kayka, 203 (Lebensspuren Nr. 228 b).
[89] Rahmer, 137 (Lebensspuren Nr. 228 a).
[90] Krisenjahre III, 374.
[91] Krisenjahre III, 200 f.
[92] Varnhagen II, 1871, 36.
[93] Tiecks Novellenzeit, 68—71.
[94] Krisenjahre I, 555 f.
[95] Varnhagen III, 11, 22, 58. Die Erwähnung des Honorars nur in der 3. Auflage, II, 1871, 84.
[96] Doppelroman II, 139.
[96a] Varnhagen III, 36 f.
[96b] Jahrbücher X, 150. Fichtes Konzept zur ,Wissenschaftslehre' von 1804 soll Reflexionen ,Bei der Lesung des Lacrimas' enthalten (Edition Hans Gliwitzky, Stuttg. 1969, S. XVII). Zu den dort ermittelten Hörern, Bernhardi, Schlegel, Solger, Varnhagen u. a., tritt nun auch Schütz.
[96c] Schweikert II, 80, 109; III, 157.
[97] Krisenjahre I, 178; Körner B, 96.
[98] Jonas-Dilthey III, 421.
[99] Krisenjahre I, 427.
[100] Jonas-Dilthey III, 423.
[101] Lüdeke, 159.
[102] Krisenjahre I, 471.
[103] Asts Zeitschrift I, 1808, 146 f.
[104] Lebensspuren Nr. 174.
[105] Steig I, 220.
[106] Holtei I, 14.
[107] Steig III, 366.
[108] Anticelsus VI, 107; zu Orchestra und Skene vgl. die vorlieg. Arbeit S. 161 f.
[110] Varnhagen III, 54 f.
[111] Vgl. Fambach V, 320 f., Anm. 165.
[112] Asts Zeitschrift I, 1808, 147 f.
[113] Krisenjahre I, 481.
[114] Krisenjahre I, 493.
[114a] Körner B, 115.
[115] Lüdeke, 161; Datumskorrektur nach Krisenjahre III, 232.
[116] Schweikert II, 222.
[117] Krisenjahre II, 28.
[118] Krisenjahre II, 95.
[119] Krisenjahre II, 111.
[120] Steig III, 446.
[121] Anticelsus II, 23.
[122] Asts Zeitschrift II, 1809, 92—95.
[123] Zur intellectuellen und substantiellen Morphologie, 3. Heft, 1823, 89 f.
[124] Neudruck: Deutsche Litteratur-Pasquille, hrsg. von Franz Blei, Bd. 2, Leipzig 1907; dazu J. Minors Besprechung, Euphorion 1908, 251—259.
[125] WA 1. Abt., XXXVI, 35.
[126] Über Cäcilie von Eskeles geb. Itzig vgl. Varnhagen II, 1871, 264 ff.
[127] Baxa I, 231; Krisenjahre III, 304.
[128] Nach dem von H. Ruppert bearbeiteten Katalog (Weimar 1958) enthielt Goethes Bibliothek die mit seinem Exlibris versehenen Werke ,Lacrimas' (1803), ,Graf von

Schwarzenberg' (1819), ‚Dramatische Wälder' (1821), ‚Carl der Kühne' (1821) sowie die Schrift ‚Rußland und Deutschland' (1819).

129 Tagebuchnotiz vom 1. März 1819.

130 Familiengeschichte, 295.

131 Steig II, 143.

132 Holtei IV, 13.

132a Matenko, 541.

133 Rahmer, 131; Brühl, 333.

134 Josef Goebbels (Diss. Heidelberg 1922, S. 194) glaubt, in Schütz' ‚Garten der Liebe' „eine fast beim Perversen angrenzende Männerfreundschaft" feststellen zu müssen.

134a Zuerst in der ‚Urania' von 1833 erschienen; Tieck XXII.

134b Blätter I, 5.

135 Körner I, 247.

136 Zuschauer 1835, 152.

137 Lebensspuren, Nr. 344.

138 Lebensspuren, Nr. 446a; nach F. Meusel (Euphorion 1908, 573) dürfte die Nachricht dem Grafen durch Genelli, gleichfalls Mitglied der Christlich-deutschen Tischgesellschaft, zugekommen sein.

139 Siehe Baxa I, 644—656, wo die gesamte Denkschrift abgedruckt ist.

140 Zuschauer 1835, 152—154; ähnlich: Zuschauer 1834, 166—180.

141 Askania, 2. Heft, Febr. 1820, 89 f.

142 Holtei IV, 12.

143 Holtei IV, 14.

144 Zuschauer 1835, 147.

145 Zuschauer 1835, 155.

146 Anticelsus I, 3.

147 Holtei IV, 12 f., 13 f.

148 Die Veröffentlichung des Briefes, auf den mich Dr. Hans-Wilhelm Dechert, Gießen, aufmerksam machte, erfolgt mit freundlicher Genehmigung der Bayer. Staatsbibliothek München. Die Kleist-Passage sowie Hitzigs Antwort wurden bereits von H. Rogge (Jahrb. d. Kleist-Ges. 1922, S. 48 f.) mitgeteilt.

148a Wenn Schütz, wie Schweikert (II, 311, 315) vermutet, der von Tieck erwähnte Mitarbeiter an der Übersetzung der ‚Old plays' gewesen wäre, hätte ihm Tieck wohl ein Exemplar der Ausgabe dedizieren müssen.

148b Ernst Moritz Arndt erwähnt 1813 in seinen Briefen an Johanna Motherbv mehrfach ein befreundetes Ehepaar Schütz, das er in Berlin besucht habe: „Schützens sind gute Menschen, besonders er; sie ist freundlich und anmuthig, aber nicht tief." (Meisner, 97, 99, 103.) Als infrage kommend werden vom Herausgeber der Geheime Oberfinanzrath Johann Georg von Schütz oder der Kriegs- und Domänenrath Friedrich Wilhelm von Schütz genannt, die er für Brüder hält. Der erste aber ist Wilhelm von Schütz' Vater, während der zweite mit dem Zerbster Hofrat gleichen Namens identisch sein dürfte.

149 Pissin, 178, 224.

150 Neue Kunde, 43—45.

151 Dechert, 176.

152 Dechert, 179.

153 Veröffentlichung mit freundl. Genehmigung des Schiller-Nationalmuseums Marbach.

154 Köhler, 18 ff.

155 Reiter II, 171—175; III, 199 f.

156 Holtei IV, 16.

157 Solger I, 311, 379.

[158] Solger I, 543 f.

[159] Jahrbücher der Literatur, Bd. 28, Wien 1824, 216.

[160] Solger I, 213 (An Krause, 16. VI. 1811).

[161] Solger I, 329 ff.

[162] Matenko, 148.

[163] Mit dem Beitrag ‚Göthes Wahlverwandtschaften nach ihrem Verhältnis zur Naturphilosophie' nahm Schütz im ‚Anticelsus' II, 1848, 115—121, das Thema wieder auf.

[164] Solger I, 368 f.

[165] Matenko, 180.

[166] Steig I, 344.

[167] Holtei I, 106.

[168] Nachruhm Nr. 261 a.

[169] Siegen, 47 (Nachruhm Nr. 261 b).

[170] Matenko, 195 f.

[171] Matenko, 199.

[172] Matenko, 206, 207.

[173] Matenko, 224 f.

[174] Matenko, 234.

[175] Schweikert III, 264.

[176] Matenko, 273.

[177] Matenko, 330.

[178] Kayser, 96.

[178a] Baxa II, 94, 101; Brockhaus II, 165 ff.

[178b] Steig III, 357.

[179] Zuschauer 1835, 155.

[180] Baxa II, 53, 55.

[181] Zuschauer 1835, 160.

[182] Baxa II, 68.

[183] Matenko, 354, 357, 398.

[184] Zuschauer 1835, 159.

[185] Perthes-Briefwechsel, 296.

[186] Göthe's Faust und der Protestantismus. Bamberg 1844, 28—30.

[187] WA 1. Abt., XXXVI, 133 f.

[188] Uhlands Tagebuch, 211.

[188a] Veröffentlicht mit frdl. Genehmigung des Staatsarchivs Münster.

[189] Walzel, 568 f., 573.

[190] Solger I, 566; dagegen Schlegels späteres sehr positives Urteil über Solgers ‚Gespräche' bei Finke, 32 f.

[191] Steffens VIII, 320—412.

[192] Frommann, 38.

[193] Vordtriede, 79, 82.

[194] Steig III, 392.

[195] Predigten des alten Herrn Magister Mathesius über die Historien von … Luthers Anfang, Lehre, Leben und Sterben. Hrsg. von L. A. von Arnim. Berlin 1818, S. VI f.

[195a] Atterbom, 99 f., 124.

[196] Anticelsus V, 132, 133 f.

[197] Anticelsus II, 12.

[198] Matenko, 398, 413.

[199] Matenko, 417.

[200] Matenko, 441 f., 450.
[201] Matenko, 528. Bei dem von A. Müller am 3. IV. 1819 erwähnten Manuskript (Baxa II, 206) kann es sich demnach nicht um den ‚Grafen von Schwarzenberg‘ handeln.
[202] Matenko, 459.
[203] Matenko, 462 f. Von Schütz' Freundschaft mit dem Minister Voß berichtet Varnhagen (Blätter I, 355; II, 117, 299).
[204] Solger I, 655 f.
[205] Solger I, 658; die dortige Datierung „28. August" ist offensichtlich falsch.
[206] Solger I, 659 f.
[207] Solger I, 661.
[208] Solger I, 665.
[209] Solger I, 680.
[210] Matenko, 528.
[211] Biedermann II, 432.
[212] Staatsanzeigen 1817, 10. u. 12. Stück.
[213] Baxa II, 200.
[214] Zuschauer 1835, 161.
[215] Baxa II, 203.
[216] WA 1. Abt., V/1, 197.
[217] Baxa II, 206.
[218] Briefe an Fouqué, 91.
[218a] Finke, 272 f.
[218b] Finke, 280, 287 f.
[219] Blätter I, 5, 6, 9.
[220] Matenko, 494, 513.
[220a] Atterbom, 305, 312. — Atterbom wird übrigens 1820 zusammen mit Fouqué, Schütz und dem Dresdner Kreis (Kalckreuth, Loeben, Malsburg) als Mitarbeiter von Wilhelm Müllers ‚Askania‘ aufgeführt, für die Schütz das Vorwort verfaßt hatte.
[221] Matenko, 565, 569 f.
[222] Chezy, 198.
[222a] Förster, 160.
[222b] Förster 265, 274.
[223] Holtei II, 270.
[224] Holtei II, 296 f.
[225] Holtei II, 273 f.
[226] Holtei II, 299, 302.
[227] Holtei II, 275.
[228] Holtei II, 305—309.
[229] Holtei II, 315.
[230] Holtei II, 278 f.
[231] Tieck-Letters, 54 f.
[232] Matenko, 341, 356 f.
[233] Minde-Pouet gibt in seiner Faksimile-Edition von 1936 keine Entzifferung; vgl. auch Kanzog, S. 33—35.
[234] Tieck-Letters, 269.
[235] Holtei II, 173 f.
[236] WA XL/1, 345 f.; die gleiche Passage aus ‚Kunst und Alterthum‘ (III, H. 2, 1821) zieht Schütz in seiner eigenen Besprechung von Manzonis Trauerspiel in den ‚Jahrbüchern‘, Bd. 28, S. 206, heran.
[237] Euphorion 1966, 388—401; 1968, 93—95.

[238] Holtei III, 37 f.

[239] Gedichte II, 103. Ein vom Druck abweichendes Manuskript des Sonetts im Besitz von Prof. Edwin H. Zeydel (Matenko, 135) konnte von mir nicht eingesehen werden; das Sonett ist im Manuskript Schütz zugeeignet.

[240] Lüdeke, 170.

[241] Lüdeke, 173, 180.

[242] Vermutlich sah Schütz das auf Schloß Friedland befindliche Ölgemälde von Christian Kaulfersch (s. Golo Mann/R. Bliggenstorfer, Wallenstein — Bilder zu seinem Leben, Frankfurt a. M. 1973, Abb. Nr. 21)

[243] Körner B, 311, 364; Körner nahm an, daß es sich bei dem Manuskript von ‚Carl der Kühne‘ um das 1813 gedruckte gleichnamige Drama von Heinrich Keller gehandelt habe.

[244] Veröffentlicht mit frdl. Genehmigung des Staatsarchivs Münster. Auszugsweise bereits zitiert bei Merveldt, Anm. 32 zu S. 141.

[245] Gentz/Pilat II, 64 f.

[246] Jahrbücher XX, 191, 196, 205 f.

[246a] Jahrbücher XX, 197; vgl. dazu auch: Josef Wihan, Matthäus von Collin und die patriotisch-nationalen Kunstbestrebungen in Österreich zu Beginn des 19. Jahrhunderts. Euphorion, 5. Erg.H. 1901, 93—199.

[246b] Walzel, 135. — Die ‚Cölestina‘ von 1837 enthält von Schütz ein „Fragment aus der Einleitung zu einer Dramatisirung des Hohenstaufischen Kampfes".

[247] Schweikert II, 233 f., 236 f.

[248] Jahrbücher XL, 135 f.

[249] Brockhaus III, 405.

[250] Brockhaus II, 288 f. — Die einschlägige Untersuchung von P. S. Hauke, Literaturkritik in den Blättern f. liter. Unterhaltung 1818—1835, Stuttgart 1972, weiß nichts von Schütz' Mitarbeit am Lit. Convers. Blatt.

[251] Brockhaus II, 251.

[252] Brockhaus III, 204.

[253] Brockhaus III, 256.

[254] Brockhaus III, 258 f.

[255] Brockhaus III, 220.

[256] Holtei II, 270.

[256a] Briefe von und an Hegel, hrsg. von J. Hoffmeister, Bd. 2, Hamburg 1953, S. 273.

[257] Lit. Wochenblatt VI, 1820, Nr. 20, S. 78; Nr. 21, Beilage S. 1.

[258] WA 2. Abt., VI, 206—215; Leopoldina IX, 227—233.

[259] Lit. Wochenblatt VI, 1820, Nr. 21, Beil. S. 3.

[259a] Blätter II, 176.

[259b] Die Identifizierung des von Goethe ohne Vornamen erwähnten Fürsten Schwarzenberg ist erst durch Schütz' Brief möglich geworden.

[260] WA 2. Abt., XIII, 81—84; Leopoldina IX, 277—280.

[261] Convers. Lexicon N. F., Bd. 1, 2. Hälfte, 1824, 484—494.

[262] WA 2. Abt., V/1, 418 f.; Leopoldina VIII, 434.

[263] Goethe in den Zeugnissen der Mitlebenden. Erste Sammlung. Berlin 1823, S. 298—300, 379.

[264] Tiecks Novellenzeit, 14—16.

[265] Tiecks Novellenzeit, 20.

[266] Casanova I, S. XVII f.

[267] Casanova I, S. XX f., XXII.

[268] Houben, 297 f.

269 Casanova II, S. V f., VIII, XI f.
270 Tiecks Novellenzeit, 25.
271 Casanova III, S. XV f.
272 Casanova III, S. XXII.
273 Casanova III, S. XXIII/V.
274 Heine, Sämtl. Schriften, hrsg. von Klaus Briegleb. II, München 1969, 64; im Kommentar S. 706 wird Schütz' Name als Bearbeiter irrtümlich mit „Schulz" angegeben.
275 Grabbes Werke, hrsg. von Alfred Bergmann, I, 1960, S. 248, 254, 266; Lesarten S. 580, 582, 585 f.
276 Vordtriede I, 372.
277 Vordtriede II, 456.
278 Laun III, 80 f.
279 Brühl, 338.
280 Erinnerung . . ., 247.
281 Erinnerung . . ., 238 f.
282 ,Protestantismus und Katholicismus', Jahrbücher XXII.
283 Baxa II, 776.
284 Zuschauer 1832, Nr. 103; den Hinweis auf diesen Aufsatz verdanke ich Prof. Siegfried Sudhof in Frankfurt a. M.
284a Josef Nadler, Die Berliner Romantik, Berlin 1920, S. 90, sieht, ohne von der Schützschen Übersetzung zu wissen, in der um 1700 verfaßten Lehninschen Weissagung „ein unschätzbares Zeugnis zur ostdeutschen Bewegung", das mit gleichen Worten wie hundert Jahre später Novalis die Stunde der Wiedergeburt verkündet habe.
285 Rosenthal, 492.
286 Brühl, 332.
287 Staatsmann VII, 1825, 84.
288 Holtei II, 103 f.
289 Antike Tragödie, 33.
290 Antike Tragödie, 70 f.
291 Göthes Faust, 116.
292 Göthes Faust, 105.
293 Anticelsus IX, 1845, 31.
294 Anticelsus III, 1842, 77, 80.
295 Weissagung, 152 (zitiert nach Rosenthal, 500).
296 Brühl, 324 f.
296a Catalogue de la bibliothèque célèbre de M. Ludwig Tieck, Berlin 1819 (Reprint 1970).
297 Anticelsus I, 1842, 4.
298 Anticelsus VII, 1843, 47.
299 Friedrich Schlegel, Krit. Ausgabe, hrsg. von Ernst Behler, IX, 1971, 39.
300 Ursula Struc, Zu Friedrich Schlegels orientalistischen Studien. Zschr. f. dt. Philologie, Sonderheft 1969, 119.
300a Zu Schlegels Interesse für die „große Angelegenheit und Entdeckung der Hieroglyphen" vgl. seinen Brief an den Kronprinzen von Bayern vom 25. IX. 1825 (Körner B, 271, u. Anm. S. 567).
301 Lüdeke, 185.
302 Varnhagen/Rahel VI, 1875, 201; Schütz' Brief mit den Gedichten ist nebst vier weiteren Briefen von Varnhagen (1808—1829) und je einem an Reimer (1816) und Hegel (1821; s. Anm. 256a), die sich nach Frels, Deutsche Dichterhandschriften, 1934, in der Staatsbibliothek Berlin befanden, heute verschollen.

[303] Cölestina 1837, 196 f. (Abdruck bei Brühl, 334 f.). Ein ähnlich manieriertes Sonett auf Schlegels Tod von Karl Heinrich Burchard bei Körner B, 581 f.
[304] Zuschauer 1832, Nr. 45.
[305] Cölestina 1837, 187—197, 235 f. (Wiederabdruck von ‚Leben in der Kirche‘ bei Brühl, 333 f.).
[306] Blätter II, 117, 282, 298 f.; III, 92; IV, 7, 56.
[307] Rahmer, 131.
[308] Zuschauer 1834, Heft 1, 67 f.
[309] Zuschauer 1838, Heft 4, 223—274.
[310] Anticelsus IV, 1843, 103 f.
[311] Karsten, 47.
[312] Lebensgeschichte, 263.

ZITIERTE LITERATUR

ADB: Allgemeine Deutsche Biographie, Bd. 33, 1891, S. 134—136: Christian Wilhelm v. Schütz (Oskar F. Walzel)

Anticelsus. Deutsche Vierteljahresschrift für zeitgemäße Apologie des Katholicismus und Kritik des Protestantismus. Von Wilhelm von Schütz. Nr. 1—12, Mainz, bzw. Speyer 1842—1845

Atterbom: Per Daniel Amadeus Atterbom, Reisebilder aus dem romantischen Deutschland. Hrsg. von Elmar Jansen. Stuttgart 1970

Baxa: Adam Müllers Lebenszeugnisse. Hrsg. von Jakob Baxa. 2 Bde. München-Paderborn-Wien 1966

Biedermann: Goethes Gespräche. Neu hrsg. von Flodoard Frhr. von Biedermann. 5 Bde. Leipzig 1909—1911

Blätter: K. A. Varnhagen von Ense, Blätter aus der preußischen Geschichte. (Hrsg. von L. Assing) 5 Bde. Leipzig 1868—1869

Blümml: Caroline Pichler, Denkwürdigkeiten aus meinem Leben. Hrsg. von Emil Karl Blümml. 2 Bde., München 1914

Bratanek: Goethes naturwissenschaftliche Correspondenz (1812—1832). Hrsg. von Fr. Th. Bratanek. Bd. 2, Leipzig 1874

Briefe an Cotta 1794—1815. Hrsg. von Maria Fehling. Stuttgart 1925

Briefe an Fouqué: Briefe an Friedrich Baron de la Motte Fouqué. Hrsg. von Albertine Baronin de la Motte Fouqué. Berlin 1848

Brockhaus: Friedrich Arnold Brockhaus. Sein Leben und Wirken nach Briefen und andern Aufzeichnungen geschildert von seinem Enkel Heinrich Eduard Brockhaus. 3 Bde., Leipzig 1872—1881

Brühl: J. A. Moriz Brühl, Geschichte der Katholischen Literatur Deutschlands vom 17. Jahrhundert bis zur Gegenwart. In kritisch-biographischen Umrissen. Leipzig 1854

Chamisso: Chamissos Werke. Bd. 5 (Biographie von J. E. Hitzig), Leipzig 1839

Chezy, Wilhelm: Erinnerungen aus meinem Leben. 1. Buch: Helmina und ihre Söhne. Bd. 1, Schaffhausen 1836

Dechert: Hans-Wilhelm Dechert, Loebens Novalis-Handschriften. Dt. Vierteljahrsschr. f. Lit. Wissensch. u. Geistesgesch., 44. Jg., 1970, S. 171—184

Dombrowsky, Alexander: Aus einer Biographie Adam Müllers. Phil. Diss. Göttingen 1911

Doppelroman: Der Doppelroman der Berliner Romantik. Hrsg. von Helmuth Rogge. Bd. 2, Leipzig 1926

Dreihundert Briefe aus zwei Jahrhunderten. Hrsg. von Karl von Holtei. 4 Teile, Hannover 1872

Eichendorff: Tagebücher des Freiherrn Joseph von Eichendorff. Hrsg. von Wilhelm Kosch. Regensburg 1908 (= Sämtl. Werke, Bd. 11)

Fambach: Oscar Fambach, Der romantische Rückfall in der Kritik der Zeit. Berlin 1963 (Ein Jahrhundert deutscher Literaturkritik, Bd. 5)

Familiengeschichte: Familien-Geschichte des Gräflich Finck von Finckensteinschen Geschlechts. Im Auftrage der Familie verfaßt von Erich Joachim und Melle Klinkenborg. Berlin 1920

Fichte: Johann Gottlieb Fichtes Leben und literarischer Briefwechsel. Hrsg. von J. H. Fichte. 2. Aufl., Leipzig 1862

Finke: Der Briefwechsel Friedrich und Dorothea Schlegels 1818—1820 während Dorotheas Aufenthalt in Rom. Hrsg. von Heinrich Finke. München 1923

Förster: Biographische und literarische Skizzen aus dem Leben und der Zeit Karl Försters. Hrsg. von L. Förster. Dresden 1846

Franken, Paul: Franz Bernard von Bucholtz bis zu seiner Übersiedlung nach Wien (1790—1818 Jugend und politische Wanderjahre). Phil. Diss. Bonn 1930. Düsseldorf 1932

Fricke: Hermann Fricke, K. W. F. Solger. Ein brandenburgisch-berlinisches Gelehrtenleben an der Wende vom 18. zum 19. Jahrhundert. Berlin 1971

Frommann: Fr. J. Frommann, Das Frommannsche Haus und seine Freunde. 3. verm. Ausgabe, Stuttgart 1889

Fuchs: Das unsterbliche Leben. Unbekannte Briefe von Clemens Brentano. Hrsg. von Wilhelm Schellberg und Friedrich Fuchs. Jena 1939

Gentz-Briefe: Briefe von und an Friedrich von Gentz. Hrsg. von Friedrich Carl Wittichen und Ernst Salzer. Bd. 2, München 1910

Gentz/Pilat: Briefe von Friedrich von Gentz an Pilat. Hrsg. von Karl Mendelssohn-Bartholdy. 2 Bde. Leipzig 1868

Goebbels, Paul Josef: Wilhelm von Schütz als Dramatiker. Ein Beitrag zur Geschichte des Dramas der romantischen Schule. Diss. (Masch.) Heidelberg 1922

Hiebel, Friedrich: Wilhelm von Schütz. Leben und Werke eines Romantikers. Diss. (Masch.) Wien 1928

Hitzig: Julius Eduard Hitzig, Lebens-Abriß Friedrich Ludwig Zacharias Werners. Berlin 1823

Holtei: Briefe an Ludwig Tieck. Hrsg. von Karl von Holtei. 4 Bde. Breslau 1864

Houben: Damals in Weimar. Erinnerungen und Briefe von und an Johanna Schopenhauer. Hrsg. von H. H. Houben. 2. erw. Aufl., Berlin 1929

Jahrbücher: Jahrbücher der Literatur. Bd. 1—120, Wien 1818—1847

Jonas-Dilthey: Aus Schleiermachers Leben. In Briefen. Hrsg. von Ludwig Jonas und Wilhelm Dilthey. 4 Bde., Berlin 1858—1863

Kanzog: Klaus Kanzog u. Eva Kanzog, Die Kleist-Aufzeichnungen von Wilhelm von Schütz. Mit zwei bisher nicht entzifferten Briefstellen. Jahrbuch d. Dt. Schillerges. 1969, S. 33—46

Karsten: Friedrich de La Motte-Fouqué, Eines deutschen Schriftstellers Halb-Jahrhundert (Nennhausen 1828). Hrsg. von Hans Karsten. Bremen 1930

Kayka: Ernst Kayka, Kleist und die Romantik. Ein Versuch. Berlin 1906

Kayser: Walther Kayser, Marwitz. Ein Schicksalsbericht aus dem Zeitalter der unvollendeten preußisch-deutschen Erhebung. Hamburg 1936

Köhler: Karl August Köhler, 1813/14 — Tagebuchblätter eines Feldgeistlichen. Hrsg. von [Friedrich] Jäkel. Berlin-Lichterfelde 1912

Köpke: Rudolf Köpke, Ludwig Tieck. Erinnerungen aus dem Leben des Dichters nach dessen mündlichen und schriftlichen Mittheilungen. 2 Bde., Leipzig 1855

Körner: Briefe von und an August Wilhelm Schlegel. Hrsg. von Josef Körner. 2 Bde., Zürich-Leipzig-Wien 1930

Körner B: Briefe von und an Friedrich und Dorothea Schlegel. Hrsg. von Josef Körner. Berlin 1926

Krisenjahre: Krisenjahre der Frühromantik. Briefe aus dem Schlegelkreis. Hrsg. von Josef Körner. Bd. 1 und 2, Brünn-Wien-Leipzig 1936, Bd. 3 (Kommentar), Bern 1958

Laun: Friedrich Laun [d. i. Friedrich August Schulze], Memoiren. 3 Bde. Bunzlau 1837

Lebensgeschichte: Lebensgeschichte des Baron Friedrich de la Motte Fouqué. Aufgezeichnet durch ihn selbst. Halle 1840

Lebensspuren: Heinrich von Kleists Lebensspuren. Dokumente und Berichte der Zeitgenossen. Hrsg. von Helmut Sembdner. 3. Aufl. (dtv), München 1969

Leopoldina: Goethe, Die Schriften zur Naturwissenschaft. Hrsg. im Auftrage der Dt. Akademie der Naturforscher (Leopoldina) zu Halle. 1. Abt., Bd. 9 und 10, bearb. von Dorothea Kuhn. Weimar 1954 und 1962

Lüdeke: Ludwig Tieck und die Brüder Schlegel. Briefe. Hrsg. von Henry Lüdeke. Frankfurt a. M. 1930

Matenko: Tieck and Solger. The complete correspondence. By Percy Matenko. New York-Berlin 1933

Meisner: Briefe an Johanna Motherby von Wilhelm von Humboldt und Ernst Moritz Arndt. Hrsg. von Heinrich Meisner. Leipzig 1893

Merveldt: Johann Dietrich Graf von Merveldt, Franz Bernard Ritter von Bucholtz. Leben und Wirken im Mannesalter. Phil. Diss. (Masch.) Münster/Westf. 1955

Minde-Pouet: Wilhelm von Schütz, Biographische Notizen über Heinrich von Kleist. In Faksimilenachbildung m. e. Geleitwort hrsg. von Georg Minde-Pouet. Berlin 1936 (Schriften der Kleist-Gesellschaft, Bd. 16)

Nachruhm: Heinrich von Kleists Nachruhm. Eine Wirkungsgeschichte in Dokumenten. Hrsg. von Helmut Sembdner. Bremen 1967

Neue Kunde: Reinhold Steig, Neue Kunde zu Heinrich von Kleist. Berlin 1902

Perthes-Briefwechsel: Jakob Baxa, Der Briefwechsel zwischen Adam Müller und Friedrich Perthes. Jahrb. d. Fr. Dt. Hochstifts 1972, S. 291—317

Pissin: Raimund Pissin, Otto Heinrich Graf von Loeben (Isidorus Orientalis). Sein Leben und seine Werke. Berlin 1905

Rahels Herzensleben: Aus Rahel's Herzensleben. Briefe und Tagebuchblätter. Hrsg. von Ludmilla Assing. Leipzig 1877

Rahmer: S[igismund] Rahmer, Heinrich von Kleist als Mensch und Dichter. Nach neuen Quellenforschungen. Berlin 1909

Reiter: Friedrich August Wolf. Ein Leben in Briefen. Hrsg. von Siegfried Reiter. 3 Bde., Stuttgart 1935

Rogge: Helmuth Rogge, Heinrich von Kleists letzte Leiden. Jahrbuch der Kleist-Gesellschaft 1922, S. 31—74

Rosenthal: David August Rosenthal, Convertiten-Bilder aus dem 19. Jahrhundert. 2. Aufl., 1. Bd., 1. Abt., Schaffhausen 1871

Runge: Philipp Otto Runge, Hinterlassene Schriften. Hrsg. von dessen ältestem Bruder. 2 Bde., Hamburg 1840—1841

Schelling: Aus Schellings Leben. In Briefen. Bd. 1, Leipzig 1869

Schlegel: Kritische Friedrich-Schlegel-Ausgabe. Hrsg. von Ernst Behler. Bd. 11, 1958; Bd. 18, 1963

Schoeps: Aus den Jahren preußischer Not und Erneuerung. Tagebücher und Briefe der Gebrüder Gerlach und ihres Kreises 1805—1820. Hrsg. von Hans Joachim Schoeps. Berlin 1963

Schweikert: (Dichter über ihre Dichtungen:) Ludwig Tieck. Hrsg. von Uwe Schweikert. 3 Bde., München [1971]

Siegen: Karl Siegen, Heinrich von Kleist und der Zerbrochene Krug. Neue Beiträge. Sondershausen 1879

Solger: Solger's nachgelassene Schriften und Briefwechsel. Hrsg. von Ludwig Tieck und Friedrich von Raumer. Bd. 1, Leipzig 1826

Staatsmann: Der Staatsmann. Zeitschrift für Politik und Tagesgeschichte. Hrsg. von Dr. Pfeilschifter. Bd. 3—9, Offenbach a. M. 1824—1829

Steffens: Henrich Steffens, Was ich erlebte. Aus der Erinnerung niedergeschrieben. Bd. 8, Breslau 1843

Steig: Achim von Arnim und die ihm nahestanden. Hrsg. von Reinhold Steig und Herman Grimm. 3 Bde., Stuttgart 1894—1913

Tieck: Ludwig Tiecks Schriften. 28 Bde. Berlin 1828—1854

Tieck-Letters: Letters of Ludwig Tieck. Hitherto unpublished. 1792—1853. Ed. by Edwin H. Zeydel, Percy Matenko, Robert Herndon Fife. New York 1937

Tiecks Novellenzeit: Aus Tiecks Novellenzeit. Briefwechsel zwischen Ludwig Tieck und F. A. Brockhaus. Hrsg. von Heinrich Lüdeke von Möllendorff. Leipzig 1928

Uhlands Briefwechsel. Hrsg. von Julius Hartmann. Bd. 2, Stuttgart-Berlin 1912

Uhlands Tagebuch 1810—1820. Hrsg. von Julius Hartmann. 2. Aufl., Stuttgart 1898

Varnhagen: K. A. Varnhagen von Ense, Denkwürdigkeiten und vermischte Schriften. Bd. 3, Mannheim 1837 (bzw. Ausgewählte Schriften, Bd. 2, Leipzig 1871)

Varnhagen/Rahel: Briefwechsel zwischen Varnhagen und Rahel. (Hrsg. von Ludmilla Assing.) Bd. 6, Leipzig 1875

Vordtriede: Achim und Bettina in ihren Briefen. Hrsg. von Werner Vordtriede. 2 Bde., Frankfurt a. M. 1961

WA: Goethe, Werke. Hrsg. im Auftrage der Großherzogin Sophie von Sachsen. [Weimarer oder Sophien-Ausgabe.] 1.—4. Abt., Weimar 1887—1919. Datierte Tagebuchnotizen und Briefe, die in der 3. und 4. Abteilung leicht auffindbar sind, werden ohne Band- und Seitenangaben angeführt.

Walzel: Friedrich Schlegels Briefe an seinen Bruder August Wilhelm. Hrsg. von Oskar F. Walzel. Berlin 1890

Zuschauer: Der Zuschauer am Main. Zeitschrift für Politik und Geschichte. Hrsg. von J. B. von Pfeilschifter. 2. Jg., 1832; Neue Folge, Bd. 1—4, Aschaffenburg 1834 bis 1838 (Zitiert wird vor allem: Adam Müllers politische Bestrebungen. Von Wilhelm von Schütz. N. F., Bd. 2, 1835, S. 137—163)

ANHANG

BRIEFE UND SCHRIFTSTÜCKE VON WILHELM VON SCHÜTZ

1. An Ludwig Tieck. Kummerow, 27. März 1807

Kummrow d 27 März 1807

Verzeihe, lieber Freund, daß ich auf den Brief, welchen Du mir nach Berlin geschrieben hattest, Dir weder durch Burgsdorf geantwortet, noch die Uebersendung eines Exemplars der Niobe mit einem Briefe begleitet hatte; ich bekam durch die letzten Ereignisse in Berlin, die mich veranlaßten, meine Abreise zu verschieben, noch eine weitläuftige Correspondenz. Hier dagegen genieße ich einer recht schönen Muße, und kann für meine etwas langsame Art zu arbeiten ziemlich viel zu Stande bringen. Ich bin begierig, was Du mir über die Niobe sagen wirst, sie ist — ohnerachtet der innern nur nicht gleich in die Augen springenden Uebereinstimmung mit meinen frühern Sachen — sehr verschieden von denselben, und mit ihr fängt mein Streben an, Licht und Klarheit in die Poesie zu bringen, dergestalt, daß die Kunstwerke sich selbst durchsichtig werden sollen. Ein Kunstwerk, das wie die der romantischen Poesie, sich nicht in viele einzelne Flüsse und Bäche theilen kann, sondern in einem Strom fortrinnen soll, gestattet es nicht allemal, das was man in der Seele gehabt, in seiner ganzen Allseitigkeit auszusprechen; so ist es mir mit der Niobe gewesen, und nachdem diese vorangegangen ist, kann nun die Gräfin von Gleichen, mit der ich schon ziemlich vorgerückt bin, folgen, in der ich die Form der antiken Tragödie mit dem Chor noch strenger genommen habe und die eine innere Verwandschaft mit dem ersten Werke hat. Ich denke, ich werde bald damit fertig sein. Außerdem habe ich verschiedene kleine lyrische Gedichte in aller Form und mehrere Romanzen gemacht, besonders aber die Geschichte vom Felsen der Liebenden in einer Reihe von 13 Romanzen (wie Turpins Roland) auf's neue gearbeitet. Aller Wahrscheinlichkeit nach werde ich nun recht ununterbrochen fort dichten und studiren, nur an Büchern gebricht es mir sehr, und da möchte ich den Vorrath in Ziebingen gern in Anspruch nehmen. Die, welche Du in Berlin von mir hattest haben wollen, konnte ich Dir nicht sämmtlich senden, weil auf Schlegels Bücher Beschlag gelegt war. Anlaß waren die minorennen unter der Vormundschaftsdeputation stehenden Erben eines von Schlegel nicht bezahlten Schneiders. Bei dieser Gelegenheit nicht nur, sondern auch, weil ich in der letzten Zeit überhaupt viel mit Bernhardi umgegangen war, bin ich von allen Details des Prozesses, welchen Du gegen Bernhardi für Deine Schwester führst, unterrichtet worden, und B[ernhardi] ist, auf welchem Wege und wordurch weiß ich nicht, hinter Dinge gekommen, die sie gemacht hat, und deren Wahrheit sich vollständig darthun läßt, die ich nicht niederschreiben mag, und von denen keiner wünschen kann, daß sie öffentlich werden; ich wenigstens kann davor erschrecken, daß von einer Gesellschaft von Menschen, die sich öffentlich als Verfechter des Schönsten und Edelsten, ja gewissermaßen als Priester desselben angekündigt, alles das an den Tag kommen sollte, was B[ernhardi] an den Tag bringen will. Nächst Deiner Schwe-

ster und einigen andern sind es Schlegel, Knorring und Du, indirekt auch Wackenroder auf die es roulirt, und das Bekanntwerden würde einen höchst betrübten Ef-
fekt machen. Bernhardi aber muß ich, wenn er so behandelt und gewissermaßen gedrängt wird, wie es jetzt geschieht, entschuldigen, wenn er das Aeußerste thut, und
doch ist es ein Mensch, von dem man, wenn man ihn auf gewisse Weise behandelt,
so vieles erlangen kann, wenn man es nur so einrichtet, daß er selbst es nicht merkt,
was er thut, und man ihn unmerklich zum Nachlassen in seinen Forderungen und
zum Zugeben in seinen Zugeständigungen bringt. Schon jetzt hat das Gericht erklärt, es
habe nie einen skandalösern Prozeß gegeben, und man würde die Acten nach der Beendigung versiegeln. B[ernhardi] aber hat die Manualakten, die dasselbe enthalten,
und das Schmachvollste und Schändlichste würde nun erst an den Tag kommen. Es
wäre daher wirklich gut, wenn der ganze Prozeß abgebrochen werden, und das, was
durch ihn zu gewinnen steht, durch einen Vergleich erzielt werden könnte, damit
nicht über einen Kreis von Menschen, an die zum Teil Deine Sonnette im poetischen
Journal gerichtet sind, solch ein Schimpf komme, und diese nebst vielen andern nicht
wie ein übertünchtes Grab erscheinen mögen; denn das beste Licht dürfte auf den
Angeklagten als einen schwachen und gutmüthigen Betrogenen und deshalb jetzt Zürnenden fallen. Bernhardis Vertrauen (welches auch darin eigenthümlich ist, daß es
zwischen zu großem Vertrauen und beinahe gänzlichem Vonsichabwälzen einer Angelegenheit und zwischen Mißtrauen nie die rechte Mitte hält) besitze ich jetzt so ziemlich, und wenn in der Sache überhaupt noch ein Ausweg möglich sein sollte, so glaube
ich, daß er durch mich am ehsten würde stattfinden können. Wahrscheinlich werde ich
im Monat April zu meiner Vereidigung nach Berlin müssen und könnte dann vielleicht
mit B[ernhardi] von der Sache sprechen, würde dies aber nie thun, wenn ich nicht
Deine Gesinnungen darüber zuvor wüßte, und überlasse Dir daher, ob Du mir diese
mittheilen willst.

Deine Frau, Burgsdorf und die andern Freunde in Ziebingen bitte ich dich vielmals
zu grüßen, und bleibe

Dein Schütz

Erstdruck: Letters to and from Ludwig Tieck and his Circle. Ed. by Percy Ma-
tenko, Edwin H. Zeydel, Bertha M. Masche. Chapel Hill 1967, S. 12—14.
Besitzer: früher Dt. Staatsbibliothek Berlin; Verbleib unbekannt
Erläuterungen S. 40, 50

2. An die Königlich Preußische Kriegs- und Domänenkammer in Berlin.
Kummerow, 14. Februar 1808

Das Cantonnements-Tableaux vom Beeskowschen und Storkowschen Kreise betr.

Einer Königl. Hochlöblichen Kurmärk. Krieges und Domänen Kammer überreiche
ich im Anschluß, der Vorschrift vom 19ten v. M. zufolge, das Cantonnements-Tableau
vom Beeskowschen und Storkowschen Kreise so genau und zuverläßig, als es mir für

diesesmal möglich gewesen ist, angefertigt. Ganz für die Richtigkeit desselben kann ich nicht stehen, weil die Verfügung, daß am 1ten u. 19ten jedes Monats der landräthlichen Behörde jedes Dorfes Quartierstand angezeigt werden solle, im Kreise noch nicht zur Kentniß gebracht worden war. Ich habe dieses nunmehr veranlaßt, und man wird gegenwärtig ersehen können, wie zu Anfang und in der Mitte jeden Monats jede Ortschaft bequartirt gewesen ist.

Uebrigens gehet aus jenen Tableaux hervor, daß die diesseitigen Kreise nicht nur noch von der Equipage militaire, von welcher die Verfügung vom 7t v. M. bereits sagt, daß sie selbige verlaßen hätten, sondern auch noch von Detachements aus andern Kreisen belegt sind.

Cummrow den 14t Februar 1808   Schütz

[Am Rand: amtlicher Sichtvermerk
vom 16. Febr. 1808 und Verfügung:
„Zu den Akten, Berlin, den 18ten
Febr. 1808" mit Unterschrift.]   [Die Anlage fehlt.]

Besitzer: Bayerische Staatsbibliothek München
Erläuterungen S. 61

3. An die Königlich Preußische Kriegs- und Domänenkammer in Berlin.
Kummerow, 28. September 1809

Zeitungsbericht vom Beeskowschen
Kreise für den Monat September

Witterung

Nachdem das schon im Monat August vielfältig stattgehabte Regenwetter die Erndte der Sommerfrüchte bedeutend verzögert hat, so daß sie noch bis in den Monat September hinein manchem Wirthe hinlängliche Beschäftigung gegeben; ist auch dieser Monat wieder mehr feucht wie trocken gewesen, und dadurch hat die Gewinnung der Nachmahd nicht nur dergestalt langsam geschehen müßen, daß sie noch nicht überall zu Stande gekommen ist, sondern da gegenwärtig das Waßer in der Spree wieder anwächst, und dies Regenwetter noch immer kein Ende nimmt, so stehet zu besorgen, daß selbst hin und wieder ein Theil des Grummet ersaufen oder verfaulen mag.

Feld und Gartenfrüchte

Unter den Kartoffeln, vorzüglich zwar denen auf niedrigen Feldern ausgesetzten, aber auch bei denen auf trocknen Feldern, wenngleich hier in geringerem Maaße bemerkt man sehr viel die als Folge der Näße schon in der Erde gefault sind.

Die Saat war die zweite Woche des verfloßenen Monats sehr günstig, und sie zeigt sich recht voll und kräftig da wo sie früh in die Erde gebracht worden ist.

13   193

Viehstand

Die beiden vorzüglichsten Viehkrankheiten, die Maul und Klauen Räude, welche in diesem Sommer herrschten, scheinen im Beeskowschen Kreise, wo sie sich früher wie in manchen andern zeigten, ausgewüthet zu haben, während sie in andern Gegenden theils erst jetzt ausbrechen, theils noch fortdauern.

Gesundheitszustand

Wenn im vorigen Jahre mit dem Eintritt des Herbstes Ruhren die herrschende Krankheit wurden, so sind es in diesem Jahre Wechselfieber, welche an ihre Stelle treten; und diese sind so häufig und hartnäckig, daß man in jedem Dorfe viel daran erkrankte antrifft. Nur in den zum Amte Beeskow gehörigen Dörfern Alt- und Neu Gelm hat die Ruhrkrankheit auffallend gewüthet, und es sind daselbst allein 10 Menschen daran gestorben.

Cummerow den 28ten September 1809   Schütz

Besitzer: Bayerische Staatsbibliothek München
Erläuterungen S. 61

4. [An Georg Andreas Reimer.] Kummerow, 14. Oktober 1811

Cummerow den 14t 8br 1811

Eine Oper von mir, Proserpina, hatte Fouqué zu sehen bekommen, und da er gerade beschäftigt war, eine Abentheure, der Normann auf Lesbos, zu dichten, so hat dies Anlaß zu dem Gedanken gegeben, beides vielleicht noch mit einigen Zugaben zu einem Neujahrsgeschenk einzurichten, weil die Zeit es nicht mehr gestattete, annoch eine Art von Musen-Almanach daraus zu bilden. Er hat mir nunmehr seinen Normann auf Lesbos übersandt, und ich, bevor ich das Manuscript nach Nennhausen zurückgehen laße, bin so frey, es Ihnen, auch seinem Wunsche gemäß erst mit meiner Proserpina zur Einsicht zu übersenden, indem ich Sie ersuche, mir oder ihm wißen zu laßen, ob Sie glauben, daß der Gedanke, ein Neujahrs-Geschenk daraus zu bilden ausführbar sey, und ob Ihre Verhältniße es Ihnen gestatten, die Herausgabe zu übernehmen, oder ob Sie uns vielleicht sonst einen Rath in Bezug auf dieses Manuscript zu ertheilen wißen.

Verzeihen Sie mir, daß ich Sie damit behellige, und erlauben Sie mir noch eine Bitte. Durch ein Versehen ist über das Exemplar von Garten der Liebe, welches in Berlin für Fouqué bestimmt war, anders disponirt worden, und ich wünsche mit ihm, daß er früher als ich mich in Berlin mit ihm zu sehen gedenke das Buch erhalte. Hätten Sie wohl die Güte, ihm, wenn sich Gelegenheit darbietet ein Exemplar zukommen [zu] laßen, welches ich Ihnen dann, wenn ich in Berlin eintreffe mit dem Alt Englischen Theater, das ich noch von Ihnen besitze, wieder zustellen werde.

194

Ihnen und Ihrer Familie mich bestens empfehlend verbleibe ich mit aufrichtigster Freundschaft und Ergebenheit

der Ihrige

Schütz

NS.

das Manuscript bitte ich bei meinem Bruder abzugeben

Besitzer: Stadtbibliothek Dortmund
Erläuterungen S. 73

5. An Johann Friedrich Cotta. Madlitz, 8. Oktober 1812

An den Buchhändler Herrn Cotta Wohlgeboren
Tübingen im Wirtenbergschen p. Berlin

Wohlgeborner
Insonders hochzuehrender Herr

Ein junger dem Publikum noch nicht bekannter Dichter, Namens Seegemund zu Berlin, hat eine Sammlung von Poesien verschiedener unser beliebtesten Dichter zu Stande gebracht unter denen ich nur die Beiträge meines Freundes des Herrn Baron de la Motte Fouqué Erwähnung thun will, und der auch ich eine Zugabe nicht habe verweigern dürfen. Er wünscht sie als einen Almanach unter dem Titel: Jahrbuch deutscher Dichter dem Publikum zu übergeben, und würde sich unmittelbar an Ew. Wohlgeboren gewandt haben, wenn ihm nicht die Besorgniß entstanden wäre, daß eine dergleichen Sammlung, sobald ihr ein noch unbekannter Name vorgesetzt wird, ein nicht ganz annehmliches Unternehmen darbieten mögte, und dies brachte mich für ihn auf den Gedanken, dem Hr Baron von Fouqué vorzuschlagen, sich dem Buche als Herausgeber vorzusetzen. Letzterer ist zwar der Meinung, daß es vortheilhafter sey, wenn Herr Seegemund selbst mit seinem Anfangsbuchstaben J. G. S. diese Rolle übernimmt, und so dem Publikum ein intereßantes Räthsel giebt, ist jedoch, wenn Ew. Wohlgeboren dem nicht beistimmen sollten, auch bereit sich als Herausgeber zu nennen, und ich bin daher so frey bei Ew. Wohlgeboren ganz ergebenst anzufragen: ob Sie glauben auf die eine oder die andere der vorgeschlagenen Weisen die Herausgabe jenes Jahrbuches und unter welchen Bedingungen unternehmen zu können. Sie würden mich durch eine baldige Antwort auf diese Frage sehr verbinden.

Bei dieser Gelegenheit nehme ich mir die Freiheit Ihnen auch mitzutheilen, daß Hr. Baron von Fouqué und ich schon seit einiger Zeit den Gedanken hegen, einen [Musen-]Almanach [gestrichen: nicht nur zusammen, sondern auch] zum größten Theil nur aus Beiträgen von [uns beiden] bestehend, zusammen herauszugeben. Da die Beiträge bereit liegen, so kann das Manuscript dazu binnen 8 bis [14?] Tagen abgeliefert werden, denn es kömmt nur auf Ordnung und Abschreiben der Gedichte an. Es ist möglich daß auch dieses Unternehmen Ihnen zusaget, und ich habe daher die jetzige Gelegenheit nicht unbenützt laßen wollen Ihnen Kentniß davon zu geben, damit Sie uns Ihre Eröffnungen darüber machen können.

Hochachtungsvoll nenne ich mich

Ew. Wohlgeboren ergebenster Diener

Madlitz/p. Berlin u. Fürstenwalde/den 8ᵗ 8ᵇʳ 12.   Wilhelm von Schütz

Besitzer: Schiller-Nationalmuseum Marbach a. N., Cotta-Archiv (Stiftung der Stuttgarter Zeitung)
Erläuterungen S. 73. Durch Textbeschädigung fehlen die in Klammern ergänzten Wörter.

6. [An Ludwig Tieck.] Madlitz, 22. Januar 1813

Liebster Freund

Versprochnermaßen übersende ich Dir hierbei den Ersten Akt meiner neuen Arbeit und bin sehr begierig auf Deine Bemerkungen um so mehr da ich sie zu benutzen wünsche wenn ich fortarbeiten werde. Gewiß wird noch vieles verändert werden müßen, wenn erst das Ganze niedergeschrieben ist, um allem die gehörige Geltung zu geben, und Colorit und Sinn des Ganzen wie der Theile in die gehörige Harmonie zu bringen. Da ich indeßen recht gern bald weiter schriebe, wäre mir es lieb wenn Du mir die Bogen bald wieder senden könntest. Auch den andern Aufsatz laße ich neu abschreiben, und sende Dir ihn mit der nächsten Gelegenheit.

Lebe wohl theurer Freund. Empfiehl mich allen in Ziebingen vorzüglich auch Henriette.

Dein

Madlitz 22. Jan. 13.   Schütz

Besitzer: Kestner-Museum, Hannover
Erläuterungen S. 71. Henriette ist Tiecks Freundin und Schütz' Schwägerin Henriette von Finckenstein

7. An Otto Heinrich Graf von Loeben. Ziebingen, 16. März 1815

Ziebingen den 16ᵗ März 1815

Theuerster Freund.

Was mögen Sie von mir denken, und wie sich mein gänzliches Stillschweigen nach einem so gütigen Geschenk auslegen? Dennoch bin ich dieses mal der unschuldigste Mensch, und muß alles auf Tieck schieben. Hören Sie nur. — Seit dem Ausgang vorigen Sommers habe ich mich eingerichtet, hier zu wohnen, wo sich auch Tieck aufhält, um recht mit ihm zusammen zu leben. Natürlich theilte ich ihm gleich das aus

Ihrem Briefe mit, was für ihn darin enthalten war, und ich erhielt das sichere Versprechen, daß auch er Ihnen schreiben wollte, und unsre Briefe sollten zusammen abgehen. Nach einigen Tagen äußerte er mir noch, er wolle bei Ihrer großen Liebe zu Novalis sich die Freude machen, Ihnen aus deßen [zunächst: seinem] Nachlaß einiges von seiner Hand als ein Andenken von diesem herrlichen Geiste zu übersenden, auch Ihnen seine Gedanken über die Herausgabe eines Musenalmanachs, wozu auch er schon seit einiger Zeit Lust gehabt, mittheilen. Auf die Erfüllung aller dieser Versprechungen von Tage zu [Tage] wartend, schob auch ich meinen Brief immer wieder auf, bis eine Reise nach Berlin dazwischen kam, und seitdem ich von dieser zurückgekehrt bin, leidet Tieck seit einigen Wochen an seiner Gicht die eine Nervengicht ist [eingefügt:] und ihn sehr hindert. Ich konnte also nun nicht länger zögern, und muß mich damit begnügen, Ihnen zu sagen was Ihnen zugedacht gewesen, da ich doch es so gern es [!] Ihnen als Beilage meines Briefes selbst übersendet hätte.

Dies meine weitläuftige jedoch hoffe ich deshalb nicht minder triftige Entschuldigung.

Für Ihr liebes Geschenk sage ich Ihnen meinen herzlichsten Dank. Es war wohl gut, daß sich jemand der Berichtigung der vielen Schiefheiten in einem Werke annahm, von dem vorauszusehen war, daß es weniger seiner innern Güte, als mancher äußerlichen Gründe wegen und einer gewißen Neugier halber sehr verbreitet werden würde. Auch haben sich seitdem noch manche Stimmen dagegen erhoben.

Wenn Sie geliebter Freund mit Ihrem Almanach von Gedichten so weit sind, daß deßen Herausgabe zu einer bestimmten Zeit zur Gewisheit gekommen, so wird es mir viel Freude machen, Ihnen Beiträge für denselben übersenden zu können. Ich habe so manches gearbeitet, auch Dramatisches.

Mit dem Garten der Liebe geht es mir eigen. Von den sieben Büchern die er erhalten soll, sind sechs concipirt. Ich habe sie Tieck mit getheilt, wir haben viel darüber gesprochen, und ich habe durch ihn eingesehen, daß in der Anordnung manche dem Ganzen sehr heilsame Veränderungen statt finden können. Sicher im Ersten Buch ist dies der Fall. Das Ganze entfaltet sich nicht episch genug, mit zu weniger Langsamkeit und Ruhe, sondern ist zu dramatisch angeordnet, und verwirrt daher wirklich etwas. Nun hat aber Tieck diese Arbeit von mir sehr lieb, und es ist möglich, wir vereinigen uns einmal beide für sie, um die Unbehülflichkeiten die sie entstellen, und zu deren Wegräumung mir, bei den zu wenigen Studien die ich überall gemacht habe, die Fähigkeit mangeln dürfte, wegzuschaffen. Doch dies ganz unter uns. Ostern erscheint die 3^t Auflage von Novalis Schriften mit Nachrichten über sein Leben von Tieck.

Wann sehen wir uns denn einmal? Sollten Sie nicht, da Sie Tieck hier finden, sich vielleicht entschließen einige Tage in einer märkischen Gegend zuzubringen und uns hier zu besuchen: um so mehr da für Tieck selbst das Reisen nicht ist. — Er grüßt Sie vielmals und verspricht bald einen Brief. Leben Sie wohl, von ganzem Herzen

der Ihrige
Schütz

Besitzer: Deutsche Staatsbibliothek Berlin. Teilabdrucke bei H.-W. Dechert: Loebens Novalis-Handschriften, DVjs. 44. Jg., 1970, S. 176—178
Erläuterungen S. 75, 80

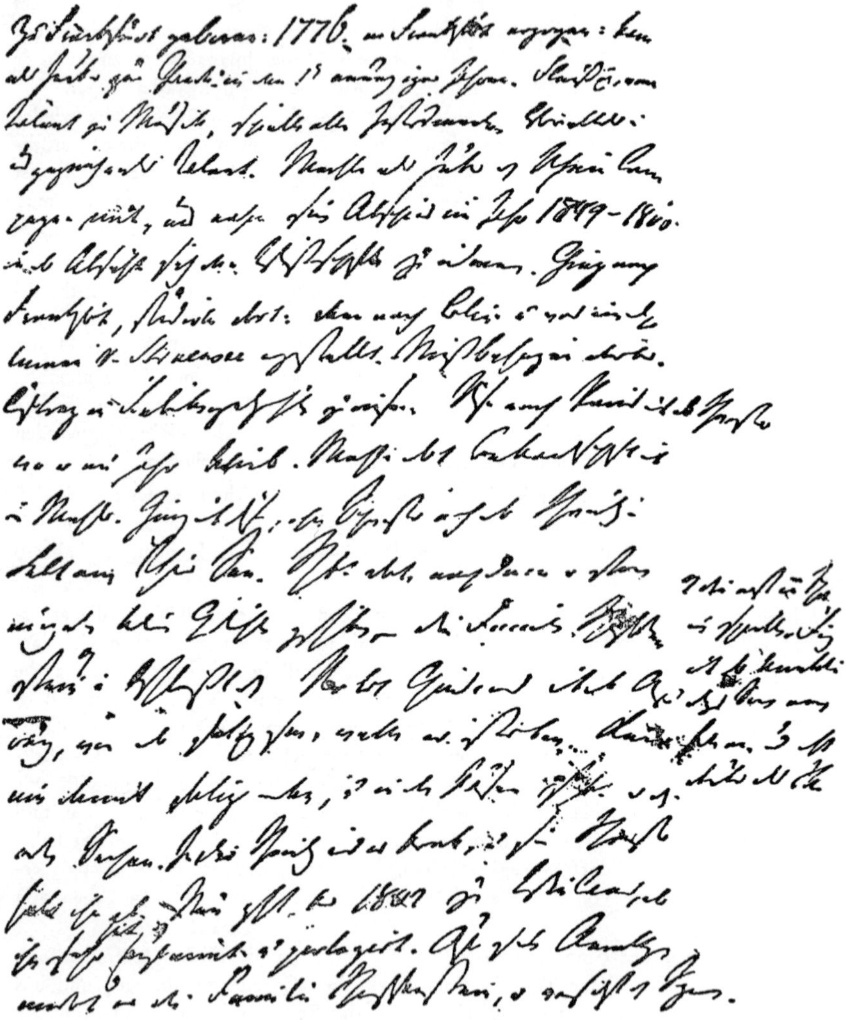

Notizen über Kleists Leben (1817) (Seite 1 in verkleinerter Wiedergabe)

8. Notizen über Kleists Leben, aufgezeichnet Februar 1817 nach den Erzählungen Marie von Kleists, und ihre Benutzung durch Ludwig Tieck (1821)

Schütz:	*Tieck:*
Zu Frankfurt geboren: 1776; in Frankfurt erzogen: kam als Junker zur Garde in den 1ᵗ neunziger Jahren.	*Heinrich von Kleist* ward im Jahre 1776 zu Frankfurt an der Oder geboren, er wurde in dieser Stadt erzogen, bis er als Junker in den ersten neunziger Jahren nach Berlin zur Garde kam.
Fleißig, von Talent zu Musik, spielte alle Instrumente. Von allerlei ausgezeichnetem Talent.	Er war immer fleißig und benutzte seine Zeit auf alle Weise; auch entwickelten sich früh Talente in ihm, vorzüglich zur Musik, er spielte mehre Instrumente auf eine ausgezeichnete Weise.
Machte als Junker die Rhein-Campagne mit, und nahm seinen Abschied im Jahr 1799—1800, in der Absicht sich den Wißenschaften zu widmen. Ging nach Frankfurt, studirte dort:	Als Junker machte er den Feldzug am Rhein mit und nahm nachher, da indeß ein heftiger Trieb zu den Wissenschaften in ihm erwacht war, seinen Abschied, um zu studiren. In dieser Absicht lebte er im Jahre 1799 und 1800 wieder in Frankfurt an der Oder.
dann nach Berlin und war im Departement v. Struensee angestellt.	Nach vollendeten Studien ging er nach Berlin, und wurde im Departement des Ministers von Struensee angestellt.
Mißbehagen darüber. Auftrag in Fabrikangelegenheiten zu reisen.	Unzufrieden mit seiner Lage, wünschte er eine Reise zu machen, und er erhielt auch bald einen Auftrag in Fabrikangelegenheiten.
Reise nach Paris mit der Schwester wo er ein Jahr blieb.	Er begab sich mit seiner Schwester nach Paris, wo er sich ein ganzes Jahr aufhielt.
Machte dort Bekantschaft mit einem Mahler. Ging mit diesem, ohne Schwester nach der Schweitz.	In dieser Stadt machte er die Bekanntschaft eines Mahlers, mit welchem er nach der Schweiz reiste, ohne daß ihm seine Schwester dorthin gefolgt wäre.
Lebt am Thuner See. Schrieb dort, nachdem er schon einzelne kleine Gedichte geschrieben, die Familie Schroffenstein.*	Er lebte hier eine geraume Zeit am Thuner-See und beschäftigte sich mit poetischen Arbeiten. Nachdem er sich in einigen kleineren Gedichten versucht hatte, entwarf er die *Familie Schroffenstein*, ein Trauerspiel, welches er auch bald vollendete.

[Am Rand:]
*die erst in Spanien spielte. Fing mit der Umkleidungs-Scene vom Ende an, dichtet darüber das Stück.

Anschließend den Robert Guiscard mit der Aeußerung, wenn der fertig sei, wolle er sterben. Kann nie damit fertig werden,

Nach dieser Arbeit fing er eine Tragödie *Robert Guiskard* an, welcher er seine ganze Anstrengung widmete, aber doch nur langsam vorrücken und sie nicht beendigen konnte. Die Stimmung seiner Seele war so sonderbar, daß er nach Vollendung dieses Schauspiels zu sterben wünschte.

und in den Pausen schreibt er die andern Sachen. In der Schweitz wird er krank, und seine Schwester holt ihn ab.

Dieser Lebensüberdruß und Kampf mit der Melankolie warf ihn auch nach einiger Zeit auf das Krankenlager, worauf seine Schwester, als sie diese Nachricht empfing, zu ihm eilte, ihn verpflegte und nach seiner Genesung wieder nach Deutschland begleitete.

Nun geht er 1802 zu Wieland, der ihn sehr gut aufnimmt und protegirt. Auf seine Anrathungen ändert er die Familie Schroffenstein, und versetzt die Szene. Bleibt ziemliche Zeit bei Wieland in Weimar. [Oßmannstedt]

Im Jahre 1802 ging Kleist nach Weimar, wo Wieland den jungen Dichter mit väterlichem Wohlwollen aufnahm. Kleist lebte ziemlich lange in dessen Hause und auf Wielands Rath arbeitete er die Familie Schroffenstein um und legte die Scene aus Spanien nach Deutschland.

Neigung zur Tochter, die Grund ist, daß er auf Wielands Verlangen weg muß. Schreibt hier an dem Guiscard.

Geht nach Dresden und schreibt dort ausschließlich Robert Guiscard, nachdem er ihn zweimal vernichtet.

Von Weimar ging er nach Dresden und dichtete wieder an seinem liebsten Trauerspiele Robert Guiscard, welches er im Unmuth schon zweimal vernichtet hatte.

In Dresden lernte er einen Mann von festem und ausgezeichneten Charakter kennen, dem er sich sehr bald mit der innigsten Freundschaft verband, und welcher auf sein Leben, wie auf den Fortschritt seiner Bildung einen bedeutenden Einfluß scheint gehabt zu haben.

Reiset mit v. Pfuel nun nach der Schweitz; mehrentheils in Berg [!] und Thun, wo er stets an Robert Guiscard arbeitete.

Mit diesem unternahm er eine Reise nach der Schweiz. Sie gingen meistentheils zu Fuß und lebten in Bern und Thun. An diesen Orten wurde in den Zeiten der Ruhe wieder an R. Guiskard gearbeitet.

Mehrere Fußreisen, auch nach Italien bis Mayland.

Die Wanderungen wurden dann durch die Thäler der Schweiz fortgesetzt und die Freunde gingen bis nach Mailand.

Rückreise nach Thun, Bern, Watland mit Abstecher nach Genf und Lyon. Paris.

Von hier kehrten sie nach Bern und Thun zurück, und reiseten durch das Waadtland nach Genf und über Lyon nach Paris.

[Am Rande unleserliche Notiz]

Schon auf dem Wege zeigte sich oft die Seelenverstimmung des Dichters, er war zuweilen vom tiefsten Unmuth auf unbegreifliche Weise beherrscht,

Hier entzweit er sich mit seinem Freund:

und in Paris löste sich dieser Kampf seiner Seele dadurch auf, daß er sich völlig mit seinem Freunde entzweite.

verbrannte alle seine Papiere, den ganzen Robert Guiscard.

In der Verzweiflung an sich und an der Welt verbrannte er alle seine Papiere und vernichtete auch die Tragödie zum drittenmal, die er mit besonderer Vorliebe ausgearbeitet hatte.

Geht nach Boulogne, kehrt zurück nach Paris; nach dem hat er vergeßen, wo er gelebt.

So zerstört verließ er Paris und begab sich nach Boulogne, doch kehrte er nach einiger Zeit nach der Residenz zurück, fand aber seinen Freund nicht mehr und konnte auch nichts von ihm erfahren.

Will nach Deutschland zurück: wird in Maynz krank beinahe 6 Monat.

Darüber erwachte in ihm die Sehnsucht nach dem Vaterlande, er eilte dorthin, aber eine tödtliche Krankheit befiel ihn in Mainz, die ihn in dieser Stadt fast sechs Monathe zurück hielt.

Nach der Genesung geht er nach Potsdam zurück und dann nach Berlin, arbeitet im Finanz-Departement:

Genesen ging er nach Potsdam und von da nach Berlin, wo er wieder im Finanzdepartement arbeitete.

Er ist fleißig. Ist wieder mit seinem Freunde versöhnt;

Er fand seinen Freund, mit welchem er sich schnell versöhnte und mit verjüngter Lust wandte er sich zu seinen poetischen Versuchen.

will dieser soll auch eine Tragödie schreiben. Pfuel erzält ihm die Geschichte von Kohlhaas: so entsteht dieser.

In einem Gespräche, als er seinen Freund auffoderte, auch eine Tragödie zu dichten, erzählte ihm dieser die Geschichte vom Kohlhaas, dessen Name noch heut zu Tage eine Brücke bei Potsdam trägt, und der auch vom Volke nicht ganz vergessen ist. Diesen Gegenstand ergriff Kleist und er fing an jene Novelle zu schreiben, die in seinen Erzählungen abgedruckt ist.

Geht nach Königsberg, wie dieser dorthin geht.

Jetzt war der preußische Krieg ausgebrochen, und als nach der Schlacht von Jena alles von Berlin flüchtete, ging er auch nach Königsberg in Preußen.

Bei seinem Patriotismus und lebhaften Haß der Feinde seines Vaterlandes fühlte er sich höchst unglücklich,

Dort entzweit er sich mit allen, und lebt lange stets im Zimmer, ohne mit irgend wem zu verkehren. (Das Arbeiten und Schreiben war ihm verhaßt)

er zog sich von allen Gesellschaften und Bekannten zurück, er gab seine Stelle beim Departement auf und blieb Tage lang in seinem Zimmer versperrt, ohne jemand zu sehn.

schreibt zerbrochnen Krug; übersetzt den Amphytrion. —

In dieser Zeit schrieb er den zerbrochenen Krug und bearbeitete den Amphytrion des Moliere, vielleicht um sich zu zerstreuen und durch diese Arbeiten die Heiterkeit des Lebens wieder zu finden.

1807 mit Pfuel nach Berlin anscheinend dahin geflohn:

Noch während des Krieges, ging er nach Berlin mit seinem Freunde zurück.

Wodurch er den französischen Behörden verdächtig wurde, weiß ich nicht zu sagen, aber man schickte ihn nach Joux und er saß ein halbes Jahr in demselben Gefängnisse, welches den bekannten Toussaint l'Ouverture verwahrt hatte.

wird in Berlin arrethirt, und nach Joux gebracht, wo er ein halb Jahr in dem Gefängniß, wo Touissant [!] l'Ouverture geseßen, gefangen gehalten war.

Von da nach Chalons. Dort und in Joux viel gedichtet:

Von dort führte man ihn nach Chalons. In der Einsamkeit seines Gefängnisses soll er viel gedichtet haben.

wird befreit und geht nach Dresden. Privatisiert dort.

Als er wieder frei war, begab er sich nach Dresden, um ganz den Studien zu leben.

202

Schreibt Penthesilea. Findet seinen Freund und andere mit denen er lebt. Bekanntschaft mit Müller.

Phöbus. Schreibt Käthchen, und hin und wieder an Robert Guiscard. Herrmann.

Faßt den Plan zu Leopold v. Oestreich, wovon er eine Szene geschrieben.

Krieg von 1809. Die Ode Germania.

Er traf hier seinen Freund wieder und lernte A. Müller kennen. Er war fleißig und dichtete die Penthesilea, vollendete den Kohlhaas und die meisten seiner Erzählungen, arbeitete den zerbrochenen Krug, so wie den Amphytrion um, und schrieb das Käthchen von Heilbronn. Der Robert Guiskard lebte ebenfalls wieder auf und von diesem, wie von den meisten der übrigen Werke, wurden in Phöbus Proben gedruckt, einer Monatsschrift, welche er gemeinschaftlich mit A. Müller herausgab.

Damals hatte ihn der Plan begeistert, eine Tragödie über den Fall des Leopold von Oesterreich zu schreiben, es ist aber nur beim Vorsatz geblieben.

Die Lage Deutschlands, die trübe Aussicht in eine drohende Zukunft, mußten in jenem Jahre jeden ängsten, der sein Vaterland liebte, diese Empfindung und der Zorn über den Hochmuth der Fremden, die Sorge über die Uneinigkeit der Völker und Fürsten, so wie über die Schwäche, die aus dieser hervorging, bemächtigten sich völlig des Gemüths unseres Dichters, dessen glühender Haß gegen die Unterdrücker damals seinen Geist so stimmte, daß alle andere Kräfte in ihm von diesen Gefühlen gleichsam verschüttet wurden. So dichtete er den *Herrmann*.

Nun brach der Krieg gegen Frankreich im Jahre 1809 aus, er schrieb die Ode „Germania", und alle seine Hoffnungen erwachten wieder. Er ging nach Prag, in der Absicht, als Schriftsteller der guten Sache beförderlich zu werden, auch finden sich in seinem Nachlasse Fragmente aus jener Zeit, die alle das Bestreben aussprachen, die Deutschen zu begeistern und zu vereinigen, so wie die Machinationen und Lügenkünste des Feindes in ihrer Blöße hinzustellen, Versuche in vielerlei Formen, die aber damals, vom raschen Drang der Begebenheiten überlaufen, nicht im Druck erscheinen konnten, und auch jetzt, nach so manchem Jahre und nach der Veränderung aller Verhältnisse, sich nicht dazu eignen.

Sein letztes Lied — ein melancholisches Gedicht über den Fall seiner vaterländischen Hoffnungen. —

Geht nach Prag; will nach Wien. Die Franzosen schon dort; bei der Schlacht von Aspern in der Nähe des Schlachtfelds.

Kleist wollte von Prag nach Wien reisen, aber die französischen Heere waren schon dort, und während des Treffens von Aspern befand er sich in der Nähe des Schlachtfeldes.

Will nach Prag zurück; lebt eine Zeit lang dort. Schwere Krankheit.

Er kehrte nach Prag zurück und überstand wieder eine schwere Krankheit, die ihn lange in dieser Stadt festhielt.

Als der Friede geschlossen war, der uns endlich jede Hofnung auf eine Befreiung Deutschlands unmöglich zu machen schien, reiste er nach seinem Vaterlande und lebte in Berlin,

Reise nach Berlin.

Umgang mit Arnim, Müller, Benkendorf;

wo er seinen Freund A. Müller wieder antraf, der ihn aber auch nach einiger Zeit verließ, um sich nach Wien zu begeben.

Redaktion der Abendblätter: Widerstreben gegen Anstellung, welche seine Familie wünschte.

Seine Familie wünschte, daß er wieder eine Anstellung suchen möchte, er widerstrebte aber lebhaft diesem Verlangen. Seine Beschäftigung war, eine Wochenschrift „Abendblätter" herauszugeben, die, ungleich und oft flüchtig von verschiedenen Verfassern geschrieben, doch manches Erfreuliche von ihm enthalten, außerdem verbesserte und vollendete er seine Erzählungen und dichtete den *Prinzen von Homburg,* ohne Zweifel sein reifstes und vollendetstes Werk.

Im Jahr 1811 trat die letzte Scene seines traurigen Schicksals ein, zu früh und beklagenswerth, sowohl für ihn, als für die Literatur, in der er durch höhere und freiere Ausbildung weit mehr leisten konnte, so wie sein Vaterland, durch diese freiwillige Zerstörung der Verhältnisse, die ihn ängstigten, kurz vor der erfreulichen Wiedergeburt einen seiner edelsten Söhne verlor, dessen Kraft es bald darauf zu den herrlichsten Zwecken hätte anstrengen können.

[Vermerk Tiecks:]
(Vorstehende Notizen über Heinrich v. Kleists Leben sind von Wilh. v. Schütz' Hand)

Besitzer: Staatsbibliothek Preuß. Kulturbesitz, Berlin
Faksimiledruck, hrsg. von G. Minde-Pouet, Berlin 1936. Erstdruck des entzifferten Textes: Heinrich von Kleists Lebensspuren, hrsg. von H. Sembdner, Bremen 1957
Erläuterungen S. 121

9. An Goethe. Karlsbad, 29. Juli 1817

Hochwohlgeborner Herr
Insonders hochzuehrender Herr Geheimer Rath
und Staats Minister.

Ew Excellenz trugen mir bei meiner Anwesenheit in Jena auf, Ihnen einige Nachrichten über Carlsbad und das hiesige Leben während der diesjährigen Badezeit zu ertheilen. Alles indeßen, was ich Ihnen würde sagen können, hat Herr Frommann nach seiner mir gethanen Versicherung bereits mitgetheilt, und was ich dürfte hinzufügen können bestehet darin, daß die Großen, besonders aber auch meine Landsleute stets mehr von hier sich entfernen, dagegen aber die Zahl der Brunnen Gäste aus den entlegenern Gegenden sich vermehrt, daß das Wetter immer schöner und beständiger, der Weg zugleich täglich beßer wird. Mich hat der Professor Steffens aus Breslau hieher begleitet, und er wird sich eine ziemliche Zeit lang hier aufhalten. Wohnungen zu bekommen findet man gar keine Schwierigkeiten, und theuer ist es durchaus nicht. Auch ist der Cours wieder gefallen, so daß die, welche mit Geld hieher gekommen sind, seit einigen Tagen beßer stehen. Der Frd.'or wird zu 26 fl. bis 26½ fl. ausgegeben.

Indem ich durch diese Angaben glaube mich des von Ew. Excellenz erhaltnen Auftrages entledigt zu haben, bin ich noch so frei, Sie zu bitten, dem Herren Sohn meine Empfehlung zu machen, und ihm meinen Dank für das, was er mir übersendet hat, abzustatten.

Ew. Excellenz geneigtem Andenken mich bestens empfehlend habe ich die Ehre mich mit der ausgezeichnetsten Hochachtung zu nennen

Ew Excellenz ganz gehorsamer Diener

Carlsbad den 29ᵗ Julius 1817   v. Schütz

Besitzer: Nationale Forschungs- und Gedenkstätten der klassischen deutschen Literatur in Weimar (Goethe- und Schiller-Archiv)
Erläuterungen S. 93, 98 f.

10. An Ludwig Uhland. Regensburg, 23. August 1817

Regensburg den 23^t August 1817

Verehrter Freund

Die Tage, die ich in Stuttgart zugebracht habe, und die Bekantschaft mit Ihnen sind mir so unvergeßlich geworden, daß ich nicht oft genug daran zurükdenken konnte, und hätte ich nicht den größten Theil des Sommers auf Reisen zugebracht, und wäre in meiner Heimat ich nicht so beschäftigt gewesen; so hätten Sie schon sicher einen Brief von mir erhalten. Ganz besonders muß ich Ihnen sagen, daß Ihre vaterländischen Gedichte, die Sie mir verehrt, und noch zwei spätere, die mir nachher in Manuscript zu Gesichte gekommen sind; so sich mit dem Innersten aller meiner Gedanken begegnen, daß nicht selten, wenn es schiefe und verworrene Ansichten sind, die über Ihres Vaterlandes Angelegenheit und über alles andre, was die Zeit reifet, mir begegnen, und ich mich mit denen, welche Sie [!] darbieten, nicht vereinigen, ja kaum berühren kann, alle meine Sinne nach Ihnen sich hinrichten, und ich wahren Trost und Freude darin finde, jemand zu wißen, deßen Blick so fest und ruhig und deßen Begeistrung so rein wahr und licht ist, wie ich bei Ihnen es finde. Nur ganz im Allgemeinen kann ich Ihnen dieses sagen, denn lange Gespräche allein würden fähig sein, um es Ihnen in seinem ganzen Umfange mittheilen zu können. Nun bin ich aber noch [so] frei, nach der Erlaubniß, die Sie mir ertheilt hatten, einige Gedichte durch Sie dem Taschenbuch, welches bei Cotta herauskömmt, zuwenden zu dürfen, Ihnen diese zu übersenden. Sie wollten glaube ich sie durch Hr. Haug Cotta zukommen zu [!] laßen; ich war zwar selbst noch auf der Bibliothek um ersteren zu sprechen, traf ihn aber nicht und so kömmt es, daß ich Sie belästige. Ganz Ihrer Güte und Fürsorge überlaße ich es, wie Sie es einrichten werden, daß der vielleicht etwas spät kommende Beitrag sich noch aufnehmen laße, und bitte Sie, wenn ich durch einige Zeilen von Ihnen beglükt werden sollte, um die Mittheilung Ihres Urtheils. Ist die Aufnahme nicht mehr möglich, so würden Sie, da ich von verschiedenen jener Gedichte keine Abschrift besitze, mich durch die Zurüksendung des Manuscripts nach Ziebingen bei Frankfurt a. d. O. sehr verbinden.

Die Flüchtigkeit meines Briefes, und die Correcturen in dem Manuscript rühren daher, daß letzteres auf der Reise geschrieben und dort einige male wieder durchgesehen worden ist. Behalten Sie mich in freundlichem Angedenken, und leben Sie recht wohl,

Ihr W. v. Schütz

Besitzer: Schiller-Nationalmuseum Marbach a. N.

Erläuterungen S. 95, 100. Es handelt sich hier um den unter Nr. 812 in Uhlands Briefwechsel, III, 1912, registrierten, inhaltlich bisher unbekannten Brief, den Uhland lt. Tagebuch am 29. August 1817 „mit Gedichten" erhielt.

11. [An den Redakteur der Augsburger „Allgemeinen Zeitung".]
Salzburg, 18. August 1819

Zwar weiß ich nicht, ob der beiliegende Versuch, den Gesichtspunkt für die Beurtheilung der Verhafteten im Preußischen und für das fernere Verfahren mit denselben festzustellen, dem Geist der allgemeinen Zeitung wird für entsprechend gehalten werden, oder ob überhaupt so etwas, das sich mehr als Untersuchung giebt, für einen Zeitungs-Artikel paßend sein mögte: indeßen nehme ich mir die Freiheit ihn zur etwanigen Benutzung zu übersenden, indem ich bemerke, daß ich ihn auf einer Reise geschrieben, von der ich in etwa 3 Wochen, nach meinem Wohnort Ziebingen bei Frankfurt a. d. Oder zurückkehren werde.

Salzburg den 18ᵗ Aug. 1819.   Wilhelm v Schütz

[Vermerk des Redakteurs:]
Vielleicht für die Tribüne brauchbar,
da ich, nach dem letzten Hofrescript,
keinen Gebrauch davon machen kann.

Besitzer: Schiller-Nationalmuseum Marbach a. N., Cotta-Archiv (Stiftung der Stuttgarter Zeitung)
Erläuterungen S. 112

12. An Goethe. Ziebingen, November 1819

Hochwohlgeborner Herr
Insonders hochzuehrender Herr Geimer [!] Rath
und Staats-Minister

Erlauben Ew Excellenz, daß nach den in Carlsbad unerfüllt gebliebenen Hoffnungen ich mich schriftlich in Erinnerung bringen darf. Es geschiehet durch Uebergebung einer Schrift politischen Inhalts, für die ich, obwohl mir die Unbeholfenheit des Ausdrucks vielen Kummer macht, doch einige Liebe hege. Der Grund ist folgender.

Von meinen poetischen Versuchen weiß ich sehr gut, daß ich es nur bin, aus dem sie hervorgegangen sind; und von mir konnten sie nur wenig erhalten. Ihr einziges Verdienst ist, daß sie ein Ringen ausdrücken, sich in Zeitalter zu versetzen die zweierlei auszeichnete, Harmonie und Vollständigkeit des Gepräges in allen Erscheinungen. Was aber wird mit denen gefruchtet? Einen Vortheil haben sie mir indeßen doch gewährt. Ich fing an eine Uebereinstimmung in der Willkühr des politischen Daseins mit der Willkühr des poetischen und künstlerischen zu entdecken. Ich sah früh die Wahrheit Ihres Ausspruchs in dem zweiten Heft über Kunst etc. bei Gelegenheit einer Aeußerung Schuberts ein, daß Sie es sich hatten müßen sauer werden laßen. Dabei führte ich stets ein praktisches Leben, und je mehr Falsches mir die meisten politischen Schriften darboten, um so mehr völlig verkannte Wahrheit entdeckte ich in den wirklichen Verhältnißen. So kam ich zu einer Betrachtung des Staats und aller mit dem Staat in Verbindung stehenden Gegenstände, durch die ich mich von Allen unterschied, denen ich in der Betrachtung derselben begegnete. Aber ich bin dreist genug, diesen Wahrnehmungen zum Theil die Eigenschaft und Beschaffenheit der Entdeckungen zuzuschreiben, wie sie der Freund der Natur wohl zu machen pflegt, und die, wenn sie auch **Unvollständigkeit, Halbheit und Mangelhaftigkeit** an sich tragen, doch von höherm Werth sind, wie das eigene Produkt. Nach und nach erst werde ich sie in Mittheilungen, deren Darstellung innre Schwierigkeit hat, entfalten können, ehe es mir gelingen wird, den Grundgedanken, zu welchem sie alle hinführen dürften, aufzudecken. Dagegen sagt mir eine innre Zuversicht, daß ich ihn trotz seiner Fremdartigkeit und scheinbaren Bizarrerie für unsere Tage — Ew Excellenz ohne Vermittlung werde aussprechen dürfen. Die schönste Erscheinung des Staats ist, wenn er Harmonie im höhern Sinn, wenn er wirkliche Musik wird, gleichsam wie das zweckmäßige Walten in der Natur uns oft wie ein musikalischer Einklang entgegen tritt, der sich als ein geheimnißvolles Schweigen ausdrückt, das in uns als lyrische Begeistrung nachtönt. Ich halte es für keinen Zufall, daß in der schönsten Zeit Griechenlands die Gesetze nicht leges sondern νομοί, Weisen, musikalische Ordnungen sind, das Recht nicht jus hieß, und nicht Befehl oder persönlichen Anspruch ausdrückte, sondern δίκη, und daß die Strafe Nemesis war, Zertrümmerung, der wir nicht entgehen, wenn wir der heiligen Harmonie entweichen. Aber selbst aus der Zertrümmrung und aus dem dürren Klappern der Staatseinrichtungen tritt uns noch zuweilen, wenn wir sie wieder mit dem Einstgewesenen in Beziehung bringen, sinnliche Uebereinstimmung und innerer Wohlklang entgegen, und diesen nicht als ein Fernes und Jenseitliegendes anzudeuten, sondern ihn, wie matt es auch sein mag, aus der Zerfallenheit wieder herzustellen, ist es, was ich jetzt gern zum Ziel meiner Bemühungen machen mögte.

Da es mir nicht gegönnt war, Ew Excellenz diesmal an Ihrem Geburtstage ausdrücken zu können wie nothwendig es mir ward, ihn auch als ein Ereigniß für mich zu betrachten, so bitte ich um die Gewährung es nachholen zu dürfen. Ich gestehe, daß ich die Beendigung des Drucks meiner Schrift als einen Anlaß abwarten wollte, Ew Excellenz dieses und überhaupt etwas sagen zu dürfen, da mir alle Aeußrungen, wenn sie sich nicht an etwas Bestimmtes anschließen können, gewönlich sehr schwer werden. So habe ich auch Ew Excellenz nicht einmal für das Wohlwollen und die Güte meinen Dank abstatten können, die ich im Winter dieses Jahres genoßen. Noch immer sind mir jene Tage in eben so lebhafter Erinnerung wie die Huld des Hofes der mir so viel Gnade wiederfahren laßen, und der Wunsch Ew Excellenz nahe sein zu dürfen regt sich sehr oft und stark.

Erhalten Ew Excellenz Ihre Gewogenheit

Dero gehorsamen Diener
v. Schütz

Ziebingen den [Lücke]ᵗᵉⁿ November 1819.

Besitzer: Nationale Forschungs- und Gedenkstätten in Weimar (wie Nr. 9)
Erläuterungen S. 109. Im Aufsatz ‚Antik und modern‘ (‚Über Kunst und Alterthum‘, Bd. 2, 1. Heft, 1818) erwähnt Goethe im Anschluß an C. E. Schubarths Büchlein ‚Zur Beurtheilung Goethes‘ den Ausspruch eines Diplomaten: „Voilà un homme qui a eu de grands chagrins“, was im Munde eines graden Deutschen lauten könnte: „Das ist auch einer der sich's hat sauer werden lassen!“

13. An den Verleger Johann Leonhard Schrag in Nürnberg.
Dresden, 8. März 1821

Dresden den 8ᵗ März 1821

Ew Wohlgeboren

gütiges Schreiben vom 11ᵗ Januar d. J. habe ich etwas verspätet hieher erhalten, und bitte um Verzeihung wegen der verzögerten Antwort, indem ich so frei bin, einige einzelne Gedichte beizulegen.

Vielleicht ist Ihnen aber mehr mit einer Erzälung, oder einem Drama von mehr poetischer wie theatralischer Beschaffenheit gedient, und hierüber bitte ich um gefällige Nachricht. Ein sehr lyrisch gehaltenes Drama ganz in Versen von drei Akten das etwa fünf Bogen einnehmen würde habe ich fertig und es [!] könnte es zuvor zur Einsicht und Prüfung übersenden.

Dem Herrn Grafen von Kalkreuth der sich hier aufhält, habe ich das Nöthige ausgerichtet. Er wird Ew Wohlgeboren selbst antworten, auch eine Aufforderung an den Grafen von Haugwitz erlaßen.

Da ich vom Grafen v. Löben mehrere sehr schätzbare Gedichte kenne, so fragte ich, freilich unbeauftragt, bei ihm an, und ich bin gewiß daß er sie mittheilen wird, wenn ich ihn [in] Ihrem Namen auffordern darf.

Sollten Sie das Uebersendete noch zurücklegen wollen, so würde ich um Zurücksendung bitten, da noch einige Aufforderungen an mich ergangen sind.

Hochachtungsvoll

             Ew Wohlgeboren ergebenster Diener   W. v. Schütz

Besitzer: Bayerische Staatsbibliothek München
Erläuterungen S. 119

14. An Goethe. Dresden, 21. Juni 1822

[praes. d. 28^t Juny, 1822 r.]

Hochwohlgeborner Herr,
Insonders hochzuehrender Herr Geheimer Rath
und Staatsminister.

Ew Excellenz bitte ich gehorsamst, es zu erlauben, daß ich Ihnen eine Fortsetzung jener Betrachtungen, Wahrnehmungen, und Ausführungen vorlegen darf, welche mir den gegenseitigen Uebergang derer beiden Welten zur völlig reciproken Metamorphose, welche wir heut zu Tage durchaus trennen, nicht nur denkbar zu machen, sondern auch zur vollkommen sinnlichen und intellektuellen Anschauung zu bringen, ja sogar zur zugleich eingeborenen Wahrheit des eigenen Wesens zu erheben, fortfahren.

Ihre Metamorphose der Pflanzen hat zu unwidersprechlich dargelegt, wie alles vollkommne wirkliche Wesen in sein völliges Gegentheil übergehen nicht nur kann, sondern auch muß. Und wie in der vollkommnen menschlicher Einwirkung nicht unterworfenen Natur es überall der Fall ist: so findet es sich auch in den menschlichen Vorstellungen, Gedanken u.s.w. je nachdem sie vollkommener sind, oder werden.

Sollte denn nun, wenn alles in sein Gegentheil überzugehen vermag, unserer Innenwelt allein verboten seyn, auch in ihr Gegentheil, wenigstens in ihr eines Gegentheil, die sogenannte Außenwelt vollkommen überzugehen? und umgekehrt? —

Man läugnet es, oder bezweifelt es wenigstens. Man beziehet auf sich etwas, das nicht wegzuläugnen ist, sey es nun als inneres Faktum in uns, oder als Wahrnehmung, oder als Gefühl, welches uns stets wieder auf eine spezifische Verschiedenheit zurückführt.

Aber die Frage liegt sehr nahe, ob nicht eine Färbung, eine Nuancirung, welche unsere dazwischentretende Thätigkeit hervorbringt, und die von ihr unzertrennlich ist, es allein seyn mögte, was jene spezifische allen Uebergang [,] alle Metamorphose hindernde Verschiedenheit, die sich als Trennung darbietet, hervorbringt.

Wenn sich uns überall Vollkommenheit des Ueberganges oder der Verwandlung darbietet: so müßen wir behutsam seyn, bevor wir erklären, hier sey er gehemmt. Wir sind sehr dreist, wenn wir es behaupten, ohne irgend fähig zu seyn eine andere Communication als die durch Metamorphose nachzuweisen. Wird denn nicht selbst in der Sinnenwelt bei letzter Analyse auch jede Reflexion eines Gegenstandes, Metamorphose deßelben?

Läßt sich aber durch Fortbauen auf Ihre Pflanzenmetamorphose die Wirklichkeit des Ereignißes darthun, daß sich vollkommene Wesen zu ihrem Gegentheil verwandeln; so ist auch hieraus logisch und dialektisch zu beweisen, daß Gleiches mit der Außenwelt und Innenwelt des Menschen der Fall seyn müße, nemlich so weit diese Künste es überhaupt vermögen, die uns wohl an den rechten Weg hindeuten, aber nicht bis zum Ziele selbst führen. Wenn nemlich Außenwelt und Innenwelt die Eigenschaft und das Wesen der Gegensätze behaupten: so muß es vollständig geschehen, und die Eigenschaft, in einander über zu gehen, darf nicht mangeln. Mangelte sie, so wäre der Gegensatz nicht da, vielmehr eine theilweise Einheit des Wesens gewiß. Dieser Schluß aber lehrt weder etwas noch kann er wirklich jemals etwas lehren. Er kann und soll uns nur aufmerksam machen, in unsern Wahrnehmungen genau zu seyn, und ihnen ja nichts zu abbundiren, wozu wir so sehr geneigt sind, daß wir unbewußt diesen Fehler fortwährend begehen.

Noch unterstehe ich mich, eine dramatische Arbeit vorzulegen der Abhandlung wegen, welche ihr vorstehet, indem sie sich wohl jenen Ideen anschließt wenn sie darauf Rücksicht nimt, wie auch eine Kunstform gewißen Verwandlungen unterliegt. Vielleicht könnte aber auch das Drama selbst Herrn Hofrath Meyer als Schweitzer berühren, und das würde mir ungemein angenehm seyn.

Genehmigen Ew Excellenz die Gesinnungen innigster Verehrung mit denen ich verbleibe

Ew Excellenz gehorsamster Diener

Dresden den 21ten Junius 1822.   von Schütz

Besitzer: Nationale Forschungs- und Gedenkstätten in Weimar (wie Nr. 9)
Erläuterungen S. 140 f.

15. An Goethe. Franzensbrunn, 13. August 1822

Hochwohlgeborner Herr
Insonders hochzuehrender Herr Geheimer Rath
und Staats-Minister.

Verzeihen Ew Excellenz, wenn diesesmal ich die Anlage lediglich als Mittel benutze, zweien jungen Männern, welche sich Ihnen vorzustellen wünschen, dieses zu erleichtern.

Es geschieht von beiden in einem so schönen Sinn und in so reiner Absicht, daß ich mir sagen mußte, ich dürfe ein jedes Bedenken besiegen, und diesmal eine Dreistigkeit begehen, die sonst ich mir gewiß nicht heraus genommen hätte.

Die beiden Ueberbringenden sind der Fürst Felix von Schwarzenberg aus Böhmen, und der Graf Huniady aus Ungarn.

Mit dem Vater des Ersteren stehen Ew Excellenz bereits in Bekantschaft. Er hat in den wenigen Gesprächen die ich mit ihm führen konnte, eine so schöne Liebe zu seinem Vaterlande und einen so klaren Blick verrathen, daß er überall einen erfreulichen Eindruck zurücklaßen muß.

Der zweite, erst achtzehn Jahr alt, hat sich in längerer Unterredung mir von mehreren Seiten her entfaltet, und ich läugne nicht in einige Bewunderung gesetzt worden zu seyn, durch die bescheidene Unbefangenheit, mit der hier ein Naturell von seltner Tiefe und Wahrheit sich ausspricht, das eben erst der Welt entgegentritt. Ich bin an Ihren eigenen Herrn Sohn erinnert worden, und konnte diese Erinnerung nicht unterdrücken. Daß der junge Graf ein Abkömmling des Königs Hunniades ist, paßt sich sehr schön zu seiner echten Nationalgesinnung und zu der seltenen Richtigkeit in seinen Urtheilen und Ansichten, die er mit ungeheuchelter Anspruchslosigkeit am liebsten als Fragen hinstellt, weil er sich ganz aus sich selbst entwickelt.

Nochmals also bitte ich Ew Excellenz, meine Dreistigkeit zu entschuldigen, und Ihre wohlwollende Gesinnung zu erhalten

Ihrem ganz ergebensten Diener

Franzensbrunn den 13ten August 1822.   Wilhelm von Schütz

Besitzer: Nationale Forschungs- und Gedenkstätten in Weimar (wie Nr. 9)
Erläuterungen S. 141 f.

16. An Goethe. Dresden, 17. April 1823

Hochwohlgeborner Herr
Insonders hochzuehrender Herr Geheimer Rath
und Staatsminister.

Euer Excellenz bin ich so frei, hierbei das dritte Heft derjenigen Schrift zu übersenden, der Sie ungemein viel Güte hatten widerfahren laßen. Es freut mich, das Allgemeine so ziemlich durch das früher Geleistete beseitigt zu haben, und nun dem Einzelnen, dem Wirklichen, zum Theil dem Bekannten näher treten zu dürfen. Schon diesmal habe ich sehr oft an bereits Vorhandenes anknüpfen können, und immer mehr finde ich, daß wir der neuen Wahrheiten wenig bedürfen, sondern genug zu thun haben, das sonst schon bekanntgewesene, geglaubte und gelehrte richtig, d. h. im Geiste seines Entstehens und seiner Bedingungen, zu verstehen.

Welche Freude mir Ihre glückliche Wiedergenesung verursacht hat, darf ich nicht verschweigen. Es war nichts geringes diesen Winter glücklich zu überwinden, und daß es geschehen, berechtigt zu den schönsten Erwartungen. Mich durch diese erheiternd, und mich Ihrer ferneren Güte bestens empfehlend habe ich die Ehre mich mit der vollkommensten Hochachtung zu nennen

Ew Excellenz ganz Ergebenster

Dresden den 17ten Aprill 1823. v. Schütz

Besitzer: Nationale Forschungs- und Gedenkstätten in Weimar (wie Nr. 9)
Erläuterungen S. 143; Faksimile S. 145

17. An Goethe. Reichenwalde (bei Frankfurt), 20. November 1823

Hochwohlgeborener Herr
Insonders hochzuehrender Herr Geheimer
Rath und Staatsminister.

Das neuste Heft zur Naturwißenschaft u. s. w. hat mich in solchem Grade beschäftigt, daß ich nicht ermüdete, den Reichtum von Fingerzeigen die ich darin gegeben fand, bei mir durchzudenken und durchzuarbeiten. Die Gewitterbeobachtung in Marienbad, die Beschreibung der Mühlenwelle mit den in ihrem Innern angetroffenen Kugeln, die Betrachtung über die Gefahren welchen das System der Metamorphose uns blosstellt und vieles andere verknüpfte sich mit Beobachtungen und Vorstellungen welche ich zwar nicht verwandter Natur nennen darf, in denen ich aber dennoch irgend einen nicht ganz gleichgültigen Bezug glaubte entdecken zu können. Je mehr ich nun seit etwa vier Wochen hier in ziemlicher Einsamkeit lebe, um so beharrlicher hing ich den Anregungen nach welche ich empfangen hatte. Da wird denn das Verlangen sich dem mitzutheilen der unsern Geist in Bewegung gesetzt hat, periodisch so laut und rege, daß man ihm wohl nachgeben und zur Feder greifen muß. Aber die Form des Briefes bindet oft den Ausdruck, und legt der Darstellung Feßeln an. So nahm ich mir vor, besonders dasjenige aufzuschreiben was mir über gewiße Gegenstände auf dem Herzen lag, und es Ew Excellenz als Beilage meines Schreibens zu übersenden. Meine Vermuthungen über die Mühlenwelle muß ich noch zurückhalten weil ich hier einige Anmerkungen entbehre welche ich benutzen müßte. Eben dieses ist der Fall in Absicht meiner Gedanken über das System der Metamorphose. Dagegen hinderte mich nichts, die Zusammenstellung gewißer Beobachtungen und Vermuthungen über meteorologische Gegenstände vorzunehmen: ich bin auch dreist genug Ew Excellenz meine Bogen zur Einsicht ganz ergebenst vorzulegen. Ueber den Nutzen und über die Bedeutsamkeit deßen was man glaubt beobachtet zu haben, ist man oft so sehr zweifelhaft, daß wir zuweilen Wahrnehmungen und Vermuthungen nicht achten, die denn doch, wenn auch nur zufällig, Brauchbares enthalten können. Oft auch wieder giebt man Dingen eine Bedeutung, die völlig werthlos sind. Da kann denn fast nur der sichere Blick eines Andern vermittelnd dazwischen treten.

Getheilt zwischen dieser Betrachtung und dem Trieb einige Beobachtungen über Gegenstände mitzutheilen, welche Excellenz Aufmerksamkeit seit lange auf sich gezogen haben, beschloß ich Ew Excellenz einige Wahrnehmungen und die darauf gebaute Combinationen vorzulegen. Auch über die sonstigen Gegenstände wünsche ich mich auszusprechen sobald ich wieder bei meinen Papieren bin. Denn ich bekenne, daß mich wenig so erfreut als wenn ich mich in Betrachtung gewißer Punkte mit Ew Excellenz glaube in gleicher Richtung antreffen zu können.

Mit dieser Versicherung, und dem Wunsch Ew Excellenz noch recht Vieles persönlich oder schriftlich vortragen oder vorlegen, und damit recht lange fortfahren zu können, empfehle ich mich Ihrem ferneren gewogenen Wohlwollen, und nenne mich hochachtungsvollst

Ew Excellenz ganz ergebensten Diener

Reichenwalde (bei Frankfurt) den 20ten November 1823.   W. v. Schütz

Erstdruck: Bratanek, Bd. 2, S. 241—243. Revidierter Abdruck mit freundlicher Unterstützung der Nationalen Forschungs- und Gedenkstätten in Weimar
Erläuterungen S. 144

18. An Goethe. Dresden, 28. Januar 1824

Hochwohlgeborner Herr
Insonders hochgeehrter Herr Geheimer Rath
und Minister.

Kaum war ich wieder hier eingetroffen, als ich das Lesen und Studieren des zweiten Bandes zur Naturwißenschaft u.s.w. zu meiner vorzüglichsten und beinahe einzigen Beschäftigung machte. Dies wirkte dann ebensowohl anregend, wie ordnend und bestimmend. Immer mehr aber bemühe ich und übe ich mich, dasjenige, was in meinem Innern bald nur einem bloßen Ein- und Ausathmen gleicht, bald indeßen auch sich bestimmter auszubilden beginnt, gleichfalls in Worten zu gestalten. Es ist aber wohl sehr begreiflich, daß ich wünsche Ew Excellenz Versuche dieser Art vorlegen zu dürfen, weil sie ein Zeugniß geben, wie sehr meine Gedanken auf gewiße Wahrheiten hingeneigt sind, die Sie zuerst angeregt haben. Was ich niedergeschrieben sind einige Nachträge meteorologischen Inhalts, dann Bemerkungen über das physisch-chemisch-mechanische Problem, ferner Gloßen zu dem Aufsatz: Problem und Erwiederung, endlich Geständniße über wißenschaftliches Behandeln der Naturkunde mit einer Anwendung.

Es wird mich sehr beglücken, wenn Ew Excellenz hin und wieder wenigstens verwandte Ansichten antreffen sollten, und ich verbleibe mit ungeheuchelter Verehrung

Ew Excellenz treuergebener Diener

Dresden den 28ten Januar 1824.   W. v. Schütz

Erstdruck: Bratanek, Bd. 2, S. 243 f. Revidierter Abdruck mit freundlicher Unterstützung der Nationalen Forschungs- und Gedenkstätten in Weimar
Erläuterungen S. 144. Die Beilagen fehlen, da sie von Goethe an Schütz zurückgesandt wurden.

19. [An Johann Baptist Pfeilschifter.] Dresden, 22. November 1824

Seit langer Zeit hat mich die nicht ganz leicht zu entwirrende Angelegenheit der Griechen beschäftigt, und ich habe das Resultat meines Nachdenkens vorläufig in die beiden anliegenden Aufsätze nieder gelegt.

Ew Wohlgeboren werden bald finden, daß der Artikel welcher die Erinnerungen an Johannes Müller enthält, dem nicht vorangehen kann, sondern nachfolgen muß, welcher die Sache von der diplomatischen Seite betrachtet. Weil aber diese letztgenannte diesmal nicht die einzig gültige Betrachtungsweise seyn kann; so habe ich der anderweilen höheren eine eigene Abhandlung eingeräumt. Ob es aber möglich seyn werde, beide Artikel unmittelbar hinter einander abdrucken zu laßen, muß Ihnen völlig anheim gestellt bleiben. Durchaus nothwendig ist es nicht. Aber vielleicht vermögen Sie aus dem eigenen Eindruck welchen Ihnen das Lesen hervorbringt, darüber zu urtheilen, ob es nützlich sey, wenn der Leser den Eindruck beider Betrachtungsweisen gleichzeitig empfängt, um sie als ein Ganzes aufzunehmen welches sich wechselseitig supplirt.

Auch über die dermaligen sogenannten Calamitäten des Ackerbauers und die vermeintliche Geldnoth, dann über die in Pommern neu errichtete Zettelbank, welche bereits in einigen Zeitschriften besprochen worden, habe ich manches in petto. Nur bin ich ungewiß, ob Oekonomisches und Finanzielles Ihrer Zeitschrift entspricht.

Aber noch habe ich eine Bitte, zu welcher mich Ihr Aufenthalt in Wien veranlaßt. Ich hatte dem H. von Buchholz mehrere Rezensionen für die Jahrbücher zugesandt, und höre, er solle die Redaction aufgegeben haben; ja man spricht wie von seiner Abreise von Wien von einem Eingehen der Jahrbücher. Von den überschickten Rezensionen wünsche ich in zweien eine Veränderung vorzunehmen weil fortgesetztes Studium der Altertumskunde mich zu einigen neuen Aufschlüßen geführt hat. Jene Rezensionen sind die über *Böcks Kreta* und über *v. Raumers Hohenstaufen*. Diese und wenn es thunlich wäre noch eine dritte Abhandlung über *Kuithan's Griechen und ihre Sprache* hätte ich gern auf einige Zeit zurück, um einige Punkte berichtigend zu vervollständigen. Ich ersuche Sie daher dies zu vermitteln, und, falls die Jahrbücher eingehen sollten mich auch gütigst in den Besitz der vierten theologischen Abhandlung zu setzen.

Mit wahrer Hochachtung der Ihrige

Dresden den 22ᵗ 9ᵇʳ 1824.

W. v. Schütz

Erläuterungen S. 133, 159. Schütz' Rezension von Karl Böcks ‚Kreta, ein Versuch zur Mythologie und Geschichte' (Göttingen 1823) erschien in Bd. 25 der ‚Jahrbücher der Literatur', Wien 1824. Bd. 37 bis 40 brachten 1827 die sehr ausführliche, intensives Fachstudium verratende anonyme Würdigung von Friedrich v. Raumers ‚Geschichte der Hohenstaufen und ihrer Zeit' (6 Bde., Leipzig 1823—1825). Eine Rezension von Johann Wilhelm Kuithans in drei Heften erschienener Untersuchung ‚Die Germanen und Griechen. Eine Sprache, ein Volk, eine auferweckte Geschichte' (Hamm 1822) ist nicht nachweisbar, ebensowenig die von Schütz zurückgeforderte „theologische Abhandlung". Franz Bernard von Bucholtz, der 1821 die Redaktion der ‚Jahrbücher' von Matthäus von Collin übernommen hatte, gab sie 1826 an Georg Hülsemann weiter. Von 1830 bis zu ihrem Eingehen im Jahr 1851 wurden sie von dem Bühnendichter Johann Ludwig Deinhardstein redigiert.

20. An Franz Bernard von Bucholtz. Dresden, 4. März 1825

Dresden den 4ᵗ März 1825.

Mein theuerster Freund.

Längst hätte ich Ihnen schreiben sollen, und längst habe ich Ihnen schreiben wollen. Aber es konnte nur von hier geschehen; ich wollte Schlegel einige Auskünfte geben, welche die Einlage enthält und die mir kürzlich erst geworden sind; endlich rechnete ich auf Tieck, den sehr bald eine Theaterberufung auf einige Tage auch nach Wien führen wird. Diesem wollte ich Manuscripte und Briefe mitgeben. Aber ihn bangt vor den versiegelten Briefen; nun schreibe ich Ihnen besonders, und die Manuscripte erhalten Sie durch Tieck, nemlich die versprochne Abhandlung über Gewerbefreiheit, und vielleicht schließe ich noch eine andere ab, über Volkserziehung; diesen Brief aber laße ich vorangehen.

Mit dankbarem Herzen und dem Gefühle wahrer Freundschaft habe ich Ihrer während meiner Rückreise und auch seitdem noch vielfältig gedacht. Vor allem muß ich Ihnen sagen, daß ich mit den Nachwirkungen meines Aufenthalts in Wien sehr zufrieden bin, und glaube, daß auch Sie solche billigen würden. Je mehr ich allein und mir selbst überlaßen bin, um so fühlbarer wird mir das Wohlthätige der Nachwirkung von den mir sehr merkwürdigen Tagen. Der Schritt welcher mir bevorstehet wird keinen schlechten Abschnit in meinem Leben bilden; er wird auch nicht einmal die Natur eines Entschlußes an sich tragen; sondern wie bei allem Wachsen und Reifen wird er ein innerlich fertig Gewordenes wie von selbst mit dem zusammenfallen, deßen analoge Natur ihm zu Theil geworden, ungezwungen und wie durch sich selbst nöthig geworden.

Nachdem ich Wien verlaßen hatte, brachte ich mehrere Tage in Prag zu und war so glücklich unsern Dombrowski [!] recht viel zu sehen. Ich richtete Ihre Grüße an ihn aus und fand den dem Greisenalter nicht mehr fernen Mann, er wird Göthe's Jahre haben, einen der liebenswürdigsten Gelehrten, freundschaftlich und theilnehmend, empfänglich und mit Würde jugendlich, kenntnißreich und verständig. Er läßt sich Ihnen angelegentlich empfehlen. Man hatte die Nachricht von dem Eingehen der Jahrbücher auch nach Prag hin verbreitet, und Dombrowsky freute sich unglaublich als ich ihn des Gegentheils versichern konnte. Zugleich bin ich Dombrowsky die sehr intereßante Bekantschaft schuldig, welche ich mit den beiden Grafen Sternberg machte. Der Naturkundige mußte Prag leider sehr bald wieder verlaßen, und doch ist mir das Wenige was ich mit ihm gesprochen sehr wichtig geworden.

In Prag selbst wurde ich veranlaßt über die Herrschaften des Grafen Clam Gallas, Reichenberg und Friedland zu reisen. An letzterem Orte übernachtete ich auch in des Waldstein's Schloß. Das dortige Bild des Friedländers wird sehr gelobt und wahrlich es hat mich in hohem Grade befriedigt. Dies Bild ist durchaus Porträt, und ich zweifle nicht daß Waldstein so ausgesehen habe. So manche Dunkelheit und Ungewißheit über den Charakter des merkwürdigen Mannes hat mich seitdem erst verlaßen, und ich glaube einen Blick in sein Gemüth und in sein Wollen gethan zu haben, seitdem ich jenes Bild gesehen. Kaum aber war ich über Böhmens Grenze hinaus als auch meine Reise alles schönere Intereße verlor. Ich kann noch jetzt nicht den Mittag im Gasthof zu Görlitz vergeßen wie man dort nur die Phrasen eines nüchternen Selbstgefühls über alle die Plattitüden hörte die jetzt an der Tagesordnung sind. Im stillen aber hat mich seitdem vielfältig der Gedanke an die Reise beschäftigt, die wir miteinander vorläufig besprochen hatten.

Daß ich all der wehrthen [!] Bekantschaften welche ich in Wien gemacht fleißig gedenke, das versteht sich von selbst. Haben Sie die Güte mich überall in Erinnerung zu bringen und meine dankbare Ergebenheit zu versichern, bei der Gräfin Leszniowska, wenn sie noch in Wien ist, bei Pilat, Hügels, Baron Penkler, Hülsemann, Burchhart nebst allen anderen Bekannten. Ich bleibe für diesen Monat hier; wohin ich mich dann wende sollen Sie hiernächst erfahren; und nun das herzlichste Lebewohl von Ihrem

aufrichtig Ergebenen v. Schütz

Besitzer: Staatsarchiv Münster
Erläuterungen S. 128 f.

21. An Goethe. Dresden, 10. Mai 1825

Hochwohlgeborner Herr
Hochzuehrender Geheimer Staatsminister.

Euer Excellenz finde ich mich verpflichtet anzuzeigen, weshalb die Bekantmachung der mir mit so gütigen Aeußerungen zurückgesendeten Papiere, der ermunternden Aufforderung ohnerachtet, in meinen Heften nicht erfolgt ist.

Theils stockt das Unternehmen aus manchen Gründen, theils würde eine dortige Einfügung sich auch nicht wohl haben bewirken laßen. Denn es liegt der scheinbaren Zufälligkeit jener Aufsätze doch eine gewiße Planmäßigkeit zum Grunde. In den drei ersten Heften hatte sich alles auf Scheidung bezogen; nun sollte die Rede seyn vom Bande und deßen zwiefacher Beschaffenheit; insofern wir Band nennen was vielleicht noch ursprüngliches Nichtgeschiedenseyn ist, die wahre Encheiresis, zugleich aber auch jede bis zu einer gewißen Innigkeit vollbrachte Wiedervereinigung mit dem nemlichen Worte belegen. Der Unterschied ist wichtig und wir dürfen es merkwürdig finden, daß grade dasjenige, was auf einen ganz andern Begriff führen muß wie den des Bandes, also sein fernster Gegensatz, uns als Band erscheinet, ja daß wir geneigt und gewöhnt sind, beides zu verwechseln.

Das zweite Heft des zweiten Bandes zur Naturwissenschaft pp hat mich wieder ungemein intereßirt. Mir gereichte die Uebereinstimmung der Erfahrungen des Herrn Grafen von Sternberg über die Gewitter in Böhmen mit meinen Beobachtungen zur großen Freude. Manches lag nahe genug um sich erwarten zu laßen. Aber daß der Graf die primären Gewitter gleichfalls in der oberen Luft entstehen läßt, war eine beinahe nicht vermuthete Uebereinstimmung.

Ferner sprach mich durch Anknüpfung an frühere eigene Wahrnehmungen und Betrachtungen die Reihe von Artikeln über die Krankheit des Hopfens, den Ruß, an. Ich habe nicht widerstehen können darüber nachträglich noch etwas aufzusetzen, und bin so dreist es Euer Excellenz vorzulegen. Nur wegen der dem Hauptthema angehängten Aphorismen bedarf es vielleicht noch einer Erklärung. Es befremdet mich gar nicht, wenn vermuthet wird, meine Gedanken und Ansichten entständen mir zufällig; sie schößen mir unvermittelt an, besäßen ansich nicht Zusammenhang und wären wohl auch gar oft in Widerspruch mit einander. Es muß ja wohl so erscheinen wo die Mittelglieder, die Uebergangsstufen, die Verbindungsfäden nicht mit zur Erscheinung kommen. In der That mache ich mir auch deshalb keine Sorge; nur wehrten Männern wünscht man einen Eindruck zu nehmen, von dem man fühlt daß man selbst ihn erregt, weil das im Dunkeln bleibt was ihn heben könnte. Daher sind denn jene Aphorismen hauptsächlichst bestimmt, Euer Excellenz diesen oder jenen Blick in mein Inneres zu öffnen, in welchem vielleicht um so weniger Widerspruch anzutreffen ist; je zwangsloser es manchen objektiven Widerspruch in sich aufnimmt.

Daß Euer Excellenz, ohne den Gebrauch der Bäder zu bedürfen der schönsten Gesundheit genießen, ist ein Ereigniß worüber wir uns nicht genug freuen können, und den allgemeinen Wunsch theilend, daß ein so glücklicher Gesundheitszustand noch recht lange fortdauern möge, habe ich die Ehre mich hochachtungsvollst zu nennen

Euer Excellenz ganz ergebensten Diener

Dresden den 10ten May 1825.   Wilhelm von Schütz

Beilage zum Brief an Goethe vom 10. Mai 1825 (Teilabdruck)

Aphorismen.

Physische und intellektuelle Gebilde haben miteinander gemein, sich zuerst ganz auf sich selbst, sodann aber auch sich auf etwas zu beziehen, das noch außer ihnen zu liegen oder von ihnen abzuweichen scheint. Die Lehre der Pflanzenmetamorphose bietet sich als Beispiel dar. Gewisse Pflanzentheile gehen in die Gestalt der nächstliegenden Theile bald ganz, bald mehr oder weniger über; die Natur bringt einen Theil durch den andern hervor. In den Cotyledonen sind zunächst die künftigen Blätter enthalten und gewiß schon früher als sie unter dem Namen des Federchens zwischen den Cotyledonen eingeschlossen lagen. Wieder enthalten gewisse Blätter, Folia floria, schon die Anlage zur Blüthe in sich. Dennoch ist der Cotyledon nicht Blatt, und das Blüthenblatt nicht Blüthe. Aber wahrscheinlich wird das Blatt um so vollkommner Blatt, als der Cotyledon schon als Cotyledon möglichst vollkommen war; eben so wohl die künftige Blüthe um so vollkommener, als das Blüthenblatt schon vollkommen gewesen. Grade so verhält es sich mit den intellektuellen Gebilden der richtigen Einsichten und Gedanken. Je vollkommener, harmonischer und wahrhafter sie sich ganz auf sich selbst beziehen, um so sicherer enthalten sie ein zweites auf einen anderen Punkt zu bezeichnendes Gedankengebilde, dem aber noch die Entwickelung mangelt, eine Entwickelung, die vielleicht nicht möglich wäre, wenn die Grundlage des frühern Gedankengebildes gemangelt hätte. Es liegt demnach in jeder gut gewonnenen Einsicht zugleich der Keim einer andern, deren Entwickelung erst vorbereitet, aber noch nicht vollendet ist.

Die Analogie des physischen und intellektuellen Bildungsprozesses ist merkwürdig und erfreulich. Sie zeugt von einer Seite, an welcher die Operationen der Natur und des menschlichen Geistes ganz gleichgeartet erscheinen. Insoweit aber physische und intellektuelle Thätigkeit gleichmäßig operiren, insofern manifestirt sich auch eine Gleichartigkeit der Physik und der Philosophie. Beide Wissenschaften sollten sich demnach nicht als Gegner, oder als durchaus verschiedenartige Wesen betrachten, und wohl gar in Entzweiung treten. Dennoch hat es gewiß der Versöhnung nicht gefrudutet, daß man Natur und Philosophie verbinden, ja wohl gar zusammenschmelzen wollte. Man hätte sie streng sondern sollen und ihre Verschiedenartigkeit so entwickeln, wie der Beobachter darlegt, worin Blatt und Blüthe sich unterscheiden. Aus dieser Unterscheidung gehet das Erkennen der Analogie und Verwandschaft wohl am glücklichsten hervor.

Sogar auf die Theologie scheint sich jene innere Verwandschaft und Gleichmäßigkeit der beiden ersteren Wissenschaften auszudehnen. Es ist dies ein sehr weit führendes Thema. Dennoch enthalten einen merkwürdigen Wink darüber die merkwürdigen Worte, welche im Dogmenstreit zwischen Abälard und Bernard von Clairrveaux dieser jenem entgegensetzte: omne, quod de substantia aliqua est, continuo ipsum, a quo est, habet genitorem. Einer endlosen Erörterung wäre diese tiefsinnige Aeußerung fähig. Hier genüge die Bemerkung, daß sie einer erfreulichen Morgenröthe gleicht, welche den heitersten Sonnentag der reinsten und schönsten Harmonie zwischen allem Geschaffenen mit dem Schaffenden ankündigt. Wenn zwischen dem Hervorbringenden und dem Hervorgebrachten der Einklang mangeln sollte, wo würde er dann wohl zu finden seyn? Wenn Vater und Sohn sich entzweien, so entspringt der Zwist nicht daher, daß dieser aus jenem hervorgegangen ist, sondern aus anderweiten Verhältnissen, welche dazwischengetreten sind.

Ist es gut, daß jeder, sich selbst kennend, weiß zu welcher Parthei er gehört, welche Denkweise ihm angemessen ist, so stehe hier das Bekenntniß, daß bei allem Thun, Beobachten und Nachdenken, die Rücksicht auf Gut und Böse, so wie die Frage danach mich niemals verläßt, daß vielmehr, weit entfernt von jeder Düsterheit der Seele, ja sogar mit heiterem Sinne, all mein Treiben begleitet wird von einem beständigen Forschen nach dem Entstehen des Uebels. Und ich kann versichern, daß es ein belohnendes Geschäft ist, seine Quelle zu entdecken. Sind wir der Zeit entrückt, wo das Böse unserm Auge und Sinn noch völlig fremd ist, haben wir nicht durch Selbstleiden, sondern in objektiver Wahrnehmung Kunde des Bösen erhalten, dann gleicht die Erkenntniß seiner Quellen einer wahren Erlösung davon. Je klarer unsere Erkenntniß vom Bösen, hauptsächlich vom objektiv Bösen wird, um so reiner, sicher und fester stellt sich uns auch das objektiv Gute dar. Wir gewinnen die klarste Ueberzeugung, daß das Gute, oder daß Gutes bis in Ewigkeit bleiben wird, und daß, weil wir uns ihm ja nur innigst zu verbinden brauchen, nichts uns hindert, vollkommen glückselig zu werden und zu bleiben.

Die Frage nach dem Guten und Bösen in der Natur ist vielleicht eins der schwürigsten Probleme. Wo ist der Mensch, der nicht zwischen dem steten Wechsel einer doppelten Beantwortung schwankt! Unendlich oft wird die Seele von dem Gefühl durchdrungen, nur in der Natur sey alles gut und rein, ja vollkommen und göttlich geblieben. Aber dann tritt auch wieder der Fall ein, daß wir, nicht etwa von trüber Stimmung bemeistert, sondern von Beobachtung und Nachdenken geleitet, in den Aeußerungen und Wirksamkeiten der Natur etwas anerkennen und einräumen müssen, dem wir die Eigenschaft des Allguten und Reinen, des Vollkommenen und Göttlichen nicht füglich beizulegen vermögen. Sonderbar genug, und sich selbst die Erreichung ihres Zieles unmöglich machend, stellt nun eine philosophische Theologie oder eine theologische Philosophie welche nicht den rechten Weg wandelt, jene wichtige Frage auf die Spitze eines absoluten Entweder Oder. So kann es nie zur Beantwortung gelangen, es giebt nur einen Prozeß, nicht eine Untersuchung, das richtige Verfahren würde seyn, zu beobachten und zu forschen, wie und woselbst in allem Geschaffenen das Böse begonnen, wo aber das Geschaffene, folglich auch die Natur, noch frei geblieben ist von seinem Fluch. Natur- und Geschichtsforschung dürften die Belehrung geben, daß die nemliche Natur sowohl vollkommen gut ist wie verdorben und böse. Wirklich sind aber auch hiermit die Lehren der unverfälschten christlichen Kirche übereinstimmend, wenn diese die Thatsache des Sündenfalls und die Mutter Gottes in sich zu vereinigen weiß. Für die Philosophie der Schule ist das ein Widerspruch, nicht aber dem Menschen, der, noch eine andere Ueberzeugung wie die kirchliche Offenbarung bedürfend, mit echter Pietät sich an die heiligen Schriftzüge der Natur wendet.

Der Zweck dieser Bruchstücke ist lediglich, die einseitige Richtung zu entschuldigen, welche den Betrachtungen über den Ruß am Hopfen gegeben worden. Gleich jenen über die achtzig Kugeln, welche in einer Mühlenwelle gefunden worden, gehen sie von Abnormitäten und Krankheitszuständen in dem Reich der Vegetabilien, also auf eine Verderbtheit in der Natur aus. Aber auf das Gesunde und Krankhafte im Pflanzenreich hat sich nun einmal mein Blick, dem obigen Bekentniß zufolge, hauptsächlich gerichtet, und diese Beobachtungen führten mich darauf, daß nicht blos dort, sondern auch im Luft- und Erdengebiet krankhafte Zustände sich äußern, daß die Luft oft fiebre, und daß vielleicht manches Fossil Produkt einer innern Abnormität der Erde sey. Zum Theil bestimmte Fichte diese Richtung, der, wenn ich das Orakel der Natur pries, zu erwidern pflegte: „wäre nur die Natur nicht krank!" Aber leider ist der Mensch, der sich über die angeblich kranke Natur erheben will, gewöhnlich noch kränker wie sie.

Erstdruck: Bratanek, S. 256—260. Revidierter Abdruck mit freundlicher Unterstützung der Nationalen Forschungs- und Gedenkstätten in Weimar
Erläuterungen S. 146

22. An Friedrich de la Motte Fouqué. Reichenwalde, 28. Mai 1841

Lieber theurer Freund.

Längst hätte, nachdem in mich so unangenehm verkürzender Weise am Ostersonntage ich Deine Seite und den Kreis der verehrten Deinigen zu früh verlaßen mußte ein Brief bei Dir eingetroffen seyn sollen, der mich zu entschuldigen und Dir meinen

Dank abzustatten hatte. Verzeih nur ja, daß er sich so lange und fast bis Pfingsten verspätet hat. Die Festtage und der Aufenthalt in der Kirche zu Bautzen hatten mir eine Störung im Unterleibe und eine Erkältung zugezogen. Aber bald folgte den Fieberschauern Schweiß und nichts verhinderte die Reise am folgenden Morgen, wo ich in Leipzig den [!] sehr gefälligen Herrn von Alvensleben einen kurzen Besuch machte und Abends weiter fuhr. Jetzt säume ich nicht, einstweilen Dir die Niobe zu übersenden; von dem Gleichen und den romantischen Wäldern kann ich für den Augenblick kein Exemplar herausfinden. Dafür erhältst Du das Gedicht: Triumpfe deutscher Vorzeit, und meine Kriegslieder aus dem Jahre 1813. Ferner lege ich zwei Hefte des Zuschauers am Mayn bei, deren eines ich Dich aber bitten muß, mir zurückzusenden, weil ohne solches mein Exemplar zerrißen wäre. In dem einen Hefte intereßirt Dich und Hr. Leo vielleicht der Aufsatz: über die Faustsagen, und ich möchte nur Dir zugleich das Pfeilschiftersche Taschenbuch Cölestina beilegen können, weil auf einen dortigen Beitrag von mir Bezug genommen wird. In dem anderen Hefte befindet sich die kurze Recension eines Leoschen Werkes von der unser Freund vielleicht keine Kenntniß gewonnen hat. Dieses Heft besitze ich zum Glück doppelt, und kann drum es dem Herren Leo verehren. Hingegen das andere muß ich mir schon zurückerbitten. Gelegenheit dazu wird der Buchhändler Franke geben, der mir wöchentlich eine Zusendung der Adelszeitung durch die Hoffmannsche Buchhandlung in Frankfurt a/O macht. Du würdest mich verpflichten, wenn Du die Labanofsche Briefsammlung beifügen solltest, und ganz besonders wenn zugleich die Schweiggersche Schrift mit erfolgen könnte, die ich gewiß bald zurücksenden würde.

Endlich füge ich noch eine erst eben erschienene Schrift bei, welche sich mit der wach[s]enden religiösen und politischen Frage beschäftigt. Es geschieht das nicht ohne Besorgniß wegen des Urtheils nicht sowohl über das Katholische als über das Hierarchische, worin ich scheinen kann sehr weit zu gehen. Ich will daher diesen Theil zwischen uns gleichsam preisgeben, und blos das Intereße an der politischen Frage hervorheben, mit welcher sich der letzte vierte Abschnitt beschäftigt und der manches bieten dürfte, was nicht ausgesprochen worden, z. B. über Frankreichs Stellung in der Welt, über den französischen Nationalcharakter und über die Bedeutung der ägyptischen Angelegenheit für die deutschen und kirchlichen Verhältniße. Mir will die Art der Beseitigung jener Angelegenheit nicht ganz zusagen, und halte ein großes Zerwürfniß nur für aufgeschoben, das von Afrika her drohet. Vielleicht liegt dieser Theil des Schriftchens Dir näher.

Den Buchhändler Schwetschke konnte ich vor meiner Abreise von Halle nicht mehr sprechen, obwohl ich zu ihm gegangen war; denn er befand sich nicht wohl, sondern noch im Bette. So ruht die Fehde mit den Hegelianern noch, die ich gerne angeregt sähe. Vielleicht jedoch findet das Schriftchen noch sonst wo ein Unterkommen.

Ganz besonders aber hat mich Deine Lebensbeschreibung ergriffen und zur Abfaßung eines biographischen Fragmentes veranlaßt für das ich einen Titel bestimmt habe, der Deine Genehmigung braucht, weil er sich auf Deine Erinnerung an mich bezieht. Er lautet: „Erinnerungen an den Lacrimas-Schütz, aufgefri[s]cht durch de la Motte Fouqué [!] und Lacrimas Schütz selbst: [“] — Ich möchte Dich bitten, mir Deine Meinung darüber zu sagen und ob Du einwilligst daß das so betitelte Büchlein zum Druck gelangen kann. Ich lebte mich beim Schreiben wieder recht in frühere Zeiten hinein und hatte

viel Freude an der Ueberzeugung, daß uns so viel Gemeinsames berührt. Gern drum
träfe ich bald einmal wieder zusammen mit Dir, und mit dieser Versichrung sagt Dir
diesmal Lebewohl

Dein treuer Freund und Bruder

Reichenwalde den 28/5 1841.   W. v. Schütz

Besitzer: Schiller-Nationalmuseum Marbach a. N.
Erläuterungen S. 171 f. Labanofsche Briefsammlung: Alexandre de Labanof, Lettres in-
édites de la reine Maria Stuart, Paris 1839. Der Buchhändler Schwetschke in Halle
war der Verleger von Fouqués ‚Lebensgeschichte‘ (1840) und seiner ‚Ausgewählten
Werke‘ (1841). Die Schrift ‚Hegel und Günther‘ von Schütz erschien 1842 bei Friedrich
Fleischer in Leipzig.

23. [An den Verleger des „Anticelsus".] Reichenwalde, 3. April 1846

Verehrter Herr und Freund

Schon seit einiger Zeit liegt alles Manuscript für H. 12 des Anticelsus fertig und ich
säume nicht es schon jetzt zu übersenden, obwohl H. XI noch nicht erschienen ist. Ich
habe gleich fortlaufend paginirt, weil dies vielleicht der Beschleunigung des Druckes
förderlich seyn kann; und es bedarf daher einer Angabe der Reihenfolge der Artikel
nicht. Mit Absicht habe ich den über Paßy's Gedicht vorangestellt, weil dies vielleicht
die Anfertigung besonderer Abdrücke bequemer macht. Mein letzter Brief nämlich
wird Ihnen den Wunsch Paßy's mitgetheilt haben, daß ich ihm gestatten möchte, Abdrücke davon fertigen zu laßen. Wie wäre es nun; wenn Sie selbst ihm die Frage
stellen wollten: ob es durch Sie geschehen könne, wie viele Abdrücke er wünsche, und
was weiter als Bedingung zu stellen ist. Wenn es sich in sonstiger Beziehung thun läßt;
so möchte ich daß [!] anheim stellen, ihm die Aushängebogen vorher zugehen zu laßen.
Denn er wie Malfatti leben in der Erwartung. Was den letzten betrifft; so will ich
Ihnen gleichfalls überlaßen, ob Sie demselben die Mittheilung einiger Abzüge selbst
machen wollen, nämlich ihm schreiben, daß deren vorhanden wären, und ob er sie zu
besitzen wünsche. Vermuthlich nimmt er den größeren Theil ohne den Preis zu scheuen.
— Wie Sie über den Artikel Herrmann Müller und Leo verfügen wollen überlaße ich
Ihnen gänzlich und statte meinen Dank für Müllers Buch selbst ab, deßen Wichtigkeit
mir sehr einleuchtet, da seit dreißig Jahren mich derselbe Gegenstand beschäftigt aus
der Ueberzeugung, daß bei Herleitung aller Cultur aus dem Orient man zu weit gehe,
und die andere von Westen kommende Strömung ganz übersehe. Der Schrift des
H. Domcapitular Scholz in Bonn, deren Beurtheilung die Wittmannsche Buchhandlung
nach ihrem mir durch Sie zugegangenen Bericht vom 20/8. v. J. wünschte, habe ich
noch einen Artikel gewidmet. Es sind mir eine Menge von Ansuchen geschehen, über
Schriften aller Art gerade im Anticelsus zu sprechen; aber wie will ich den Raum und
die Zeit dafür gewinnen? Auch Manuscript wird mir übersendet. Ein solches war in
dem auch durch Ihre Güte erhaltnen Paket von H. Pfarrer Philipp Müller zu Weilbach
befindlich gewesen, und Sie verbinden mich, wenn Sie demselben meine Antwort nebst
einigen Schriften, die ich ihm überschicke, können zugehen laßen. Der Jesuitenhaß ist

noch nicht dabei; denn von Kollmann erhielt ich in diesen Tagen erst die Anfrage: wohin er meine Exemplare senden solle.

Es wird auf den Winter ankommen und seine Dauer, wann ich mich nach langem Einsitzen wieder aufmachen und ob meinen Zug zuerst nach der Donau oder dem Rhein nehmen werde. Zu groß also wird der Zwischenraum nicht seyn bis Sie und Freund Schuster [?] seiner Hochachtung und Zuneigung persönlich versichert

Ihr ergebenster und aufrichtiger Freund u. Diener

Reichenwalde 3/4. 46

W. v. Schütz

Besitzer: Stadtbibliothek Dortmund
Erläuterungen S. 164. Am Kopf des Briefes eine Abrechnung des Verlegers: „1842 rth 80, 1843 rth 50, 1844 rth 50, 1845 rth 50, 230 rth in Summa."

KLEISTS „HINTERLASSENE SCHRIFTEN" UND DIE AUFFÜHRUNG VON „PRINZ FRIEDRICH VON HOMBURG" IN DRESDEN

Eine Zeitschriftendiskussion

1. [Wilhelm von Schütz.] Literarisches Conversations-Blatt, No. 288 vom 15. Dez. 1821

Heinrich von Kleist's hinterlassene Schriften. Herausgegeben von L. Tieck.

Dem angenehmen Geschäft, Schriften anzuzeigen, mit denen man einverstanden ist, konnte nicht leicht eine erfreulichere Gelegenheit dargeboten werden, sich zu äußern, als durch die Bekanntmachung des poetischen Nachlasses von Heinrich von Kleist und durch die Art seiner Herausgabe von L. Tieck geschehen ist.

Wer wird nicht lieber die geheimeren, nur halb enthüllten Schönheiten eines Werkes entwickeln und die verborgenen an das Licht ziehen, als sich abmühen wollen mit Begründungen des Tadels, die oft ermüden, oder mit Auseinandersetzungen desjenigen Standpunctes, von dem aus die Nichtigkeit mancher Dichterwerke nur vollkommen eingesehen werden kann, welche bald zur Trockenheit, bald zur Ausführlichkeit hinreißen.

Hier finden wir die letzten und schönsten Blüthen eines echt poetischen Genius den Zeitgenossen durch einen eben so echten Kunstkenner dargeboten. Kaum kann dem Berichterstatter also hier ein Anderes übrig bleiben als Anzeige dessen, was er gelesen, und Charakteristik des Buches, mit dem er sich beschäftigt hat.

Neue, wenigstens der Welt noch nicht bekannt gewordene Dichtungen H. v. Kleist's enthält dasselbe nur zwei. Beides sind Dramen von ausgezeichnetem Werth; das Uebrige war schon bekannt. Aber ihm schließt sich als höchst schätzenswerthe Zugabe die Vorrede von L. Tieck, 78 Seiten lang, an. Und diese zerfällt in zwei, oder wenn man will, in drei Theile, ohne äußerlich danach abgetheilt zu seyn. Zuerst erfahren wir von dem Dichter und seinem Leben so viel, als es dem Herausgeber möglich geworden, davon auszumitteln. Hierauf folgen Beurtheilungen und Charakteristiken seiner Werke, zuerst der schon bekannt gewesenen, dann derer, die hiermit zum ersten Male in Druck erscheinen.

Die Lebensumstände des Dichters sind mit derjenigen Liebe zu ihm erzählt worden, welche der Darstellung derselben ein eben so würdiges wie treffendes Gepräge geben mußten. Dies Geschäft war nicht ohne Schwierigkeiten. Denn eigensinnig, wie seine Poesie, ist auch oft das Leben des Dichters gewesen. Die Eigenthümlichkeiten des Einen und der Andern waren miteinander verschwistert und verwebt. Sie ergänzten sich in der Beurtheilung gegenseitig, und dasjenige Auge, dem Kleist's poetischer Charakter sich wahrhaft enthüllt, hat hier auch einen richtigen Blick in sein Leben gethan. Ueber den Schluß desselben zu sprechen war nicht leicht.

Noch hatte keine öffentliche Stimme ihn richtig beurtheilt, aber am Schluß der Nachrichten über des Dichters Leben finden wir ihn nicht nur den Motiven nach richtig aufgefaßt, sondern auch ein Urtheil darüber gefällt, in welchem Liebe und Gerechtigkeit sich die Wage halten, der Dichter aber dadurch am schönsten verherrlicht wird, daß ihm seines Schicksals wegen gerade diejenige Bedaurung widerfährt, die er eben so sehr verdient, wie er ihrer bedarf. Tragisch ist sein Tod gewesen, aber eben so schön und rührend. Er muß, der begleitenden Umstände wegen, ihm allgemeine Liebe erwecken, am meisten dadurch, weil tiefe Wehmuth über das verloren geglaubte Vaterland Kleist's Leben doch wohl am meisten untergraben hatte. Man nenne das nicht Schwäche noch Krankheit. Es sind nur wahrhaft große und heroische Seelen, die, nachdem das Vaterland zerfallen ist und sein eigenthümliches Wesen verloren hat, nie wieder heiter werden und das Leben leicht nehmen können, sondern in eine tiefe Melancholie versinken, deren Schluß ein zufälliges am Ende ganz anderes Ereigniß herbeiführt, wie das, von dem die Schwermuth ausgegangen war. Wie viele solcher Wesen aber kann unsere Zeit denn wohl aufweisen!

Unter den Beurtheilungen Kleistischer Werke zeichnet sich zuerst die des Trauerspiels: Die Familie Schroffenstein, aus. Man lieset selten solche Charakteristiken dramatischer Werke und solche Entwicklungen ihrer Vorzüge und Mängel. In allem muß man dem Beurtheiler Recht geben. Dennoch, gestattete es Natur und Raum dieser Anzeige, ließe sich jener Beurtheilung gegenüber entwickeln, wie das Getadelte aus der innersten Natur des Dichters hervorgegangen war. Und so möchte sich das Urtheil, Kleist, der vier Acte hindurch sich als Meister gezeigt, sey im fünften fast schülerhaft geworden, wohl noch anders gestalten lassen. Das ganze Gemüth des Dichters liegt in jenem fünften Act ausgedrückt da. Er hat es noch nicht durch größere Kunstfertigkeit bemeistern, er hat noch nicht das begehen wollen, worüber er sich späterhin in den mitgetheilten hinterlassenen Briefen einmal selbst anklagt, Rücksicht zu nehmen auf Forderungen, die seine eigene Seele nicht zugestand, sondern wollte, ohne auf irgend ein meisterndes Urtheil zu hören, ganz dem Triebe seiner Seele entsprechend dichten. Und wer weiß auch, da wir nicht mehr den ersten Entwurf der Familie Schroffenstein besitzen, da schon die Handlung verändert, die Scene verlegt worden, welch ein wunderbares Werk die ursprüngliche Anlage dargeboten haben mag. Was der Herausgeber über die Zulässigkeit der Einwirkungen des Zufalls sagt, gewährt einen günstigen Anlaß, dieses unserm Drama einmal nicht ganz fremde Wesen in einer Tiefe aufzufassen, worin es sich begründet zeigt.

Die Urtheile über Amphitruo, den zerbrochnen Krug und Penthesilea sind so genügend und treffend, daß sie kaum einen Zusatz erlauben; eben so die über das vollendet schöne Fragment Robert Guiscard.

Die Charakteristik des Käthchens von Heilbronn enthält eine höchst schätzbare Bemerkung über die neue Form, die eine jede dramatische Arbeit dem Dichter liefern muß, und über die Zulässigkeit einer leichtern Art, bei Dramen, welche aus Volkssagen hervorgehen, und die größere Ausmalung der Charaktere und Episoden gestatten, als gerade nöthig ist.

1. Wilhelm von Schütz im „Literarischen Conversations-Blatt"

Die Urtheile über die beiden mitgetheilten Stücke werden sich besser mit den wenigen Worten in Verbindung bringen lassen, die hier über sie selbst gesagt werden können. Es sind: Prinz Friedrich von Homburg, ein Schauspiel, und die Herrmannschlacht, ein Drama. Beide werden höchst merkwürdig dadurch, daß sie, bei einer auffallenden Verschiedenheit, doch augenscheinlich aus *einem* Geiste geflossen sind und einen Geist darstellen. Vaterlandsliebe ist, wenn auch nicht das Thema beider, doch das, was den Anstoß zu beiden gegeben hat, und wieder zeigt es sich höchst bedeutend, daß in dem einen, der Herrmannschlacht, das allgemein deutsche vaterländische Gefühl vorwaltet, und der vielbesprochne Nachtheil sichtbar hervortritt, der nicht aus der Stammverschiedenheit der Germanen selbst, sondern aus der Divergenz der Richtung in ihren Stämmen entsteht, während in dem andern, dem Prinzen Friedrich von Homburg, sich alles um Verherrlichung eben der provinziellen Eigenthümlichkeit durch ihre wahrste Auffassung bis in die kleinsten Details hinein drehet.

Ueber dieses Stück werden, seiner großen Vollendung und der Befriedigung wegen, die es durch alle Einzelheiten gewährt und im Ganzen zurückläßt, alle Urtheile zusammenstimmen. Auch das, welches in Tieck's Vorrede ausgesprochen ist, muß wohl von jedem unterschrieben werden.

Da sich dies nun nicht wohl ausziehen läßt, sondern ganz wiedergegeben werden müßte, scheinen einige Proben aus dem Gedichte selbst, welche die Behauptung von dem vaterländischen Sinne des Verfassers bestätigen und in das gehörige Licht setzen, hier besser an ihrem Orte zu seyn. Kleist versenkt den Leser seines Schauspiels völlig in echte alt-brandenburgische Eigenthümlichkeiten, und die treue Anhänglichkeit dieses Volks, wie sie in der Zeit war, als sich noch nichts Fremdes ihm eingemischt hatte, und nicht nach dem, was besser oder nützlicher, sondern nur nach dem, was brandenburgisch sey, gefragt wurde, leuchtet aus jeder Scene des Stücks hervor. Der große Kurfürst hat durch einen zu hart scheinenden, auf Tod lautenden Ausspruch gegen den Prinzen von Homburg Schritte in der Armee veranlaßt, die ihm bedenklich werden zu können scheinen dürften, wenn er nicht die Gemüthsart seiner Vasallen viel zu gut und viel zu genau kennte, um darüber in Ungewißheit oder Sorge zu gerathen. Er sagt, indem er Kunde davon erhält:

> Seltsam! — Wenn ich der Dey von Tunis wäre,
> Schlüg' ich, bei so zweideut'gem Vorfall, Lärm;
> [usw. — V. 1412/24]

Nachdem er Bestätigung von der Bewegung in der Armee, die den Prinzen von Homburg aus der Haft zu befreien zur Absicht hat, auf einem andern Wege hört, sagt derselbe Kurfürst:

> Das muß ein Mann mir sagen eh' ich's glaube.
> Mit meinem Stiefel, vor sein Haus gesetzt,
> Schütz' ich vor diesen jungen Helden ihn!

Wer wird sich aber nicht freuen, den alten Kottwitz selbst mit diesen Worten über den Pedantismus einer falschen Kriegszucht zum Kurfürsten sprechen zu hören:

> Herr, das Gesetz, das höchste, oberste,
> Das wirken soll, in Deiner Feldherrn Brust,
> [usw. — V. 1570/1608]

Wie schön aber ist des Kurfürsten Antwort:

> Mit Dir, Du alter wunderlicher Herr,
> Werd' ich nicht fertig! —

Ueber die Herrmannschlacht könnten die Stimmen schon getheilter, wie über den Prinzen von Homburg ausfallen. Mehreres fällt Anfangs auf und widerstrebt vielleicht bei'm ersten Lesen. So kann sich mancher Tadel bilden, wie denn auch Tieck's Charakteristik verschiedenes nicht verschweigt, was vielleicht anders zu wünschen wäre. Aber es hat auch mit diesem allen eine eigene Bewandniß, weil Vieles eine Größe der Gesinnung und vaterländischen Begeistrung ausdrückt, der es kaum gegeben zu seyn scheint, sich der dramatischen Regel ganz anzufügen, und so möchte dies Stück tiefsinnigern Untersuchungen über dramatische Composition und Organisation die Bahn zeigen können, deren Resultat Tieck's Urtheil, daß Kleist nur ein großartiger Manierist sey, etwas modificiren dürfte. Das Mächtigste in der Herrmannschlacht ist der gewaltige und doch so wahre Gedanke, daß derjenige, in welchem die Liebe zum Vaterlande so echt ist, daß er nichts neben demselben in seinem Herzen duldet, allein befugt ist, alles dafür zu thun, und selbst durch die kräftige List, mit welcher er den Feind hintergeht, erhaben und edel wird. Tieck tadelt — und nach den gangbaren Gesetzen für die dramatische Kunst mit Recht — daß nicht eigentlich Herrmann, sondern Marbod die Schlacht gewinnt. Aber vergessen wir nicht, was uns offenbar verloren gehen würde, wenn der Dichter es anders hätte anordnen können oder wollen. Herrmann erschiene dann in einem andern Lichte, oder vielmehr, es müßte sich ein anderer Gedanke offenbaren, wie der geheimste, den die Seele des Dichters verborgen gehalten, und von dem es möglich gewesen seyn mag, daß er der gewöhnlichen Auffassungsgabe zu groß gewesen. Denn wirklich erscheint er als ein Kind gigantischer, und gerade deshalb wieder einfacherer Zeiten. Viel zu groß ist Herrmann dem Dichter, als daß er seine Größe in eine einzige That hätte setzen können, wie die einer gewagten und gewonnenen Heldenschlacht. Diese kann auch einem Andern, auch einem Manne, dessen Sinn nur halb der Sache ergeben gewesen, gelingen, wenn er entweder von einem Andern dazu angeregt wird, oder sich selbst dafür begeistert. So ist es denn auch mit Marbod, dem Svevenfürsten, aber Herrmann ist durchaus ein Anderer. Kein unvaterländischer Gedanke hat je mit seiner Seele gebuhlt und sie verunreinigt. Dadurch unterscheidet er sich von Allen. Dies und daß er nichts schont, Weib und Kind preisgibt, dies, nicht eine gewagte Schlacht, ist seine Größe. Alle betrügt er, selbst seine Gemahlin. Denn was soll er anders thun? Er findet ja keinen einzigen Deutschen mehr, und so mag er mit den abtrünnig Gewordnen nicht die Komödie der Redlichkeit spielen. Daß Herrmann noch da war unter den Deutschen, daß sein bitterer Feindeshaß sich nicht um ein Fünkchen abgeschwächt hatte, dies, und nicht eine einzelne That seines Heldengeistes war die Rettung der vaterländischen Freiheit. Darum steht er wie ein fremdartiges, fast göttliches Wesen unter den Seinigen, verachtet sie alle mit tiefer Bitterkeit, aber ist in seinem eigenen Innern ruhig, klar, ungetrübt, und sogar mild gegen seine Landsleute.

Dies war die große dichterische Conception, die sich Kleist's vor dem Befreiungskriege bemächtigt hatte, und die sich vielleicht mit einer jeden messen kann. Wenn es aber hier der Raum gestattete, so würde sich darthun lassen, wie nicht nur in dem Charakter dieses Herrmann gerade Kleist's brandenburgischer Geist wiederklingt, son-

dern auch wie Kleist's vaterländischer Sinn nur gerade in den engsten brandenburgischen Verhältnissen, innerhalb deren seine erste Jugend sich entwickelt hat, sich, so wie
er geworden, ausbilden konnte. Und so finden wir denn diesen Dichter, der überall
trüb ist, der überall Verwirrung sieht, dem nichts Genüge leistet, heiter, klar, kräftig
und harmonisch, sobald er sich auf vaterländischem Boden befindet. Dieser war die
Lebensluft, deren jener echte Mensch bedurfte, und er vermochte einmal nicht zu leben,
wenn er sie nicht mehr athmen konnte. Aber daß sie ihm verschwunden war, wollte
er sich nicht sagen, und deshalb suchte er vielleicht nach einem andern Grunde zur
Entwanderung aus der ihm lieben Heimath.   42.

2. [Wilhelm von Schütz.] Hermes oder kritisches Jahrbuch der Literatur,
erstes Stück für das Jahr 1822, Nro. XIII der ganzen Folge

Heinrich von Kleist's hinterlassene Schriften, herausgegeben von L. Tieck.
Berlin 1821 gedruckt und verlegt bei G. Reimer.

Heinrich von Kleist's Nachlaß konnte nicht schöner und würdiger mitgetheilt werden, als durch den Herausgeber, den er gefunden hat. Wir erhalten des verstorbenen
Dichters noch ungedruckte Werke; und diese nicht nur, sondern auch, was die Welt
schon Schriftstellerisches von dem genannten Verf. besaß, ausgestattet mit einer kriti-
schen Charakteristik von der Hand eines Autor, über dessen Blick in das Wesen der
Poesie und namentlich in die dramatische längst entschieden ist.

Wenn ein Dichter, dem ein Geist wie Tieck seine Achtung nicht versagt, dem er
vielmehr das Bekenntniß einer ungemeinen Vorliebe für seine Poesie darbringt, durch
die letzten Früchte seiner Muse der Welt in Erinnerung gebracht wird, und wenn diese
Gaben mit einer Beurtheilung von jenem Geiste ausgestattet bereits vorliegen, dann
muß die noch nachfolgende kritische Anzeige eines solchen Ganzen wohl nach dem
Höchsten streben, was in dem Felde der Beurtheilung zu gewinnen ist. Und sie besitzt
vielleicht keinen Ausspruch, der ihr richtiger und bündiger sagen könnte, wie sie zu
verfahren habe, als jene Worte, welche Göthe vernehmen lassen, indem er, den acht-
baren englischen Kritikern gegenüber, das Trauerspiel, der Graf Carmagnola von
Manzoni, in Schutz nahm. Sie lauten also:

„Es gibt eine zerstörende Kritik und eine productive. Jene ist sehr leicht; denn man
mag sich nur irgend einen Maßstab irgend ein Musterbild, so bornirt sie auch seyen, in
Gedanken aufstellen, sodann aber kühnlich versichern: vorliegendes Kunstwerk passe
nicht dazu, tauge deswegen nichts, die Sache sey abgethan, und man dürfe ohne Weiteres seine Forderung als [un]befriedigt erklären, und so befreit man sich von aller
Dankbarkeit gegen den Künstler."

„Die productive Kritik ist um ein gutes Theil schwerer, sie fragt: Was hat der
Autor sich vorgesetzt? Ist dieser Vorsatz vernünftig und verständig? Und inwiefern
ist es gelungen, ihn auszuführen?"

Diese Anforderungen an die productive Kritik hat Tieck nicht aus den Augen gelassen. Seine Vorrede, 78 Seiten stark, indem sie uns das Leben des verstorbenen Dichters erzählt, vollbringt dies auf eine solche Weise, daß durch diese Erzählung schon wir in die Eigenthümlichkeit jenes Geistes eingeführt werden. Dieser Lebensbericht gibt einen Schlüssel zum vorläufigen Verständniß der Intentionen, welche Kleist sich setzte, wenn er Dramen oder Erzählungen componirte. Es scheint aber ein zu seltenes, obwohl höchst erwünschtes Ereigniß, daß ausgezeichnete Dramen, von einer musterhaften Kritik begleitet, schon vorliegen, um nicht gerade von diesem Besitz anzuheben und, nachdem er die Gelegenheit zu gewissen Entwickelungen dargeboten, von ihm aus auf **das weiter zu Sagende** überzugehen.

Prinz Friedrich von Homburg, ein Schauspiel, und die Hermannsschlacht, ein Drama, machen jenen Besitz aus. Daß Beide mancherlei Anfechtungen blosgestanden, ließe sich vielleicht schon aus der apologetischen Weise abnehmen, mit der Tieck sie in seiner Charakteristik behandelt. Es ist aber auch schon sonstig bekannt geworden. Die Hermannsschlacht hat gewisser Bizarrerien wegen einen sehr unverhohlenen Tadel auf sich nehmen müssen, der Prinz von Homburg einen bedingten erfahren. Tieck richtet seine Charakteristik dieses Stückes also ein, daß wir auf den Punct, welcher Widerstand gefunden hat, hingeleitet werden, als auf etwas Nothwendiges und Wichtiges. Sie läßt sich in folgende Worte zusammenziehen.

[„] Friedrich der Zweite erzählt in seinen Mémoires de Brandebourg, daß der große Kurfürst nach der Schlacht von Fehrbellin geäußert habe, man könne nach der Strenge den Prinzen von Homburg vor ein Kriegsgericht stellen, doch sey es fern von ihm, einen Mann, der so tapfer zum Siege mitgewirkt, auf diese Weise zu behandeln. Auf diese kurz hingeworfene Nachricht faßt der Dichter die Sache so, als wenn der Kurfürst in der That dieses Kriegsgericht hätte sprechen lassen, welches dem Prinzen den Tod zuerkannt habe. — Die Art, wie der Verf. das Vergehen des Prinzen motivirt, ist neu und merkwürdig. Die Vorliebe für gewisse Darstellungen ist die Schwäche, wodurch Kleist mit seinen jungen Zeitgenossen, über welche er sonst weit hervorragt, zusammenhängt. Er hat diese Stimmung auch in dieses sein reifstes Werk aufgenommen, sie aber so künstlich und weise benutzt, daß dasselbe Schauspiel, welches ganz im strengen historischen Styl aufgezeichnet [gezeichnet] ist, durch seinen Anfang und das Ende zugleich den Charakter eines wundersamen Mährchens gewonnen hat, ohne an seiner Würde und Einheit zu verlieren. Der Prinz erscheint zuerst als Nachtwandler; sein verehrter Fürst, seine Geliebte, für die sein Herz im Geheimen brennt, werden ihm zu Traumgestalten, als sein Freund ihn erweckt. Ueberschüttet und verwirrt von Gefühlen, indem sie [: sich] ihm Wahrheit und Phantasie unbegreiflich vermischen, ist er nicht im Stande, den entworfenen Plan der Schlacht zu fassen, und voll von seinem **Glück** will er am folgenden Morgen das Kühnste wagen. Die Schlacht beginnt, der Prinz wird von einem heroischen Wahnsinn ergriffen, überschreitet den Befehl, den er nicht gehört hat, und stürzt zum Siege fort. Er hat ihn wirklich erfochten, aber anders und nicht so vollständig, als der Kurfürst ihn vorgeschrieben hatte, und der Herr selbst ist gefallen. Die Kurfürstin läßt sich ihr ganzes Unglück bekannt machen, als der Prinz, noch siegestrunken, hereintritt, und bei diesem Schlage des Schicksals sich in seiner gesteigerten Kraft als Schützer und Befreier des Landes, als Vormund der Fürstin, als glücklicher Verlobter Nataliens fühlt. Er ist immer noch im Traum und

Nachtwandeln, und in diesem Wahn erscheint er sich als ein Heros des Alterthums. Mit dieser Empfindung, welche auch nicht kühler wird, als er das Leben des Fürsten, den rührenden Tod Frobens erfährt, will er nach Berlin. Seine erste Aeußerung, als man ihm Arrest ankündigt, ist Trotz und Bitterkeit, es befällt ihn, und er widerstrebt der Begegnung wie einem unzeitigen Scherz, einer übel angebrachten Pedanterie. Diese Stimmung beherrscht ihn auch im Gefängnisse, bis es seinem Freunde endlich gelingt, ihn von der Möglichkeit seines Todes, vom Ernst des Kurfürsten zu überzeugen.

Nun folgt die Scene, die, wenn man nicht ganz mit dem Dichter einverstanden ist, bei Vielen wegen ihrer Kühnheit Erstaunen, wo nicht Unwillen erregen wird. Kleist, der es immer liebte, auch das Ungeheure und Gräßliche nicht zu verhüllen, hat hier als echter Dichter, ohne uns durch Fingerzeige und Reflexionen den Zusammenhang zu erklären, die Sache für sich selbst enden [: reden] lassen, es ist seine Absicht und muß es seyn, daß diese Scene erschrecken soll. Unter so vielen hergebrachten Angewöhnungen der Bühnenwelt ist auch die, daß die Todesfurcht unter keiner Bedingung in ihrer ganzen Gräßlichkeit in edlen Gemüthern erwachen darf. Kleist aber, der ohne Zweifel das Leben nicht zu hoch achtete, oder den Tod feige fürchtete, läßt seinen Helden, von diesem Schrecken ergriffen und vernichtet, in Gegenwart seiner Geliebten, auf die er zugleich unedel verzichtet, wie einen Sclaven um sein Leben betteln. Derselbe wilde Traum, der ihn in seinem Wahn über Alexander und Cäsar erhob, wirft ihn nun, da seine Zauber weichen [: brechen], unter den gemeinsten Knecht hinab. Dies erschüttert, vernichtet Natalien mit ihm, und mit dem Gefühl von der Armseligkeit des Höchsten und Herrlichsten tritt sie knieend vor ihren Oheim, um für den zu bitten, der vor Kurzem noch das Ideal ihrer Phantasie war, und von dem nun aller Schmuck der Menschheit so abgefallen ist, daß er Nichts mehr als nur das nackte Leben des Thieres mit seinen Wünschen noch umfassen kann. Diese Scene ist wahrhaft erschütternd. Denn wir beweinen in ihr das Loos der Menschheit selbst. Der Fürst sagt ihm Gnade zu. Natalie selbst überbringt ihm den Brief, und an diesem erwacht erst der Prinz und findet sich, die Welt und die Wahrheit wieder. Der Wahn verläßt ihn, und er reift am Gefühl des Rechts schnell zum Mann und Helden, da er vorher auch in seiner Tapferkeit nur Traumgestalt war. Im fünften Act, da die Theilnahme, die indeß immer gewachsen ist, auf den höchsten Punct führt und das Werk krönt, erscheint der Kurfürst in seiner höchsten Würde. Kottwitz, als Freund des Prinzen, spricht die herzlichsten Worte; der Prinz selbst erhebt sich über sich und alle Schwächen der Menschheit, und das Ganze schließt nach den großen Erschütterungen lieblich und wundersam, wie es begonnen hatte. [" (aus Tiecks Vorrede, Seite 63—68)]

Kann man glücklicher für die Auffassung des Werkes vorbereitet werden, wie durch diese Darstellung? und läßt sich irgend Etwas gegen sie sagen? Sind nicht die Motive als begründet anzuerkennen, aus welchen den Prinzen die Todesfurcht ergreift? Denn wie ist er von Taumel über die Zukunft erfüllt, in die er treten soll, und wie unvorbereitet und plötzlich überrascht ihn die Gewißheit seiner letzten Stunde?

Egmont, der mit einem wahren Hohn des Lebens während der ersten vier Acte des Trauerspiels dieses Namens aufgetreten, mit einer Keckheit ohne Gleichen allen Warnungen zum Trotz jeder Gefahr entgegengegangen, und von dem jeder Zuschauer annehmen muß, er werde sich gewiß gesagt haben: es könne hier sein Leben kosten, bricht doch, als ihm Ferdinand die Frage: ob keine Rettung sey, verneint, in die Worte aus:

„Keine Rettung! Süßes Leben, schöne freundliche Gewohnheit des Daseyns und Wirkens! Von dir soll ich scheiden! so gelassen scheiden! u. s. w."

Doch hat er schon Schlachten gewonnen und halb die Bahn des Ruhms zurückgelegt; der Prinz von Homburg dagegen hofft sie erst anzutreten und befindet sich in einem fast fieberhaften Zustande der Freude über seine Zukunft. Also weder von einer Unwahrheit, noch von einer Verwerflichkeit des Gefühls oder der Stimmung kann hier die Rede seyn, und mit dem Ganzen hängt die Scene nothwendig zusammen.

Wenn Tieck in obiger Charakteristik vom dogmatischen Standpunct, wie er sich dermalen gebildet hat, ausgeht, so theilt er aus einem Briefe seines Freundes Selger [Solger] eine Auffassung mit, die, von jenem Standpunct sich zwar nicht eigentlich entfernend, doch sich gänzlich zu einem allgemeinen Kunsturtheil, welches die höheren Forderungen der Poesie berücksichtigt, hinüberneigt.

Dieser sagt: [„]Auch im Prinzen von Homburg liegt Alles im Charakter; auch hier bildet sich dieser vor unsern Augen in den Situationen und durch sie; aber die Wechselwirkung, die Gleichung zwischen beiden Seiten, die zu den höchsten dramatischen Aufgaben gehört, ist vollkommen erreicht. Es schwebt über dem ganzen Seyn und Werden des Menschen der ruhige, großartige, dramatische Blick. Der Prinz, dessen Heldenthum uns zuerst nur als Träumerei erscheint, wiewohl als eine hoffnungs- und ahnungsvolle, wird durch die Begebenheiten niedergeworfen und erhoben, er wird erst durch das Leben, was er ist, ein Mensch in jeder Bedeutung. Ein herrlicher, echt dramatischer Gedanke, und höchst befriedigend ausgeführt! ["(Vorrede, Seite 76 f.)]

In diesen Worten wird das Individuelle des Drama und der Hauptfigur desselben, indem es völlig individuell gelassen bleibt, zu einem Allgemeineren und Höheren erhoben, und dadurch das Schauspiel selbst auf eine noch erhabenere Staffel gestellt. Ein als hoffnungs- und ahnungsvolle Träumerei erscheinendes Heldenthum wird durch die Begebenheiten niedergeworfen und erhoben, der Prinz erst durch das Leben, was er ist, ein Mensch in jeder Bedeutung.

Die Skepsis, die aber dadurch Skepsis ist, weil sie sich an Alles wagt, wenn sie auf diesen Satz hingewiesen werden sollte, um dessen Erschütterung zu versuchen, würde nur einen einzigen Punct finden, von dem aus sie einen Angriff auf ihn unternehmen könnte. Es bliebe ihr allein übrig, zu sagen: ein hoffnungs- und ahnungsvolles, sich aus Träumerei durch die Begebenheit und das Leben entwickelndes Heldenthum. Ist dies eine im menschlichen Daseyn gewöhnliche und ihm angehörige Erscheinung? Oder ist es eine Abweichung von dem Allgemeinen und Reinmenschlichen? Ist es eine Seltsamkeit? Denn weshalb muß ein Heldenthum erst durch eine hoffnungs- und ahnungsvolle Träumerei sich hindurch arbeiten? Ist dies die inwohnende Natur des Heldenthums? Oder ist es auch nur eine nicht ungewöhnliche Art seiner Erscheinung? Werden die meisten Helden erst in diesem Wege zu Helden? Oder gibt es nicht auch Helden, die deswegen den Charakter der Letztern an sich tragen, weil mit der Geburt Etwas unerschütterlich fest in ihnen gewohnt hat, welches ihnen so sehr als ihr Höchstes gilt, daß, sobald dieses angerührt wird, an kein Wanken ihrer Seele zu denken ist, die zu überwindenden Gefahren und Schrecknisse mögen seyn, welche sie wollen. Es läßt sich sogar die Frage noch weiter führen und darauf richten: ob und unter welchen Bedingungen Heldenthum als ahnungsvolle Träumerei erscheinen und erst sich durch das Leben zum Heldenthume verwandeln kann? Denn Viele werden sagen, ein solches Heldenthum sey kein echtes, weil es gleichfalls wieder in Träumerei und Aufregung des Muths zurücksinken könne, es sey aber der Gegensatz von jener unerschütterlichen, ruhigen und stillen Kraft, die wahrhaft zum Helden stemple?

Es ist nicht überflüssig, diese Frage aufzuwerfen, da es aus der Geschichte der theatralischen Darstellungen des Schauspiels bekannt geworden, wie durchgreifend sich die Stimmen über diesen Punct getheilt haben. Denn Viele werden sagen, die Verachtung des Todes, die Ueberwindung der Todesfurcht, von der wir sprechen, ist nicht jene Renomisterei, welcher in den Apologien des Stücks gedacht wird. Wir sind uns eines Sinnes bewußt, der, in des Prinzen Lage versetzt, im Augenblick, wo er hörte, er solle gerichtet werden, auf andere Weise aus seinem Taumel erwacht wäre, und der nüchtern dadurch geworden seyn würde, indem er gefragt hätte: Bist du wirklich schuldig gewesen? welches war deine Schuld etc.? Diese Beurtheiler könnten dann fortfahren und sagen: Wenn wir uns gegen jene Darstellung erklären, so geschieht es nicht in der Absicht, sie als dramatisches Kunstwerk anzugreifen, sondern weil wir an den Tag legen wollen, was wir Heldenthum nennen, und uns darüber aussprechen, wie wir es dagegen nun haben, wenn ein berauschter Muth, den Ernüchterung niederschlägt, Heldenthum genannt wird. Letzteres hat eben daher seinen Namen, weil es von Jenem der Gegensatz, und nie denjenigen Gefahren preisgegeben ist, denen Jenes sich zuweilen ausgesetzt sehen mag.

Es scheint, als ob der Streitpunct in der That also gestellt werden könne, und dann behalten beide Theile Recht; die Vertheidiger des Drama, weil aus der ganzen Idee desselben die Scene so hervorgehen mußte, wie sie dargestellt ist, und die Gegner, wenn sie sagen, wir haben einen muthigen Menschen, aber keinen Helden gesehen. Denn Helden sind eben nicht mondsüchtig, nicht träumerisch, haben keine Gespensterfurcht und sinken nicht zusammen, um sich demnächst wieder aufzurichten. Es ist gerade dies der Prüfstein ihres Wesens, daß, wenn das Fürchterlichste auch unerwartet nahet, während die Sinne und Einbildungskraft der Andern in Tumult gerathen und sich des Menschen sammt seinen übrigen Seelenkräften bemächtigen, sie die andere Seite des menschlichen Wesens hervortreten lassen, mit ruhiger Entschlossenheit die Lippe schließen, sich sagen, es muß seyn, und dem, was sie besitzen und so eben verlieren sollen, eine stille Thräne der Rührung zollen.

Hätten diese nun Recht — und unbedingt Unrecht ist ihnen doch gewiß nicht zu geben — dann ließe sich wohl Manches gegen die Mondsucht des Prinzen aufbringen, und wir müßten mit Bewunderung nicht sowohl auf ihn, als vielmehr auf den Dichter blicken, der eine gewiß seltene dramatische Dichtervirtuosität entfaltet hat. Auch möchte sich dann wohl ein Bedenken über den beinahe phantastischen Leichtsinn des Kurfürsten erheben, der, im Begriffe, an eine der entscheidendsten Schlachten zu gehen, nicht darüber erschrocken ist, seinen Anführer der gesammten Reiterei, der ihm schon zwei Schlachten durch Uebereilung verloren hatte, als Nachtwandler in seinem Garten zu erblicken, da er seit einer Stunde bereits bei der Reiterei sich befinden sollte. Er mystificirt den Prinzen und läßt ihn mondsüchtig im Garten, ohne zu erwägen, wohin ihn die Mondsucht dort verschlagen kann, und daß er beim Anbruch des Tages, wenn die Schlacht beginnen soll, doch wirklich an der Spitze der Reiterei fehlen könnte.

Recens. hat sich Dieses und vieles Sonstige nicht verschweigen dürfen; aber doch hat ihn das Schauspiel jedesmal auf eine Weise befriedigt, daß er überzeugt war, den Dichter müsse noch ein anderer Gedanke geleitet haben, wie jener, welcher in den bisher darüber vernommenen Stimmen als derjenige angegeben wird, aus dem sich das Drama entfaltet haben soll. Auch bietet sich wirklich ein solcher dar, welcher, Demjenigen nicht widersprechend, was in den bisher angenommenen Stimmen ausgesagt ist, dem Schauspiele wirklich einen höheren Bezug und eine höhere Natur gibt. Wird dasselbe nämlich nach den mitgetheilten Auffassungsweisen angesehen, so ist der Hauptcharakter von einer gewissen Seltsamkeit nicht ganz freizusprechen. Aus der schönen Sonderbarkeit des Prinzen entspringt das Vergnügen und der Genuß, welchen wir empfinden. Wenn aber dieses Alles mit der gesammten Individualität des Stückes sich beibehalten und doch zugleich erheben ließe zur individuellen Emblematisirung einer Weltanschauung, von welcher der Dichter ausgegangen wäre, dann stände dieser und seine poetische Hervorbringung gewiß höher. Und ganz vorzüglich erheben würde es beide, wenn von jener aus der Zauber der Wahrheit sich ergösse, der den Sinn umfließt, indem er das Stück aufnimmt. Dieser Sinn befände sich dann so vollkommen versenkt in Anschauung und Stimmung, von der diese Composition ausgegangen ist, daß Reflexionen, wie die vorgedachte, wenig oder gar nicht sich aufdringen könnten. Dies Allgemeinere aber wäre vielleicht Etwas, das dem Dichter ein dunkles Gefühl über Wahn und Wirklichkeit, über Träumen und Leben gesagt hat, kurz, ein ähnlicher Gedanke von dem, welchen Calderon in seinem „Leben ein Traum" ausgesprochen, aber hier an Bedingungen geknüpft, die Allem einwohnten, was den Dichter umgab, ja vielleicht die Eigenthümlichkeit seines eigenen Lebens ausmachten.

Dieses Letztere schildert Tieck als in Widerspruch stehend mit dem, was seine Phantasie suchte und begehrte. Er sagt: [„]Die Poesie war diesem finstern Gemüthe nur auf Augenblicke ein Labsal, keine Heilung; der unglückliche Dichter konnte ihr nicht leben und sich in ihr beruhigen, die Gegenwart verdunkelte ihren Glanz[“] u. s. w. Ferner: [„]Er konnte im Leben die Stelle nicht finden, die ihm zusagte, und die Phantasie vermochte ihm den Verlust der Wirklichkeit auf keine Weise zu ersetzen. [“(Vorrede, Seite 25)]

Also zum Widerspruch geworden, war ihm jener alte Unterschied von Wahn und Wahrheit, über den die Alten schon so Treffendes gesagt, wenn sie, wie Plato, von der Gemeinsamkeit des Ursprungs Beider und der Aehnlichkeit ihrer Beschaffenheit, oder, wie Sophokles, von der Fähigkeit des Erstern sprechen, den Menschen zu verblenden. Wer kennt nicht des Philosophen berühmte Behauptung von der ursprünglichen Wahrheit des Wahns, die sich nur später geschieden, so daß der Hinzutritt eines einzigen Buchstabens genügen konnte, die spätere Beschaffenheit anzudeuten. Die μανικη τεχνη sey μαντικη τεχνη, oder, wie Schleiermacher trefflich übersetzt, die Wahnsagekunst Wahrsagekunst geworden. Sophokles aber singt in dem schönen Chorgesang: „Eros, unbesiegt, unbezähmt" von der Liebe, „wer dich heget, der raset." Daß Beides aber mehr sey, wie ein poetisches Bild oder ein philosophischer Gedanke, daß es sich an etwas allgemein Geglaubtes und wahr Gehaltenes anlehne, lehrt unter Andern der bekannte Liebesroman des Orient „Medschnun und Leila", in welchen die Vorstellung mit übergegangen ist, daß der Liebende ein Verzückter sey, oft aber er allein das wahre Wesen der Dinge erst sehe. Denn so war es die Meinung einst und eine Zeitlang gewesen, daß nur der begeisterte Sinn das Wahre erblicke, diesem allein es sich enthülle, und er nicht der Getäuschte sey. Dies hat sich im Verlaufe der Zeiten so umgekehrt, daß man ein schöneres Sehen und Genießen eines Lebens und einer Welt für die Phantasie statuirt, der gegenüber die wirkliche eine entstellte und glanzlose geworden. Daher hat sich denn die Meinung von einer Verschönerung und Verherrlichung des Menschen gebildet, die sich nur außerhalb der Wirklichkeit behauptet, und die gar wohl wie ein Traum verschwinden kann, wenn sie mit der Letztern in Berührung tritt.

Wenn nun über die Klarheit und Reinheit, mit der sich die ganze Fülle des Kleist'schen Geistes auf eine sich vollkommen abrundende, alle erregte Erwartungen befriedigende Weise im Prinzen von Homburg abspiegelt, und wenn über die im ganzen Stücke vorherrschende Heiterkeit Tieck und Selger [Solger] sich völlig einstimmend erklären, so liegt es keinesweges fern, dieses Drama als eine Versöhnung jener innern Traumwelt mit dem wirklichen Leben zu nehmen, die sich durch Natalien vollbringt. Durch sie wird Friedrich von Homburg über den Abgrund hinüber geleitet, der ihn überall anblickte, wo die Grenze seiner schönen Welt der Träume und des Wahns, in der allein er bisher gelebt, zu Ende ging.

Werden die Hauptpersonen des Stücks einer Musterung unterworfen, so ist diesen die Kurfürstin kaum beizuzählen. Liebe zum Gemahl und zur Nichte, die sie als Tochter betrachtet, so wie zu dem ihrer Pflege anvertraut gewesenen Friedrich, füllt ihr ganzes Herz aus. Es treten also nur hervor der Kurfürst, der Prinz, Kottwitz und Natalie. Offenbar neigt sich der Kurfürst eben so sehr zum Humor, zur Phantastik, ja zu einer gewissen Sophistik, wie Kottwitz ihm gegenüber einen Charakter behauptet, in welchem Alles ganz, vollkommen und unerschütterlich im höchsten Grade feststeht; er scherzt nie mit dem Leben. Natalien aber macht das so ausnehmend schön und mädchenhaft, daß im Innersten ihrer Seele, ohne daß sie es sagt und weiß, Nichts wohnt denn die Wahrheit und Wirklichkeit. Sie meint, Alles müsse in der Welt auch so seyn, wie sich es darstellt. Der stille Reiz ihres Wesens ist der, daß sie gar keine Poesie in sich hat, Nichts weiß von einer Erhebung des Gemüths, die vorübergeht, Nichts weiß von schönen Bildern und Träumen, die verrauschen. Der Prinz dagegen gibt deshalb die einnehmendste Erscheinung eines muthigen Jünglings, weil sein ganzes Heldenthum bis jetzt weit mehr ein schönes poetisches Feuer, blühende Imagination und aufgeregtes Gefühl, wie wirklich geprüfte inwohnende Kraft und Natur ist. Sind wir gerecht, so finden wir, daß ihn sein Muth, sein Feuer, der Schwung seines aufgeregten, in eine leichte Schwärmerei des Leichtsinns getauchten Daseyns zum allgemeinen Liebling gemacht haben müssen. Dem Hofe, dem Heere, Natalien, Allen ist er eine wohlthuende Erscheinung, in deren Nähe sie sämmtlich sich gefallen; Alle spielen mit ihm, Alle huldigen ihm, Alle haben ihn etwas verzogen, denn er ist um so lieblicher, weil er sein Leben erst in einem schwärmerischen Morgentraume beginnt, und seine trunkene aufgeregte Jugend ihn überall hat Sieg und Glück pflücken lassen. Einem jeden Jüngling, der dieser Schilderung entspricht, tritt einmal die ernste Stunde entgegen, und es fragt sich, wie er sie bestehen wird. Dies ist etwas eben so Gewisses und Nothwendiges, wie der Einfluß der ersten Liebe eines Menschen auf sein Leben. Ein Dichter aber, der sich dieses zum Gegenstande einer poetischen Composition macht, ist nicht mehr auf dem Gebiete des Seltsamen, sondern eines im höheren Sinne begründeten dichterischen Verhältnisses.

Geht die Beurtheilung des Drama von dieser Ansicht aus, dann vernichtet sich Vieles, was gegen das Stück gesagt worden, oder zu sagen wäre. Die Sonderbarkeiten des ersten Aufzuges sind nun gerade das Rechte. Der Prinz ist die Lieblingserscheinung des Hofes, das Meiste an ihm interessirt, und seine Sonderbarkeiten haben eben so sehr einen stillen Reiz für den Kurfürsten, wie sie eine Gewalt über ihn ausüben. Wird dies angenommen, und soll der Prinz gerade dadurch anziehend seyn, daß er, liebenswürdig in der Wirklichkeit, nur halb in dieser, halb in erträumten Sphären lebt, so ist sein Auftritt als ein Mondsüchtiger, der sich den Lorbeerkranz flicht, indem es zur Schlacht gehen soll, ein eben so glücklicher und entsprechender Gedanke, wie es begreiflich wird, daß es dem Hofe, namentlich dem Kurfürsten — der von einem geheimen Wohlgefallen an dem phantastischen Wesen des Prinzen offenbar etwas angesteckt worden — ein interessantes und angenehmes Schauspiel seyn muß, ihn zu jeder Zeit in dieser interessanten Situation zu erblicken, durch welche er unter den schlichten Märkern in so romantischem Colorit dasteht, daß es ihnen fast geschieht, wie den Einwohnern von Hameln, sie können den Anlockungen einer aufgeregten Phantasie nicht widerstehen, die Zaubersaiten und der Gesang ziehen sie fort. Alles Folgende ergibt sich und rechtfertigt sich nun aus sich selbst. Der Moment aber, wo der Kurfürst todt gesagt wird, der Prinz als Sieger, ja als die Hoffnung Brandenburgs dasteht, und Natalie sich in dem nämlichen Augenblicke ihm hinneigt, in welchem er zum ersten Mal bewährt zu haben scheint, er sey das wirklich, was er seyn zu können bisher nur in Schwärmerei und Begeisterung hat ahnen lassen, gewinnt, von diesem Standpuncte aus betrachtet, eine wahrhaft entzückende Schönheit. Damit ist denn zugleich gesagt, daß dem Prinzen die harte Prüfungsstunde, der Gegenstand der vielbesprochenen Scenen im dritten Aufzuge noch bevorsteht. Sie läßt sich allein rechtfertigen, wenn wir überzeugt sind, Friedrich von Homburg hatte bisher nur in der Kraft und mit der Kraft seiner Phantasie gelebt, gesiegt und geliebt. Es fragt sich, wie es aussieht mit dem, was in ihr seinen Sitz und seine Wurzel hat. Denn beachten wir dieses nicht, so müssen wir uns sagen, Natalie verliert Größeres und Mehreres, als Friedrich, sie sieht eine traurigere Zukunft vor sich, als er, und ist nicht minder unerwartet durch die wahre Lage der Dinge überrascht worden. Dennoch bleibt sie fest und ruhig. Sie sagt dem Geliebten beim Abschiede:

> Geh, junger Held, in deines Kerkers Haft,
> Und auf dem Rückweg schau noch einmal ruhig
> Das Grab dir an, das dir geöffnet ward!
> Es ist nicht finsterer und um Nichts breiter,
> Als es dir tausendmal die Schlacht gezeigt.

In diesen Worten liegt die volle Kraft eines Daseyns, das jeder Verrückung durch unerwartetes Unglück nicht nur widersteht, sondern auch der stille Schmerz ist darüber ausgesprochen, daß das Schönste, was Natalie noch berührt hat, des Prinzen Herrlichkeit, Nichts denn ein Glanz gewesen, der abfällt, ein Schimmer, der nicht bleibt, und daß es vielleicht sich entweder mit allem Schönen, was das Leben darbietet, eben so verhalten mag, oder er nur ein Getäuschter ist, der vor dem Grabe bebt, das er oft breiter und finsterer schon gesehen hatte. Zuletzt sagt Natalie sogar noch:

2. Wilhelm von Schütz im „Hermes"

Doch wenn der Kurfürst des Gesetzes Spruch
Nicht ändern kann, nicht kann: wohlan! so wirst du
Dich tapfer ihm, der Tapfre, unterwerfen;
Und der im Leben tausendmal gesiegt,
Er wird auch noch im Tod zu siegen wissen.

Sage man nun auch, was man wolle, über die Gewalt des ein unvorbereitetes Gemüth plötzlich überfallenden Todesschreckens, und sey dies wahr, in welchem Grade es wolle, so ist nicht hinwegzudisputiren, daß zwei Naturen in Kleist's Schauspiel vor uns stehen, beide gleich sehr durch das Todesschicksal betroffen, und doch beide es verschieden aufnehmend. Daß Natalie nicht ergriffen werden könne, weil der Tod ihrer nicht wartet, ist ein Einwand, der sich nicht behaupten läßt. Ist sie das liebende Wesen wirklich, als welches sie sich darstellt, so trifft sie eigentlich das größere Unglück, und wir dürfen nicht zweifeln, daß sie den Tod unweigerlich auf sich nehmen und für den Prinzen tragen würde, wenn dieses statthaft wäre, und wenn sie dadurch nicht einen Schritt wagte, welcher der hergebrachten Ordnung entgegenläuft. Denn Allem, was dieser angehört, unterwirft sich ihr schöner und fester Sinn ruhig und unweigerlich. Glaubt der Zuschauer nicht daran, daß Natalie, wenn sie an des Prinzen Platz stände, wenn sie dem Tode entgegengehen sollte, unerschrocken diesen Pfad antreten würde, so müßte er sie der eben angeführten Worte wegen für eine jener Renomisten halten, auf welche Tiecks Bemerkungen über die unbedingte Verachtung des Todes gehen, die wir auf dem Theater dargestellt zu sehen gewöhnt werden. Kurz, es sind uns in Kleist's Drama zwei Naturen vor die Augen gestellt, denen das ausgesprochene Todesurtheil gleich viel nimmt und gleich schrecklich seyn muß; es wird aber so verschieden von ihnen aufgenommen, daß wir nicht ableugnen können, beide Naturen behaupten eine völlig verschiedene Stufe, wenn von festem Muth und ruhiger Entschlossenheit der Seele die Rede ist.

Oder wollte man die Verschiedenheit der Situationen in Anregung bringen und sich sagen, Natalie mag mehr verlieren wie der Prinz, die schreckhafte Stunde des Todes bietet sich ihr nicht dar, und darauf kommt es an, dann läßt sich Shakspeare's Romeo ins Gedächtnis rufen, dessen erster Auftritt uns einen in sich verlornen Träumer darstellt, den aber nach Tybalts Tode der Spruch der Verbannung ganz anders ergreift. „Warum nicht Tod, warum Verbannung?" ruft er aus, und er beweiset, wie ernst es ihm mit diesem Ausruf ist.

Es liegt also in den dramatischen Verhältnissen, wie sie sich einmal entfalten, Etwas, das uns des Prinzen Wesen mehr eigenthümlich wie nothwendig bezeichnet, und diese Eigenthümlichkeit gehört gerade nicht zu den Eigenschaften, die den Helden charakterisiren. Daraus würde aber ein Schatten auf die Intention des Dichters zurückfallen, auch wenn sie eine andere seyn sollte als die, mit der Schilderung eines Helden vorzugsweise hervorzutreten. Wirklich scheint nun jedes dagegen sich anmeldende Bedenken nur dann zu weichen, wenn angenommen wird, der Dichter habe den in Traum und Trunkenheit verlornen, in ihnen nur edlen, großen und heldenmüthigen Prinzen reifen, durch einen harten Kampf das wirklich ihm geben wollen, was bisher nur phantastische Anregung gewesen; und nie würde dies ihm gelungen seyn, wenn nicht eine Natur, wie Naturiens, ihm entgegengetreten wäre, sie nur konnte ihn zum Helden machen.

Dieses herrliche weibliche Wesen erscheint aber auch erst hiernach in seinem wahren Lichte. Nicht weil vom Prinzen, als dem Ideal ihrer Phantasie, aller Schmuck der Menschheit so abgefallen ist, daß er Nichts mehr als nur das nackte Leben des Thieres noch mit seinen Wünschen umfassen kann, ist sie von einer erschütternden Traurigkeit ergriffen worden, sondern weil sich tief, aber still, die kummervolle Sorge in ihr Wesen gesenkt hat, wenn es sich mit dem Prinzen so verhalte, wie sie nun es erfährt, dann möchte wohl überhaupt Alles, was das Leben als Schönstes darbietet, nur ein glänzender Schein, ein gesteigerter Wahn seyn. Daher erscheint sie nun so schwer gedrückt und so heldenmüthig. Wenn sie zum Prinzen von der Wichtigkeit redet, die Todesschrecken zu besiegen, so spricht sich damit wohl ihr eigenes, nun erst erwachtes und durch Homburg erwecktes Gefühl von der Nichtigkeit des Lebens mit aus. Die Art, wie er nach dem Leben verlangt, ohne eine Liebe, ohne ein bestimmtes Gut in ihm zu suchen, sogar erklärend, er wolle Cassation und Entsetzung aus allen Ehren ihm vorziehen, muß ihr Alles zerrinnen machen. So ist denn der Schmerz hierüber und die Art, wie Natalie ihn trägt und äußert, nicht minder schön als des Dichters Darstellung. Sie läßt uns der Prinzessin wahre Bedrängniß ahnen, indem diese von andern Dingen spricht, weil sie Alles tief in sich verschließt.

Wenn ein weibliches Gemüth jene Verehrung, welche in der Liebe des Mannes ihm dargebracht wird, nur dadurch wahrhaft, aber auch mit vollstem Recht erwirbt, daß im innersten Schooße der Wünsche und Gedanken nie der stirbt: es müsse alles Holde und Schöne des Lebens Wirklichkeit seyn, dagegen sey jedes Blendwerk, jede Nachahmung des Lebens hassenswerth, die nur in sich die Wahrheit suche; so hat Natalie diese schöne Eigenthümlichkeit ihres Geschlechts gewiß auf das unnachahmlichste ausgesprochen. Am meisten bezeichnend und ihre wahre Natur darstellend ist es wohl da geschehen, wo sie des Prinzen poetische Bitte: „Die Zweige ihrer Arme um seine Brust zu schlingen, die seit Jahren einsam blühend nach ihrer Glocken holdem Duft sich sehnt", mit jenen Worten, die ihren Wunsch und ihre Besorgniß zugleich ausdrücken, beantwortet:

Wenn ich ins innere Mark ihr wachsen darf;

gleich als sey nur dies die Bedingung ihrer Liebe und fürchte sie, diese werde sich nicht erfüllen.

Nachdem im vierten Act für den herzzerreißenden Blick, welchen Friedrich von Homburg Natalien in das Leben und den Menschen thun lassen, er von ihr mit dem Blick in eine Kraft der Wirklichkeit ganz anderer Art belohnt, nachdem er von ihr in dem Maße gestärkt, wie sie durch ihn niedergeworfen worden, und der Punct überschritten ist, wo die Leerheit des Phantastischen besiegt worden, erfaßt und erfüllt uns der fünfte Act mit aller Kraft und allem Interesse der Wirklichkeit. Der Kurfürst selbst kömmt nun mit der nicht ganz wegzuleugnenden Halbheit seines Wesens in einiges Gedränge. Kottwitz bringt das Verhältniß zur Sprache, wie der militairische Formalismus, der, mag er auch noch so nothwendig seyn, doch nur Formalismus bleibt, im Gegensatz zum echten und wahrhaft vaterländischen Gefühl in der Brust des Kriegers sich verhalte; ja der Kurfürst muß einsehen, daß er nicht minder einem Abwege nahe war, wie der Prinz, obwohl auf andere Weise. Die entschiedene Festigkeit und Tüchtigkeit der Natur des Kottwitz steht ihm fast eben so entgegen und wirkt fast eben so auf ihn, wie der Nataliens auf Friedrich. Kurz, die gegenseitigen Täuschungen sind verschwunden und zerstreut. Dann aber sind vielleicht diejenigen Bedenken kaum ganz zu vernichten, welche sich gegen die letzte Scene erhoben haben. Der Prinz wird wieder mystificirt. Wir sehen ihn mit verbundenen Augen abermals im Schloßgarten, und statt zum Tode, wie er glaubt, wird er in Nataliens Arme geführt.

Immerhin gebe man eine gewisse Schönheit zu, welche in diesem Gedanken liegt; immerhin gestehe man ein, daß ein anderer befriedigender Schluß schwer war, und dieser, wie Tieck bemerkt, das Stück nach den großen Erschütterungen lieblich und wundersam beendet, wie es begonnen hatte; es beschwichtigt mehr, als es von der Nothwendigkeit dieses Ausgangs überzeugt. Der Kurfürst war in zu ernste Händel eben erst verflochten gewesen, und der Krieg soll morgen wieder beginnen. Nehmen wir nun auch an, es liege in seinem Wesen, sogleich wieder zu einem ähnlichen Humorismus, wie der erstere, zurückzukehren, so ist doch der Zuschauer nicht mehr unbefangen, nicht mehr empfänglich genug, ihn wie bei der Eröffnung aufzunehmen. Hat aber der Sinn des Stücks, dessen Entfaltung bisher vorgewaltet hat, das Stück durchdrungen, dann mehren sich die Zweifel noch, welche gegen jenen Schluß sich erheben lassen. Denn dann wäre mit dem Anfang des fünften Acts eine Erfüllung erreicht, welche sich die höchste und vollkommenste nennen ließe. Nicht nur in der Erhaltung des Lebens des Prinzen und seiner Vereinigung mit Natalien bestände sie, sondern eben so sehr darin, daß wir keinesweges einen widerwärtigen Ernst, vielmehr eine gewisse Schönheit des Wirklichen, höher wie Alles, was sich des Menschen Phantasie bildet, das Feld behaupten sehen. Der Prinz, der Kurfürst und Natalie sind erschüttert worden, und Jeder hat Gewinn gezogen aus der ihm widerfahrenen Erschütterung. Des Prinzen phantastische Jugend ist männliches Wesen geworden, das zur Wirklichkeit führt; der Kurfürst hat erfahren, daß er in seinen Brandenburgern Etwas besitzt, das ihn der Nothwendigkeit überhebt, den militairischen Pedantismus mehr, wie sich ziemt, zu heiligen und ihn zum / obersten menschlichen Gesetz zu erheben. Natalie endlich hat die Ueberzeugung davongetragen, daß Friedrichs Erschrecken und Zagen Nichts als ein leichter Fieberschauer war, und daß Dasjenige, was ihn so liebenswürdig gemacht, die Vorboten einer schönen Natur waren, von der es noch zweifelhaft war, wie es mit ihr werden würde, die nun aber zum glücklichen Durchbruch gekommen, nicht ohne ihre hülfreiche Mitwirkung. Nun werde zugegeben, daß, der Intention nach, es eben so schön seyn kann, das Stück in die Region des Wundersamen zurückzuführen, wie den obigen, einer poetischen Weltanschauung angehörigen Gedanken dem Zuschauer in Sichtbarkeit darzustellen; so viel bleibt gewiß, daß für den der Anschauung Hingegebenen sich nicht die Reflexion aufdrängen wird: der Kurfürst, der durch seine Mystification des Prinzen kaum ganz schuldlos war, verfalle abermals in den ernstesten Momenten, und nachdem es Leben und Tod eines hoffnungsvollen, der mütterlichen Obhut seiner Gemahlin anvertrauten Fürsten gegolten, da der Krieg wieder beginnen soll, in seinen alten Humorismus. Ja, was noch mehr ist, das Stück verrauscht eben nicht wie ein flüchtiges Zauberbild, sondern hinterläßt einen stillen Reiz bei uns, über das Leben selbst nachzudenken. Und endlich muß es noch aus andern Gründen in aller Absicht noth thun, nicht an die erste Mondsucht wieder erinnert zu werden, die nun erst sich wahrhaft beleuchten läßt.

Ein schönes Vehikel, uns mit der Traumwelt, in welcher die halb erst erschlossene Jugend des Prinzen bisher gelebt hat, vertraut zu machen und einzuführen in die

Situation, welche ein von daher sich über ihn ergießender Reiz dem hoffnungsvollen Jüngling am Hofe zubereitet hat, ist jene Mondsucht nur dann, wenn wir annehmen, der Dichter habe seinen Uebertritt aus der Traumwelt in das wirkliche Leben zum Augenmerk gehabt. Denn dann übersehen wir, oder vielmehr vergessen wir wohl die Unwahrheit, daß der Mondsüchtige nie träumt, und der Prinz gleich nach dem Erwachen seinen Traum erzählt. Auch verargen wir nur dann es dem Kurfürsten nicht, wenn er sich verwundert, daß seinem Vetter Homburg das Leben lieb sey. Wir können dies Alles nur daher erklären, daß er Diesen sich überhaupt über alles Gewöhnliche hinaus und von ihm abweichend vorstellt, er also meint, Jener werde vielleicht eben so gern auf eine ungewöhnliche Art sterben, wie leben, und seinen phantastischen Sinn gerade dort recht bewähren wollen.

Mag es übrigens nichts Leichtes seyn, einen entsprechenden Schluß herbeizuführen, der das Stück seiner lieblichen Natur nicht beraubt, wenn er sich die Aufgabe setzt, auch die Wirklichkeit in ihr schönes Licht darzustellen; so ließe sich doch vielleicht sagen, es wären mit ihm die Anstöße so ziemlich wegzuräumen, die das Stück theilweise erregt hat, sobald man sich nur über die besprochene Hauptintention mit dem Dichter vereinigt hat. Dann bleibt nur noch Einiges übrig, das hier mehr angedeutet als vollständig entwickelt werden soll.

Es ist die Frage von der Brauchbarkeit solcher dichterischen Intentionen, deren höchste Schönheit aus der ganz eigenthümlichen Individualität des Charakters und des Lebens der dramatischen Personen hervorgeht, zur theatralischen Darstellung. Gewiß hat die Tragödie oder das ernste Drama sich oft zu sehr in leeres Pathos und übertriebene Allgemeinheit der Charaktere verloren. Aber gewiß schadet Beiden auch der Gebrauch von Individuen, deren Abweichung von dem Allgemeinen und Reinmenschlichen zu auffallend ist, sobald des Dichters Auffassung sie nicht zu dämpfen sucht, eben durch eine Annäherung und Zurückführung zum Allgemeineren und Natürlichen. Aus der Charaktergruppe des vorliegenden Schauspiels bietet Natalie den Beweis. Ist wohl irgend Etwas in ihrem Handeln, Sprechen und Empfinden, oder in einer Richtung, die sie der Handlung des Drama gibt, was zum Widerspruch reizt und ähnlicher Erklärungen bedarf, wie sie die Eigenthümlichkeiten des Kurfürsten und des Prinzen veranlaßt haben? Aber ist sie deshalb minder schön und dramatisch brauchbar? Eben weil das allgemein Schönste des Wirklichen in ihr unverkennbar vorwaltet, und weil sie doch das gerade so und nicht anders sich darstellende Mädchen bleibt, ist sie in den wenigen auf ihre Zeichnung verwendeten Strichen vollkommen faßlich, sie muß vollkommen liebenswürdig gefunden und ihr Alles zugestanden werden, was sie sagt und thut.

Eine Betrachtung der Hermannsschlacht leitet noch näher zu jener Frage hin. Aus Tiecks Charakteristik derselben wäre Folgendes für den vorliegenden Zweck herauszuheben und zusammenzustellen.

[„] Der Dichter sah, von der Gegenwart bedrängt und begeistert, in ihrem Spiegel die Vorzeit; er nahm diese als ein Bild seiner Zeit und der nächsten Verhältnisse. So knüpfte er seinen persönlichen Haß und seine lebendige Liebe an alte Namen, und hielt seinen Zeitgenossen das Conterfei ihrer selbst und ihrer Schicksale vor. Des Helden großer unbezwinglicher Haß, seine feurige Liebe zu Deutschland und seiner Gattin, seine Klugheit, ja List im Einklang mit einfacher Biederkeit, seine Laune, seine tiefe Rührung und Erschütterung, die oft plötzlich hervorbricht, — Alles dies ist trefflich und in angreifenden [: ergreifenden] Zügen gemalt. So die Uneinigkeit, Eifersucht und wankende Tugend der untergeordneten Gestalten; Marbods großer Sinn, Varus Römeranstand und Stolz, wie die geschmeidige Hinterlist der römischen Politik. Hier ist Nichts, was uns hindert, uns Hermanns Leben, sein Hauswesen, die Deutschen jener Zeit und Varus Untergang ganz so zu denken, wie es uns der Dichter vorgestellt hat, — und zugleich sehen wir mit rührender Ueberraschung, daß nur von uns selbst und eigenem Drangsal des Vaterlandes die Rede ist, von unsern Hoffnungen und allem Herrlichen und Traurigen unserer Tage.

So trefflich und hinreißend die Darstellung ist, so schadet dem Werke doch Einiges bedeutend, weil es entweder zu schwach, oder auch zu stark ist. Ungenügend ist der Schluß, vorzüglich dadurch, daß eigentlich nicht Hermanns, sondern Marbods Schlacht das Schicksal der Römer entscheidet; der Hauptmangel aber ist, daß wir von der Schlacht selbst nur Weniges sehen. Zu grell ist die Art, mit der Thusnelda ihre Rache am Ventidius nimmt, und es ist besonders zu tadeln, daß der Dichter diese Scene mit zu großer Vorliebe ausgemalt hat, die er eher als diese große entscheidende Schlacht hätte in den Hintergrund stellen können. Beiweitem schlimmer noch ist die vierte Scene des vierten Acts, in der der Verf. eine uralte Geschichte in sein Schauspiel verwebt, ohne daß man die Nothwendigkeit dieser gräßlichen Episode fühlt. [" (Vorrede, Seite 52—54)]

Wenn dieser Beurtheilung die Beipflichtung im Allgemeinen schwerlich entgehen kann und auch wohl kaum entstehen [!] wird, sofern nur nicht die Rede von der Art der Rache Thusneldens ist; so wäre doch vielleicht für die Behandlung der Schlacht ein Standpunct anderer Art zu gewinnen. Auch er zieht sich freilich ganz in das Innere der dichterischen Ansicht zurück; dennoch ist das, worauf er beruhet, nicht nur großartiger, wie die poetische Weltanschauung, welche dem Prinzen von Homburg untergelegt worden, sondern es enthält auch eine Wahrheit, die ungetrübter und echter ist, wie Jenes.

Heinrich von Kleist war sehr vertraut mit dem Glauben an eine [un]zerstörbare Kraft und Reinheit der Natur, deren eigentliche Bürgschaft in der völligen Unmöglichkeit lag, durch Raisonnement, oder welche Art der Verführung es seyn mochte, aus ihrer Bahn gebracht zu werden. So ist Natalie; und über Käthchen von Heilbronn erklärt er sich in einem von Tieck mitgetheilten Briefe, daß sie ihm Heldin durch die Hingebung an den geliebten Ritter und den festen Willen sey, sich in dieser durch Nichts erschüttern zu lassen. Wie wenn er in Hermann ein beiweitem größeres Heldenthum hätte darstellen wollen, als das, welches sich durch das siegreiche Erkämpfen der Befreiungsschlacht erringen läßt? Kleist scheint wirklich gemeint zu haben, Hermann müsse sich durch etwas ganz Eigenthümliches von den deutschen Fürsten unterscheiden und vor ihnen auszeichnen. Die Weise, wie er keinem undeutschen Gefühle und Gedanken Raum gegönnt, beinahe den Charakter einer reinen Jungfräulichkeit in dieser Rücksicht behauptet, scheint diesen Charakterzug abgeben zu sollen. Es bietet sich sehr viel dafür dar, das Stück als die Darstellung des Gedankens zu betrachten, das Vaterland bleibe frei, weil sein Held und Befreier mitten unter den von einer ansteckenden Krankheit Befallenen leben und weben konnte und der Ansteckung zu

widerstehen vermochte. Dann ist das Wesen der Thusnelda nicht mehr Lieblings-
gedanke und Nebenabsicht des Dichters allein, sondern hierin eben so motivirt, wie
der Umstand, daß Marbod die Schlacht liefert. Helden sind die deutschen Fürsten alle
geblieben, die Befreiungsschlacht können sie alle liefern. Hierin sind sie sich mit
Hermann gleich, und dadurch hat er Nichts vor ihnen voraus. Das unterscheidet ihn,
daß seine Natur sich weder beugen noch verleiten läßt, es mag mit ihm versucht werden, was da wolle. Kurz, er stehet wie ein unentweihtes Heiligthum unter den
Seinen. Alle Eigenschaften des Helden, sogar seine versteckte Schlauheit, seine Ruhe,
sein gefaßtes Wesen, sein Durchblicken aller übrigen Charaktere, seine Menschenkennt-
niß, sein gutmüthiges Verachten Aller, mit denen er zu thun hat, seine frohe Laune
am Rande des Unterganges alles Dessen, was er liebt, mit einem Worte, was er nur
Großes und Seltenes besitzt, stammt von jener nicht zu entweihenden Sicherheit seiner
Natur. Daß er noch da ist unter den Deutschen, daß er allein sich nicht täuschen lassen,
das rettet sie, und kein bestimmtes Thun, welches er vollbringt. Er stehet mehr in dem
Verhältniß eines Gottes wie eines Heroen zu den Mitfürsten.

Daß die Schlacht selbst nicht hervortritt, möchte aus einer verwandten Intention zu
erklären seyn. Sie hätte jenen sich ganz in das Innere zurückziehenden Gedanken viel
zu sehr übertönt. Er zerscheiterte, wenn Hermann sie focht, und wäre Marbod als
der siegende Held mit allem die Schlacht umgebenden Sturm und Glanz zur Erscheinung gekommen, dann hätte er den Hermann verdunkelt; so mußte die Schlacht im
Hintergrunde bleiben. Gerade daraus jedoch folgte eine andere Nothwendigkeit, die
der Dichter sehr wohl gefühlt hat. Es mußte etwas Ungeheures vorgehen vor unsern
Augen. Wir mußten in einer bildlichen Darstellung sich die Wuth der Deutschen um
so mehr zum Ingrimm entflammen sehen, als die große Umkehrung der Lage Deutschlands nur unter Hermann und Marbod durch Verabredung vorgegangen war, und als
gewissermaßen darin die Stellung der Deutschen bestand, daß Marbod durch Hermann
von den Römern abfiel. Die Schlacht war kein Heldenkampf, sie glich einer Grube,
in welche der listige und falsche Varus durch noch größere Ueberlistung gefallen war.
Er wurde mit seinen eigenen unwürdigen Mitteln geschlagen.

Wenn dies nun Alles in Kleists Intentionen lag, so hat ihn ein richtiges Gefühl, ja
man kann sagen, ein richtiger dramatischer Verstand nicht verlassen. Die Schlacht
mußte einem fernen Donnerschlag der Nemesis gleichen, der auf einen Frevel folgte,
von dem wir noch durch und durch erfüllt waren, und wir mußten fühlen, die in
gerechte Wuth ausbrechende Rache der Gemißhandelten hatte ihn herbeigeführt. Bei
der lyrischen Behandlungsweise, welche in diesem Drama vorherrscht, war dies vollkommen zulässig, aber eben so gewiß auch in dem Mittel gefehlt, dessen sich der
Dichter bedient.

Wenn die bisherige Darstellung auch Göthe's Ansprüchen an eine productive Kritik
Genüge zu leisten zum Ziel gehabt, so ist dies doch keinesweges ihr einziger, nicht
einmal ihr hauptsächlichster Zweck; sie will vielmehr eine noch größere Lichtmasse in
den Umkreis der früher zur Sprache gebrachten Frage versammeln, sie will dem Verhältniß der poetischen Intentionen zur theatralischen Darstellung näher treten.

Recensent muß gestehen, daß er die Art, wie der Charakter des Hermann aufgefaßt
worden, zu dem Großartigsten rechnet, was er in der Poesie kennt. Er stellt es um so

höher, je mehr es sich an eine der tiefsten, durchgreifendsten und schönsten Wahrheiten anschließt, deren Glanz sich über alle Erscheinungen der Natur und Geschichte verbreitet. Dennoch ist nicht zu leugnen, daß dieses Drama gerade dadurch gegen eine auf die herrschende Theaterbeschaffenheit berechnete Arbeit zurücktritt. Ein Stück, welches dem Zuschauer den heldenmüthigen Befreier des Vaterlandes in steter Anstrengung und Gefahr für sein erhabenes Ziel vor Augen gestellt hätte, oder ein Stück, welches denselben im steten Erguß seines Enthusiasmus und seiner Begeisterung glänzen lassen, würde die Zuschauer in höherem Grade hinreißen. Eben das würde eine Darstellung gethan haben, die nach der aristotelischen Regel den Helden fortwährend in Lagen gestellt hätte, welche Furcht und Mitleid erregen. Ueber dies Alles ist Hermann so hinaus gedrungen, daß bei seiner unendlichen Fassung, bei der Ruhe, mit welcher er Alles aufgegeben, wir keinesweges um ihn, sondern allein um das Vaterland in Besorgniß gerathen.

Diese Betrachtung muß uns wahrhaft bedauern lassen, daß in der Natur und Einrichtung unsers Theaters ein so großes Hinderniß liegt, es mit Hervorbringungen zu schmücken, die nicht blos dramatisch, sondern auch poetisch sind. An der Hermannsschlacht ist gezeigt worden, daß dieses Drama vielleicht in dem Maße vorstellbarer nicht nur, sondern selbst dramatisch interessanter einzurichten wäre, als sich der Dichter von der höchsten Erhabenheit seines poetischen Vorsatzes entfernen wollte. So war es indessen nicht immer, wie das Theater der Griechen und das spanische des Calderon beweisen. Welche Größe und Erhabenheit, welcher Tiefsinn und welche Wahrheit, die sich über alles Leben verbreitet, durchleuchtet die Tragödie der Alten! Und wie ist es Calderon gelungen, Gedanken, die sich über die gemeine Wirklichkeit der Erscheinung erheben, in sichtbarer Ausstellung vor uns zu entfalten!

Die Gründe hiervon und von der Trennung, die im Vaterlande Dichter und Dramatiker mehr wie anderswo scheidet, liegen gewiß für eine Zergliederung in der Kürze zu tief. Aber ob nicht eine zu entschiedene Spaltung, die sich zwischen der charakteristischen und der poetisch pathetischen Behandlung hervorthun will, dem Zustand der Bühne nicht ungünstig seyn möchte, verdient wohl der ernsten Erwägung. Es wäre zu untersuchen, ob nicht im ernsten Drama eine sehr entschiedene Charakteristik mehr oder weniger zur Psychologie führen muß. Denn im Lustspiel verletzt dies Widersprechende und Zusammenhanglose das Eigensinnige in den Charakteren keinesweges, und um so weniger, als es die Quelle von Lächerlichkeiten ist. Wir nehmen das Abnorme an, ohne zu fragen, wie es entstanden, um uns so mehr daran zu belustigen. Aber wenn das ernste Drama uns nicht blos spannen und erschüttern soll, so muß es einen Reiz hinterlassen, ihm nach der Aufführung mit unsern Gedanken nachzuhängen. Wir wollen zwar Widersprüche sehen und von ihnen angeregt werden, aber ihre Unauflöslichkeit soll uns nicht quälen. Das kann gerade geschehen, wenn sie aus einem fern liegenden Eigensinn der Charaktereigenthümlichkeit hervorgehen, oder wenn sie sich zu tief in die sogenannten Geheimnisse des menschlichen Herzens und der menschlichen Seele zurückziehen, die wir oft nur aus Täuschung allgemein, wahr, tief und menschlich erklären. Wie Vieles ist nicht mehr und nicht weniger denn Hervorbringung der Zeit! Denn vor dreihundert oder vierhundert Jahren war den schlichtern Gemüthern, Menschen von echtem Charakter, das gerade fremd, was wir jetzt, wo Charakterbestimmtheit so selten ist, oft als Charaktereigenthümlichkeit taufen, Etwas, das nur durch Ausbeugung vom Wahren und Tiefen entstanden.

Dessen hat die Hermannsschlacht weniger wie der Prinz von Homburg, auch kostet es dem Zuschauer weniger, sich mit dem Dichter zu verständigen. Es leuchtet eher ein, wie er sich den Hermann gedacht, und worin er seine Größe gesetzt; daraus aber folgen einige Eigensinnigkeiten der Composition so, daß sich die Gründe dazu bald darbieten. Dahingegen bedarf es einer Verständigung mit ihm, die erst allmählig zu erreichen ist. Läßt sich, bevor man in der dichterischen Anschauung einheimisch und eingeweiht worden, der vollkommene Genuß des Ganzen davontragen und durchweg über den Werth einer jeden Scene ein Urtheil fällen? — Schwerlich! Wird es aber gestattet; und zu nachsichtig gestattet, dann gelangen wir dahin, mehr, als wir sollten, nur nach einem, oft sehr versteckt liegenden Vorsatz des Dichters die Dramen beurtheilen zu müssen. Wohl mag Tiefsinn in den Dramen sich verbergen, aber er muß sich mehr aus den Verhältnissen der objectiven Welt wie aus einer eigensinnigen Dichteranschauung oder Dichterempfindung herleiten.

Jenes ist allemal die Quelle, aus welcher Calderon schöpft, und es läßt sich, ohne in anderer Beziehung einen Streit über diesen Dichter eröffnen zu wollen, behaupten, wir finden uns bei wenigen so bald über seinen Vorsatz zu recht, auch wenn er der tiefsinnigste ist. Wir haben kaum nöthig, den Schluß seiner Stücke abzuwarten, um aus ihm den Schlüssel zur Nothwendigkeit und zum Sinn der einzelnen Scenen zu entnehmen. In der Regel, und wenn sie die sonderbarste ist, sprechen sie durch sich selbst an und befriedigen uns, ohne daß wir nöthig hätten zu sagen: Aus dem Ganzen erst und nach näherem Nachdenken wird sich diese oder die andere Scene wohl rechtfertigen und verstehen lassen. Hierdurch zeichnet sich Calderon merkwürdig vor vielen Bühnendichtern aus, und die erwähnte Eigenschaft ist eine, um derentwillen er vorzüglich studirt werden sollte.

M — h.

3. [Karl August Böttiger.] Literarisches Conversations-Blatt, No. 6 vom 8. Januar 1822

Blick auf das Dresdner Hoftheater und seine neueste Gestaltung.

Erster Brief.

Dresden, den 12ten Decbr. 1821.

Erfüllen Sie, mein theurer Freund, Ihr Versprechen und kommen im Januar zu uns. Maria v. Weber's Freischütz, die Pretiosa mit seinen herrlichen Chören, und manches andre dramatische Gastmahl erwartet uns um diese Zeit. Sie werden sich der fröhlichen Umgestaltung und Aufblühung in unserm Hoftheater freuen, und auf's angenehmste von der Verjüngung und Erhellung überrascht werden, durch welche wenigstens das Innere unserer Bühne ein würdiger Musentempel geworden ist, da sich der Erweiterung und Verzierung von außen unübersteigliche Schwierigkeiten entgegenstellten. Sie erinnern sich, wie früher auf der Bühne selbst alles wurmstichich, vermorscht und verwickelt war. Der Eifer unsers wohlunterrichteten und anstelligen Maschinenmeisters Lißmann scheiterte nur zu oft am beengten oder falsch verbrauchten Raum; alles klaffte, schnarrte und klapperte, und wenn Neues eingeflickt wurde, brach das Alte; die Versenkungen und Flugwerke waren oft mit Lebensgefahr verbunden, und der berühmte Schimmel in Kind's Vandyk lief Gefahr mit seinem rüstigen Reiter urplötzlich in die Unterwelt zu versinken; die Beleuchtung in den Coulissen sowohl als am Proscenium war äußerst mangelhaft, und das feinere Mienenspiel der Schauspieler ging in unabwendbarer Dunkelheit unter; nirgends Schutz gegen Zugwind und Verkältungen. Greifbare Verfinsterung herrschte im Halbkreis der Zuschauer, durch einige in den fürstlichen und gesandtschaftlichen Logen brennende Wandlichter nur noch sichtbar. Niemand konnte, wenn der einzige Kronleuchter in der Mitte in die Decke sich verkrochen hatte, einen Komödienzettel oder einen Operntext herausbuchstabiren. Dabei war alles so verrostet und bestaubt, daß neue Gewänder und Scenerien nur um so mehr abstachen. Dem jetzigen Generaldirector der königl. Schauspiele, Geheimenrath *von Könneritz*, wurde der längst gewünschte Auftrag zu Theil, mit der Bühne sowohl als mit dem Halbkreise einen alles erfrischenden und erneuernden Verjüngungsproceß vorzunehmen. Der diesjährige Sommer war nicht günstig dazu. Und doch konnte schon am 29sten Septbr. die italienische Oper mit Rossini's Donna del Lago und die deutsche Schaubühne am 30sten Septbr. mit Nathan dem Weisen und einem angemessenen Prolog, von Theodor Hell gedichtet, und vom Regisseur Helwig gesprochen, zu größter Zufriedenheit des Hofes und des ganzen Publicums wieder eröffnet werden. Hr. v. Könneritz hat sich in der Anordnung und Ausführung dieser Bühnenerneuerung ein großes und bleibendes Verdienst erworben. Seine durch nichts zu ermüdende Betriebsamkeit bethätigte die Arbeiter, sein richtiger Geschmack leitete und unterstützte die Künstler. Jetzt hat alles ein ungemein heitres und einladendes Ansehen gewonnen. Man geht gern in's zierliche, nett erleuchtete Haus. Man sieht und wird gesehn! Viel ist durch einen um mehrere Schuh tiefer ausgegrabenen und fest ausgemauerten Fußboden unter der Bühne für Versenkungen und Heizung, auch noch durch das durchaus höher gehobene Dach- und Sparrenwerk für die Bequemlichkeit der Scenerie, der Flugwerke und alles, was in den obern Regionen vorgeht, gewonnen. Eine ganz neue, äußerst zweckmäßige Lampenbeleuchtung in den Coulissen und auf dem Proscenium, mit weiser Benutzung dessen, was in Leipzig und beim neuen Theater in Berlin angebracht worden ist, ist für die Erhellung der Scene angebracht worden. Nun erst können Tag und Nacht im schnellsten Wechsel vollkommen dargestellt werden und im feinsten Mienenspiel unsrer Bühnenkünstler entgeht kein Zug den Zuschauern. Natürlich mußten nun auch neue Scenen und Einsätze gemalt, frische Gewänder und Costüms selbst bei alten Stücken angeschafft werden, da das Verschossene und Veraltete solche Beleuchtung nicht mehr aushalten konnte. Dabei ist nichts gespart worden, und bald wird auch unsre Theatergarderobe den alten, nicht ungegründeten Vorwurf ganz von sich abwälzen können. Durch einen einzigen, meisterhaft eingerichteten argandischen Rundleuchter, wobei alle Möglichkeit einer Abtropfung wegfällt, wird während der ganzen Vorstellung der Halbkreis der Logen und des Parterres mit einem so hellen Licht übergossen, daß Bühne und Sitzreihen sich gegenseitig in der Beleuchtung unterstützen, und doch kein Licht das andere überscheint. Die Bühnenbrüstungen sind blau mit Silber aufgeputzt und gewähren einen sehr freundlichen und harmonischen Eindruck. Der königl. Hofconducteur *Bloßmann* hat das Verdienst, die Ideen des Hrn. v. Könneritz mit Einsicht und Pünktlichkeit ausgeführt und insbesondere den Rundleuchter in der Mitte so, wie er ist, hergestellt zu haben.

Auch in der innern Bühnenverwaltung sind vom Generaldirector neuerlich mehrere, wir dürfen hoffen heilsame Veränderungen getroffen worden. Zwar ist Hr. *Helwig* in seiner Stellung und Einnahme in nichts beeinträchtiget worden, allein es war nicht in der beschränkten Kraft eines einzelnen Mannes, zugleich Hauptrollen in den vorzüglichsten Trauer- und Lustspielen zu übernehmen und auch die Regie im deutschen Singspiel und im recitirenden Schauspiel *allein* zu verwalten. Die Leistung des Schauspielers mußte zuweilen unter der Last der Regie ermatten. Der Generaldirector ordnete also eine festbestehende Comité an und ernannte die Schauspieler Julius und Werdy, Männer vom glücklichstem Kunsteifer beseelt und durch eine vieljährige Regie an zwei großen Theatern in Breslau und Frankfurt a. M. eingeübt, zu Mitgliedern derselben. Mit Helwig vereint, bilden sie einen Ausschuß, bei welchem der Director präsidirt, ihre einzelnen und schriftlich eingereichten Vorschläge wegen Wahl und Besetzung neuer Stücke, und wegen eines stets für einen ganzen Monat zu fertigenden Repertoriums prüft und genehmigt, und in allem auch dadurch die Initiative behält, daß nur von ihr die Stücke, die begutachtet werden sollen, ausgehn. Des Directors Sache bleibt es auch stets, einem von der Comité ein bestimmtes Stück zur Aufführung zu übertragen, dem dann für das Stück alles untergeordnet ist, und der dann auch bei der fortgesetzten Aufführung stets für alles verantwortlich seyn wird. Die Oper ist der Leitung des Capellmeisters Maria von *Weber* ganz allein übertragen, und steht ihm zur Erleichterung des Geschäfts ein Regisseur zur Seite. Neue Theatergesetze sind in Arbeit.

Die Wohlthätigkeit dieser neuen Einrichtungen hat sich alsbald durch die höchstgelungene und vollendete Aufführung des mit dem Kleistschen Theaternachlaß von L. Tieck herausgegebenen *Prinzen von Homburg* bewährt. Dies hochpoetische, geist- und gemüthreiche Vermächtniß eines in Unmuth untergegangenen und doch sehr hochherzigen Dichters, eine wahre Bereicherung unsrer deutschen Bühne, die in scheinbarem Ueberfluß an der Auszehrung krankt, hat auf dem Burgtheater in Wien durch Unlust und Unempfänglichkeit der Schauspieler vorlaute, der schönen Entwickelung ungeduldig voreilende Verdammungsurtheile und mancherlei Mißverständnisse ein arges Mißgeschick erfahren. Und hatte auch die verständige Direction dem Vorurtheil muthige Entschlossenheit entgegengesetzt und bei wiederholter Vorstellung alle Ungunst zum Schweigen gebracht, so war doch die Blüthe gebrochen und der erste Eindruck der vorherrschende geblieben. Es macht unserm Generaldirector Ehre, daß er, durch kein Vorurtheil über die innere Güte des Stücks geblendet, durch die Aufführung eines echt brandenburgischen Nationalstücks auf einer sächsischen Bühne, der Gestaltung desselben auf dem königl. Theater in Berlin rücksichtslos voreilte und, soviel an ihm war, jede Scheidewand, die Deutsche von Deutschen trennt, niederriß. Er kennt sein Publicum, bei dessen reiner Kunstliebe *der* Umstand gerade nur günstig wirken konnte. Hr. v. Könneritz übertrug unserm Julius nicht nur die Hauptrolle des Prinzen von Homburg, sondern auch die ganze Besorgung und scenische Einrichtung eines Stücks, bei welchem zeitgemäßes Costüm, militairische Pünctlichkeit, strenge Einübung des zahlreichen untergeordneten Personals und einer großen Statistenmasse, feine Berechnung der scenischen Topographie, besonders bei der Anfangs- und Schlußscene im Lustgarten von Fehrbellin, auch an den Rahmen des Bildes ungewöhnliche Forderungen zu machen berechtigt waren. Hr. Julius hat ein Muster aufgestellt, wie ein solches Stück in Scene gesetzt werden könne. Fremde aus Wien und Berlin haben der seltnen Rundung und

Präcision, womit das Ganze fast ohne Verkürzung mit der trefflichen acht Minuten dauernden Ouvertüre, die Hr. *Marschner* dazu gesetzt hat, in wenig mehr als zwei Stunden, in acht Tagen dreimal mit der gerechtesten Anerkennung vor uns vorübergegangen ist. Wesentlichen Nutzen hatte dabei eine wahrhaft begeisternde Vorlesung des Stücks durch *Tieck*, diesem Meister im plastischen Vortrage des Herrlichsten, was die Bühne des In- und Auslandes bietet, in dem Zimmer des Directors selbst gehalten, wozu alle betheilte Schauspieler eingeladen worden waren. Solche Abendunterhaltungen im feinsten Ton geselliger Besprechung schlingen ein geistiges Band um Alle durch Besprechung und gegenseitigen Ideenaustausch. Was *Müllner* so wahr und kräftig über das erste Vorlesen eines Stücks durch den Kundigsten aus dem Kreise, schon vor vielen Jahren bemerkt hat, hat sich sowohl hier, als bei der Aufführung des Kaufmanns von Venedig, die zu den gelungensten unsrer Bühne gezählt wird, vollkommen bestätigt. Ohne Totaleindruck kann sich nichts Einzelnes *zum Ganzen* gestalten. Und so hat unser moderner Bühnenverein wirklich bei einem Stück, das auch hier durch allerlei Gerüchte gegangen und bei der ersten Vorstellung nicht ohne Begehrlichkeiten zum Widerspruch war, durch eine einzige recht tüchtige Einverleibung in Ausführung eines *würdigen* Dramas einen großen Schritt zu höherer Vollkommenheit und zur Abstreifung aller hier und da noch haftenden declamatorischen Unart gethan.

Den ersten Preis verdient bei der Darstellung selbst, Julius. Durch tiefes Eindringen in die vom Dichter selbst nirgends vernachlässigten Motive im Charakter des in schwärmerischem Irrwahn und Sinnenreiz befangenen, dann, als er von hochfahrender Zuversicht plötzlich herabgestürzt ist, in tiefster Entmuthigung um sein Leben bettelnden, aber um so herrlicher auch sich wieder erhebenden und der heiligen Satzung bis zum Tode gehorsamen Prinzen von Homburg hatte es ihm möglich gemacht, das Dämonisch-schwärmerische und Rein-menschliche des jungen Helden mit einer Wahrheit darzustellen, die jeder noch so gewaffneten Kritik schon bei der ersten Vorstellung den Stachel nehmen mußte. Wenn Mitleid, nach Aristoteles, die echt tragische Gemüthsbewegung ist, so kann nichts tragischeres gedacht werden, als dieses herzzerschneidende Niederstürzen vor der Kurfürstin, als ihn die süße Lust zu leben so unwiderstehlich anwandelt:

> Ein unerfreulich, jammernswürd'ger Anblick,

da dachte niemand mehr an entehrende Feigheit, die ja unmöglich in dieser Heldenseele Platz finden konnte, da fühlte jeder nur das klägliche Loos so entwürdigender *Verirrungen* und rief mit der holden, ihr eigen Leben dem reinsten Mitleid opfernden Natalie:

> Ach! welch ein Heldenherz liegt hier zerknickt!

So empfanden es auch durch die gewaltig ausströmende, halb in Wahnsinn getaucht, und doch im Naturton noch rein anklingende Leidenschaftlichkeit des Geängsteten, alle unbefangene Zuschauer und als der Vorhang fiel, wurde er mit dem lautesten Jubelzuruf hervorgerufen, eine Anerkennung, die hier blos einigemal im Jahr vorkömmt. Er dankte dafür, blos als Organ Aller, da aller Anstrengung nur das Schwerste habe gelingen können. Nächst ihm wußte unsere ebenso denkende, als gefühlvolle *Schirmer* die ihr eigne Anmuth mit seltner Kraft und Wahrheit so zu verbinden, daß sie das liebende Mädchen eben so schön, als die großherzige Nichte des großen

Kurfürsten, die selbst Chef eines Regiments ist, uns vor's Auge brachte. Sie kann anderswo glänzender gegeben werden, aber gewinnender schwerlich. Nichts geht über die Wahrheit, womit sie, selbst auf den Jüngling verzichtend, nur um sein Leben bei dem Kurfürst fleht und ihre weibliche Ansicht dem strengen Kriegsgebrauch entgegenstellt. Die höchste Vollendung jedoch erhält ihr Spiel in der Unterredung mit dem Prinzen. Sie ahnet die Gefahr für des Prinzen Leben, wenn er, sich ermannend, das Kriegsurtheil billigt. Wie hastig und gedämpft spricht sie gleich Anfangs das *gut, recht gut!* und treibt und drängt den zu ganz andern Entschlüssen sich Aufraffenden so lange, als sie hoffen darf, ihn davon abzubringen; wie huldigt sie aber auch seinem bessern Selbst, sie selbst ein Heldenmädchen, seinem Entschluß, sein Leben der Pflicht zu opfern. Nicht die Geberden blos, die Klangleiter ihrer Stimme malt uns den Uebergang von der Beklommnen zur Bewundernden, und so durchzuckt es elektrisch alle Zuschauer, wenn sie ausruft:

> Bohrten gleich zwölf Kugeln
> Dich jetzt in Staub, nicht halten könnt' ich mich
> Ich jauchzt' und weint' und spräche: Du gefällst mir.

Die Art, wie sie hier und in der vorhergehenden Scene als Inhaberin eines Regiments Hülfe beordert, ist in großem Styl und beweist gegen jeden Zweifler, daß jene Künstlerin auch jene weichere Sentimentalität und Betonungsweise, die zuweilen noch aus jener Zeit anklingt, wo auf der hiesigen Bühne das weinerliche Pathos für Schönheit galt, ablegen kann. Fremde, die in großer Anzahl, besonders der dritten, in allen Theilen ganz vollendeten Darstellung beiwohnten, bewunderten an ihr auch ihr unvergleichliches, nicht mehr stummes, sondern hochaufflammend zu nennendes Zuspiel. Wie ist sie so ganz und innig stets bei der Sache! wie spiegelt sich jedesmal der Mitspieler in ihrem ausdrucksvollen Mienenspiel! — Nicht weniger vortrefflich gab *Werdy* den biedern alten Kottwitz. Seine zarte Kraftrede im letzten Act brachte durch Wahrheit und eine eigne Stimmenlegung am Schluß, wo sich der Köcher der Rede gleichsam mit dem letzten schwächer abgeschossenen Pfeil erschöpft, eine unbeschreibliche Wirkung hervor. Wir hatten ihn wenig Tage vorher als Shylock im *Kaufmann von Venedig* in einem von ihm selbst erschaffenen Meisterwerk bewundert und dem echten rabbinischen Juden in seiner erhabenen Abscheulichkeit den lautesten Zoll ertheilt, aber auch als Kottwitz verdient er den Kranz. Fürwahr, wo auf einer Bühne drei solche Künstler, als wir hier genannt haben, sich im einträchtigsten, einverstandensten Zusammenspiel einigen, und als *völlig* anerkannte Muster für die übrigen dastehen, da muß, unter einer so verständigen und liberalen Direction, wie die des wackern von *Könneritz* ist, Tieck's Vorlesungen und so viele andere äußere Hülfsmittel, Belehrungen und Belebungen zur Seite, immer Vorzüglicheres geleistet und die Klippen der Declamation und Effectmacherei eben sowohl, als die der Gemeinheit und waltenden Natürlichkeit ganz umschifft werden. Mit den genannten wird unser *Helwig* stets in die Schranken treten, sobald er sich's selbst schwerer macht und seine herrliche Kraft durch die Regie nicht erdrückt, durch solche Tendenzen nicht zersplittert wird. Sein Kurfürst war zwar in vielem noch zu bürgerlich und zeigte den Menschen mehr als den Feldherrn; hatte aber viele schöne und gemüthvolle Momente, und die Art, wie er das Todesurtheil zerreißt, war grandios. *Kanow* war ein guter Hohenzoller. Er mäßigte seine oft über die Linie hinausschwellende Kraftseele in Geberden und Stimme, und sprach die letzte

Erzählung an den Kurfürst mit würdigem Nachdruck. *Pauli* kann vortrefflich werden, wenn er in die deutliche Klarheit seines Organs mehr Wohllautwechsel, in die festen Umrisse seiner Spiels mehr Schatten und Licht bringt. Seine herrlich gesprochene Rede von Froben's Tod wurde jedesmal rauschend beklatscht. Es galt in gleichen Theilen dem Dichter und Schauspieler. Auch in *Burmeister*, der dem Feldmarschall Dörflinger in dieser kleinen Rolle nichts vergibt, besitzen wir einen in *seinem* Rollenfache ausgezeichneten, eifrig studirenden, sehr besonnenen Künstler. Mad. *Werdy*, die uns noch vor kurzem die Königin Elisabeth ganz im Sinne Schiller's gegeben hatte, war eine würdige Kurfürstin. So arbeiteten auch alle übrigen Schauspieler bis zu dem, der nur wenig Worte zu sprechen, blos mit seiner Person zu thun hatte, im erfreulichsten Einklang. Da wir nun auch in dem jungen Devrient einen von der Natur herrlich ausgestatteten, lehrbegierigen Anfänger für die jungen Helden- und Liebhaberrollen gewinnen, und alles mit Enthusiasmus für die Kunst durchdrungen ist, so dürfen wir hoffen, daß unsre Bühne bald als schuldige Zahlung annehmen könne, was *Böttiger's* freigebiges, doch stets motivirtes Lob in der Abendzeitung für's erste wohl nur pränumerirte, aber eben dadurch bei so eifrigen, sich selbst so wenig genügenden Künstlern nur größere Lust, nicht Dünkel hervorrief.

Ein junger genialer Tonkünstler, jetzt auch der unsrige, Maria von *Weber's* Günstling, *Marschner*, hatte die Ouvertüre, Zwischenacte und übrige zur Handlung gehörige Musik so zweckmäßig componirt, daß dadurch überall bei den Zuschauern die erforderliche Stimmung angeregt oder auch fortgeleitet wurde; und da sie beim Schluß eines Actes noch vor gesenktem Vorhang schon einfiel und so bis zum schnellen Wiederaufzuge fortspielte, so gestaltete sich dadurch die ganze Vorstellung zu einem wahrhaft organischen Ganzen, ohne alle fremdartige Unterbrechung, Ein Guß, Ein Strom der Rede und des Klanges. Man erwarte in einem der nächsten Blätter der vielgelesenen Abendzeitung eine erschöpfende Kritik dieser Aufführung aus des alten Meisters, aus *Tieck's* Feder. In einer Beilage zu No. 98 des gleichfalls hier erscheinenden, mit Neujahr auch sich erweiternden *literarischen Merkurs* ist Marschner's Musik von einem Kenner gewürdigt worden. Tieck will den Hamlet ganz neu für unsre Bühne bearbeiten, und so erwartet uns bald auch von dieser Seite ein neuer Genuß.

50.

4. [Helmina von Chezy.] Literarisches Conversations-Blatt,
No. 74 vom 29. März 1822

Ueber Kleist's Prinzen von Homburg.

Aus dem Schreiben einer Dame.

Dresden.

Vorgestern sahe ich zuerst den *Prinzen von Homburg*, von Kleist, auf dem hiesigen Theater aufführen, und gestern dachte ich viel daran zurück, hörte auch hie und da ein Urtheil darüber. Wenn ich alle einzelnen Urtheile, zum Theil über das Ganze, zum Theil über einzelne Scenen, ruhig überdenke und mit meinem *eignen* Gefühle zusammenstelle, so scheint es mir, daß die Ansicht der meisten, entweder dadurch irr geleitet wird, daß sie *einzelne* Momente aus dem Ganzen herausheben und nicht das Ganze als eine festineinander geschlungne Kette betrachten, oder dadurch, daß sie die Urtheile, die sie sich durch *ihren Standpunct in der bürgerlichen Ordnung* bildeten, auf dieses Stück anpassen wollten. Wenn ich dagegen im Geiste, den Prinzen Scene für Scene beobachte, einer jeden seiner bewußten und unbewußten Handlungen, und jeder Einwirkung der andern Charaktere und der äußern Umstände, auf sein Wesen, wie einer Kette folge, dann hängt Glied an Glied, und das Ganze erscheint mir in einer musterhaften Consequenz. Bewundern muß ich alsdann den Dichter, der dieses Bild im Geiste so deutlich und klar sahe, daß er es in *dieser* Harmonie wieder zu geben vermochte.

Der Vorwurf, der dem Charakter des Prinzen gemacht wird, daß er als junger *Held*, eine solche Anwandlung der Todesfurcht habe und die Aeußerung, daß ihn diese Feigheit verächtlich mache, scheint mir von denen, die nur aus einer *einseitigen* Ansicht des Ganzen entstehen. Mir ist die Scene sehr angreifend gewesen — aber sie konnte meine Bewunderung für einen *solchen* Menschen nicht vermindern, — meinen Glauben an ihn nicht stören! Diese Angst vor dem Tode, ist in meinen Augen nicht Feigheit, sondern lediglich Kampf des *irdischen* Menschen, gegen den *himmlischen* oder *geistigen*. Bis dahin haben sie im immerwährenden kleinen Kampfe gegeneinander gestanden; die plötzliche Wendung zum Tode hebt einen Augenblick das Gleichgewicht zwischen ihnen auf, und der irdische Mensch überwältigt den geistigen, damit dieser sich desto kräftiger aufraffe und den schönsten Sieg davon trage!

In der ersten Scene erblickt man den Prinzen, selbst im Schlummer mit der Liebe zu Natalien und dem heißesten Wunsch nach Ruhm, beschäftigt. Die Stimme seines Freundes Hohenzollern, erweckt ihn plötzlich aus dem Schlafe, und das rege Treiben des Lagers, das ihm H. schildert, drängt die Traumgestalten in des Prinzen Seele zurück. Ein Handschuh, den er der Prinzessin im Nachfolgen von der Hand gestreift hat, ist in der seinigen zurückgeblieben und entfällt ihm bedeutungslos im Gespräche mit seinem Freunde. Noch schwebt der Traum vor seiner Seele, und er leiht dem Gespräche nur ein halbes Ohr, denn alles *äußere* Leben ist ihm fremd; *sein* Leben ist *in* ihm und läßt sich nur zurückdrängen, nie vernichten. Darum fällt auch sein Blick auf den Handschuh, und *er* ist der Zauberstab, der die Gestalten des Traumes wieder in ein helleres Licht hervorruft. Mit einem verworrnen Bewußtseyn hebt er ihn auf — betrachtet ihn forschend, und in seiner Seele wird es noch nicht hell, aber lichter. Hohenzollerns Stichelreden, in Erwidrung der Erzählung seines Traumes, zerstreuen die noch darum schwebenden Wölkchen, und die süße Wahrheit ahnend, steckt er den Handschuh zu sich — seiner Seele war er die leere Puppe eines schon entfalteten Schmetterlings — und wie konnte er sich von *dem* trennen, was eine so tiefe Bedeutung hatte, oder es liegen lassen, wo Alltäglichkeit ihre Wellen darüber hinspielt. Durch seine Pflicht geruft, tritt der Prinz mit den übrigen Officieren in die Versammlung — Nataliens Anblick beschäftigt seine Seele mehr, als die militairischen Ordres, und ihre Verlegenheit im Suchen ihres Handschuhes beleuchtet von Neuem die Bilder seiner Gemüthswelt. Der Handschuh fällt auf die Erde — wird gefunden — der Prinzessin eingehändigt — — und zerrissen sind die lockern Fäden bürgerlichen Lebens, die eine Seele wie die des Prinzen nicht fesseln konnten! Das *äußere* Leben sinkt vor seinen Augen plötzlich zusammen und er empfindet nur das *innere, höhere* Leben. Sie gesehen zu haben, mit dem Blicke der Liebe, und mit dem Sieg verheißenden Lorbeerkranz, ist nicht mehr Traum — ist *Wahrheit*. Begeistert tritt er wieder in den Kreis seiner

Cameraden, und nun hört er wohl die Worte, kann aber ihren Sinn nicht vernehmen, denn er ist seiner Seele fremd. Welcher aufmerksame Beobachter seiner selbst, hat nicht zuweilen den Kampf empfunden, den es der Seele kostet, von einem Hauptgefühle durchdrungen, die Aufmerksamkeit des Verstandes auf einen Gegenstand richten zu müssen, der diesem Gefühle ganz fremd ist? Wer hat nicht empfunden, wie die, durch das äußere Einwirken angespannten Kräfte der Seele, durch die Macht des innern Gefühles überwältigt werden, und wie das, was dem kalten Zuschauer oder dem, der nur von *dem* angesprochen ist, was die Aufmerksamkeit unsres Verstandes jetzt fesseln sollte, als Nebensache, als unbedeutende Kleinigkeit erscheint, gerade uns von der höchsten Wichtigkeit ist, weil es in geistiger Verbindung mit unsrem Innern, mit dem Leben unsres Gemüthes steht? In solchen Augenblicken möchte man glauben von zwei Seelen beherrscht zu werden — in der That sind es auch zwei getrennte Mächte, die über uns gebieten — das *Gemüth* und der *Verstand.* Jede einzeln macht Anforderungen an die ihr zugetheilten Kräfte der Seele, das *Gemüth* und alles, was ihm zugehört, erscheint mir als das Ureigenthum des Menschen, und übt darum die größeste Macht — der *Verstand* ist zwar wohl auch Ureigenthum, allein sein Reich ist mehr ein erworbenes und deshalb dem innern Menschen fremder und nicht so mächtig. Wo beide einander die Hand bieten, und Licht und Wärme zusammenschmelzen, beginnt das Reich ewiger Wahrheit in des Menschen Seele, der *Vernunft,* und Frieden aus der Höhe umfängt sie beseligend.

Hätte der Dichter, wie manche es wünschen, den Prinzen in dieser Scene, *ganz* mit dem militairischen Interesse beschäftigt, *ganz* von ihm *durchdrungen* dargestellt, so war es ein *andrer,* und im Gemüthe nicht allzureicher Mensch, der ziemlich alltäglich forthandeln mußte, aber nicht siegte wie der Prinz, nicht sank — um desto schöner zu siegen.

Trug seine Vernunft in dieser Scene den Sieg davon, so war des Dichters Darstellung beschlossen — oder ging, wenn wir die folgenden Scenen als bleibend annehmen, vollkommen inconsequent fort. Daher erscheint mir diese Scene als meisterhaft geschildert, und ganz aus dem Leben aufgegriffen — aber auch für den Zweck des Dichters als allein zulässig. In ihr schürzt sich der Knoten, an welchen nun die Handlung Glied für Glied fortläuft, und mir erscheint sie herrlich. Der junge Held *fühlt* sich nun stark, jeden Sieg zu erkämpfen — er findet diese Kraft in sich und in seiner Liebe — nicht aber in der kalten Berechnung äußerer Umstände. Natürlich folgt nun die Scene im Angesicht des Treffens, wo der Prinz unter seinen Cameraden, nach einem kurzen Aufenthalt in der Capelle, erscheint. *Ganz* Gefühl, *ganz* selig in dem Gefühl der Liebe, in der Zuversicht des Sieges, war er im Angesichte Gottes und mußte durch den Altar des Herrn mächtiger als je angezogen werden. Hohenzollern bemerkt dies mit der Flachheit der Alltäglichkeit — der alte Kottwitz, dem Prinzen verwandter im Empfinden, aber durch Alter abgekühlt, mit der stillen Befriedigung eines in frommem Wandel ergrauten Kriegers. Des Prinzen Frage an Hohenzollern, über die Ordre des Feldmarschalls, gibt diesem wieder einen Grund, sich über jenen zu erheben, wenn er ihn schon *nie* zu fassen vermag. Feurig im Innern strebend, kleinlich im Aeußern gehindert, bricht der Prinz in Uebermuth und Trotz aus, als ihm die Ordre ruhiges Abwarten gebietet, und stürmt zum Kampfe.

Sein Herz führt ihn nach errungenem Siege zu der Kurfürstin und Natalien zurück; der Schmerz über den Verlust des Oheims mildert den Glanz der Freude, die ihm der Sieg bereitete, begeistert ihn aber zu neuen Heldenthaten. — Da hört er Nataliens sanfte Klagen über ihre Lage — denn sie ist zum zweitenmale verwaiset und fühlt sich einsam im Leben — und schützend streckt er ihr die Arme entgegen — sein Mund öffnet sich zur Erklärung und in unaussprechlich milder, zarter Rede strömt das innigste Gefühl seines Herzens über seine Lippen. Ein unbeschreiblich rührender Augenblick ist dieses Bekennen und Erwidern reinster Liebe; und es spricht sehr für die Zartheit des Dichters, der diese Blume, vom Thau der Wehmuth und des Schmerzes umperlt, in seinen Kranz zu flechten wußte, und damit ihren Glanz milderte und zugleich erhöhte.

Neue Begeisterung kommt mit der Nachricht vom Leben des Kurfürsten in alle Gemüther, und der Prinz fühlt neue Schwingen seiner Seele, denn er sieht sich auf dem Gipfel des Glücks durch Liebe und Ruhm.

Zu den Füßen des Kurfürsten breitet er die Trophäen seines Sieges aus, und sinkt, von dessen kalter Anrede geschreckt, aus seinen Träumen der Seligkeit, in die Nacht des Unmuths. Aber auch diese zerstreut sich vor der innern Begeistrung, und weil er *in sich* fühlt, daß er, wen er liebt, nicht verurtheilen könne, und über die Schönheit des Sieges den Fehltritt, der ihn veranlaßte, vergessen würde — faßt er nicht den Gedanken, der auf's Aeußerste getriebenen Strafe. Hohenzollern überführt ihn eines andern, und unfähig den richtigen Gesichtspunct zu fassen, glaubt er den Grund von des Kurfürsten Strenge im Mißmuth, den ihm Nataliens Weigerung, des Königs von Schweden Hand anzunehmen, erregt, zu finden. Schon durch alles vorhergegangene war das Gleichgewicht in des Prinzen Seele vielfältig gestört worden; nun sieht er plötzlich einem unerwarteten Tod in's Angesicht, und zusammen sinkt alle Kraft seines Wesens — die klare Besonnenheit eines reichen, hohen Gemüths weicht vor den heftigen Stürmen der lebhaft bewegten Außenwelt. Wer fühlte nicht schon die unbeschreibliche Qual gestörten Gleichgewichts in der Seele? — aller Besonnenheit beraubt, bleibt nicht *ein* klarer Gedanke in ihr zurück, während die Einbildungskraft, allein fürchterlich geschäftig, Bild auf Bild häuft, und die Verwirrung der Ideen mit jedem neuen Bilde des Schreckens zunimmt. Das offene Grab steht mit allen Schrecknissen vor der jungen, feurigen Seele des Prinzen, und soll ihn aufnehmen, soll alle dahinwelkenden Kränze der Liebe, des Ruhmes mit seinem ewigen Schweigen bedecken; da empfindet sie nur noch etwas deutlich und klar, und dieses *eine* ist die Liebe zum Leben. Gedrängt von der schmerzlichsten Todesangst, kann er nur um dies *eine* flehen, und es um jeden Preis besitzen wollen. Taub für die Stimme heldenmüthiger Liebe, die ihm entgegen tritt, vernimmt er nur das tröstende Wort, daß sie um Gnade für ihn bitten wolle. Natalie bittet bei dem Kurfürsten für ihn, und diese Scene, die beinahe die einzige ist, wo nur in Bezug auf den Prinzen gehandelt wird, er aber nicht selbst handelnd auftritt, ist unbeschreiblich schön. In ihr entfaltet sich Nataliens Charakter in einer hohen, reinen Weiblichkeit, die dem Dichter allein den Kranz verdiente. Nur allein in dieser Reinheit konnte diese Liebe, in solcher Klarheit solche Festigkeit wurzeln, die nach den verschiedenen Eindrücken von Außen sogar bis zum Heldenmuth gesteigert wird. Allein diese reine Liebe konnte so sanft entschuldigen, wo sie so klar und richtig erkannte, und nur von ihrem hohen Gesichtspunct aus war es möglich.

Indessen hat sich in des Prinzen Seele der erste Sturm gelegt — Bewußtseyn kehrt zurück, und als Natalie mit dem Briefe des Kurfürsten erscheint, schwindet der letzte Nebel, vor dem helleren Strahle ruhiger Vernunft. Noch zuckt hie und da ein schmerzliches Empfinden durch die Seele, aber klärer und reiner steigt das Bild wahrer Größe vor ihr auf, und ihm strebt sie mit aller Kraft des Wesens entgegen. Selbst Naliens liebende Sorge, irrt die siegende Seele nicht mehr — und Natalie, selbst zu groß, um nicht fremde Größe zu bewundern, zu innig von Liebe durchdrungen — gibt dem Prinzen den Lohn reinster Liebe. Beschwichtigt ist nun aller Kampf und errungen das wahre Leben. Frieden herrscht in des Prinzen Anrede an den alten Kottwitz, Frieden in der Antwort auf die Anrede des Kurfürsten. Der Abschied von Natalien ist noch der letzte Schmerz im scheidenden Leben, aber auch ihn überwindet die innere, himmlische Kraft.

Sehr ergreifend ist der Moment der Begnadigung, als der Kurfürst das Todesurtheil zerreißt, und die Officiere in freudiger Eile sich herandrängen, um dessen Frage: „ob sie noch einmal mit dem Prinzen zum Kampfe und Siege gehen wollten?" zu beantworten.

Zum Schluß erscheint der Prinz, noch im Wahne zum Tode zu gehen, und als ihm die Binde vor den Augen gelöset wird, fällt sein erster Blick auf Natalie mit dem Lorbeerkranz, — — dem Engel der Liebe und des Ruhms, die seine Seele begeisterte, zum Siege führte, rettete, und — nun belohnt!

Meisterhaft scheint mir der Charakter des Kurfürsten in seinem Bezug auf den Prinzen, gezeichnet. Ruhe, Ernst und Milde sind die Hauptzüge seines Wesens und sprechen sich herrlich in der Scene mit Natalien aus. Ueberhaupt ist mir die Zusammenstellung der einzelnen Charaktere sehr schön erschienen — immer ist der Prinz der höchste Lichtpunct, und jede andere Gestalt erscheint nur in der Beziehung auf ihn, zeigt deshalb auch nur die Seite, oder die Farbe, die zur Vollendung der Harmonie im Gemälde nothwendig war. Graf Hohenzollern erschien mir immer als Gegengewicht der Schwärmereien des Prinzen; alle seine Handlungen und Gedanken sind bemüht, den Freund in die Wirklichkeit zu fesseln. Der alte Kottwitz ist dem Prinzen näher im Empfinden, und nur durch Erfahrung anders modificirt — aber so oft sie einander nahen, bricht das Feuer aus Beider Seelen in lichten Flammen hervor; nur beim Prinzen lodernder, emporstrebender — bei Kottwitz sicherer und wärmender.

96.

5. [unbekannt.] Literarisches Conversations-Blatt,
No. 113, 161, 162 vom 15. Mai, 13. und 15. Juli 1822

Ueber Kleist's Prinzen Friedrich von Homburg.

I.

Charakter des Prinzen.

Wenige dramatische Charaktere haben wohl in der neueren Zeit so allgemeines Aufsehn erregt und so verschiedene Urtheile erfahren, als der des *Prinzen Friedrich von Homburg* in *Kleist's* Schauspiele gleiches Namens. Auch wird uns das Räthselhafte in ihm in der That so nahe gerückt, daß sich kein nachdenkender Leser einem Versuche zu seiner Lösung entziehn kann. Wir sehn einen jungen Prinzen, von Ehrbegier und Liebe begeistert, kühn um den kriegerischen Lorbeer ringen. Seine Seele ist so voll davon, daß ihn auch im Traume sein Bild nicht verläßt. Die Stunde der Schlacht kann er kaum erwarten; heut will er das flüchtige Glück durch seine jugendliche Kraft an sich fesseln, und wäre es mit Eisenketten siebenfach am schwedischen Siegeswagen festgebunden. Gleich kühn erscheint er uns in der Schlacht selbst: früher, als ihm durch den Schlachtplan des Kurfürsten verstattet ist, stürzt er in die feindlichen Reihen, und ein glänzender Sieg wird errungen. Bei der falschen Nachricht von dem Tode des Kurfürsten will er das unvollendete Werk der Befreiung vollenden, und als er Frobens edle Aufopferung für seinen Herrn erfährt, ruft er begeistert aus:

> Er ist bezahlt! — Wenn ich zehn Leben hätte,
> Könnt' ich sie besser brauchen nicht als so.

Aber die Stunde der ernsten Prüfung kommt über ihn, und nun ist sein Muth gebrochen: als einen Feigen, als einen Schwächling sehn wir ihn, im Staube sich krümmend, um Gnade flehn. Als ihm die Vorstellung der Todesstrafe, welche ihm der Kurfürst seines Ungehorsams wegen auferlegt, mit völliger Gewißheit vor Augen tritt, da verlöscht plötzlich, wie durch einen Zauber, jeder Funke des edeln Feuers, welches ihn dem Tode unerschrocken entgegentrieb; seine Ideale sind gebrochen; er will *nichts mehr — als athmen,* und sey es auch in *Niedrigkeit und Schmach.* Von Angst getrieben, stürzt er zu den Füßen der Kurfürstin; sie soll bei ihrem Gemahle für sein Leben flehn: dazu beschwört er sie bei allen Pflichten der mütterlichen Liebe, welche ihr seine Mutter in der Stunde des Todes übertragen.

> O Gottes Welt, o Mutter, ist so schön!
> Laß mich nicht, fleh ich, eh die Stunde schlägt,
> Zu jenen schwarzen Schatten niedersteigen!
> Mag er doch sonst, wenn ich gefehlt, mich strafen;
> Warum die Kugel eben muß es sein?
> Mag er mich meiner Aemter doch entsetzen,
> Mit Cassation, wenn's das Gesetz so will,
> Mich aus dem Heer entfernen. Gott des Himmels!
> Seit ich mein Grab sah, will ich *nichts, als leben,*
> *Und frage nichts mehr, ob es rühmlich sei!*

Auf die Geliebte zu verzichten, sie seinem Nebenbuhler abzutreten, welcher zugleich der Feind des Vaterlandes ist, erscheint ihm in dieser peinigenden Spannung als eine Kleinigkeit. Ja, als ihm die Geliebte (für den Ehrliebenden gewiß die innigste Mahnung) an seinen früheren Muth erinnert und ihn zur Fassung ermahnt in den schönen Worten (S. 65):

> Geh, junger Held, in Deines Kerkers Haft,
> Und, auf dem Rückweg, schau noch einmal ruhig
> Das Grab Dir an, das Dir geöffnet ward!
> *Es ist nichts finsterer und um nichts breiter,*
> *Als es Dir tausendmal die Schlacht gezeigt!*

hat er schon so sehr alle Kraft verloren, daß er nicht einmal flüchtig die Bedeutung ihrer Rede faßt, und nur die darauf folgenden Worte machen einen Eindruck auf ihn, in welchen sie ihm eine Fürbitte bei dem Kurfürsten zusagt.

Ist nun wohl ein solcher Wechsel von Kühnheit und Feigheit, von edler Bereitwilligkeit, sein Leben zu opfern, und knechtischer Lebensfurcht *seelenwissenschaftlich* zu rechtfertigen? Und was noch mehr, ist er *dramatisch* zu rechtfertigen, und kann der Eindruck erfreuend sein, welchen er in den Seelen der Leser zurückläßt? — Schon der geistreiche Herausgeber, L. Tieck, fühlte diese Schwierigkeit und hielt eine Rechtfertigung für nöthig. „Nun folgt die Scene", sagt er in der Vorrede (S. LXX), „die, wenn man nicht ganz mit dem Dichter einverstanden ist, bei vielen wegen ihrer Kühnheit Erstaunen, wo nicht Unwillen erregen wird. . . . . Unter so vielen hergebrachten Angewöhnungen der Bühnenwelt ist auch die, daß die Todesfurcht unter keiner Bedingung in ihrer ganzen Gräßlichkeit in edeln Gemüthern erwachen darf. Kleist aber, der ohne Zweifel das Leben nicht zu hoch achtete, oder den Tod feige fürchtete, läßt seinen Helden, von diesem Schrecken ergriffen und vernichtet, in Gegenwart seiner Geliebten, auf die er zugleich unedel verzichtet, wie ein Sclave um sein Leben betteln. Derselbe wilde Traum, der ihn in seinem Wahne über Alexander und Cäsar erhob, wirft ihn nun, da seine Zauber brechen, unter den gemeinsten Knecht hinab." Und über die spätere Entwickelung fügt er hinzu: „Der Fürst sagt ihm Gnade zu, Natalie selbst überbringt ihm den Brief, und an diesem erwacht erst der Prinz und findet sich, die Welt und die Wahrheit wieder. Der Wahn verläßt ihn, und er reift am Gefühl des Rechtes schnell zum Mann und Helden, da er vorher auch in seiner Tapferkeit nur Traumgestalt war." — Eine tief gedachte künstlerische Umschreibung, deren Wahrheit jeder Leser fühlen muß! Aber doch läßt sie noch manches räthselhaft, und vorzüglich muß sich uns die Frage aufdringen, ob denn die Hinfälligkeit der Idee, welche uns Kleist in des Prinzen wechselnder Seelenstärke darstellt, eine *allgemeine* oder durch *besondere Eigenthümlichkeiten* in ihm und wenigen ähnlichen Charakteren bedingte sey. Tieck scheint sich mehr für das Erste entscheiden zu wollen. „Diese Scene (sagt er von Nataliens Fußfall) ist wahrhaft erschütternd, denn wir beweinen in ihr das *Loos der Menschheit selbst*." Mehr für die zweite Meinung entscheidet sich sein Freund Solger (S. LXXVI). „Auch im Prinzen von Homburg", schreibt er, „liegt alles im *Charakter*, auch hier bildet sich dieser vor unseren Augen *in den Situationen und durch sie*; aber die Wechselwirkung, die Gleichung zwischen beiden Seiten, die zu den höchsten dramatischen Aufgaben gehört, ist vollkommen erreicht. Es schwebt über dem ganzen Sein und Werden des Menschen der ruhige, großartige, dramatische Blick. Der Prinz, dessen Heldenthum uns zuerst nur als Träumerei erscheint, wiewohl als eine hoffnungs- und ahnungsvolle, wird *durch die Begebenheiten niedergeworfen und erhoben*, er *wird erst durch das Leben, was er ist*: ein Mensch in jeder Bedeutung. Ein herrlicher echt dramatischer Gedanke, und höchst befriedigend ausgeführt!" — Aber auch diese Lösung drängt uns viele neue Fragen entgegen. *Welche* Begebenheiten *üben eine solche Macht über die menschliche Seele aus*, daß sie die [den] Kühnen und Muthvollen in einen Feigen, und den Feigen wieder in einen Helden umzuwandeln vermögen! Und zwar nicht etwa in einer Reihe von Jahren (solche Beispiele stellt uns ja das Leben unzählige dar), sondern in *den engen Grenzen eines Dramas*, welches sich in *rascher Aufeinanderfolge* der Handlungen entwickelt. Ueben sie diese Macht über *jede* menschliche Seele aus, oder nur über einzelne? Und wie endlich kann dies ein *echt dramati-*

scher Gedanke heißen, da er uns so viele *dunkle* Stellen darbietet, und doch unstreitig im Drama, wie in jedem Kunstwerke, *lebendige Anschaulichkeit,* unerläßliche Grundbedingung ist?

Unter diejenigen, welche diese Schwierigkeiten zu tieferen Untersuchungen anregten, verdient der *Recensent von Kleist's hinterlassenen Schriften* im *Hermes* (XIII. S. 351 bis 71) eine besondere Auszeichnung. Auch er wirft, durch jene Auslegungen nicht ganz befriedigt, ähnliche Fragen auf. Ist eine solche Entwickelung des Heldenthums durch eine Zwischenzeit verzweifelnder Feigheit eine „im menschlichen Daseyn gewöhnliche und ihm angehörige Erscheinung?" Oder eine Ausnahme, eine Seltsamkeit? Ja, kann überhaupt jemals, und „unter welchen Bedingungen, Heldenthum als ahnungsvolle Träumerei erscheinen und erst durch das Leben sich zum Heldenthum verwandeln?" . . . . „Wir sind uns eines Sinnes bewußt, der, in des Prinzen Lage versetzt, im Augenblick, wo er hörte, er solle gerichtet werden, auf andere Weise aus seinem Taumel erwacht wäre etc." Und gibt es einen solchen, so fragt sich, ob des Prinzen früherer *Muth* überhaupt *Heldenthum* genannt werden könne? Er ist dann eben nur, und mit ihm der ganze Charakter, *Seltsamkeit.* Und dennoch gesteht der Rec., daß ihn das Schauspiel jedes Mal auf eine Weise befriedigte, daß er überzeugt war, den Dichter müsse noch ein anderer Gedanke geleitet haben, eine *höhere Beziehung* in dem Schauspiele liegen. Und so faßt er dann dasselbe (S. 359) *„als eine Versöhnung der inneren Traumwelt mit dem wirklichen Leben, die sich durch Natalien vollbringt."* Der Prinz stellt uns das *ideale Leben* dar; er lebt „in einem schwärmerischen Morgentraume", dem einmal die ernste Stunde entgegentreten muß, so gewiß und nothwendig, wie der Einfluß der ersten Liebe auf das Leben des Menschen ist. Natalien gibt die *volle Kraft der Wirklichkeit,* in der sie lebt, die Fähigkeit, diese Versuchung kräftiger zu tragen: „der stille Reiz ihres Wesens ist der, daß sie *gar keine Poesie in sich hat."* So gelingt es ihr, „den Prinzen über den Abgrund hinüberzuleiten, der ihn überall anblickte, wo die Grenze seiner schönen Welt der Träume und des Wahns, in der er allein bisher gelebt, zu Ende ging"; und diese Aufgabe eben, „den *Uebertritt des Prinzen aus der Traumwelt in das wirkliche Leben* darzustellen", ist es, welche uns in diesem Schauspiele so mächtig ergreift.

Der Rec. führt dies scharfsinnig in der Betrachtung einzelner Stellen weiter aus. Aber trotz der scheinbaren Bestätigung, welche seiner Erklärungsweise aus manchen derselben hervorgeht, scheint sie uns von weit größeren Schwierigkeiten als die früheren gedrängt zu werden. In Bezug auf den *Schluß,* welcher unter dieser Voraussetzung ganz unerklärlich, ja widerlich störend wirkt, hat der Rec. dies selbst gefühlt und muß uns, trotz aller seiner Bemühungen, unbefriedigt lassen. Aber auch davon abgesehn, erscheint die von ihm dargestellte Aufgabe *weder im Allgemeinen dramatisch lösbar,* noch stimmen, genauer betrachtet, die *Hauptzüge in der Entwickelung des vorliegenden Schauspiels damit überein.* Zuerst im Allgemeinen: Durch die Versöhnung der *idealen Welt* mit der *Wirklichkeit* soll der Prinz zum *Helden* reifen. Aber steht denn die letztere in einer näheren Gemeinschaft zum Heldenthume als jene erstern? Gewiß nicht. Was den Menschen, in welchem Verhältniß es auch sein mag, über irdische Rücksichten erhebt und in heldenmüthiger Aufopferung in einem schweren Kampfe siegen oder untergehn läßt, ist vielmehr immer die *Idee eines über die Wirklichkeit Erhabenen,* welche er zwar durch seine Kraft in die Wirklichkeit hineinzubilden strebt, welche aber doch nur zu oft *Idee* bleibt. In einem gewissen *Gegensatze also mit der Wirklichkeit* steht der *Held* in jedem Falle, sey es nur für die Zeit des Kampfes, oder sey es für immer. Aber auch dieses letztere thut seinem Heldenthum keinen Abbruch, wenn es nur sonst wahres Heldenthum ist; und es gehört unter die höchsten tragischen Aufgaben, den Untergang der Idee im Kampfe gegen die Wirklichkeit darzustellen, während sie doch, *als Idee,* von *ihrer Hoheit* dadurch nichts verliert, sondern nur noch *herrlicher* und *verklärter* hervortritt. Durch eine Versöhnung also mit der Wirklichkeit konnte der Held nicht gewinnen. Wenigstens in einer *dichterischen* Darstellung nicht, denn dem Philosophen freilich wird derjenige Held noch höher stehn, welcher, neben der Idee, auf deren Verwirklichung er großartig hinarbeitet, zugleich auch die Wirklichkeit in einem bestimmten Bilde fest hält und nach demselben sie mit besonner Klugheit umbildet, obgleich auch dies nur unpassend eine Versöhnung beider genannt werden könnte. Dramatisch also ist jene Aufgabe auf keine Weise ausführbar. Betrachten wir nun aber zweitens das vorliegende Schauspiel selbst in dieser Beziehung, so möchte wohl schwerlich zu leugnen sein, daß Friedrich von Homburg sich gerade *vor seinem Falle und während desselben* von allen denjenigen, was man *im höheren Sinne Idee* nennt, *entblößt,* seine Verklärung aber sich darin zeigt, daß dieses *höhere Ideal sich in ihm zu entwickeln anfängt.* Die Phantasiebilder, welche seine Ehrbegier und seine Liebe mit glühender Sehnsucht umfaßt, sind alle *auf ihn selbst beschränkt* und auf die *nächste Fortsetzung des im gewöhnlichen Treiben sich entwickelnden Lebens.* Was sich irgend darüber erhebt zur *Idee,* findet seine Seele kalt und verschlossen. Vorzüglich merkwürdig sind in dieser Beziehung die Worte, als er zuerst von dem über ihn gesetzten Kriegsgerichte hört (S. 51):

> Mein Vetter Friedrich will den Brutus spielen,
> [usw. — V. 776—788]

Er ist also für die Vorstellung dessen, was die *Idee des Rechtes,* und was die *Idee des Vaterlandes* verlangt, *völlig unempfänglich.* Daher denn der Kurfürst Natalien, als sie in des Prinzen Sinne spricht, mit Recht den Vorwurf macht (S. 69):

> Kennst Du *nichts Höheres,* Jungfrau, *als nur mich!*
> Ist Dir ein Heiligthum ganz unbekannt,
> Das in dem Lager *Vaterland* sich nennt?

Natalie selbst muß ihm das für sie so quälende Zeugniß geben:

> Der denkt jetzt *nichts, als nur dies Eine: Rettung!*
> [usw. — V. 1148—1154]

Ja, er ist so mit allen Fäden seiner Seele an *die gemeine Wirklichkeit, an das irdische Leben* gefesselt, daß es für ihn außer demselben überhaupt nichts gibt, und ihn die *Idee der Unsterblichkeit* als *bitteren Skeptiker* findet (S. 77):

> Zwar, eine Sonne, sagt man, scheint dort auch,
> Und über buntre Felder noch als hier:
> Ich glaub's; nur Schade, daß das Auge modert,
> Das diese Herrlichkeit erblicken soll!

Ist er also *vor* seiner Todesfurcht und *während* derselben für alle höhere Ideale verschlossen, so sehn wir ihn dadurch von der Todesfurcht frei werden, daß diese

Ideale, ein glänzendes Morgenroth nach einer sternlosen Nacht, in seiner Seele auf-
gehn. Trefflich wird dies so vermittelt, daß ihn der Kurfürst zum Richter in seiner
eignen Sache macht. Dadurch, daß er ihm völlige Straflosigkeit verheißt, wenn *er sich
selbst frei sprechen* könne, wird seine Seele von der Todesfurcht entfesselt, und offen
für die Aufnahme des Idealen; durch die Aufforderung, sich selbst zu richten, mächtiger, als es *auf irgend eine andere Weise* geschehn konnte, die *Idee des Rechts* in ihm
geweckt. So kann er dann, als die übrigen Feldherrn nicht ablassen, in seiner Gegenwart den Kurfürsten für ihn zu bitten, mit edlem Feuer antworten (S. 101):

> Ruhig! es ist mein unbeugsamer Wille!
> Ich will das heilige Gesetz des Kriegs,
> Das ich verletzt', im Angesicht des Heers,
> Durch einen freien Tod verherrlichen!

Der Sieg über sich selbst, über den Uebermuth, den Trotz, „den verderblichsten der
Feinde in uns", erscheint ihm jetzt in einem weit höheren Lichte als alle Siege, welche
seine eitle Phantasie ihm vorgespiegelt; und dadurch ist er, wenn auch noch nicht
gereift zum Helden, doch in die *Blüthezeit* des höheren Idealen, und somit des wahren
Heldenthums getreten. Ganz diesem schöneren Leben angemessen ist die mit seinem
feigen Verzichten auf Natalien (S. 64 „Verschenken kann sie sich, und wenn's Karl
Gustav, der Schweden König ist, so lob' ich sie") in einen herrlichen Contrast tretende
Bitte, den Frieden nicht schimpflich mit der Nichte Hand zu erkaufen. Mit der Idee
des Vaterlandes und der wahren Ehre haben auch die übrigen, welche seiner Seele
keineswegs fremd, sondern nur verdunkelt waren, in seiner Seele wieder Macht gewonnen, und kurz vorher, eh' ihm die Gnade des Kurfürsten das früher so übermäßig
geliebte *irdische* Leben wieder schenkt, hat er sich über den Verlust desselben schon
durch den Besitz eines *höheren* getröstet (S. 105):

> Nun, o Unsterblichkeit, bist du ganz mein!
> [usw. — V. 1830—1839]

Betrachten wir den Charakter des Prinzen aus diesem Gesichtspuncte, so erscheint er
uns, und mit ihm das ganze Schauspiel, in einem weit höheren Lichte. Die Befriedigung,
die höhere Beziehung, von welcher der Rec. im Hermes spricht, wird uns klar, ohne daß
wir nöthig hätten, eine Versöhnung des Idealen mit der Wirklichkeit darin zu suchen,
welche weder an sich dichterisch, noch der Anlage des Schauspiels selbst angemessen ist.
Ganz im Gegensatze damit stellt es uns vielmehr den Uebertritt des Prinzen aus einem
an die niedere Wirklichkeit gefesselten Phantasieleben in das *Leben der wahren Ideale*
dar. Zugleich werden hierdurch alle früher aufgeworfene Fragen genügend beantwortet,
und die Todesfurcht nach seelenwissenschaftlichen Gesetzen vollkommen gerechtfertigt.
Solange die Seele des Menschen *nur in dem Irdischen* lebt, sei es nun die Wirklichkeit
der Gegenwart, oder seien es Ideale der Zukunft, so lange ist er unfähig, der *Vernichtung* des Irdischen standhaft in's Auge zu sehn. Mit diesem ist ja sein *ganzes* Leben hin;
was soll ihn entschädigen, was ihm Kraft geben? Wie kühn er auch zu seinen bunten
Traumgestalten, in dem kindisch-festen Vertrauen, daß sie ihm nicht entgehn können,
sich vordrängen mag; man zeige ihm die Gefahr, zugleich mit jenen Phantasiebildern
auch das gegenwärtige Besitzthum zu verlieren, und er wird als Feiger sich im Staube

krümmen. Damit der Mensch, als *ein wahrer Held*, das Irdische, ja das Leben daranzusetzen, über sich gewinne, muß seine Seele in irgend etwas Höherem, welches *über das Leben hinaus dauert*, mehr als in dem Irdischen leben. Dies braucht nicht gerade immer ganz rein und edel zu seyn; sey es Nachruhm, sey es die Märtyrerkrone, sey es die Unsterblichkeit, sey es das Vaterland, sey es die Idee der Tugend, oder irgend eine andere große Idee, gleichviel, *ihr* Besitz ist nicht an das Athmen und an das Licht dieser Sonne gebunden, und darum erhebt er uns über eine knechtische Anhänglichkeit an das Irdische. Steht also auch (dies zur Beantwortung früher aufgeworfener Fragen) die Entstehung des Heldensinns in der menschlichen Seele keineswegs mit einem früheren Leben in einer irdischen Traumwelt in dem Zusammenhange, daß jene ohne dieses nicht gedacht werden könnte, so ist doch das Nacheinander beider und die zwischen ihnen liegende bittere Prüfungsstunde eine so häufige Erscheinung, daß sie durchaus nicht blos als *Seltsamkeit* eines *individuellen* Charakters dasteht. Nur zu oft wird von Jünglingen, welchen der Ernst des Verlustes und des Kampfes unbekannt ist, das nebellose Traumbild, welches ihre Einbildungskraft ihnen vorgaukelt, für *wahres Heldenthum* genommen. Die *Verklärung* zu diesem also, in einen *beruhigenden* Contrast mit der *Gebrechlichkeit jener Jugendträume* gestellt, veranschaulicht uns zwar nicht das Loos der ganzen Menschheit, aber doch eines *großen Theiles* derselben; und ein Kunstwerk, in welchem dieses so meisterhaft, wie in Kleist's Schauspiele, geschieht, muß gewiß zu den Zierden unserer deutschen Literatur gerechnet werden.

II.

Außer dem Charakter des Prinzen von Homburg, tritt unstreitig der des *Kurfürsten* als der interessanteste hervor. Auch er ist nicht leicht zu entwickeln, und die früher erwähnten Kritiker treten in ihren Urtheilen über ihn in den erklärtesten Gegensatz. *Tieck* sagt (Vorr. S. LXIV): „Der Charakter des Kurfürsten ist ein Meisterwerk, und bekundet schon für sich allein den großen [: gereiften] Dichter. Nur Wenigen ist es gelungen, so überzeugend *Majestät* hinzustellen, in der sich *Ernst, Kraft und Milde* vereinigt, in jedem Moment groß und edel, und immer menschlich, ohne je in die leeren Reden und Bilder zu verfallen, mit denen schwächere Dichter sich oft die Charaktere ihrer Fürsten ausmalen wollen." Und über die Entwickelung des fünften Actes insbesondere erinnert er (S. LXXII): „Im fünften Act, da die Theilnahme, die indeß immer gewachsen ist, auf den höchsten Punct führt, und das Werk krönt, erscheint der Kurfürst in seiner höchsten Würde. Kottwitz, als Freund des Prinzen, spricht die herzlichsten Worte, der Prinz selbst erhebt sich über sich und alle Schwächen der Menschheit, und das Ganze schließt nach der großen Erschütterung lieblich und wundersam, wie es begonnen hatte." Dagegen der Rec. im Hermes wenig oder nichts von dieser Würde und Charakterstärke, und vor Allem nicht den *Ernst* in dem Charakter des Kurfürsten anerkennen will. „Offenbar (erinnert er S. 359) neigt sich der Kurfürst eben so sehr zum *Humor*, zur *Phantastik*, ja zu einer gewissen *Sophistik*, wie Kottwitz ihm gegenüber einen Charakter behauptet, in welchen alles ganz, vollkommen und unerschütterlich im höchsten Grade feststeht; er scherzt nie mit dem Leben." Und später über die Entwickelung (S. 363): „Der Kurfürst selbst kommt nun mit der nicht ganz wegzuleugnenden *Halbheit seines Wesens* in einiges Gedränge. Kottwitz bringt das Verhältniß zur Sprache, wie der militairische Formalismus, der, mag er auch noch so nothwendig seyn, doch nur Formalismus bleibt, im Gegensatz zum echten und wahrhaft vaterländischen Gefühl in der Brust des Kriegers sich verhalte; ja der Kurfürst muß einsehen, daß er nicht minder einem Abwege nah war, wie der Prinz, obwohl auf andere Weise." — Kann es wohl eine auffallendere Verschiedenheit der Urtheile geben? vorzüglich da der Urheber des zweiten das erste vor Augen hatte. Und wie sollen wir uns entscheiden?

Zuerst ist wohl so viel deutlich, daß der Kurfürst bis zu der Scene, wo er das Kriegsgericht über den Führer der Reuterei anordnet (2ter Aufz. 9ter Auftr.), sehr in den Hintergrund tritt; aus dem Früheren also nichts, oder doch nur sehr wenig für seine Charakteristik gefolgert werden kann. Der Rec. im Hermes macht ihm schon daraus einen Vorwurf, daß er nicht darüber erschrocken ist, „im Begriffe, an eine der entscheidendsten Schlachten zu gehn, seinen Anführer der gesammten Reuterei, der ihm schon zwei Schlachten durch Uebereilung verloren hatte, als Nachtwandler in seinem Garten zu erblicken, da er seit einer Stunde bereits bei der Reuterei sich befinden sollte. Er mystificirt den Prinzen und läßt ihn mondsüchtig im Garten, ohne zu erwägen, wohin ihn die Mondsucht dort verschlagen kann, und daß er bei'm Anbruch des Tages, wenn die Schlacht beginnen soll, doch wirklich an der Spitze der Reuterei fehlen könnte"; und nennt dies einen „beinah phantastischen Leichtsinn." Aber davon dürfen wir ihn wohl freisprechen. Er wußte aus Erfahrung, daß es Friedrich von Homburg an *Regsamkeit* eben nicht in der Schlacht fehlen ließ, daß er also wegen dieses Uebels, welches ja auch meistentheils auf die Handlungen des Wachenden keinen Einfluß äußert, unbesorgt seyn könne. Ueberdies versichert der Graf Hohenzollern, der hier gleichsam als Sachverständiger aufgeführt wird, der Prinz sey gesund;

> Bei Gott, ich bin's nicht mehr! Der Schwede morgen,
> Wenn wir im Feld' ihn treffen, wird's empfinden!

und wenn nicht unglücklicher Weise die Mittheilung des Schlachtplans mit Nataliens Abreise und einigen anderen zufälligen Umständen zusammen getroffen wäre, würde auch wirklich aus seiner Mondsucht nicht der geringste Nachtheil für ihn, als Feldherrn, erwachsen seyn.

Von dem unglücklichen Zusammentreffen dieser Umstände aber weiß der Kurfürst nichts, wie ganz augenscheinlich aus S. 96—98 erhellt, und er kann sich also mit allem Rechte nach ihrer Erzählung von der Schuld freisprechen (ebendas.). Also erst in der erwähnten Scene greift der Kurfürst lebendiger in die Handlung des Schauspiels ein. Wer immer auch die Reuterei geführt hat, und damit eigenmächtig aufgebrochen ist, eh' er Befehl erhalten, so verkündigt er mit strengem Richterspruche, der ist des Todes schuldig, und soll vor ein Kriegsgericht gestellt werden. So streng dieser Ausspruch ist, so kann man ihn doch von keiner Seite angreifen, um so weniger, da er mit edler Unparteilichkeit ohne alle *persönliche* Rücksicht geschieht: denn der Kurfürst weiß ja nicht, wer der Schuldige gewesen. Den Grund seines Ausspruches fügt er selbst sogleich hinzu:

> Der Sieg ist glänzend dieses Tages,
> Und vor dem Altar morgen dank' ich Gott;
> Doch wär' er zehnmal größer, das entschuldigt
> Den nicht, durch den der Zufall mir ihn schenkt;

5. Einsendung eines Unbekannten

Mehr Schlachten noch, als die, hab' ich zu kämpfen,
Und will, daß dem Gesetz Gehorsam sey.

Daß er seinen Befehl nicht zurücknimmt, als er erfährt, der Prinz von Homburg sey der Schuldige, muß unsere Achtung vor ihm nur vermehren; ja, er hätte als schwach und parteiisch vor allen seinen Untergebenen erscheinen müssen, wenn er eine solche Rücknahme auch nur versucht hätte. Der Prinz hatte ihm ja überdies schon zwei Siege verscherzt, seine Nachsicht also sich schon zur Genüge erwiesen; er durfte sonach nicht zurücktreten, obgleich sein *Herz* keineswegs dabei gleichgültig bleibt, und man es den nichtssagenden, inhaltlosen Bemerkungen, mit welchen er (S. 49) der Fürsprache seiner Generale, und zugleich seinem eignen Schmerze auszuweichen sucht, sehr wohl anmerkt, wie schwer ihm das Beharren auf seinem Urtheile fällt. Von Zorn zeigt sich in ihm auch nicht die leiseste Spur; jede *unedle* Bewegung, welche aus dem Verdrusse über den verminderten Glanz des Sieges hätte hervorgehn können, ist seiner großen Seele fremd; vielmehr wird auf seinen ausdrücklichen Befehl Homburgs, als des Siegers Namen, von der Kanzel her Erwähnung gethan (S. 53). Seine Verwunderung, daß dem Vetter Homburg das Leben lieb sey, glaubt der Rec. im Hermes (S. 365) nur durch sein Angestecktseyn von Homburgs Schwärmerei erklären zu können. Aber nicht darüber, daß ihm das Leben überhaupt lieb ist, verwundert sich der Kurfürst, sondern darüber, daß er über seine Liebe zum Leben zum Schwächlinge wird, in dessen Brust die Idee des Vaterlandes völlig verlöscht ist. Natalie hat ja von ihm gesagt (S. 70):

> Der könnte unter Blitz und Donnerschlag,
> Das ganze Reich der Mark versinken sehn,
> Daß er nicht fragen würde, was geschieht?

Und dies sollte nicht den Kurfürsten, der oft genug Zeuge seines Muthes und seiner Vaterlandsliebe gewesen, in Erstaunen setzen? Ueberhaupt aber zeigt er sich in dieser Scene so durchaus groß, ja wahrhaft verklärt, daß wir nicht begreifen, wie ihm jener Rec. Phantastik und Halbheit des Charakters Schuld geben kann. Selbst nur dem Vaterlande lebend, und der für das Wohl desselben nothwendigen Bedingungen sich auf das Klarste bewußt („Meint er dem Vaterlande gelt es gleich, Ob Willkür drin, ob drin die Satzung herrsche") hört er von des Prinzen Kleinmuth und Zerknirschung zwar mit dem äußersten Erstaunen, aber seine starke Seele wird dadurch keineswegs außer Fassung gesetzt, sondern sieht sogleich mit bewunderungswürdigem Scharfblicke das sicherste Mittel, den Prinzen über sich selbst zur Einsicht zu bringen. Er soll selbst sein Richter seyn, das wird ihm das Bewußtseyn des Vaterlandes wiedergeben. Die *Ironie*, mit der er ausruft:

> Bei meinem Eid! Ich schwör's Dir zu! Wo werd' ich
> Mich gegen solchen Kriegers Meinung setzen?
> Die höchste Achtung, wie Dir wohl bekannt,
> Trag' ich im Innersten für sein Gefühl:
> Wenn er den Spruch für ungerecht kann halten,
> Cassir' ich die Artikel: er ist frei!

kann auf keine Weise als *Humor* gefaßt werden, und würde sich gewiß in *furchtbaren Ernst* verwandelt haben, wenn der Prinz seine Freisprechung angenommen hätte. Mit

dem Leben zu *scherzen*, ist ihm hier, wie überall fremd; aber eben darum verachtet er
es auch das Leben dessen zu fordern, welcher, durch seine schwächliche Zerknirschung
aufgehört hat, Krieger zu seyn. — Das unerschütterliche edle Vertrauen, als er die
Versammlung der Officiere zu Homburgs Gunsten erfährt, welches sich so schön in den
Worten ausspricht:

> Seltsam! — Wenn ich der Dey von Tunis wäre,
> [usw. — V. 1412—1417]

tritt zu klar hervor, um einer Erläuterung zu bedürfen. Es gründet sich eben auf die
zwischen ihm und seinen Unterthanen herrschende, *durchaus rein gehaltene*, und *durch
keinen Act der Willkür*, weder von seiner, noch von ihrer Seite, jemals gestörte
Ordnung der *Gerechtigkeit*, welche sich auf die wichtigsten Angelegenheiten gleich-
mäßig, wie auf die geringsten erstreckt. Daher Dörfling (ein keineswegs unbedeutender
Zug, welcher von der bewunderungswürdigen Feinheit zeugt, mit welchem der Dichter
das Große im Kleinen abzubilden versteht), als er mit dem Ausruf: „Rebellion, mein
Kurfürst!" in das Zimmer tritt, zuerst einen Verweis vom Kurfürsten erhält, daß er der
Ordnung zuwider unangemeldet eingetreten, ehe derselbe ihn ruhig fragt, was er wolle.
Dörfling hat die Nachricht, daß man den Prinzen mit Gewalt befreien wolle, — von
der Base seiner Frau. Weshalb der Kurfürst, aber ohne seine Würde abzulegen, ihn mit
der Antwort abfertigt:

> Das muß ein *Mann* mir sagen, eh' ichs glaube.
> Mit meinem Stiefel, vor sein Haus gesetzt,
> Schütz' ich vor diesen jungen Herren ihn!

Aber nicht blos dieser Unglaube, nicht ein phantastischer Uebermuth, sondern die sich
überall gleichbleibende Festigkeit seines Charakters, läßt ihn den Vorschlag Dörflings
verwerfen, doch lieber, um alle Gefahr zu vermeiden, ihr mit seiner Begnadigung
zuvorzukommen. Das will und kann er nicht: denn er würde jenes höchste Gesetz der
Gerechtigkeit, welches ihm überall die Richtschnur seines Handelns bestimmt, in den
Hintergrund treten lassen. Daher seine Antwort:

> Da müß't ich noch den Prinzen erst befragen,
> Den *Willkür* nicht, wie Dir bekannt seyn wird,
> Gefangen nahm, und *nicht befreien kann*.

Er weiß sehr wohl, daß Dörfling höchstens nur halb an das Complott glaubt, und
daß vielmehr sein Vorschlag, nur ein nach seiner Weise entworfenes *anderes Complott*
zur Freisprechung des Prinzen ist; deshalb bleibt er (wie Dörfling selbst sagt) „jed-
wedem Pfeil gepanzert." Aber wie nun in der entscheidenden Scene, wo er zwar ebenfalls alle Vorstellungen zurückweis't, und mißbilligend zurückweis't, zuletzt aber dennoch — das Todesurtheil zerreißt? Ist das nicht *Wankelmuth*, ist das nicht *Willkür*?
Und *größere* Willkür, als wenn er *vor* allen diesen ersten Schritten den Prinzen begnadigt hätte, welche doch von Männern ausgingen, deren Stimme ihm keineswegs
gleichgültig seyn durfte? Was hat ihn so plötzlich umgestimmt? Die Erzählung des
Grafen von Hohenzollern, von des Prinzen Zerstreutheit? Der Graf rühmt sich freilich:
„Ich bin sicher, Mein Wort fiel, ein Gewicht, in Deine Brust." Aber der Kurfürst hat
ihn so eben, wenn auch den Ausdrücken nach nicht, doch *der Sache nach völlig ernst*,

einen „Thoren, einen Blödsinnigen" genannt, und über die „delphische Weisheit seiner Officiere" sich beklagt. Oder — Kottwitz Beweiß, daß der Prinz recht gethan? Auch er ist als „arglistige Rednerkunst" abgewiesen worden. Oder Nataliens Schmerz? Davon zeigt sich nicht die geringste Spur, vielmehr scheint ihn der Kurfürst gar nicht bemerkt, gewiß wenigstens nicht berücksichtigt zu haben. Ist also hier der Kurfürst wirklich aus dem Charakter gefallen?

Um dies richtig zu beurtheilen, müssen wir zuerst bemerken, daß es von Anfang an der *Wunsch* und die *Absicht* des Kurfürsten ist, den Prinzen zu begnadigen. Der *Wunsch*; daher er schon bei der ersten Nachricht, daß die Officiere sich zu seinen Gunsten versammelt haben (S. 87), ausruft:

Nun gut! — *So ist mein Herz in ihrer Mitte.*

Um aber diesem Wunsche genügen zu können, war, nach seiner Gerechtigkeitsliebe, welche *jede Willkür* verwarf, die Erfüllung einer Bedingung durchaus nothwendig. Das *Heer* hatte den Prinzen durch das Kriegsgericht, als sein Organ, verurtheilt; das *Heer*, also mußte *öffentlich* den Wunsch, daß er begnadigt werde, aussprechen. Daß dies geschehen würde, konnte er mit fast vollkommner Gewißheit voraussehn, und auf diese Weise sein *Wunsch* zugleich *Absicht* werden. Daher er die Vorbereitungen dazu mit großer Theilnahme beobachtet, und, da ihm nun Kottwitz die Bittschrift wirklich überreicht, auf dem Puncte steht, sie *ohne Weiteres zu gewähren.* Er hat in den Vorbereitungen zu ihrer Annahme davon gesprochen, Kottwitz solle den Prinzen mit seinen Schwadronen die letzte Ehre erweisen, und dieser sagt daher bei der Uebergabe trauernd:

Doch das Wort, das Deiner Lipp' entfiel,
Schlägt alle meine Hoffnungen zu Boden;

und der Kurfürst, der durch die Bittschrift jener einzigen Bedingung Gnüge gethan glaubt, weit entfernt, sich ohne Grund länger bitten lassen zu wollen, erwiedert ihm sogleich:

So hebt Ein Wort auch wiederum sie auf.

Nun also hat er den Prinzen begnadigt. Aber warum denn nimmt er sein Wort wieder zurück? Warum bestürmen ihn Kottwitz und Hohenzollern vergebens? — Wir sagten: der Kurfürst „*glaubt* jener einzigen Bedingung Genüge gethan"; als er aber die Bittschrift wirklich gelesen hat, schwindet dieser Glaube. Nach der *Ueberschrift* zwar erfleht sie Gnade, ihrem eigentlichen *Inhalte* nach aber will sie eine *Rechtfertigung* des Prinzen aufstellen, und diese konnte sich der Kurfürst nicht gefallen lassen. Und in der That war auch eine solche Rechtfertigung nicht möglich, und der Kurfürst mußte sie, als sophistisch, zurückweisen. Was auch Kottwitz und der Rec. im Hermes von militairischen Formalismus sagen mögen, im Gegensatze mit welchem „die Empfindung, welche einzig retten kann", erhoben werden müsse: der Kurfürst hat vollkommen Recht, indem er sagt (S. 93):

Den Sieg nicht mag ich, der, ein Kind des *Zufalls*,
Mir von der Bank fällt: das *Gesetz* will ich,
Die Mutter meiner Krone, aufrecht halten,
Die ein Geschlecht von Siegen mir erzeugt.

Er sieht Homburgs voreiligen Angriff, wie er es in der That ist, als einen durch kriegerisches Feuer erzeugten Fehltritt an, wie es freilich jeder Feldherr seinen Unterfeldherrn, aber *nicht ohne Besonnenheit und Gehorsam*, wünschen muß, welche allein jenen die ihn inwohnende verderbliche Kraft nehmen können. Zum Krieger gehört lebendige Begeisterung für das Vaterland (das streitet er Kottwitz nicht ab), aber außerdem noch *Einsicht*, die zum *Gehorsam* führt. Da also die von den Officieren unterschriebene Bittschrift, des Prinzen Verfahren *rechtfertigen* will: so muß er sie abweisen: sie hat die für die Begnadigung nothwendige Bedingung *nicht erfüllt*. Noch weniger aber kann ihm Hohenzollerns Beweis, daß er selbst durch sein Spiel mit dem Nachtwandler die Schuld von dem Vergehn des Prinzen trage, genügen. Beide Vorfälle stehen in so losen Zusammenhange, daß der Kurfürst mit vollem Rechte die Schuld, den Grafen parodirend, auf diesen selbst zurückschieben kann. Die Sache steht also, dem *Aeußeren nach*, ganz wie *vor* der Annahme dieser beiden Bittschriften; dem *Wesen nach* aber, steht sie nicht wie vorher: denn das *allgemeine Verlangen des Heeres* nach des Prinzen Begnadigung, ist jetzt *wirklich ausgesprochen*, wenn es sich auch *in den Worten vergriffen* hat, und insofern abgewiesen worden. Ein an dem militairischen Formalismus hängender Pedant hätte es nun vielleicht auf eine zweite, geziemender abgefaßte Bittschrift ankommen lassen, dazu aber ist der Kurfürst zu *groß*. Was er gewollt, ist geschehn; und wenn auch zu viel geschehn: so entschuldigt er dies gern, als nur aus dem zu lebendigen Wunsche, Homburg frei gesprochen zu sehn, hervorgegangen; und eben so wenig misfällt ihm Hohenzollerns Erzählung, welche den Prinzen, wenn auch *nicht rechtlich*, und wenn auch *nicht völlig*, doch *zum Theil*, und *vor dem Familienvater* entschuldigt. Das *Recht* muß in seiner Reinheit hervortreten, muß von den Sophismen befreit werden, durch welche es die Zuneigung zu Homburg entstellt hat; mit seinem gewöhnlichen Scharfblick wählt er dazu den Prinzen selbst. Aber nachdem dieser erklärt:

> Ich will das *heilige Gesetz des Kriegs*,
> *Daß ich verletzt' im Angesicht des Heers*,
> Durch einen freien Tod verherrlichen!

als Kottwitz seine Sophistik eingestanden, indem er dem Prinzen zuruft:

> Mein Sohn! Mein liebster Freund! Wie nenn' ich Dich?

da ist auch der Kurfürst vollkommen befriedigt, und er führt nun die geforderte *rechtmäßig abgefaßte* Erklärung des Heeres *selbst herbei* durch die Frage (S. 108 [104]).

> Ja urtheilt selbst, ihr Herrn! Der Prinz von Homburg
> Hat im verfloss'nen Jahr, durch Trotz und Leichtsinn,
> Um zwei der schönsten Siege mich gebracht;
> Den dritten auch hat er mir schwer gekränkt.
> *Die Schule dieser Tage durchgegangen*,
> Wollt ihr's zum vierten Male mit ihm wagen? . . . .
> *Wollt ihr? Wollt ihr?*

Ein zweites Kriegsgericht, durch welches nun, und mit der vollsten Befugniß, der Ausspruch jenes ersten aufgehoben wird. Wozu auch sollte nun der Prinz noch sterben?

Er hat ja „die Schule dieser Tage durchgegangen", und was das Todesurtheil beabsichtigt, die Verklärung des „heiligen Gesetzes", ist ohne seinen Tod auf das Herrlichste herbeigeführt. Nun also darf der Kurfürst getrost das Todesurtheil zerreißen; er ist seiner Würde unerschütterlich treu geblieben, so wie er den Prinzen zu dieser Würde hinaufgezogen hat; und von der Einsicht, „daß er nicht minder einem Abwege nah war, wie der Prinz", findet sich auch nicht die geringste Spur oder Veranlassung. Dasselbe reinstralende Bild der Majestät, vor welchem Alle bewundernd sich beugen.

[III.]

Weit weniger sind die übrigen Charaktere dieses Schauspiels Misdeutungen ausgesetzt. In *Natalien* sehen wir die *schönste Weiblichkeit* dargestellt, empfänglich für alle *zarteren Gefühle*, aber zugleich *durch männliche Stärke veredelt*. Als der Nachtwandler sie in der ersten Scene für seine Braut erklärt, hält sie sich *schamhaft* zurück, ohne auch nur ein Wort zu erwiedern, eben so beim Abschiede. Die Nachricht vom Tode des Kurfürsten schlägt auch sie zu tiefer Betrübniß nieder, aber doch nicht so, daß sie ihr die Kraft raubte, der noch schmerzhafter verwundeten Kurfürstin eine Stütze zu seyn, und sich (S. 39) der Bedrängniß des Vaterlandes, als des größeren Unglücks, zu erinnern. Sie hat ja (ebend.) schon früher eben so herbe Schicksale erduldet, und in ihnen ist ihre Seele zu männlicher Kraft erstarkt. Als der Prinz (S. 45) gegen die Kurfürstin eines Wunsches erwähnt, den er ihr vorzutragen habe, und sie dies mit Recht auf seine Liebe zu ihr deutet, sehen wir wieder ihre schüchterne Schamhaftigkeit hervortreten. Wo jedoch ihre Seelenstärke in Anspruch genommen wird, fehlt sie ihr nicht, und wahrhaft verklärt zeigt sie sich in der erschütternden Scene, wo der Prinz feig um sein Leben bettelt. Ein Mädchen, welches den von ihr heiß Geliebten, und noch dazu, nachdem er, auf sie verzichtend, sich ihrer Liebe unwürdig gemacht hat, ermahnen kann:

> Geh junger Held, in Deines Kerkers Haft,
> Und auf dem Rückweg, schau noch einmal ruhig
> Das Grab Dir an, das Dir geöffnet ward! etc. etc.

und sogleich nachher:

> Doch wenn der Kurfürst des Gesetzes Spruch
> *Nicht ändern* kann, nicht *kann*: wohlan! so wirst Du
> Dich tapfer ihm, dem Tapfern, unterwerfen. etc.

und welches dabei doch so viel Zärtlichkeit behält, auf die Bitte des Unwürdigen die schwierige Fürsprache bei'm Kurfürsten zu unternehmen, nimmt unsere höchste Bewunderung in Anspruch. Auf gleiche Weise in der Scene mit dem Kurfürsten. Sie versucht es zwar, seine strenge Rechtsansicht zu mildern, aber für die Idee des Vaterlandes, mit welcher diese auf das engste verknüpft ist, selbst begeistert, beugt sie sich bescheiden seiner höheren Einsicht. Auch die umsichtige Klugheit, mit welcher sie des Grafen Reuß Bericht von der Bittschrift, obgleich jetzt dieselbe, dem Anscheine nach, unnöthig ist, aufnimmt, und alles für einen möglichen Fall zu einer kräftigeren Wirksamkeit anordnet, muß unsere Achtung vor ihr erhöhen. Den Prinzen sucht sie zwar, da doch einmal seine Todesfurcht die Sache zu diesem Ausgange getrieben hat, zur Annahme der ihm gebotenen Freisprechung zu bewegen, ja zu drängen; da sie aber sieht, er habe sich zum wahren Heldenmuthe erhoben, wendet sich ihr Herz, trotz des nun fast mit Gewißheit ihm bevorstehenden Todes, zu gleich heldenmüthiger Freudigkeit.

> Nimm diesen Kuß! — Und bohrten gleich zwölf Kugeln
> Dich jetzt in Staub, nicht halten könnt' ich mich,
> Und jauchzt' und weint' und spräche: Du gefällst mir.

Doch trifft sie alle Anstalten, der Vollziehung des drohenden Urtheils vorzubeugen.

> Inzwischen, wenn Du *Deinem* Herzen folgst,
> Ist's mir erlaubt, dem *meinigen* zu folgen . . . .
> Das Regiment bricht auf, der Herr befiehlt's;
> Hier, noch vor Mitternacht, erwart' ich es!

Erst da auch dieser letzte Schritt scheinbar misglückt ist, und nun der Prinz vor ihren Augen zum unvermeidlichen Tode geführt wird, fließt ihr Gefühl über:

> O Mutter, laß! Was sprichst Du mir von Sitte?
> Die höchst' in solcher Stund', ist ihn zu lieben!
> — Mein theurer unglücksel'ger Freund!

Und ein so von allen Seiten über das Gewöhnliche, über das Irdische sich erhebender Charakter sollte *ohne Poesie* seyn? wie der Rec. im Hermes sagt: „Natalien aber macht das so ausnehmend schön und mädchenhaft, daß im Innersten ihrer Seele, ohne daß sie es sagt und weiß, nichts wohnt, denn die *Wahrheit und Wirklichkeit*", und später: „Der stille Reiz ihres Wesens ist der, daß sie *gar keine Poesie in sich hat*" (S. 359). Offenbar ist hier das Wort Poesie nur in der Bedeutung von „Nichtigkeit, falscher Schmuck, leidenschaftliche Ausschweifung" gebraucht! sonst können wir uns diese Behauptung gar nicht erklären. Und doch darf ein solcher Gebrauch auf keine Weise gestattet werden. Natalie ist in so hohem Maße poetisch, daß sie in ihrer Fürbitte bei dem Kurfürsten *sogar zur Prophetin* wird (S. 69), in den Worten:

> Das Vaterland, das Du uns gründetest,
> Steht, eine feste Burg, mein edler Ohm:
> Das wird ganz andre Stürme noch erleben,
> Fürwahr! als diesen unberuf'nen Sieg;
> Das wird sich ausbaun herrlich, in der Zukunft,
> Erweitern unter Enkels Hand, verschönern
> Mit Zinnen, üppig, feenhaft, zur Wonne
> Der Freunde und zum Schrecken allen Feinden etc. — —

Die übrigen Charaktere eben so ausführlich zu zergliedern, würde uns hier zu weit führen. Wir begnügen uns daher mit den hier und dort gegebenen Andeutungen und bemerken nur noch, daß uns von allen der Charakter des *Grafen von Hohenzollern* am wenigsten genügt hat. Außer einigen humoristischen Zügen, haben wir ihm wenig Anziehendes abgewinnen können, und er spielt zu sehr die blos ausfüllende und vermittelnde Rolle des charakterlosen Vertrauten.

Der *Schluß des Schauspiels* hat manchen Anstoß erregt, und wir müssen hier gegen Tieck's Urtheil, der ihn seiner Lieblichkeit und Wundersamkeit wegen lobt, dem Rec.

im Hermes beistimmen, wenn er gegen ihn einwendet, es störe das Gefühl, daß der Prinz, den wir eben erst aus seinen Träumereien zu einem edleren Seyn erwachen sehen, von neuem mystificirt werde. Daß der Kurfürst ihm seine Begnadigung nicht eher ankündigt, als bis ihm die Augen verbunden worden, ist — wir möchten sagen, ein Theatercoup, der nach seiner Verklärung in den kurz vorhergehenden Auftritten durch eine Art von *Herabwürdigung* stört. Die Ausrufe: „Heil, Heil dem Prinz von Homburg! Heil! Heil! Heil dem Sieger in der Schlacht bei Fehrbellin!" *verdient er nicht*, wenn er gleich später einen höheren Sieg erfochten hat. So großer Preis gebührt dem von Ruhmlust entflammten kriegerischen Muthe nicht; sein Sieg war ja zum Theil Geschenk des Glücks; ihm mangelte die Einsicht; und die Erinnerung daran also konnte dem *Begnadigten* nur *schmerzhaft* seyn. Am befriedigendsten wäre vielleicht der Schluß gewesen, wenn der Dichter bei dem neunten Auftritte den Prinzen noch hätte gegenwärtig seyn und daran die Verbindung mit Natalien und den Ruf zur Schlacht sich anreihen lassen. — —

Möge unsere dramatische Literatur durch recht viele Schauspiele von gleichem Meisterwerthe bereichert werden!

101.

6. [Wilhelm von Schütz.] Literarisches Conversations-Blatt, No. 217 vom 20. September 1822

Der Prinz von Homburg nochmals.

Erfreulich sind Besprechungen über Gegenstände der Kunst wie die, welchen jene Entwicklungen einiger Charaktere in Heinrich von Kleist's Prinzen von Homburg sich anreihen, die Nr. 113, Nr. 161 und Nr. 162 unseres literarischen Conversations-Blattes mittheilen. Wenn über einen in sich reichen Gegenstand mit Ernst gesprochen wird, so lassen sich die ersten darüber vernommenen Worte meist nur als Anfänge betrachten, deren reiflichere Ausbildung um so glücklicher zu erwarten ist, von je mehreren Seiten her sich ein theilnehmendes Interesse um den in Anregung gebrachten Gegenstand versammelt.

Alle bleibenden Erwartungen im Gebiet der Wissenschaften sind dadurch entstanden, daß den zuerst vorgetragenen Ansichten sich weitere Prüfungen, ihren Inhalt erweiternd, angeschlossen haben. Freilich wird auch zuweilen erlebt, daß solche Bemühungen einen entgegengesetzten Erfolg veranlassen. Nicht immer behandeln sie den dargebotenen Keim des Versuchs, irgend einen Gegenstand aus seiner eigenen ihm einwohnenden Natur zu entwickeln, mit jener pflegsamen Sorgfalt eines Gärtners, welcher diejenige Frucht aus ihm ziehen will, zu welcher der Sprößling die Anlage in sich verschließt. Sie hegen in der eigenen, wenn auch nicht durchaus, doch zum Theil abweichenden Ansicht einen hoffnungsvollen Baumstamm, dem sie jenen Keim als ein Auge einimpfen möchten, welches in solcher Verpflanzung nur ihnen zu der ihm möglichen Entwicklung scheint gelangen zu können. Und so ist es vielleicht noch ungleich öfter der Fall gewesen, daß durch die Vorarbeitung mancher zum ersten Male vorgetragenen Idee das völlige Gegentheil derselben in den literarischen Umlauf gekommen, daß sich aus dem

Keim nicht dasjenige Gewächs entwickelt hat, zu welchem die Anlage in dem ersteren Sprößling lag, sondern daß ein sehr Verschiedenartiges zu Tage gefördert ward.

Der Einsender der angeführten Artikel ist mit dem Verfasser der Recension von Hrn. v. Kleist's hinterlassenen Schriften im dreizehnten Bande des Hermes über vieles, vielleicht sogar in allem Wesentlichen einverstanden. Wenigstens über den Charakter des Prinzen scheint es nur ein Punct zu seyn, der beide trennt. Wenn nach des Recensenten Urtheil Friedrich von Homburg aus der Phantasiewelt in die wahre Charaktergediegenheit hinübertritt, welche den Traum in Wirklichkeit verwandelt, oder den Traum der Wirklichkeit weichen läßt, so glaubt der spätere Beurtheiler dem Problem eine noch vollkommenere Lösung gegeben, die Befriedigung in einem höheren Lichte gesehen und dem Schauspiel eine erhabenere Beziehung geliehen zu haben, wenn er, *statt eine Versöhnung des Idealen mit der Wirklichkeit darin zu suchen, welche weder dichterisch, noch der Anlage des Schauspiels selbst angemessen seyn soll, den Uebertritt des Prinzen aus einem an die niedere Wirklichkeit gefesselten Phantasieleben in das Leben der wahren Ideale* durch das erwähnte Drama dargestellt und im Charakter des Prinzen versinnlicht sieht.

Dieser Verfasser wiederholt einige Worte des Recensenten von jener Versöhnung der innern Traumwelt mit wirklichem innern Leben, die sich durch Natalie vollbringt; aber er macht einen Zusatz, der sich in der Recension des Hermes nicht vorfindet, wenn er jenen Recensenten sagen läßt: *„Der Prinz stellt uns das ideale Leben dar, er lebt in einem schwärmerischen Morgentraum, dem einmal die ernste Stunde entgegentreten muß."* Nicht eine Sylbe von des Prinzen idealem Leben steht in der ganzen Recension. Vielmehr bekundet sich, wenn man sie lieset, das gewissenhafteste Bemühen, die Vorstellung vom Idealen durchaus zu vermeiden. Fast alle Wendungen sind erschöpft, den Leser von dieser letztern Vorstellung zurückzuhalten und ihn mit einer völlig verschiedenen vertraut zu machen, nämlich mit der Vorstellung eines Lebens in aufgeregter Phantasie, im Muth und Feuer, die aus der Begeisterung, nicht aus dem ruhigen, tief im Gemüth begründeten Gleichmuth eines sich gleich bleibenden Sinnes herrührten, will Recensent uns bekannt machen. Eine in der Berauschung und Exaltation blos geträumte, und einer mit ruhiger Fassungskraft der Seele trotz allen Schrecknissen des Widerstandes wirklich ausgeführte Heldenthat sind verschiedene Dinge. Jene, als Product des vorüberwallenden Rausches, darf nicht mit den himmelweit davon verschiedenen philosophischen Begriffen von Idealen vertauscht werden. Sonst müßten ja alle Phantasmen eines exaltirten oder betrunkenen Sinnes und Gemüths, alle Wahnsinnigkeiten für Ideale gelten, zu denen das Universum sich erst emporzuheben hätte. Diesen Unterschied hat der Recensent im Hermes sehr fest vor Augen gehabt und des Prinzen Begeisterung für Heldenruhm und Liebe scharf geschieden von inwohnender Gegenwart einer den Menschen nie verlassenden festen Charakterkraft, welche diesem alle Dinge in ihrem wahren Lichte zeigt. Der Beurtheiler im Hermes ist hierin so consequent gewesen, daß er sogar das Wort Idee geflissentlich vermieden hat. In der ganzen Recension kommt es nicht ein einziges Mal, und das Wort Ideal nur ein einziges Mal vor. Aber nicht bei Gelegenheit des Prinzen, bei Gelegenheit Nataliens wird es erwähnt, wenn es heißt, das *Ideal ihrer Phantasie* sey der Prinz gewesen. Und der Phantasie dieser ruhigen, sichern und wahren Natalie waren Ideale möglich, weil sie gesichert stand gegen des Prinzen bis zur Mondsucht gesteigerte Reizbarkeit. Wer von

Idealen sprechen will, darf wohl die Art, wie eine klare und ruhige Seele den schönen Zusammenhang im Leben und den Dingen sieht, mit diesem Wort bezeichnen, nicht aber die Phantasmen der Mondsucht.

Wenn nun der Recensent dies unterscheidet, der Beurtheiler des Recensenten aber es vereinigt, und es nicht unterschieden haben will, wie die angezogenen Worte deutlich darthun, so ist letzterem die Phantastik des Prinzen und das Ideale desselben völlig identisch, oder Ein Wesen geworden. Dadurch aber untergräbt er seine Ansicht bis auf den Grund. Denn wenn Friedrich von Homburg aus der niedern Wirklichkeit in das Leben der wahren Ideale überträte, wie jener Schriftsteller sagt, so müßte er aus der niedern Wirklichkeit in die Traumwelt übertreten. Daraus folgt, daß dem Verfasser der fraglichen Artikel im Conv. Blatt die Traumwelt die Welt der Ideale, daß ihm die Einbildung in Stunden, wo der Mensch sich seiner nicht mächtig fühlt, die höhere Wahrheit des Lebens und der Dinge sey.

Wo hat nun die Recension im Hermes eine Versöhnung des *Idealen* mit der Wirklichkeit gesucht? Es war einzig und allein die Rede von jenem wichtigen Lebensmoment, wo etwas, das bisher nur seinen Aufenthalt (denn das Wort Wurzel würde hier nicht passen) in der Phantasie besaß, tief und unvergänglich Wurzel im Herzen selbst für immer ergreift. So ergibt sich denn, daß mit Hülfe fremder eingeschalteter Worte und hinzugefügter fremdartiger Ansichten in die besprochene Recension erst ein Sinn hineingedeutet worden ist, der nie darin lag. Es ergibt sich, daß eine Deutung damit unternommen ist, die nicht nöthig gewesen wäre, wenn der Zusammenhang der Worte unverändert gelassen wäre.

Aber trotz dem kann sich dem Blick, wenn er tiefer eindringt, kaum eine gewisse Uebereinstimmung beider Ansichten entziehen. Denn der Verfasser der Artikel im Conv. Blatt macht die *Wirklichkeit* zum Gegensatz des *wahren Idealen*. Ob jedoch diese beiden Begriffe Gegensätze durchaus sind, dies ist einzig und allein die Frage. Und schon hat Fichte, schon hat Schelling, schon hat Selger [: Solger], schon Hegel sie nicht mehr dafür anerkannt. Die Unterscheidung des Wirklichen von dem Eingebildeten, die Unterscheidung der wirklichen Wesentlichkeit aller Dinge von den unwahren Bildern, welche uns davon entstehen, die Befreiung der Seele von den Täuschungen des Sinnes, dies ist es, womit sich die Philosophie jetzt wieder vorzüglich zu beschäftigen beginnt.

So wäre denn die Unterscheidung von Wirklichkeit und Ideal, welche der Beurtheiler der Recension unternimmt, nicht begründet. Zwar setzt er *niedre* Wirklichkeit und *wahres* Ideal entgegen, aber jene Adjectiva bilden keine Gegensätze, *niedrig* und *wahr* stehen sich eben so wenig gegenüber, wie es zur Zeit bekannt ist, welche Ideale die *wahren* und welche die *falschen* sind. Ja noch läßt sich anführen, daß der Prinz von Homburg in den Anfangsmomenten unsers Drama keineswegs für die niedere Wirklichkeit begeistert war, sondern für Vaterland, Liebe und Heldenthum. Je mehr aber diese Begeisterung traumähnlich, ja der Betäubung gleich ist, um so weniger findet sie sich in Uebereinstimmung mit dem allgemein Menschlichen, sondern um so mehr in Abweichung von demselben, und das macht sie doch gewiß seltsam.

Auch über den dem Kurfürsten zugeschriebenen Humor und seine leise Neigung zur Phantastik sind Bedenken erhoben worden. Dieser Charakter soll zu fest, zu ernst, zu würdig, zu heldenmäßig für den Humor seyn. Aber wenn der Held, wenn der feste, entschlossene, nie schwankende Mann auch Sinn für den Humor da an den Tag legt, wo sich Anlaß dazu darbietet, wenn dem Phantastischen auf seinem Heldengange er ein Lächeln schenkt, ist er deshalb weniger Held? Wir bewundern Friedrich den zweiten auch deswegen so sehr, daß seine Seele groß genug war, in den entscheidendsten Momenten, wenn sich ein Anlaß zum Scherz darbot, ihn nicht zu verschmähen, und daß, wenn der große Kurfürst noch vor der Schlacht der Erscheinung eines phantasiereichen Jünglings nicht unhold war, der große König mitten in der Gefahr des Krieges und der Schlachten noch einen Platz für Poesie und Musik in seiner Seele frei behielt. Die biedere Beschränktheit in Kottwitz Natur hingegen zeichnet sich dadurch auf eine zwar andere, doch nicht höhere Weise aus, daß dieser Charakter nicht die geringste Fähigkeit zur Ironie an den Tag legt. Behauptet wohl, wer eine Verschiedenartigkeit in gewissen großen Eigenschaften entwickelte, deshalb auch eine Unterordnung, welche daraus hervorgehen soll? Eben weil der Kurfürst so vielseitig ist, kömmt er durch die schlichte einseitige Natur des Kottwitz etwas in das Gedränge, wie Aehnliches Friedrich dem zweiten auch verschiedentlich in seinem Leben begegnet ist. Ja es scheint fast zu den Stammeseigenschaften der Hohenzollern zu gehören, daß ihr großer Sinn sie keinesweges unempfänglich gegen den leichtern Scherz macht, und mit aus diesem Grunde vielleicht ist Kleist gerade wegen der Charakterzeichnung des Kurfürsten vornämlich zu rühmen. Für Kottwitz würde es unmöglich gewesen seyn, dem Prinzen die Kette um den Kranz in dem Moment des Nachtwandelns zu schlingen. Aber der Kurfürst thut das nicht nur, er fühlt sogar, daß er sich in diesem Scherz übereilt hat, er muß einen Wink geben, um die Uebereilung wieder gut zu machen, und was sehr richtig ist, der Dichter läßt ihn mit dieser Aeußerung zuerst auftreten, setzt ihn, beim Aufzug des Vorhangs, mit dem Prinzen in dieselbe phantastische Lage und läßt ihn Komödie mit dem jungen Homburg spielen. Kleist wäre ein arger Stümper gewesen, wenn er hierbei nicht seine Absicht gehabt hätte, nämlich uns den großen Mann auch sogleich von vorn herein in dieser individuellen Eigenschaft zu zeigen.

Endlich Natalie soll in der mehr erwähnten Recension durch die Bemerkung verloren haben, daß alles, was sie fühlt, denkt und thut, nicht sowohl Poesie als innere Wahrheit ihres Wesens ist. Aber wenn man, Klärchen in Egmont und Gretchen im Faust gegenüberstellend, sagte, jener erscheine das Leben mehr als ein reiches poetisches Bild, für das sie begeistert ist, und ein vielseitiger, großartiger Sinn sey ihr eigen, diese dagegen wolle alles, was sie liebt, mit der innigen, unwandelbaren Wahrheit ihrer Natur umfassen, so spricht man Gretchen gewiß nicht die Poesie ab. Und eben so heißt alles, was über Natalie gesagt worden, auch wohl nur: nicht in ihrer Phantasie, in einer vorüberrauschenden Begeisterung, in der Tiefe ihres innigen Gefühls, in der Wahrheit ihres reinen Herzens besitzt sie diejenige heimliche und warme Poesie, die eines weiblichen Wesens schönster Schmuck ist.

Beispiele, wie dieses erinnern, an jenes Wort: Credo, worüber wir neulich als Eigenschaft der meisten Gelehrten Klage vernommen haben, jenes Credo, dessen Bekenner nicht fragt: wie sieht der Mann, mit dem ich mich unterhalte, seinen Gegenstand an? und verstehe ich ihn auch recht? sondern nur prüft, wie steht seine Meinung in Uebereinstimmung mit dem, was ich früher über den Gegenstand vernommen habe, denn es kann nur richtig seyn, sofern es mit dem Buchstaben dieser Annahme einstimmt oder in Einstimmung zu bringen ist. 42.

BIBLIOGRAPHIE DER SCHRIFTEN
VON WILHELM VON SCHÜTZ

I. Selbständig erschienene Werke

1. (anon.) Lacrimas, ein Schauspiel. Hrsg. von August Wilhelm Schlegel. Berlin: Realschulbuchhandlung 1803

2. (anon.) Niobe. Eine Tragödie vom Verfasser des Lacrimas. Berlin: Realschulbuchh. 1807

3. (anon.) Der Graf und die Gräfin von Gleichen. Eine Tragödie vom Verfasser des Lacrimas. Berlin: Realschulbuchh. 1807

4. (anon.) Romantische Wälder vom Verfasser des Lacrimas. Berlin: Realschulbuchh. 1808 (enthält: Der Fels der Liebenden. Die Eroberung von Antiochia. Des Kamaldulensers Pfingstfeier. Romanzen I—XI. Eclogen. Aser und Zalinde)

5. Der Garten der Liebe von Wilhelm von Schütz. Erstes Buch [Berlin: Reimer 1811]

6. Graf von Schwarzenberg. Schauspiel in 5 Aufzügen. Berlin: Reimer 1819

7. Rußland und Deutschland oder über den Sinn des Memoire von Aachen. Leipzig: Gerhard Fleischer 1819

8. Dramatische Wälder. (Gismunda. Evadne.) Leipzig: F. A. Brockhaus 1821

9. (anon.) Beleuchtung der Schrift: Du congrès de Troppau par Mr. Bignon. Von S. v. N. Leipzig: F. A. Brockhaus 1821

10. Deutschlands Preßgesetz, seinem Wesen und seinen Folgen nach betrachtet. Landshut: Philipp Krüll 1821

11. Carl der Kühne. Drama in fünf Akten, mit einer Abhandlung über das vaterländisch-historische Drama. Leipzig: Georg Joachim Göschen 1821

12. Zur intellectuellen und substantiellen Morphologie, mit Rücksicht auf die Schöpfung und das Entstehen der Erde. 3 Hefte. Leipzig: F. A. Brockhaus 1821—1823

13. (Übers.) Aus den Memoiren des Venetianers Jacob Casanova de Seingalt, oder sein Leben, wie er es zu Dux in Böhmen niederschrieb. Nach dem Original-Manuscript bearbeitet von Wilhelm von Schütz. 1.—5. Band. Leipzig: F. A. Brockhaus 1822 bis 1824 (die restlichen sieben Bände sind nicht von Schütz herausgegeben)

13a. Casanoviana oder Auswahl aus Casanova's de Seingalt vollständigen Memoiren. Erstes Bändchen [mehr nicht ersch.]. Leipzig: F. A. Brockhaus 1823
[Weitere Vorabdrucke im Taschenbuch ‚Urania' 1822, 1823, 1824]

14. Rentereduction und Nationalbank. Dresden: P. G. Hilscher 1825

15. Ueber Erzeugung, Bearbeitung und Versendung der Schafwolle, jetzt und im Alterthume. Berlin: Rücker 1826

16. Beleuchtung der durch den Professor Krug angebrachten Delation geistlicher Umtriebe und Umgriffe im Königreich Sachsen und in dessen Nachbarschaft. Aus dem neunten Bande des „Staatsmanns" besonders abgedruckt. Offenbach a. M.: In der Expedition des Staatsmanns 1826 (: Pergay 1827)

17. (anon.) Erinnerung an des Markgrafen von Brandenburg Christian Wilhelm Bekehrung zum katholischen Glauben und an dessen Schrift, betitelt: Speculum veritatis Brandenburgicum. Offenbach a. M.: Ferd. Hauch 1828

18. Nachtrag zu der Schrift: Die großen Natur-Begebenheiten unserer Tage, erklärt aus den Weissagungen der heil. Schrift etc. 2. unveränd. Aufl. Frankfurt a. d. O.: Tempel 1831

19. Der Kirchenstaat, biblisch-prophetisch begründet in Rom. Leipzig: Rein 1832

20. Beleuchtung und Widerlegung der Schrift: Das Credit-Institut der Kur- und Neu-Märkischen Ritterschaft in seinem Verhältniß zu den nichtassociirten Rittergutsbesitzern. Frankfurt a. d. O. 1835

21. Rechtsgutachten in der Angelegenheit des Erzbischofes von Gnesen und Posen. Nebst einer Zugabe: Allocution Sr. Heiligkeit des Papstes Gregor XVI. in dem Consistorium vom 13. September 1838. Im Original und Uebersetzung. Regensburg: Manz 1838

22. Ueber die preussische Rechtsansicht wegen der gemischten Ehen Nebst einer Zugabe: Rechtfertigung des Herrn von Dunin, Erzbischofes von Gnesen und Posen, auf die von der königl. Regierung in Berlin durch die Staatszeitung vom 31. Dezember 1838 veröffentlichte Erklärung. Regensburg: Manz 1839

23. Maria Stuart, Königin von Schottland. Treu nach historischen Quellen geschildert. Mainz: Kirchheim, Schott u. Thielmann 1839

24. Ueber Kirchen-Staatsrecht in der preussischen Rheinprovinz. Betrachtungen zum Geiste der Gesetzgebungen und zum jetzigen Weltzustande. Würzburg: Voigt u. Mocker 1841

25. Ueber den katholischen Charakter der antiken Tragödie und die neuesten Versuche der Herren Tieck, Tölken und Böckh, dieselbe zu dekatholisiren. Mainz: Kirchheim, Schott u. Thielmann 1842

26. Hegel und Günther. Nicht Posaunenklang des jüngsten Gerichtes, nur fünf philosophische Betrachtungen. Leipzig: Friedrich Fleischer 1842

27. Die Epik der Neuzeit in Betrachtungen des Heldengedichtes Tunisias. Altenburg: Helbig 1844

28. Göthes Faust und der Protestantismus. Manuscript für Katholiken und Freunde. Bamberg: Literarisch-artistisches Institut 1844

29. Die aufgehellte Bartholomäusnacht. Seitenstück zur Schrift: Kämpfe und Triumphe der römischen Kirche in 17 Horen dargestellt. 2. Aufl. Leipzig: Jackowitz 1845

30. Ueber Eisenbahnen und Banken mit Rücksicht auf England, Oesterreich und Preußen. Würzburg: Stahel'sche Buchh. 1846

31. Protestantischer Jesuitenhaß und katholischer Fastengruß. Der Gesellschaft Jesu und ihren Freunden gewidmet. Augsburg: Kollmann'sche Buchh. 1846

32. Die frommen katholischen Alt-Sarmaten und die neuen heidnischen Anti-Sarmaten. Z. richtig. Würdigung ihrer letzt. Insurrection. Leipzig: Renger'sche Buchh. 1846

33. Weissagung des Bruders Hermann von Lehnin nach der belgischen Ansicht. Würzburg: Stahel'sche Buchh. 1847

Die Wilhelm von Schütz zugeschriebenen Schriften: ‚Noten zum Text. Veranlaßt durch das Schreiben Sr. Maj. des Königs von Preußen an Ihro Durchlaucht die Erzherzogin von Anhalt-Cöthen', Zerbst: Kummer 1826 (anonym) und ‚Schuldige Antwort des Hofraths v. Schütz an den Professor Krug in Leipzig, dessen an Erstern gerichtetes Sendschreiben betreffend', Zerbst 1827, sind nicht von ihm, sondern von dem Zerbster Hofrat Friedrich Wilhelm von Schütz verfaßt (vgl. Baxa II, 793 ff.)

II. Aufsätze in Zeitschriften und Sammelwerken

1. *Deutsches Museum.* Hrsg. von Friedrich Schlegel. Wien 1812 und 1813

   1812, 8. Heft: Sendschreiben an Herrn Hofrath A. B. [!] Müller, durch seine agronomischen Briefe veranlaßt

   1813, 4. Heft: Betrachtungen über das Trauerspiel Hamlet
   10. Heft: Zweytes Sendschreiben über den Ackerbau

2. *Deutsche Staats-Anzeigen.* Hrsg. von Adam Müller. Leipzig 1816—1818

   1816, 5. Stück: Die Völkerwanderung, eine historische Fantasie
   Ueber den Begriff vom Saatkorn und Wirthschaftskorn in Adam Müllers neuer Theorie des Geldes

   1817, 7. Stück: Noch einige Bemerkungen über die Angelegenheit der vormals unmittelbaren Deutschen Reichsfürsten und Reichsgrafen
   Beschränkung und Erweiterung der Preßfreiheit
   8. Stück: Ueber Säkularisationen
   Wie spiegelt sich der Zeitgeist in der Reform des Ackerbaus. Fragment aus dem Tagebuch einer Reise
   10. Stück: Ueber die Zurücknahme widerrechtlich veräußerter Staats- und Corporationsgüter
   Ueber das Steigen und Fallen der Getreidepreise in dem verflossenen Winter
   11. Stück: Die verschiedenartigen Wirkungen der freien Concurrenz in den Gewerben
   12. Stück: Forts. der Bemerkungen über das Steigen und Fallen der Getreidepreise

Ueber die von dem Bundestage zu erwartenden Maasregeln wegen Aufhebung der Beschränkung im gegenseitigen Verkehr mit den nothwendigsten Lebensbedürfnissen

Ueber die in dem Königreich Baiern zur Verhütung des Getreidemangels getroffenen Maasregeln

Anhang zu vorstehendem Aufsatz. Auszüge aus der Schrift des Herrn Finanzdirector von Seutter über die Getreidetheurung von 1816 und Bemerkungen darüber enthaltend

1818, 13./14. Stück: Von dem unersetzlichen ökonomischen Werth des geistlichen Grundeigenthums in christlichen Staaten

15. Stück: Ueber Grundsteuern

16. Stück: Ueber den Charakter des Befreiungskrieges und seine Einwirkung auf die Verfassung des Bauernstandes

17./18. Stück: Zeitgeist: Geldgeist

3. *Isis oder Encyclopädische Zeitung.* Hrsg. von Oken. 1. Bd., Jena 1817

1817, 5. Heft, Nr. 70—72: Preußens neueste Anordnungen (Erzählung und Unterredung)

4. *Heidelbergische Jahrbücher der Litteratur.* 10. Jg., Heidelberg 1817

1817, No. 56: (anon. Rez.) Die gegenwärtige Zeit, und wie sie geworden mit besonderer Rücksicht auf Deutschland, von Heinrich [!] Steffens. Berlin: Reimer 1817

5. *Literarisches Wochenblatt.* Bd. 6, Leipzig: F. A. Brockhaus, Juni—November 1820

1820, No. 20, 21, 22, 64, 67: Ueber Göthe (unterz. C.)
No. 88: (Rez.) Concordia. Eine Zeitschrift von Friedrich Schlegel (C.)
No. 97: Lord Byron mit Walter Scott in Parallele (C.)

Literarisches Conversations-Blatt. Leipzig: F. A. Brockhaus, Dez. 1820—1823

1820, 2. Dez.: (Rez.) Von Haller, Ueber die Constitution der spanischen Cortes und seine Gegner (C.)
15. Dez.: Graf Friedrich Leopold von Stolberg, als römisch-katholischer Christ (C.)

1821, No. 5: Noch etwas über A. W. v. Schlegels indische Bibliothek (C.)
No. 15: (Rez.) Urtheil der Juristen-Facultät der großherzogl. hessischen Universität Gießen, in Betreff der Angelegenheit der westphälischen Domänen-Käufer. Frankfurt a. M. 1820 (C).
No. 24: (Rez.) Ueber das Trauerspiel, die Albaneserin [von Müllner] (CL.)
No. 27: (Rez.) Die drei weißen Rosen. Rittergedicht in drei Gesängen von Helmina v. Chezy (CL.)
No. 58: (Rez.) Rafael Sanzio von Urbino, ein dramatisches Spiel in fünf Acten von G. Ch. Braun. 1819 (C. L.)
No. 94 Beil.: (Rez.) Du Congrès de Troppau ... par M. Bignon [nebst Ankündigung der eignen Schrift] (S. N.)
No. 128, 143, 164, 182, 188: Fünf Briefe über Strom- und Handelsfreiheit (C. L.)
No. 131, 133: (Rez.) Inwiefern sind Regierungshandlungen eines Zwischenherr-

schers für den rechtmäßigen Regenten nach dessen Rückkehr verbindlich? Zur Berichtigung des Versuchs einer wissensch. Prüfung der Gründe des vom Churhess. Oberappelationsgerichte am 27sten Junius 1818 ergangenen Ausspruchs von Dr. B. W. Pfeifer 1819 (C. L.)

No. 135: (Rez.) Zur Naturwissenschaft überhaupt, besonders zur Morphologie, von Göthe. Ersten Bandes drittes Heft (—C—)

No. 138, 140: (Rez.) Gedichte von F. L. G. von Goeckingh. Frankfurt a. M. 1818. Vier Theile (Cl.)

No. 158: Lebensassecuranzen und Sparkassen (C. C. L.)

No. 222, 225, 226, 232, 238, 242: Briefwechsel über die zwiefache Erscheinung von Wilhelm Meisters Wanderjahren I—VI (-C-, 42)

No. 243: Der Prinz Charles de Ligne über Casanova (42)

No. 244: Schreiben an den Herausgeber über die Unrechtmäßigkeit des Nachdrucks (42)

No. 270: (Rez.) Wilhelm Meisters Tagebuch, vom Verfasser der Wanderjahre (42)

No. 276: (Rez.) Biographie Friedrich Schöll's, königl. preuß. geh. Ober-Regierungsraths. Leipzig, bei Brockhaus (42)

No. 288: (Rez.) Heinrich von Kleist's hinterlassene Schriften. Hrsg. von L. Tieck (42)

1822, No. 1: Verschiedenheit der Meinungen. Zur Eröffnung des Jahrgangs (42)

No. 4 u. 8: (Rez.) Leben des Grafen von Bülow, kgl. preuß. Staats- und Handelsminister (42)

No. 64: (Rez.) Die Irrsale Klotar's und der Gräfin Sigismunda. Von O. H. Graf von Löben (42)

No. 96/97: (Rez.) Schriften von Henrich Steffens Alt und Neu. 1821 (42)

No. 116: (Rez.) Gedichte von L. Tieck. Zwei Theile (42)

No. 125: (Rez.) Der Central-Landrath im Königreich Baiern (42)

No. 158: (Rez.) Divinations- und Glaubenskraft. Von Franz Ritter von Baader. 1822 (42)

No. 167: (Rez.) Aus meinem Leben, von Göthe. Auch ich in der Champagne. 1822 (42)

No. 201: (Rez.) Poetische Erzeugnisse der Russen. Ein Versuch von K. F. v. d. Borg. Bd. 1, Dorpat 1820 (42)

No. 217: Der Prinz von Homburg nochmals (42)

No. 229, 230, 233, 234: Göthe (Artikel aus der 3. Lieferung der neuen Folge des Conversations-Lexicons) (42)

1823, No. 4: (Rez.) Ansicht der ständischen Verfassung der preuß. Monarchie. Von E. F. v. V. Berlin 1823 (31)

No. 22, 23, 66, 92: Paradoxien über Schauspielkunst I.—III. (31)

No. 101, 124, 131, 140, 146, 152: Theateransichten, mit Beziehung auf den neuen Theater-Artikel der Dresdner Abendzeitung I.—VI. (31)

No. 154: Ein vierter Uebersetzer der Jungfrau oder des Fräuleins vom See des Walter Scott [d. i. O. v. d. Malsburg] (31)

No. 194: Das Theater der Franzosen nochmals (s. No. 99) (31)

No. 280: Casanova über das Schöne (31)

6. *Hermes oder kritisches Jahrbuch der Literatur.* 4. Jg., Leipzig: F. A. Brockhaus 1822

1822, 1. Stück: (Rez.) Heinrich von Kleist's hinterlassene Schriften, hrsg. von L. Tieck. Berlin 1821 (unterz. M-h.)

7. *Jahrbücher der Literatur.* Bd. 10—120, Wien 1820—1847

1820, Bd. 10: Adolph Müllner, Der 29. Februar, Die Schuld, König Yngurd. Leipzig 1812—1817
Bd. 11: Reformations-Almanach für Luthers Verehrer, hrsg. von Friedrich Keyser, Erfurt 1817 u. 1819

1821, Bd. 13: Handbuch der National-Wirthschaftslehre von H. Storch. Hamburg 1820
Bd. 15: Amalthea oder Museum der Kunstmythologie. Hrsg. von C. A. Böttiger, Bd. 1, Leipzig 1821
Bd. 17: Homer's Hymnus an Demeter ..., durch Auflösung der alten Mysterien- und Tempelsprache in Hellas vermittelt von Dr. F. K. Sickler. 1820

1822, Bd. 19: Prüfung der Untersuchungen über die Urbewohner Hispaniens. Von Wilhelm von Humboldt. Berlin 1821

1823, Bd. 21: Amalthea oder Museum der Kunstmythologie, Bd. 2, 1822
Bd. 22: Protestantismus und Katholicismus, von H. G. Tzschirner. 1822. Beleuchtung der Tzschirnerschen Schrift, von Maximilian Prechtl
Bd. 23: Wilhelm Meisters Wanderjahre 1. Theil
Bd. 24: Der christliche Glaube, von Friedr. Schleiermacher. 1821. Zeichen der Zeit, von Laurenz Hohenegger. 1823

1824, Bd. 25: Kreta, ein Versuch zur Aufstellung der Mythologie und Geschichte, von Karl Böck. Göttingen 1823
Bd. 28: Il Conte di Carmagnola, di Alessandro Manzoni. 1820. Dasselbe, übersetzt von August Arnold. Gotha 1823

1825: Bd. 29: Wirthschaftsplan des Amtsrath Albert, hrsg. von Adam Müller. 1823. Vorschläge zur Erreichung mittlerer feststehender Getreidepreise, von Landrath von Knobelsdorf auf Sellin. Berlin 1824. Die Gewerbepolizey in Beziehung auf den Landbau, von Adam Müller. Leipzig 1824
Bd. 30: Ueber die Bedeutung der Gewerbe im Staate, hrsg. von Heinrich Schulz, 1. Abth., Hamm 1821

1827, Bd. 37/40: (anon.:) Geschichte der Hohenstauffen und ihrer Zeit, von Friedrich von Raumer. Leipzig, bey Brockhaus, 6 Bde., 1823—1825

1847, Bd. 119/120: Geschichte der französ. Revolution, von F. C. Dahlmann. 1845. Die Geschichte Frankreichs im Revolutionszeitalter, von W. Wachsmuth, Hamburg 1840. Vorlesungen über die Freiheitskriege, von J. G. Droysen. Kiel 1845. Geburt und Wiedergeburt, von F. Hurter etc. Schaffhausen 1856. Studien und Skizzen zur Geschichte der Reformation. Schaffhausen 1846. Populäre Geschichte der katholischen Kirche für Bekenner aller Konfessionen, von J. Sporschil. 1846

8. *Conversations-Lexicon.* Neue Folge in zwei Bänden. Leipzig: F. A. Brockhaus 1822
Bd. 1, 2. Hälfte, S. 484—494: (anon.:) Göthe

9. *Der Staatsmann.* Monatschrift für Politik und Zeitgeschichte. Hrsg. von J. B. Pfeil-schifter. Offenbach a. M. 1823—1831
Enthält unter anderem:

1824, Bd. 3: Blicke in die amerikanischen Reiche
Bd. 4: Geschichte einer Dorfgemeinde nach Erwerbung eines Ritterguts
Über das Wesen eines Ultra

1825, Bd. 5: (anon.) Erinnerung an Johannes von Müller bei Gelegenheit der grie-chischen Angelegenheit
Schattenseiten der Freistellung des Landmannes. Aphorismen
(anon.) Ueber die Legitimität, in Bezug auf die Angelegenheiten der Griechen
Bd. 6: Lobredner des Feudalismus im classischen Alterthume
Bei Gelegenheit der in Frankreich herzustellenden Büchercensur
Bd. 7: Bei Gelegenheit der Restitution des Ordens der Jesuiten
Landesverfassungen und Volksverfassungen
Bd. 8: Ueber die vom Innern der politischen Verfassungen zu erwartende finan-zielle Beihülfe
Fragment aus einem Schreiben an den Herausgeber
Ueber die Rückkehr zum römisch-katholischen Glauben
Ueber politische Tagesstimmungen
Ueber die Politik der Pforte
Ueber Finanzmaßregeln

1826, Bd. 9: Beleuchtung der durch den Professor Krug angebrachten Delation geistlicher Umtriebe und Umgriffe im Königreich Sachsen und in dessen Nach-barschaft
Ueber das Stocken der Fabriken

10. *Der Zuschauer am Main.* Zeitschrift für Politik und Geschichte. Hrsg. von J. B. von Pfeilschifter. Aschaffenburg 1831—1833, N. F., Bd. 1—4, 1834—1838
Enthält unter anderm:

1832, No. 5, 7, 44, 45, 100—103: (anon.) Die polnische Sache und die Russen (vier Artikel)
(Beilage: ‚Blätter für den deutschen Adelsstand‘): Ueber die Jagdbefugnisse des grundherrlichen Adels [der abgebrochene Artikel erschien 1840 vollständig in der ‚Zeitung für den Deutschen Adel‘]

1834, Bd. 1: (anon. Rez.) Studien und Skizzen zu einer Naturlehre des Staa-tes, von Heinrich Leo. 1. Abth. Halle 1833
Der sogenannte Zeitgeist in Deutschland
Vorstellung an den Staatskanzler Hardenberg. Ein Beitrag zur Geschichte der ständischen Verfassung in Deutschland

1835, Bd. 2: Ueber das Naturrecht und die Restauration der Rechtswissenschaft
Parallele zwischen Schlegels und Adam Müllers politischer Eigenthümlichkeit

Adam Müllers politische Bestrebungen
Betrachtungen über das Wesen des Staates, über Constitutionen und über die
Legitimität

1836, Bd. 3: Ueber das Gildewesen im Mittelalter, nach Wilda und Gervinus
Blicke in die Zukunft

1837/38, Bd. 4: Ueber die Faustsagen, mit Rücksicht auf das junge Deutschland
Ueber die angeregte Umgestaltung des geistlichen Zehntens in Irland

11. *Cölestina.* Ein Weihgeschenk für Frauen und Jungfrauen. Hrsg. von Pfeilschifter.
Aschaffenburg 1837

Ueber das Verhältniß der neueren Poesie der Deutschen zur Religion. Ein Fragment aus der Einleitung zu einer Dramatisirung des Hohenstaufischen Kampfes.

12. *Zeitung für den Deutschen Adel.* Redacteur: Friedrich Baron de La Motte
Fouqué (ab Febr. 1843: Heinrich Alexius Freiherr von Einsiedel). 1.—4. Jahrg.
Leipzig: Heinrich Franke (später B. G. H. Schmidt, ab Febr. 1843 Julius Helbig)
1840—1843

1840, No. 79—84: Ueber die Jagdbefugnisse des grundherrlichen Adels

1841, No. 17—19, 47—51, 55—59: Ueber die mannigfachen Einwirkungsweisen des
Grundadels auf das geistige und physische Wohl der Gesellschaft
No. 32 u. 33: Ueber die richtigen Schranken für die Macht des Grundadels
No. 34: Zur Bestätigung der das Preuß. Patrimonialgerichtswesen betreffenden An-
deutungen des Herrn Freiherrn von Marschall auf Haus Altengottern
Ueber den Sinn des Wortes „Fräulein". Mit Bezug auf die Andeutungen des Frei-
herrn von Marschall in Nr. 24 (1841) dieser Zeitung
No. 35 u. 36: Ueber grundherrliche oder Patrimonial-Gerichtsbarkeit
No. 49—53, 63 u. 64: Des preußischen und norddeutschen Grundadels Interesse bei
der englischen Getraide-Gesetzgebung
No. 51 u. 52: Weise Interpellation des Brandenburgischen Grundadels gegen einige
rein theoretische, von aller Praxis und Erfahrung abstrahirende Regierungs-
anordnungen
No. 55—57: Verdienste der Brandenburgischen Ritterschaft um Sicherung der Un-
verletzbarkeit des Rechtsprincips als Dogma
No. 79—82: Ein Wort der Adelszeitung an die Preßzeitung über Büchercensur
No. 79—83: Winke für Deutschlands Conservative zur richtigen Würdigung des
Sr. R. Peel
No. 83—86: Apologetische Zusätze zur Deutung der Agriculturpolitik Peel's
No. 90 u. 91: Ueber patrimonielle Criminalgerichtsbarkeit

1842, No. 4—9: Old England, begrüßt von seinen Getreuen des Festlandes, den
deutschen Torys, den Welfen
No. 7: Ueber eine, der Tendenz der Adelszeitung halb entsprechende Jenaische
Recensentenstimme
No. 8: Weßhalb bezeichnen manche Gewerker sich als bürgerlich?

(dazu) No. 74: Dankwort für eine Belehrung aus Wien [durch eine Leserzuschrift in No. 22]

No. 16—19: Des deutschen Adels Verhältniß zur altpositiven Religion und neuern Philosophie

No. 20—23: Syriens Verhältniß zur Pforte, zu Aegypten und zu Europa: auch zur Christenheit

No. 52 u. 53: Wie hat Deutschlands Grundadel Englands und Frankreichs Schutzzollsystem zu würdigen?

No. 54: Der Finanzminister Graf von Alvensleben und die Zuckerfrage

No. 55: Standschaft ist für Deutschland, was für England der Credit

No. 65—67, 89—91, 101—103: Die Schrift des Herrn von Bülow auf Cummerow — Preußen, seine Verfassung u.s.w. — und deren Gegner

No. 72: Der Freiherr von Richthofen über seinen Wollverkaufspreis

No. 80—83: Herr v. Bülow-Cummerow über die Nothwendigkeit, in Taxgrundsätzen einen Maaßstab für den Werth des Grund und Bodens zu erhalten

No. 84 u. 85: Das Sternbergsche Kreisblatt über Gewerbefreiheit

No. 92: Dem Adel wichtige Andeutungen aus J. v. Görres' Schrift: Kirche und Staat, glossirt durch Wilhelm von Schütz

No. 95 u. 96: Was bestimmt den Werth einer Zeitung? Mit Rücksicht auf die Augsburg'sche Allgemeine Zeitung

1843, No. 4: Rückblick auf Robert Peel's bisherige Verwaltung

No. 4—6: Die beiden Allgemeinen Zeitungen über das Preußische Ehescheidungsgesetz

No. 5 u. 6: Abgerissenes über den deutschen Zollverein

No. 7—12: Fernere Beleuchtung der Schrift: Preußen, seine Verfassung u.s.w. von v. Bülow-Cummerow

No. 12—19: Friedrichs II. Politik und Administration, als nachträgliche Schlußbetrachtung über die v. Bülowsche Schrift

No. 56—59: Zur Unterscheidung des Bürgers vom citoyen

13. *Anticelsus.* Deutsche Vierteljahresschrift für zeitgemäße Apologie des Katholicismus und Kritik des Protestantismus. Von Wilhelm von Schütz. No. 1—12, Mainz: Kirchheim, Schott u. Thielmann (ab No. 5 Speyer: Daniel Kranzbühler) 1842 bis 1845

1842, No. 1: Historisch einleitende Darstellung des Entwicklungsganges der jetzigen katholischen Journalistik Deutschlands

Ueber den Charakter und die Richtung des Anticelsus

Protestantische Beurtheilung der Beiträge des Dr. Baltzer zur Vermittlung eines richtigen Urtheils über Katholicismus und Protestantismus

Ueber den Ausdruck: Evangelische Kirche

Wie verhält das Drama des Protestantismus sich zum Epos der Welt- und Menschengeschichte?

Was ist dem protestantischen Juristen das Christenthum?

Ueber Schuldtilgung und Verlustaufhebung

Die Herren Fischer und Sengler über die Idee der Gottheit

No. 2: Ueber Englands und Spaniens kirchliche Zukunft
Das Rückwirken der Kunst auf die Religion
Drei missliche Behauptungen in Schelling's erster Vorlesung
Annahende Nothwendigkeit eines besonnenen Denkens über die Apokalypse
Fundamentirung des Christenthums auf Bibel allein, sowie auf Bibel und Symbol zusammen, sind beide, weil undurchdacht, Widerspruch
Streit der zwei extremen protestantischen Farben über das Symbol
Göthe's Wahlverwandtschaften nach ihrem Verhältniß zur Naturphilosophie, im katholischen Geiste betrachtet
Vergleichende Rückblicke auf seit der Reformation interessant gewordene katholische, protestantische und orientalisch-muhammedanische Persönlichkeiten und Zustände
Ueber das Schließen der Theater an Sonn- und Feiertagen
Ueber eine vom Rheine gekommene Stimme für das Wiedererscheinen des Fränkischen Couriers

No. 3: Bedeutsamkeit der im katholischen Frankreich für das katholische Deutschland angeordneten Kirchengebete
Ueber die nach den Motiven zum Ausbau des Domes in Cöln erwachten Fragen
Der Streit des Klerus mit der Lehre und der Wissenschaft in Frankreich und in Deutschland
Zur Ausgleichung verschiedener Beurtheilungen der Gedichte des Domherrn Genelli
Geschichtliche Nacherläuterung zum obigen Artikel. An die verehrte Redaction des Schlesischen Kirchenblattes
Möglichkeit die griechischen Mythen aus katholischem Standpuncte historisch-richtig zu verstehen und zu deuten
Viktorine, Seitenstück zu Bretschneiders Clementine, und das Zeitalter
Nachwort zur Betrachtung der Viktorine für die das positive Christenthum läugnenden Wissenschaftlichen

1843, No. 4: Zum vielseitigeren Verstehen der Hochkirche
Das Studium der Apokalypse. Die Apokalypse nicht inneres Gesicht, sondern äußeres Ereigniß
Ueber Generationismus und Traduzionismus nach Klee's Darstellung
Ueber den der Kirche nöthig seyn sollenden wissenschaftlichen Gnadenthau
Nachträgliches zu J. v. Görres über Magnetisches, Dämonen, Visionen und Hexen
Historisch vorbereitende Betrachtung des Verhältnisses der Heilkunde zur Religion und Antireligion
Weitere ankündigende Gedanken über den Faust von Göthe
Ein Wort an den Herold des Glaubens

No. 5: Programm zum zweiten Jahrgange des Anticelsus
Riffel und Rettberg als theologische Gegenpole
Des Theologen Marheineke Verhältniß zum akatholischen Orgiasmus Luthers und Rationalismus Zwinglis
J. F. Fries über Gnosis und Naturphilosophie
Pusey und Abeken

II. Aufsätze in Zeitschriften und Sammelwerken

Der Freiherr von Wessenberg über von Schelling's erste Vorlesung in Berlin
Ueber von Schelling's positive Philosophie
von Schellings Vorlesungen über negative Philosophie
Recensur sich Recension nennender protestantischer Censuren katholischer Schriften

No. 6: Wohin führt populäre Gerichtsöffentlichkeit, abgetrennt von der Kirche?
Einleitendes zu der Reihefolge von Artikeln „über neuere Philosophie" in den historisch-politischen Blättern
Theologie mit Philosophie verbunden, entgegengesetzt moderner Religions- und Offenbarungs-Philosophie
Lysis und Phädros, zur Wiedererweckung katholischen Verständnisses der platonischen Philosophie: Vorwort. 1. Ueber dialogisches Behandeln der Philosophie. 2. Ueber die angeblich frühe Abfassung und den jugendlichen Charakter des Phädros
Zusammenhang der antiken Tragödie mit dem Hebraismus
Land und Hand im religiös-organisirten christlichen Ackerbau

No. 7: Clemens August und Gladstone
Der unbekannte Gott zu Athen
Das Buch Henoch. Vorläufiges
Leibnitz und Hegel als Logiker
Lücke, Köllner und Windischmann über Galater III, 20
Neanders Trübungen der Kirchengeschichte
Nothwendigkeit des platonischen und aristotelischen Elements in katholischer Theologie

No. 8: Günther's Euristheus und Heracles
Der tief eingreifende Zusammenhang des eucharistischen Opfers mit dem Universum
Die anglicanische Theologie und der Puseyismus. Erster Artikel
Das Neigen der Zeit zum Hierarchisch-Sacerdotalen beim Leben in der Ehe, im Kloster, und in der bürgerlichen Gesellschaft
Aristoteles Würdigung des Subject-Objectiven

1845, No. 9: Der Katholicismus in Deutschland durch und seit Clemens August und Möhler. Zur Eröffnung des Jahrgangs
Ueber traditionelle und hypothetische Wissenschaft
Der Schienenweg, eschatologisch und ökonomisch betrachtet
Exner und Rosenkranz
Die anglicanische Theologie und der Puseyismus. Zweiter Artikel

No. 10—12.
Die an deutschen Bibliotheken nicht nachweisbaren Nummern enthielten nach Brühl unter anderem:
Ist Deutschkatholicismus Willkür oder Nothwendigkeit?
Leopold Schmid über die menschliche Erkenntniß
Katholische Lyrik
Passy's Comedia humana und Göthe's Triumph der Empfindsamkeit

Des Domkapitular Scholz Harmonie der göttlichen Offenbarung mit den Fortschritten der Wissenschaft

Theologische Aufsätze erschienen ferner in folgenden von mir nicht durchgesehenen Zeitschriften:

14. *Der Katholik.* Eine religiöse Zeitschrift zur Belehrung und Warnung. Hrsg. von N. Weiß. Mainz. Enthält unter anderm:

    1833, Bd. 47: Katholisches Büßen und protestantisches Trauern

15. *Athanasia.* Eine theologische Zeitschrift. Von F. G. Benkert und J. M. Düx. Würzburg. Enthält unter anderm:

    1834, Bd. 16: (Über das Recht der Fürsten in Beziehung auf Liturgie und kirchliche Investitur)

    1840, Bd. 27: (Die mosaische Völkertafel, von der Sündfluth zum Turmbau)

    Ferner Aufsatz über den Hebräer-Brief des Apostels Paulus

16. *Allgemeiner Religions- und Kirchenfreund und Kirchencorrespondent.* Hrsg. von F. G. Benkert und J. G. Sassenreuter. Würzburg. Enthält unter anderm:

    1841, Heft 5: (Über den Zusammenhang der Gergesener oder Gerasener mit den Atlantiden)

III. Poetische Beiträge

1. *Musen-Almanach für das Jahr 1802.* Hrsg. von A. W. Schlegel und L. Tieck. Tübingen: Cotta'sche Buchh. 1802

   Romanze (An dem dunklen Tagamante) (unterz. sz.)
   Zauberey der Nacht. Romanze (Aus Wolken tritt der Mond herfür) (sz.)
   Die Tänzer (Der glänzenden Kerzen Schein erhellt) (sz.)
   Wonne der Nacht (O Mondschein süß) (sz.)

2. *Poetisches Taschenbuch für das Jahr 1806.* Hrsg. von Friedrich Schlegel. Berlin: Unger 1806

   Der Schäfer (Des Schäfers Loos muß ich dem Thau vergleichen) (L.)
   Des Schäfers Klage (In Blumenbläue sonnt) (L.)

3. *Musen-Almanach für das Jahr 1814.* Hrsg. von Johann Erichson. Wien 1814

   Der Regent (Erhebt aus strahlender Beglänzung)
   Ballade (Das gold'ne Licht, um Phöbus Stirn gebunden)
   Lied (Im Maien-hellen Walde)
   Frühlingsseufzer (Im Morgenthaue so grünend der Plan)
   Aus einer Tragödie: Charlotte Corday (Erdfesselnden Eises, auch)
   Lied (Wenn vom einsamen Thurme)

III. Poetische Beiträge

4. *Die Hesperiden.* Blüthen und Früchte aus der Heimat der Poesie und des Gemüths. Hrsg. von Isidorus [O. H. von Loeben]. Leipzig 1816

Abgeschiedenheit (Wer Balsam genossen)
Leben und Dichtung (Wähne nicht, daß Mund nur singe)
Der Vater und sein Kind. 1. Am Morgen (Dich treu zu bewahren)
2. Am Mittag (Hier, wo gleich blauen Bächen)
3. Am Abend (Endlich wieder dich bezogen)
Ermunterung (Sieh', wie an den Bäumen hängen)

5. *Thusnelda.* Unterhaltungsblatt für Deutsche. Hrsg. von Carl Wilhelm Grote und Friedrich Raßmann. Coesfeld i. Westf. 1816

No. 17: Dichterlustbarkeit (Nicht in enger Klause dichten)
No. 14: Der Raubvogel (Ich will wie der Geier)

6. *Sonette der Deutschen.* Hrsg. von Friedrich Raßmann. Bd. 2, Braunschweig 1817

Leucadio (Des Waldes braunes Laub) (Aus Romant. Wälder)
Der Schäfer (Des Schäfers Loos muß ich dem Thau vergleichen) (Aus Romant. Wälder)
Im Gebirge (Genug gelebt hab' ich im flachen Lande)
Der letzte Kampf (Noch Einen Kampf —)

7. *Blumenlese südlicher Spiele im Garten deutscher Poesie.* Hrsg. von Friedrich Raßmann. Berlin 1817

Gesang der Leonella (Bewohnet Fluren, euch ein junger Schäfer..) (Aus Garten der Liebe)
Glosse (Liebe denkt in sel'gen Tönen) (Aus Romantische Wälder)
Vor einem steinernen Bild (Welch wunderbares Netz will mich umflechten?) (Aus Garten der Liebe)

8. *Auswahl neuerer Balladen und Romanzen.* Hrsg. von Friedrich Raßmann. Helmstädt 1818

Das Fest im Kloster („Da sitz' ich nun", ein Mägdlein klagt)

9. *Der Gesellschafter oder Blätter für Geist und Herz.* Hrsg. von F. W. Gubitz. 2. Jahrg., Berlin: Maurersche Buchhandlung 1818

Bl. 17, 30. Jan 1818: Der Schäferin Morgenklage (Lichte Sonne! Lichtes Thauen!) [Vorabdruck aus Nr. 24]

10. *Die Sängerfahrt.* Eine Neujahrsgabe für Freunde der Dichtkunst und Mahlerey. Hrsg. von Friedrich Förster. Berlin: Maurersche Buchh. 1818

Der Raub der Proserpina. Eine Frühlingsfeier

11. *Aurikeln.* Eine Blumengabe von deutschen Händen, hrsg. von Helmina von Chezy. Berlin: Duncker und Humblot 1818

Prüfungszeit (Wenn die Zeit der Leiden naht)
Das Wahre (Wenn, was wahr ist, du willst finden)

12. *Frauentaschenbuch für das Jahr 1818.* Von de la Motte Fouqué. Nürnberg: Joh. Leonh. Schrag

Heimweh der Liebe (Geselle jung, sprich, was dir fehlt?)
Der Spröden im Frühling (Und du läßt dich nicht erweichen?)
Im Bergthal (Wie die Berge hier so mächtig)
Wehklage in der Unterdrückung (Wenn im goldnen Abendscheine)

13. *dasselbe, 1820*
Abendruhe (Mir wurde wie die Wipfel)
Mangel (Mich hatte lieblich eingewiegt)
Die Bereuende (Seid, Mütter, nicht zu schnöde)
Das treue Mädchen (Sie schlafen all' noch drinnen)
Druck der Liebe (Ach wie schwer — wie schwer belastet)

14. *dasselbe, 1821*
Herbstlied (Aus dem Weinberg mit Gesängen)
Titon (Will ich den Laubglanz genießen)

15. *dasselbe, 1822*
Lieder (Letzte Liebe. Das Sinnenpaar. Am Wasserfall. Ewge Liebe. Eitle Sorge. Herbstlabung)

16. *dasselbe, 1823*
Weltkräfte (Anrede. Einsamkeit und Gesellschaft. Lieder und Thränen. Berauschung und Begeisterung. Gunst und Liebe. Dulden und Streben. Forschen und Hoffen. Der Pfad der Liebe. Mißklang)

17. *Askania.* Zeitschrift für Leben, Litteratur und Kunst. Hrsg. von Wilhelm Müller. Dessau 1820

2. Heft: Triumphe deutscher Vorzeit. Gedicht in fünf Kapiteln
5. Heft: Probescenen aus: Carl der Kühne, Trauerspiel (Erster Aufzug, erste bis vierte Scene)

18. *Schauspiele von Don Pedro Calderon de la Barca.* Übersetzt von Ernst Friedrich Georg Otto von der Malsburg. Bd. 4, Leipzig: F. A. Brockhaus 1821

S. 135 ff.: Erschifft das Land ist, wo die Goldquell'n flimmern! (Sonett)
Sünd-Fluth, die strafend schwoll hinan die Veste (Sonett)

19. *Feierstunden.* Eine Schrift für edle Unterhaltung in zwanglosen Bänden. Hrsg. von Ferd. Frhr. v. Biedenfeld und Christoph Kuffner. Bd. 1, Brünn 1821

Fürsten-Lob (Erhebt aus strahlender Beglänzung) [Unter dem Titel Der Regent schon in Erichsons Musen-Almanach von 1814; wohl auf Max Joseph von Bayern bezüglich]

III. Poetische Beiträge

20. *Urania.* Taschenbuch auf das Jahr 1821. Leipzig: F. A. Brockhaus 1821

    Der Raub der Verlobten (Erzählung)

21. *dasselbe, 1822*

    Die Reise mit Amor (Noch war ich unerfahren/Im süßen Dienst der Liebe)

22. *Minerva.* Taschenbuch für das Jahr 1822. Leipzig: Gerhard Fleischer 1822

    Gemälde aus Böhmen. Reiseerinnerungen, zusammengestellt aus Briefen

23. *Taschenbuch zum geselligen Vergnügen auf das Jahr 1824.* Neue Folge, 4. Jahrg. Leipzig: Joh. Friedrich Gleditsch

    Der Schäfer und die Sonne (O Daphne, laß Dich rühren)
    Abendverlangen (Wie so rein der Duft der Linden!)
    Abendruhe (So still wie rings die Wipfel)

24. *Hesperische Nachklänge in deutschen Weisen.* Eine neue Sammlung deutscher Glossen, Villancico's, Cancionen, Sestinen, Canzonen, Ballaten, Madrigale, Minnelieder etc. Aus gedruckten und ungedruckten Quellen hrsg. von Friedrich Raßmann. Köln 1824

    Der Schäferin Morgenklage (Lichte Sonne! lichtes Thauen!) (s. Gubitz Gesellschafter 1818)
    Drei Sestinen aus „Lacrimas" (Wie sanft, mein Kleinod, dich der Schlaf umhüllet! — Ismene, du mein Eines und mein Alles! — Im Schlummer selbst beglückest du mich, Liebe)
    Beim Sternenhimmel (Wenn in des Himmels stille Nachtbahn treten) (s. Garten der Liebe, 1811)
    In der Nacht (Endlich bist du aufgeduftet) (s. Garten der Liebe, 1811)

25. *Orpheus.* Eine Zeitschrift in zwanglosen Heften. Hrsg. von C. Weichselbaumer. Nürnberg, 2. Heft, 1824

    Der Mohrenkönig. Romantisches Trauerspiel (Erster Aufzug)

26. *Der Zuschauer am Main.* Zeitschrift für Politik und Geschichte. Hrsg. von J. B. von Pfeilschifter. Aschaffenburg, 2. Jahrg., 1832

    Nr. 45: An Carl X. von Frankreich (Tief, ja tief vor Dir mich beugen)

27. *Cölestina.* Ein Weihgeschenk für Frauen und Jungfrauen. Hrsg. von Pfeilschifter. Aschaffenburg 1837

    Gedichte (Erndtehymnus. Gottesliebe. Sündenstand. Neue Sühne. Der Geist Gottes. Strafworte. Worte der Stärkung. Natürliche Religion. Gewissensforschung. Nachruf an Friedrich Schlegel)
    Das Leben in der Kirche

NAMENREGISTER